Sprachen werden Schrift*)

*) Auf Effizienz bedachte ZeitgenossInnen, die sich mit diesem Blick auf den Klappentext die Lektüre des langwierigen Inhalts verschlanken wollen, seien freundlich darauf hingewiesen, daß sie sich durch solche Sparmaßnahmen um schöne und aufschlußreiche Details bringen.

Oder hätten Sie gedacht, daß Sie trotz dem Untertitel »Mündlichkeit – Schriftlichkeit – Mehrsprachigkeit« auf folgende Wirklichkeiten stoßen können – : *critical friend (S. 26), odd-man-out (54), fubaz bäh (63), face-to-face-Interaktion (66), lautliches Reagieren in der Fankurve bei Meisterschaftsspielen (68), Alkapone (89), Kiiiiwiiii (95), Kratzputz (121), Thomas Muster (126), Teppichpiloten (156), Kichererbsen (173), Casanova 191, Knoblauch (210)* und *Bottom-up-Strategie (269)?*

Nicht weniger als das ganze Leben also, auf knappen dreihundert Seiten. Und wer noch mehr erfahren will, findet ein abundantes Inhaltsverzeichnis auf den *Seiten 7–9.*

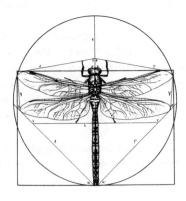

libelle : wissenschaft
lesen und schreiben 7

Heiko Balhorn / Heide Niemann

(Hrsg.)

Deutsche Gesellschaft für Lesen und Schreiben

Sprachen werden Schrift

Mündlichkeit – Schriftlichkeit – Mehrsprachigkeit

Libelle

Inhaltsverzeichnis

IV. Didaktisches Hintertreffen: Mehrsprachigkeit ist die Realität

Vorwort

Das »*Gefüge*« einer Schulklasse, also die vielleicht 25 gleichaltrigen Personen, die in einer Klasse zusammen sind, machen miteinander aus, was im Unterricht vor- und was ankommt. Die Lehrerin, zuallererst als Person, wirkt dabei wesentlich mit. Institutionelle Bedingungen beschränken und eröffnen Möglichkeiten des Zusammen-Lebens und also -Lernens.

Unser Gegenstand, »*lesen und schreiben*« als Thema der Reihe der Jahrbücher, hat deshalb relative Bedeutung. Wenn wir Fragen nach den Bedingungen des Lernens von Schrift stellen, so drängen sich »Faktoren« in den Vordergrund, die noch vor den fachdidaktischen liegen: Welches sind die sechs-Jahre-langen Lebenserfahrungen der Kinder unserer Klasse? Welche Einstellungen, Wünsche, Ängste, Hoffnungen, Erwartungen bringen sie mit? Wie ist Unterricht zu planen und zu organisieren, so dass Kinder einbezogen werden und auch das Planen lernen? Wie lässt sich – trotz vieler zuwiderlaufender Tendenzen – ein Wir-Gefühl stützen und stärken?

Dennoch: Auch in diesen – global gefassten – Fragen sind Kinder vereinheitlicht gedacht, kommt ihre Individualität nicht vor.

Unsere Schule tradiert einen Lernbegriff, der Lernen als Konsequenz von Lehre denkt. Lehrpläne enthalten Serien von *Sollensätzen* als sogenannte *Lernziele:* Der Schüler soll ... Es kommt einer Vereinnahmung von Schülern gleich, wenn wir unsere Vorstellungen als ihre (Lern)Ziele in (Lehr)Plänen ausformulieren.

Lernen ist durch Lehre eben nicht zu machen. 200000 Kinder, die jährlich »sitzen bleiben«, und 70000 (7,3%) Schulabbrecher pro Jahr belegen die Unabhängigkeit des Lernens von Unterricht; sie zeigen, wie lose Lernen und Lehren miteinander verbunden sind (Zahlen aus 1994 vom Institut für Schulentwicklungsforschung).

Unser Gegenstand ist Schriftsprache. Dieses siebte Jahrbuch »lesen und schreiben« ist – wie alle Vorläufer und auch die anderen Libelle-Bücher zu diesem Thema – ein fachdidaktisches Buch. Aber schon immer enthielt die Didaktik der Jahrbücher ein bestimmtes Verständnis, das nicht den Gegenstand und auch nicht die Perspektive der Lehre zum Ausgangspunkt nahm, sondern das Lernen. *Lernen als Konstruktion, Lernen durch Gebrauch, Lernen als eigenaktive Regelbildung,* dies sind Chiffren dessen, was zu Recht auch *DGLS-Didaktik* genannt wird. Sie nahm 1983 ihren Ausgangspunkt in *Hans Brügelmanns* »*Kinder auf dem Weg zur Schrift*«. Wir danken seinem Ansatz die *Piagetsche Wende* in der Sprachdidaktik, aber eben nicht nur diese.

Der Gedanke, dass Kinder sich lernend ihre Welt konstruieren, dass schon das Sehen ein aktives Ordnen von Umweltdaten vor dem Hintergrund ihrer Bedeutung in einem bestimmten Sinnzusammenhang ist, legt nachdrücklich nahe, Schule und Unterricht von den Erfahrungen und dem Erleben der Kinder her zu denken. Und so gesehen sind Fachdidaktiken traditionelle Aufsätze, die gerade in unserem Interesse am Lesen und Schreiben Grenzen ziehen, die verengen und die Gefahr bedeuten, Schrifterwerb als (Kultur)Technik zu verkürzen und in diesem technischen Modell entsprechende Lehrgänge zu entwerfen.

Lesen, Schreiben und – vor beidem – Sprechen sind ja nicht eigentlich fachlich zu begrenzende Tätigkeiten. Sie sind in allen Fächern fundamental, jedes Fach – auch das der Sprache – drückt sich in diesen Modalitäten aus.

Es wird aus guten Gründen in der Zukunft stärker darum gehen, fächerübergreifende Ansätze aufzunehmen und auszubauen und damit die Wechselwirkung zwischen fachbezogener und allgemeiner Didaktik für beide fruchtbarer werden zu lassen.

»ABC und Schriftsprache«, »Welten der Schrift«, »Am Rande der Schrift«, »Schriftwelten im Klassenzimmer« und »Rätsel des Schriftspracherwerbs«, die DGLS kann in ihren Veröffentlichungen auf eine Tradition der Auseinandersetzung mit Fragen der Schriftlichkeit verweisen. Dies entspricht dem Namen, den unsere Gesellschaft trägt. Mit »Jeder spricht anders« wurde zum ersten Mal das Sprechen in den Vordergrund gerückt. Diesen Ansatz wollen wir in diesem Band wieder aufnehmen und Fragen des mündlichen Sprachgebrauchs in den Blickpunkt rücken.

In der Schrift kann sich immer nur das ausdrücken, was zuvor gedacht und »mündlich« gefasst worden ist. Oraler Sprachgebrauch, also das Sprechen und Zuhören, das Erzählen, die Gesprächsführung sind Fähigkeiten, die in den Schriftgebrauch eingehen, die in der Schrift aufgehoben und die – rückwirkend – durch das Wissen aus der Schrift erfüllt werden.

Oraler Sprachgebrauch ist auch der Einstieg für Kinder anderer Muttersprachen in die Zielsprache Deutsch wie auch in eine Fremdsprache.

Es ist sicher nicht zuletzt die Fähigkeit zum mündlichen Sprachgebrauch, die für die spezifische Verteilung der Migrantenkinder auf die Sonderschulen und Gymnasien bestimmend ist. Ganz offenbar gelingt es der Schule nicht, allen Kindern und Jugendlichen Bedingungen zu schaffen, unter denen sie ihre Sprech- und Sprachfähigkeit produktiv entwickeln können. Es mehren sich die Anzeichen dafür, dass Sprachlosigkeit in einem engen Zusammenhang mit Gewalttätigkeit steht.

Hier stellt sich der Schule eine Aufgabe, der sie schon deshalb nicht ausweichen kann, weil sie von Gewalt – wie andere gesellschaftliche Bereiche auch – betroffen ist und sie diese – als Teil von Gesellschaft – mit erzeugt.

Fachdidaktik wäre also ein zu enger Rahmen, wenn wir sie nicht als Denkentwicklung verstehen, als eigene und die der Kinder, mit denen wir Schule machen.

Deshalb leiten wir diesen Band mit einem Aufsatz von *Hans Brügelmann* ein, der sich als ein ausdrücklich nichtdidaktischer verstehen lässt. Der Grundgedanke unter dem Titel *»Fördern durch Fordern«* ist, dass die Idee der Vereinfachung das Problem sei. Das pädagogische Bemühen, Kindern die Welt in kleinen verdaulichen Elementen zuzubereiten und ihnen bestimmte Wege der Addition dieser einzelnen Stücke vorzuschreiben, bedeute Verständnisschwierigkeiten, laufe auf das Vorenthalten eines Anspruchs hinaus und führe zu einer Mischung aus Über- und Unterforderung.

Radikaler noch und ungemütlich sind die Fragen, die *Wilhelm Dreßler* an die Thesen des »sokratischen Eides« von *Hartmut von Hentig* stellt. Seine Fragen reichen weiter als die allfällige Schulkritik. Sie suchen Gründe für das Scheitern in den überkommenen allgegenwärtigen, aber schwer erkennbaren Machtstrukturen der Schule.

Petra Hanke sucht den weichen und nahezu leer gebliebenen Begriff *»offener Unterricht«* zu bestimmen. Fünfzehn Merkmale sind es, die die Autorin mit Blick auf den sprachlichen Anfangsunterricht konkretisiert.

Gerade noch rechtzeitig für dieses Buch kommt ein zweiter Beitrag von *Hans Brügelmann*. Er geht auf einen Vortrag zur DGLS-Tagung im Mai in München zurück. *»Die Öffnung des Unterrichts muß radikaler gedacht, aber auch klarer strukturiert werden«* – so der Titel, die Position und das Programm. Der Anspruch, auf den hin hier argumentiert wird, könnte auch diejenigen stärken, die in dem Doppelbegriff »offener Unterricht« nur den ersten wahrnehmen.

Der zweite Teil wird von *Hartmut Günther* durch eine theoriegeleitete Bestimmung der Spezifika von *Mündlichkeit und Schriftlichkeit* eingeleitet und in ihrem Verhältnis untereinander reflektiert.

Wie sehr das Schreiben persönlicher Texte im Anfangsunterricht aus dem klärenden und vertrauenerweckenden Gespräch erwächst, zeigt *Olga Jaumann-Graumann* an drei eindrucksvollen Beispielen. Sie legen aber zugleich die Umkehrung nahe, die Erwartung nämlich, dass das Schreiben seinerseits das Denken stützt und der Prozess des Erschreibens Gedanken formuliert.

Diese Frage nimmt *Gerheid Scheerer-Neumann* auf und erweitert sie: Welche Auswirkungen auf die kognitive Entwicklung hat die zunehmende Nutzung des Mediums Schrift für Kinder? Ausgehend von einer für diese Autorin inzwischen typischen Detailanalyse entwickelt sie aus einem Überblick des Forschungsstandes starke Argumente für ein »Great Divide«: Das meint die These, dass es eminente Auswirkungen von Literalität auf logische, analytische, kritische Denkprozesse und andere höhere kognitive Leistungen gibt. Sofern wir denn noch Begründungen für unsere Arbeit brauchen: Hier finden sie ihr Fundament.

Howard Gibson geht es um Bücher im Unterricht. Sein Interesse allerdings ist die Frage, wie es gelingen kann, mit Büchern gezielt mündlichen Sprachgebrauch herauszufordern und zu fördern. – *Diesen englischen Beitrag drucken wir im Original. Dafür spricht, in einem Buch, das der Mehrsprachigkeit gewidmet ist, diese zumindest in einem Beitrag zu realisieren. Wir sind gespannt auf Reaktionen. Werden LeserInnen die zusätzliche Mühe scheuen? Fühlt sich jemand ausgeschlossen? Für alle Fälle stellen wir eine kurze Zusammenfassung auf Deutsch voran.*

Um *Romanes,* die aus Indien stammende Sprache der Roma und Sinti, geht es *Yaron Matras.* Er beschreibt die Probleme der Verschriftung einer hauptsächlich oralen Sprache in einer Vielzahl von Varietäten. Seine Überlegungen führen ihn zu konkreten Materialien für Unterricht in der Muttersprache (Büchlein für Leseanfänger in Romanes, die inzwischen vorliegen).

Der letzte Beitrag dieses Teils behandelt die besonderen Probleme des Schrifterwerbs bei funktionalen AnalphabetInnen. *Anne Börner* entfaltet und belegt die besondere Bedeutung dialogischer Lernformen und die Funktion von Sprachreflexionen als diagnostische und didaktische Mittel.

Erich Schön leitet den dritten Teil ein. Er referiert als Ergebnis empirischer Leseforschung, dass »etwa ein Drittel der Bevölkerung mehrmals pro Woche oder täglich ein Buch zur Hand nimmt, ein Drittel einmal pro Woche oder seltener und ein Drittel nie«. Dies sei in den letzten 25 Jahren ziemlich konstant. Diese pauschalen Daten differenziert *Schön* in seinem interessanten Überblick in Hinsicht auf Zwecke des Lesens, Geschlechterrollen und die Bedeutung anderer Medien.

Die über Bücher herzustellende Beziehung zwischen Eltern und Kindern interessiert *Heide Niemann.* Hier kommen Projekte zur *»family literacy«* in den Blick. Es geht um Wege, mit denen sogenannt buchferne Familien über das Vorlesen ihre Einstellungen zum Lesen und Schreiben verändern und damit die Lernchancen ihrer Kinder verbessern. In einer Art Elternschule lernen sie, ihren Kindern vorzulesen, und verändern damit ihre Einstellungen zum Buch und – über Bücher – auch zu ihren Kindern. In ihrem Resümee zeigt die Autorin die Chancen, aber auch die Widerstände auf, die es zu überwinden gilt.

Sabine Feneberg belegt in ihrer Forschungsübersicht zu den Wirkungen des Vorlesens dessen Bedeutung für die Leseentwicklung von Kindern, wobei es ihr besonders auf die vorlesebegleitenden Gespräche ankommt.

Alice Krotky berichtet von einem Wiener Projekt *»Lesen im Park«,* das schon 14 Jahre mit großem Erfolg – inzwischen auch in Schwimmbädern – läuft. Es zeigt sich, dass das Buch zum Leser findet und umgekehrt, wenn auch manchmal auf ungewöhnlichen Wegen. Da kann man in Hamburg nur neidisch werden, besonders wenn man hinnehmen muss, dass in diesem Jahr wieder zwei Öffentliche Bücherhallen (so heißen sie hier) geschlossen werden.

Andrea Bertschi-Kaufmann erhebt über Lesejournale, welche Wirkungen Unterricht auf einzelne Kinder, auf ihre Lese- und Schreibentwicklung hat, was und wie sie lesen und wie sie Gelesenes verstehen. Die Autorin zeigt, wie diese Lesetagebücher zu einer Brücke zwischen Kind und Erwachsenem werden und die Grundlage für eine individuelle Beratung bilden. Kriterium der Autorin für erfolgreiche

Leseförderung ist, wenn sie auch außerhalb der Schule wirksam wird.

Wie sich Kinder in einer Bücherei ihren Bücherschatz mit einem »Bibliothek-Online-Katalog« erschließen können, berichten *Ute Külper* und *Gabriela Will.* Das Dreieck *Kinder – Computer – Bücher* zeigt eine Konstellation, die für die Leseförderung zukunftweisend sein dürfte.

Peter Fuchs zielt auf das »unvoreingenommene Zuhören, Beobachten, Mitverfolgen und das anschließende ›unbekümmerte‹ Fabulieren über die Wirkung von Musik«, also das Sprechen über Musik und das Schreiben als Deutung musischen Empfindens. Dieser Beitrag ist – wie schon »*Lesen durch Schreiben – auch in der Musik*« im Jahrbuch von 89, ein fachübergreifender mit schönen, auch märchenhaften Kindertexten.

Richard Bamberger untersucht nicht die Methodik, sondern die Sprache von immerhin 24 Fibeln. Er zeigt und belegt präzise das, was *Dietrich Pregel* »Fibeldadaismus« genannt hat.

Johanna Juna geht es um den Zusammenhang von Methoden des Rechtschreibunterrichts und den Denkstrategien der Kinder. Mit vielen Beispielen zeigt sie, wie Kinder nebenbei lernen, wie sie experimentieren, wie aus Ratestrategien systematische Schlussfolgerungen werden und wie Kinder in typischer Weise nach Schreibungen fragen lernen.

Überlegungen zum Rechtschreiblernen in der Sekundarstufe stellen *Heiko Balhorn, Wiebke Köhn, Meinolf Krohner* und *Michael Stuewer* an. Ihnen geht es um Operationen als Werkzeuge für Problemfälle (statt um Regeln), um die Transparenz morphematischer Wortgliederung und um »expansive« statt defensive Lernbegründungen. Bedenklich machende Schüleräußerungen zu ihren Erfahrungen im Unterricht bietet eine Collage von Zitaten aus »*Rechtschreibgeschichten*«. Daran schließt sich ein persönlicher Essay von *Michael Stuewer* zum gleichen Thema an. Beides lässt sich als konkretisierende Bestätigung auf den Tenor der Fragen von *Dreßler* in der Einleitung verstehen.

Karl Holles Beitrag zur Zeichensetzung wird linguistisch Ambitionierte interessieren. Der Aufsatz ist ein historisch argumentierender Beleg für die These, dass »linguistische Einheiten variable Konstruktionen sind, die aus der Reflexion über das eigene Sprechen und Schreiben entstehen«, oder, wie *von Glasersfeld* sagt, dass Wissen sich der »erfolgreichen Organisation der Erfahrung des Schülers durch diesen selbst« verdankt.

Carl Ludwig Naumann behandelt den Ratschlag »Schreibe, wie du sprichst!« Da aber der alte Jahrbuchtitel: »*Jeder spricht anders*« noch gilt, ist der Ratschlag insbesondere für Dialektsprecher zu präzisieren: »Schreibe, wie du schreibnützlich sprichst!«

Zur Schriftenfrage gibt es Neues, und dies interessanterweise von Medizinern. *Norbert Mai, Christian Marquardt* und *Irmina Quenzel* kamen bei der Untersuchung von Patienten mit zerebral bedingten motorischen Schreibstörungen zu unerwarteten Entdeckungen. Grundlage ihrer Kritik an traditionellem Schreibunterricht sind neue Entwicklungen von technischen Verfahren zur Registrierung und Analyse von Schreibbewegungen. Ihr Resümee: »Die derzeit übliche Betonung von Formtreue und der genauen Beachtung von Begrenzungslinien provoziert kontrollierte und verhindert automatisierte Schreibbewegungen.« »Wie steht es um die Lese- und Schreibfähigkeit Erwachsener?« »Lesen Mädchen wirklich anders als Jungen?« »Welche Unterschiede bestehen zwischen alphabetischer und (chinesischer) Begriffsschrift für Lerner und was kann man für den Anfangsunterricht bei uns daraus schließen?« Auf diese und ähnliche Fragen finden Sie Antworten in Kurzbeiträgen von *Hans Brügelmann* und *Heide Niemann,* in denen es um Ergebnisse von breit angelegten Untersuchungen geht.

Der vierte Teil ist der Mehrsprachigkeit gewidmet und wird durch »*Deutschland – Land vieler Sprachen*« eingeleitet. Dieser Beitrag schließt sinngemäß nicht nur Österreich und die Schweiz als deutschsprachige Länder ein, sondern alle Staaten, in denen Multilingualität Praxis ist – und dies sind alle.
Ingelore Oomen-Welke zeigt die Vielfalt einerseits der deutschen Varietäten und andererseits der weit über 100 Nationalsprachen, die ihrerseits auch in vielen Varietäten vorkommen. Dazu schlägt die Autorin ein Konzept vor, das sowohl den verschiedenen Sprachen als auch der Vielfalt des Deutschen Rechnung zu tragen versucht.
Ein Element dieses Konzepts als Einblick in das, was Sprachbewusstheit im Unterricht bedeuten kann, trägt *Evangelia Karagiannakis* bei.
Inge Büchner stellt Beispiele mehrsprachiger Materialien vor, die sie in einem Seminar mit StudentInnen erarbeitet hat: »Der eigentliche Lernprozess liegt in der Herstellung der Materialien«, so ein Ergebnis dieses Seminars.
»*Man schreibt wie man spricht wie man schreibt*« ist die paradoxe Pointe, die die »Incidentanalyse« von *Ursula Neumann* erbringt. Solche Analysen decken verborgene Strukturmerkmale des Unterrichtsgeschehens auf, analog zu dem, was *Ingrid Gogolin* den »monolingualen Habitus in einer multilingualen Schule« nennt.
Ein spezielles Problem, der Schriftkontrast zweier verschiedener Alphabetschriften für Lerner, nimmt *Anne Berkemeier* auf. Am Beispiel der Interferenz des lateinischen und neugriechischen Alphabets zeigt sie, wie es zu übersehenen Lernproblemen griechisch alphabetisierter Kinder im Deutschunterricht kommen kann.
Das Silbenstrukturmodell von *Utz Maas* nimmt *Christa Röber-Siekmeier* zum Ausgangspunkt, um am Deutschunterricht mit russisch sprechenden Kindern zu zeigen, wie Silben als phonetische Selbstkontrolle dienen können.
Einen Beitrag zum bilingualen Lesen in der Sekundarstufe steuern *Birgit Eriksson* und *Christine le Pape* bei. Ihnen geht es um authentische Texte und das Übertragen von Lesestrategien aus der Muttersprache.
So viel als Einladung und zur Orientierung.
Sicher wird Ihnen auffallen, dass einige AutorInnen in reformierter Orthografie

schreiben, andere nicht. Das ist gut so, zeigt doch beides einen souveränen Umgang mit der Norm. Drei Beiträge stammen von Schweizer AutorInnen, zu identifizieren am ss auch nach Langvokal.

Seit Juni 96 ist der Reformentwurf amtlich: endlich, nach fast 100 Jahren. Dass das Ergebnis allzu vorsichtig ausgefallen ist, das Verfahren sich als mehr als mühsam erwies, spricht für die (auch emotionale) Bedeutung, die verschiedene Gruppen und einzelne Volks-Vertreter der Schrift-Norm beimessen. Eine Rechtschreibreform ist eine Frage der Macht und des Sachverstandes. *»Wer sagt denn, dass beides in einer Hand liegen müsse?«* fragt *Gerhard Augst*, immerhin Mitglied der deutschen Reformkommission.

Hamburg und Burgwedel im August 1996
Heiko Balhorn und *Heide Niemann*

I. Teil

Offenheit auch für die Fachdidaktik

Hans Brügelmann

»Fördern durch Fordern«

Vorschlag für einen Brillenwechsel im Umgang mit Lernschwierigkeiten*

1. Problem und Perspektive

Ort der Handlung 1: Marktplatz in einer brasilianischen Stadt.
Ein Kind verkauft Kokosnüsse (40.00 Cr$ pro Stück):

Kunde: Ich nehme zwei Kokosnüsse.
(zahlt mit einer 500er Note)
Wie viel bekomme ich zurück?

Kind: (ehe es das Wechselgeld aus der Kasse nimmt)
Achtzig, neunzig, einhundert. Vier zwanzig.

Ort der Handlung 2: Klassenzimmer in derselben Stadt.
Ein Prüfer stellt Rechenaufgaben, u. a. (s. oben): 420 + 80.
Dasselbe Kind schreibt 420 plus 80 und behauptet, 130 sei das Ergebnis.
(Der Lösungsweg wurde von ihm nicht erklärt, aber anscheinend hat das Kind einen Schritt aus der Multiplikationsroutine auf ein Additionsproblem angewandt, indem es zunächst 8 zu 2 addiert und dann zu 4, wobei es die 1 übertragen hat; d.h. 8 + 2 = 10, Übertrag 1, 1 + 4 + 8 = 13. Die Nullen in 420 und 80 wurden nicht notiert. Die Reaktionszeiten wurden vom Tonband gemessen: Der ganze Prozess dauert 53 Sekunden.)

Prüfer: Wie hast du das gemacht, vier zwanzig plus achtzig?
Kind: Plus?
Prüfer: Plus achtzig.
Kind: Einhundert, zweihundert.
Prüfer: (unterbricht nach einer 5-Sekunden-Pause die Lösung des Kindes, indem er sie als endgültig unterstellt) Mhm, o. k.
Kind: Einen Augenblick. Das war falsch. Fünfhundert.

(Das Kind hatte offensichtlich 80 und 20 addiert, 100 herausbekommen und dann angefangen, die Hunderter zu addieren. Der Prüfer deutete 200 nach einer kurzen Pause als endgültige Antwort, aber das Kind vervollständigte die Rechnung und gab die korrekte Antwort, nachdem es die Addition durch Auflösung in Teilmengen gelöst hatte.)

---

* Dieser Beitrag ist die überarbeitete Fassung unseres Projektantrags an die Bund-Länder-Kommission für Bildungsplanung, der noch im Ministerium für Schule und Weiterbildung »ruht«. Ich danke den Kolleginnen im Projekt OASE, *Erika Brinkmann* und *Babette Danckwerts,* für Ihre Mitarbeit an der Konzeption des Modellversuchs. Der Titel des Projekts spielt an auf den Aufsatz »Fördern durch Fordern« von *Trickett/Sulkie (1993).*

Dieses Beispiel stammt aus dem Buch »Straßenmathematik und Schulmathematik« von *Nunes* u. a. (1993; vgl. die Zusammenfassung in *Grundschulzeitschrift 74/1994,* S. 37). Die Studien wurden in Brasilien durchgeführt, analoge Befunde liegen aber inzwischen auch aus dem deutschsprachigen Raum vor (vor allem von *Hengartner, Selter* und *Spiegel).* Sie kontrastieren dramatisch mit den notorischen Meldungen über sinkende Schulleistungen.

Wenn Kinder Schwierigkeiten beim Lernen haben, versuchen LehrerInnen, versuchen SpezialistInnen für Lernprobleme, ihnen zu helfen. Hilfe meint in der Regel Vereinfachung der Aufgabe. Didaktisch heißt das: Vermittlung von fehlenden Voraussetzungen. Fördern bedeutet somit: zurückgehen oder dasselbe wiederholen.

Das Zauberwort Fördern steht für eine engagierte Pädagogik vieler. Ihre Überzeugung: Die Kinder, die am meisten Schwierigkeiten im Unterricht haben, brauchen nicht nur besondere Zuwendung, sondern auch didaktisch-methodisch besonders ausgefeilte Programme. Solche Förderkonzepte missverstehen kindliches Lernen in doppelter Weise: Sie zerlegen sinnvolle Handlungen in isolierte Teilleistungen und versuchen, sie über kleinschrittige Übungen wieder aufzubauen, statt Grundqualifikationen des Arbeitens und Lernens zu entwickeln (z. B. selbständige Planung und Kontrolle von Tätigkeiten, Kooperationsfähigkeit). Sie steigern die Hilflosigkeit der Kinder und ihre Abhängigkeit, indem sie den Belehrungsunterricht intensivieren (an dem diese Kinder gerade gescheitert sind), statt ihre Kompetenzen zu nutzen und alternative Erfahrungs- und Lernmöglichkeiten anzubieten. Durch diese didaktische Brille erscheinen Kinder, die vom Durchschnitt abweichen, als Mängelwesen.

Für Kinder mit Schwierigkeiten werden deshalb immer neue Spezialprogramme entwickelt:
• Aus der Hilfsschule von einst sind die verschiedenen Sonderschulen geworden, die sich auf besondere Behinderungen spezialisieren.
• Sind die Schwierigkeiten nicht so ausgeprägt, differenzieren LehrerInnen den Unterricht, bieten Schulen zusätzlich zum Regelunterricht Förderstunden an.
• Es gibt überdies Modellversuche für Kinder anderer Muttersprache und Kultur, für Aussiedler- und Asylantenkinder.
• Andere Programme widmen sich hochbegabten Kindern, die mit ihren Ideen gegen die Wände des Regelunterrichts laufen, oder Mädchen, deren Lernchancen durch männlich dominierte Interaktionen im Unterricht leiden.

So diversifizieren sich die Grundschule und ihre Didaktik, um den je besonderen Schwierigkeiten verschiedener Gruppen gerecht zu werden. Auf der anderen Seite nehmen die Forderungen nach und die Bemühungen um Integration zu: der behinderten und der ausländischen Kinder im besonderen. Dahinter steht die Einsicht, dass Unterschiede nicht erst durch die »Aufnahme« von Sondergruppen entstehen, sondern dass diese für das Zusammenleben in unserer Gesellschaft, auch im Schulalltag, konstitutiv sind.

Die Grundschule lernt zunehmend, dass es nicht um immer neue Zusatzange-
bote für »die anderen« gehen kann, sondern dass sich der Unterricht für alle ändern muss.

Denn auch an formal erfolgreichen Schülerinnen und Schülern kann die Schule scheitern, wie die sogenannten »Nebenwirkungen« von gleichschrittigem Unterricht dokumentieren: Schulunlust; Verweigerung von Mitarbeit; Störung des
Unterrichts – eben auch durch leistungsstarke oder spezifisch begabte Kinder.

2. Konzeption und Kriterien

Um einen alternativen Ansatz zu erproben, planen wir einen Modellversuch der
Bund-Länder Kommission (BLK). Das Projekt stellt sich zwei Aufgaben, die für
die Grundschule heute generell bedeutsam sind:

- pädagogisch: »Öffnung der Schule« und Ausgestaltung der »verlässlichen
  Halbtagsschule« über eine enge Verbindung schul- und sozialpädagogischer
  Elemente, durch eine intensivere Zusammenarbeit von Kindergarten, Grundschule und Sonderschule sowie durch eine Aktivierung der Elternmitarbeit;
- didaktisch: Ausfüllung des Auftrags, alle Kinder individuell zu fördern, ohne
  die soziale Integration verschiedener Gruppen aufzugeben durch die Einrichtung von »Werkstätten«, in denen Kinder in alters-, leistungs- und neigungs-
  gemischten Gruppen Verantwortung für Aktivitäten übernehmen, die über die
  enthaltenen Lernmöglichkeiten hinaus sozial und persönlich bedeutsam sind.

Ausgangspunkt des Modellversuchs sind Schwierigkeiten, die Kinder in und
mit der Schule haben. Scheitern von Kindern in der Grundschule hat viele
Gesichter:

Zurückstellung am Schulanfang; schlechte Noten; Wiederholung einer Klasse;
Überweisung in die Sonderschule. Statistiken weisen aus, dass immer noch ein
hoher Prozentsatz an Schülerinnen und Schülern die grundlegenden Ziele des
Unterrichts nicht erreicht.

Inhaltlich bestimmen vier Leitideen den beantragten Modellversuch:

1. Kinder, auch Kinder mit Lernschwierigkeiten, sind keine Mängelwesen. Lernen vor und außerhalb der Schule, darunter der Erwerb so komplexer Systeme wie Lautsprache und soziale Normen, zeigt, dass Kinder über ein hohes
   Maß an Lernbereitschaft und Lernfähigkeit verfügen. Dieses kann allerdings
   durch Erfahrungen beeinträchtigt sein, so dass es besonderer Herausforderungen, Anregungen und Unterstützung bedarf, sie (wieder) zu wecken.
2. Situationen, die für Kinder bedeutsam, d.h. inhaltlich verständlich und persönlich interessant sind, erleichtern das Lernen. Die Einbettung formal gleicher Anforderungen in unterschiedlichen Kontexten eröffnet oder verschließt
   Verständnis- und Lernmöglichkeiten.
3. Förderung von Schlüsselqualifikationen wie Selbständigkeit, Kooperations-
   und Kritikfähigkeit, aber auch ästhetischer Wahrnehmung sowie Gestal-
   tungsfähigkeit und Sicherheit im Umgang mit den neuen Informations- und
   Kommunikationstechnologien gewinnen an Bedeutung gegenüber der Ver-

mittlung isolierter Fertigkeiten und Kenntnisse in Form von gleich- und klein-
schrittigen Lehrgängen. Dies gilt auch für die elementaren Fertigkeiten des
Lesens, Schreibens und Rechnens.

4. Die große Chance und zugleich der hohe Preis von Schule ist ihr Schon-
raumcharakter. Je weniger die Erfahrungen und die Kompetenz der Lernenden ernst genommen werden, um so stärker verarmt Unterricht als Herausforderung von Interesse und Verantwortung. Der Ernstcharakter von
Aktivitäten, die Verantwortung für Aufgaben und für andere Personen sind
wesentliche Antriebe menschlicher Entwicklung, die zunehmender Verschulung entgegengesetzt werden müssen.

Diese Ideen sollen in einer Arbeitsform umgesetzt werden, die wir als »Werkstätten« bezeichnen (vgl. zu verschiedenen Aspekten: *Jungk/Müllert 1989; Pal-
lasch/Reimers 1990; Reichen 1991; Gardner 1993; Brügelmann 1994).* Im
Sinne eines sozialökologischen Ansatzes *(Oerter/Montada 1982/1995)* sollen
Lehrpersonen, Erzieherinnen und Erzieher sowie Eltern einbezogen werden in
Projekte, die über fachliche Lernerfahrungen hinaus bedeutsam sind. Geplant
sind Vorhaben, die – zunächst unterrichtsergänzend – später unterrichtsgestal-
tend, die Grundschule zunehmend öffnen sollen für:

• die Alltagserfahrungen und außerschulischen Handlungsanforderungen, die
  Kinder erleben;
• für die Unterschiede zwischen Kindern in diesen Erfahrungen, in ihren
  Fähigkeiten und Neigungen;
• für die zunehmende Mitverantwortung und Mitgestaltung schulischer
  Aktivitäten.

Im Modellversuch greifen wir deshalb zurück auf pädagogische Konzepte, die
ein umfassenderes Verständnis von Lernen in der Schule zugrundelegen als die
üblichen Instruktions- und »Förder«-Konzepte. Dies sind in komplementärer
Weise folgende Ideen, die in unterschiedlicher Weise auch andere Versuche (z. B.
die Laborschule in Bielefeld) geprägt haben:

a) die »Arbeitsschule« nach *Kerschensteiner* und *Gaudig/Scheibner,* aber auch
   nach *Oestreich,* die Schülerinnen und Schüler an Ernstsituationen fordert und
   ihnen ermöglicht, handlungs- und produktorientiert zu lernen;

b) die »Projektmethode« nach *Dewey,* die nicht nur methodisch die Formen des
   Lernens verändert, sondern die Lernenden auch in die Mitverantwortung und
   Reflexion ihrer Arbeit einbindet;

c) die »Kooperative« nach *Freinet,* die Lernen als soziale Tätigkeit im Austausch
   mit anderen (z. B. über Korrespondenz) und damit als Lernen von- und miteinander begreift.

Ziel der Förderung ist es einerseits, den sozialen Status und das Selbstbild des
Kindes zu stützen, andererseits soll es in anspruchsvollen und persönlich interessanten Aufgaben fachliche Kenntnisse und Fertigkeiten erwerben können
(vgl. auch die Diskussion des »Situationsansatzes« der Kindergartenpädagogik
bei *Zimmer u. a. 1995).*

Ein Beispiel: Das Feld alternativer Erfahrungsmöglichkeiten wird organisiert über die Einrichtung eines Klubs »Werkstatt für Kinder« (am Nachmittag oder in Eckstunden des Schulvormittags). Einzelne Schülerinnen und Schüler aller Jahrgänge werden individuell zur Mitarbeit an konkreten Vorhaben eingeladen, sie erhalten bei Zusage einen Mitgliedsausweis, und wir schließen mit ihnen individuelle Verträge über ihre Mitarbeit.

Im Klub stellen die Kinder Materialien verschiedenster Art her (Lernspiele, Aufgaben, Bücher, …), dort bereiten sie sich auf Aktivitäten mit jüngeren Kindern oder anderen Mitschülerinnen vor, die ebenfalls Schwierigkeiten haben, z.B. wegen fehlender Sprachkenntnisse (Vorlesen, Hilfe beim Geschichtenschreiben, gemeinsames Basteln oder Experimentieren).

Kinder, die in die Werkstatt kommen, sollen
a) auf Dauer bestimmte Verantwortungen übernehmen,
b) von Mal zu Mal vereinbarte Pflichtaufgaben erledigen,
c) nach Neigung eigene Angebote für andere machen,
d) Raum für ad hoc interessante Aktivitäten haben.

Die Zusammenarbeit basiert auf dem Prinzip der Freiwilligkeit, aber auch der Verbindlichkeit von freiwillig eingegangenen Verpflichtungen. Die Kinder entscheiden selbst, ob sie in der Werkstatt mitarbeiten, aber mit einer Zusage verpflichten sie sich formell auf bestimmte Angebote bzw. Vorhaben. Deshalb sollte dies ausdrücklich in Vertragsform geschehen.

Konkrete Anknüpfungspunkte für den Modellversuch »Fördern durch Fordern« finden sich in einer Reihe von Projekten, die die BLK in den letzten Jahren im Grundschulbereich in Gang gesetzt hat. Sie folgen ähnlichen Grundgedanken, konkretisieren diese jedoch im Blick auf spezifische Ausschnitte und Probleme des Schulalltags.

Der Hamburger Modellversuch »Elementare Schriftkultur« hat ein Konzept für den Schriftspracherwerb entwickelt, das Unterricht als sozialen Raum begreift. Kinder erwerben Wissen und Können nicht nur durch Instruktion, sondern in hohem Maße durch Gebrauch. Lesen und Schreiben werden als Handlungen in sozialen Beziehungen gesehen.

Kinder können auch dann inhaltlich erfolgreich sein, wenn sie formal noch unzulänglich sind. Lernen bedeutet dabei (im Piagetschen Sinne): Differenzierung grober Vorformen, Präzisierung von Strategien statt Addition von einzelnen Kenntnissen und Fertigkeiten.

Im bayerischen Modellversuch »Umwelterziehung an Grund- und Hauptschulen des ländlichen Raums« bekommen Lernsituationen in noch stärkerem Maße Ernstcharakter. Unterricht bleibt nicht mehr beschränkt auf den Klassenraum, sondern sucht Bezüge zur Lebenswelt der Schülerinnen und Schüler außerhalb der Schule. Im Sinne der Arbeitsschul-Tradition übernehmen Kinder Verantwortung für Aktivitäten bzw. Produkte, und diese haben eine Bedeutung auch außerhalb des pädagogischen Raumes.

Die Entwicklung von Fertigkeiten und Kenntnissen wird beiläufig gefördert in Vorhaben, die inhaltliche Ziele verfolgen. Die übliche Trennung von »Sach«unterricht und Sprach- bzw. Mathematikunterricht wird durchlässig. Schlüsselbegriffe des Konzepts sind: Situationsbezug, Lebensnähe, Handlungsorientierung, fächerübergreifendes Lernen sowie Projektunterricht.

Lernschwierigkeiten nicht als Folge individueller »Eigenschaften« zu behandeln ist die zentrale Annahme des hessischen Modellversuchs »Pädagogische und strukturelle Neukonzeption des Schulanfangs«. Seine Ausgangsthese: Schulerfolg lässt sich nicht voraussagen aus punktuell gemessenen Leistungen. Lernen wird in einer sozial-ökologischen Sicht verstanden als Folge von Erfahrungen in herausfordernd und unterstützend gestalteten Lernräumen. Die Verminderung individueller Lernschwierigkeiten, u. a. in jahrgangsgemischten Gruppen, und das Prinzip, die Eigenkräfte des Kindes zu stärken, haben beide Modellversuche gemeinsam. Das hier beantragte Projekt will den Ansatz auf die gesamte Grundschulzeit ausdehnen, es bezieht nicht nur »Risikokinder«, sondern alle Schülerinnen und Schüler ein, und es setzt in besonderem Maße auf die Entscheidungsfähigkeit und Eigenverantwortung des Kindes selbst (statt Diagnose und Förderung »von oben«).

Dass Reformmaßnahmen sich nicht beschränken können auf die Entwicklung eines didaktisch-methodisch durchstrukturierten Materials, wird deutlich im zweiten BLK-Modellversuch in Hessen (»Binnenoptimierung der Grundschularbeit ...[BIGA]«), der eine pädagogische Gestaltung der Grundschule als Lern- und Lebensraum zum Ziel hat und die Arbeitsplatzbedingungen von Kindern und Lehrpersonen untersucht. Auch hier geht es um die inhaltliche und methodische Ausgestaltung der kommenden Halbtagsschule, um die Verbindung sozial- und schulpädagogischer Arbeitsformen.

Die genannten Grundsätze auf alle Lernbereiche zu verallgemeinern sowie im oben skizzierten Sinne zu ergänzen und für ihre Umsetzung ein Repertoire vielfältiger Arbeitsformen zu entwickeln ist das eine Ziel des Modellversuchs.
Das Projekt »Fördern durch Fordern« integriert die zentralen Ideen der obengenannten Modellversuche in einen umfassenden Reformansatz, der
a) alle Lernbereiche der Grundschule,
b) verschiedene pädagogische Ansätze und
c) drei Ebenen der Reformstrategie miteinander verbindet.

3. Strategie und Standards
Insofern hat der beantragte Modellversuch mit den genannten Projekten gemeinsam, dass neben der Arbeit an konkreten pädagogischen und didaktischen Fragen die Entwicklung von Arbeits- und Organisationsformen für den Transfer dieser Erfahrungen an Dritte steht (z. B. in der Lehreraus- und -fortbildung).

Dieser Aspekt soll im beantragten Projekt noch stärker gewichtet werden, weil alle Erfahrungen seit der Curriculumreform der 70er Jahre zeigen, dass pädagogische Reformen nur sehr unzureichend über Materialien und Berichte transportiert werden können. Sie sind in hohem Maße auf personelle Kompetenzen und eine stützende Infrastruktur angewiesen.

Dabei kommt aus unserer Sicht den Eltern eine besondere Rolle zu: im Sinne einer wechselseitigen Ergänzung von familiärer und schulischer Erfahrung, aber auch im Sinne einer Bereicherung schulischer Angebote. Eltern für die »Öffnung der Schule« zu gewinnen, ihre besonderen Kompetenzen zu nutzen und zu erweitern ist deshalb eine zentrale Aufgabe des Modellversuchs. Vorgesehen ist, dass der Modellversuch seinen Transfer zum Thema der eigenen Arbeit macht.

Es sind unterschiedlich intensive Formen der Zusammenarbeit und insbesondere *vier Stufen* der Verbreitung vorgesehen:

* In der *ersten* Erprobungswelle werden die beteiligten Schulen durch direkte Mitarbeit des Projektteams in den Werkstätten intensiv unterstützt. Die Werkstätten beschränken sich aber zunächst auf ein Zusatzangebot außerhalb des Pflichtunterrichts.
* Während der *zweiten* Phase laufen die Werkstätten mit reduzierter Unterstützung (Beratung, Supervision) durch das Team weiter. Gleichzeitig werden weitere Schulen mit ähnlich intensiver Zusammenarbeit einbezogen wie die erste Welle ein Jahr vorher.
* In der *dritten* Phase soll die Werkstattidee in Regelklassen übertragen und die Öffnung des Unterrichts selbst im Sinne des Modellversuchs erprobt werden – gestützt durch die Projektgruppe als punktuelle »ambulante« Hilfe.
* Die *vierte* Phase hat den Transfer in andere Regionen zum Ziel, der lediglich durch Vor- und Nachbereitung (über Seminare und Materialien), aber nicht mehr begleitend unterstützt wird, um die Überlebensfähigkeit des Modells im Schulalltag zu überprüfen.

Für die Evaluation des Versuchs bedeutet dies, dass sie verschiedene Funktionen kombinieren und entsprechend unterschiedliche Fragen untersuchen muss. Pädagogische Versuche können Erfolg im Sinne einer Blaupausen-Vorgabe (Vorlage-Realisierung) nicht versprechen. Sie können auf Engagement, Konzepttreue, Selbstkritik und Lernfähigkeit verpflichtet werden. Damit diese nicht leeres Versprechen bleiben, ist Kontrolle erforderlich. Diese ist möglich, wenn sie sich auf Prozesse und nicht nur auf Produkte bezieht und wenn sie soziale Kritik statt Präzisionsmessungen institutionalisiert.

Die wissenschaftliche Begleitung im Modellversuch »Fördern durch Fordern« *hat drei Funktionen:*

1. Interne und rasche Rückmeldung von Beobachtungen und Kritik im Rahmen des laufenden Versuchs, um die weitere Arbeit anzuleiten und eine kurzfristige Revision von Maßnahmen (z.B. von Welle zu Welle) zu ermöglichen (Funktion des »critical friend«).

2. Aufbereitung der gewonnenen Informationen für Dritte, die an einer Übernahme des Konzepts interessiert sind, damit sie die Übertragbarkeit des Modells im Blick auf die eigenen Ziele und Bedingungen prüfen können. Sie sind deshalb insbesondere über mögliche Schwierigkeiten bzw. erforderliche Rahmenbedingungen aufzuklären (Funktion des »Anwalts der Abnehmerinnen«).
3. Bewertung des Versuchs an seinen eigenen Ansprüchen gegenüber dem Auftraggeber, um Urteile über Stärken und Schwächen des Ansatzes empirisch zu fundieren (Funktion des »externen Gutachters«).

Um Rollenkonflikte zu vermeiden, sollen die verschiedenen Aufgaben personell (intern vs. extern) bzw. phasenweise (Entwicklung vs. Verbreitung) getrennt werden. Bezugsgruppe der wissenschaftlichen Begleitung ist nicht die »academic community«. Evaluation setzt andere Prioritäten als Forschung.

Da es sich um eine Feldstudie unter Alltagsbedingungen und nicht um ein kontrolliertes Experiment handelt, lassen sich Hypothesen nicht so stringent formulieren wie in Forschungsprojekten. So können Stichproben nicht nach Zufall ausgewählt, Maßnahmen nicht nach einem vorher definierten Versuchsplan Vergleichsgruppen zugeordnet und Erhebungen nicht auf punktuell intensive Untersuchungen beschränkt werden. Auf der anderen Seite mindert die im Modellversuch gegebene ökologische Validität der Studie (näher an den Normalbedingungen) die Transferprobleme aus der Untersuchungs- in die »Anwendungs«-Situation. Dies setzt allerdings voraus, dass nicht nur Wirkungen des Versuchs, sondern auch Prozesse und ihr Kontext erfasst und mitgeteilt werden. Die wissenschaftliche Begleituntersuchung hat deshalb die Aufgabe, die »Geschichte« des Versuchs und einzelner Maßnahmen bzw. individueller Lernverläufe auf den entscheidungsrelevanten Ebenen differenziert zu beschreiben, diese auf das jeweilige Umfeld zu beziehen und aus der Sicht verschiedener Beteiligter zu interpretieren (vgl. zu diesem Konzept einer »sozial kontrollierten Subjektivität« statt einer »methodisch-technischen Objektivität«: *Brügelmann 1982*). Primäre Aufgabe der wissenschaftlichen Begleitung ist also eine sorgfältige Deskription des Versuchs auf den verschiedenen Ebenen, sozusagen als »stellvertretende Erfahrung« für die verschiedenen Bezugsgruppen des Versuchs: Eltern, Schul- und Sozialpädagoginnen und -pädagogen, Dozentinnen und Dozenten in der Aus- und Fortbildung dieser Gruppen, Entscheider in Verwaltung und Politik.

Die Beobachtung bezieht sich auf vier Ebenen:
A Entwicklung einzelner Kinder, insbesondere ihrer Aktivitäten in verschiedenen Situationen (Klasse vs. Werkstatt) und ihrer Fortschritte oder Schwierigkeiten in einzelnen Bereichen (Fachleistungen vs. Grundqualifikationen);
B Entwicklung einzelner Gruppen, insbesondere der Qualität der Angebote, ihrer Nutzung durch die Kinder, der Interaktions- und Arbeitsformen in den Werkstätten;

C Entwicklung neuer Arbeitsformen für die Vermittlung der pädagogischen Konzeption an Eltern sowie an Pädagoginnen/Pädagogen in der Lehreraus- und -fortbildung, in Kindergärten und in der Sozialarbeit;

D Entwicklung des Gesamtprojekts, insbesondere des Versuchs der Erweiterung auf andere Standorte (2. Welle), der Übertragung in den Regelunterricht (3. Welle) und des Transfers in Einrichtungen außerhalb des Modellversuchs (4. Welle).

Dieser Ansatz wurde so umfassend gewählt, weil Erfahrungen aus der Curriculumreform zeigen, dass die Entwicklung überzeugender pädagogischer Programme und didaktisch-methodischer Materialien nicht ausreicht, um die Breitenwirkung bzw. Übertragbarkeit von Ideen und Erfahrungen zu beurteilen und zu sichern.

Literatur:

Brügelmann, H. (1982d): Pädagogische Fallstudien: Methoden-Schisma oder – Schizophrenie? In: Fischer (1982, 62–82).

Brügelmann, H. (1994o): Lehrling oder Schüler? Lernwerkstätten als alternative Form pädagogischer Erfahrung. In: Brügelmann/Richter (1994, 267–277).

Brügelmann, H./Balhorn, H. (Hrsg.) (1995): Schriftwelten im Klassenzimmer. Ideen und Erfahrungen aus der Praxis.»Auswahlband Praxis« der DGLS-Jahrbücher 1–5. Libelle Verlag: CH-Lengwil.

Brügelmann, H./Balhorn, H./Füssenich, I. (Hrsg.) (1995): Am Rande der Schrift. Zwischen Mehrsprachigkeit und Analfabetismus. DGLS-Jahrbuch Bd. 6. Libelle Verlag: CH-Lengwil.

Brügelmann, H./Richter, S. (Hrsg.) (1994): Wie wir recht schreiben lernen. Zehn Jahre Kinder auf dem Weg zur Schrift. Libelle Verlag: CH-Lengwil.

Dehn, M. (1995): Christina und die Rätselrunde – Schule als sozialer Raum für Schrift. In: Brügelmann/Balhorn (1995, 101–114; Nachdruck aus: Brügelmann/Balhorn 1990, 112–124).

Dehn, M. (1990f): Lesen- und Schreibenlernen: Kulturtechnik oder elementare Schriftkultur? In: Faust-Siehl u. a. (1990, 107–111).

Dehn, M. (1994): Schlüsselszenen zum Schriftspracherwerb. Arbeitsbuch zum Lese- und Schreibunterricht in der Grundschule. Beltz: Weinheim.

Faust-Siehl, G., u. a. (Hrsg.) (1990): Kinder heute – Herausforderung an die Schule. Dokumentation des Bundesgrundschulkongresses 1989 in Frankfurt/M. Arbeitskreis Grundschule: Frankfurt.

Fischer, D. (Hrsg.) (1982): Fallstudien in der Pädagogik. Faude Verlag: Konstanz.

Gardner, H. (1993): Der ungeschulte Kopf. Wie Kinder denken. Klett-Cotta: Stuttgart.

Hengartner, E./Röthlisberger, H. (1995): Rechenfähigkeit von Schulanfängern. In: Brügelmann u. a. (1995, 66–86).

Jungk, R./Müllert, N. (1989): Zukunftswerkstätten. Mit Phantasie gegen Routine und Resignation. Heyne: München.

Oerter, R./Montada, L. (Hrsg.) (1995): Entwicklungspsychologie. Psychologie Verlags Union/ Beltz: Weinheim (3. erw. Aufl.; 1. Aufl. 1982).

Pallasch, W./Reimers, H. (1990): Pädagogische Werkstattarbeit. Eine pädagogisch-didaktische Konzeption zur Belebung der traditionellen Lernkultur. Juventa: Weinheim/München.

Reichen, J. (1982): Lesen durch Schreiben. Lehrerkommentar. Sabe Verlagsinstitut für Lehrmittel: Zürich (Heinevetter: Hamburg).

Reichen, J. (1991): Sachunterricht und Sachbegegnung. Grundlagen zur Lehrmittelreihe MENSCH UND UMWELT. Sabe Verlagsinstitut für Lehrmittel: Zürich (Heinevetter: Hamburg).

Selter, C. (1993b): Die Kluft zwischen den arithmetischen Kompetenzen von Erstkläßlern und dem Pessimismus der Experten. In: Beiträge zum Mathematikunterricht. Franzbecker: Hildesheim (1993, 350–353).

Selter, C. (1994c): Eigenproduktionen im Arithmetikunterricht der Primarstufe. … Unterrichtsversuch zum multiplikativen Rechnen im zweiten Schuljahr. Deutscher Universitätsverlag: Wiesbaden.

Spiegel, H. (1993a): Rechenfähigkeiten von Schulanfängern im Bereich von Addition und Subtraktion. In: Beiträge zum Mathematikunterricht. Vorträge auf der 26. Bundestagung. Franzbecker: Hildesheim.

Spiegel, H. (1993b): Rechnen auf eigenen Wegen – Addition dreistelliger Zahlen zu Beginn des 3. Schuljahres. In: Grundschulunterricht, 40. Jg., H. 10, 5–7.

Trickett, L./Sulkie, F. (1993): Fördern heißt Fordern. Mathematikunterricht mit schulschwachen Kindern. In: GRUNDSCHULZEITSCHRIFT, 7. Jg., H. 68, 35–38.

Zimmer, J. (Hrsg.) (1995): Erziehung in früher Kindheit. Enzyklopädie Erziehungswissenschaft, Bd. 6. Klett: Stuttgart (Taschenbuchausgabe von 1985). S. a. dort sowie im Themenheft der Neuen Sammlung, 35. Jg., H. 4, die kritischen und weiterführenden Beiträge anderer AutorInnen.

Vorbemerkung

Wie kommt es, dass die Wörter »Pädagogik« und »pädagogisch« für viele einen negativen Beiklang haben? Wer mag, dass mit ihm »pädagogisch« verfahren würde? »Pädagogisch« scheint ein Gegenteil von »aufrichtig, authentisch«, »wissen wollend« einzuschließen. Es schwingen Bedeutungen von »immer schon wissen«, »besser wissen«, »Recht haben«, »verdeckte Absicht«, »hinterrücks« mit. Viele Lehrer und Lehrerinnen geben sich außerhalb von Schule ungern als solche zu erkennen. Sie wissen um die Gefühle und Einschätzungen, die ihre Berufsangabe auslöst. Lehrer werden gar von Vermietern und Maklern oft ausdrücklich abgelehnt. Dies ist bei ihrer finanziellen Solvenz erstaunlich, muss Gründe haben.

Es dürfte nicht bloß eine Imagefrage sein, die durch eine bessere Public Relation korrigierbar wäre. Es muss tiefer sitzen. Wilhelm Dreßler führt diese aversiven Empfindungen auf die Erfahrungen zurück, die alle geschulten Mitglieder unserer Gesellschaft verbindet: die je eigene neun- bis dreizehnjährige Schulerfahrung.

Wie Kinder in der Schule vorkommen, unter welchen Bedingungen sie was lernen: eben nicht nur Kenntnisse und Fertigkeiten, sondern vielmehr was Lernen, was Interesse, was Pädagogik in einer in Machtstrukturen fundierten Schule bedeuten, das führt der Autor in seinem Buch: »Bildung in postmodernen Zeiten – Vorüberlegungen zu einer ›affirmativen Bildungstheorie‹ aus. Dieses Buch hat noch keinen Verleger gefunden. Strukturelle Schulkritik hat keinen Markt. Die Rolle spektakulärer Kritik an der Schule wird dem »Spiegel«, »Stern« und »Focus« überlassen. »Schule 96: Sündenpfuhl oder Denkfabrik« hieß eine Serie in »Bild am Sonntag«, die im April 1996 startete.

Ist Schulkritik nicht der nächstliegende Gegenstand der Erziehungswissenschaft?

Wir drucken im folgenden einen Beitrag des Autors ab, der neben dieser Art theoretischer Überlegungen andere Formen seiner Schulkritik verfasst hat. Dreßler war der erste Lehrer, der (1969) mit Berufsverbot belegt wurde. Der Anlass eines langwierigen Verfahrens war, dass die Schüler seiner buxtehuder Hauptschulklasse – ohne Erfolg – dem Schulleiter widerstanden. Dreßler hat von 1986 bis 1989 die beiden »Freien Kinderschulen« in Hamburg wissenschaftlich begleitet und ist einer der Initiatoren der »Freien Schule in der Honigfabrik«, die zuerst als Modellversuch und danach bis heute in freier Trägerschaft Jugendlichen die Möglichkeiten bietet, u. a. den Hauptschulabschluss nachzuholen. Seit 1972 ist er Dozent am Fachbereich der Uni Hamburg. (H. B.)

Wilhelm Dreßler

Von der Notwendigkeit, über Schule radikaler als Hartmut von Hentigs »Sokratischer Eid für Lehrer und Erzieher« nachzudenken

Ansatzpunkte einer tiefenstrukturellen Schulkritik

In einem merkwürdigen Umkehrverhältnis zu der allgemein beobachtbaren Abneigung, über Bildungsfragen in dieser Gesellschaft mit der notwendigen Radikalität nachzufragen, stehen die gesellschaftlichen Ansprüche, die an das Bildungssystem, an die erwartete Wirkung pädagogischer Maßnahmen und an das Erklärungsvermögen der Bildungspraktiker und -theoretiker gestellt werden. Gewalt, Rechtsradikalismus, Lebensüberdruß unter den Jugendlichen? Haben (u.a.) Bildung, Schule, Pädagogik nicht gründlich versagt? Ökologisches und soziales Desaster in der Gesellschaft? Was hat die Schule an Gegenkräften entwickeln können? Entwicklung von Zukunftsperspektiven, Kraft zur Erneuerung, Kreativität, Lernfreude? Haben die Bildungseinrichtungen hierzu etwas beigetragen? Bewältigung der Vergangenheit, historisches Bewußtsein, politisches Interesse? Hat die Schule ihren Auftrag vergessen?

Hartmut von Hentig veröffentlichte ein Buch mit dem Titel: »Die Schule neu denken« (München 1993). Er entwirft sein bekanntes Konzept der Entschulung der Schule, eine Art Polis, in der die Schüler/innen lernen können, was notwendig ist, um sich in einer Civitas kompetent verhalten zu können. Aber auch er kann eine neue Bildungsdebatte nicht ingang setzen. Woran liegt das, wie begründet sich dieses allgemeine Desinteresse? Zeugen diese Unsicherheit, die Abwehr, das Desinteresse, ja auch die Gleichgültigkeit gegenüber Bildungsfragen möglicherweise – positiv gewendet – von einem Bedürfnis nach einem anderen, neuen Bildungsparadigma, weil das alte obsolet, langweilig, abgestanden, unproduktiv geworden ist? Ist die bisher unreflektiert praktizierte Vorstellung, andere Menschen »erziehen« zu können und »bilden« zu müssen, langsam leer geworden, vielleicht gar generell infrage zu stellen? Sind wir sicher, daß es möglich oder auch nur notwendig ist, einen Zweck der Erziehung/Bildung für andere Menschen und für sich selbst noch formulieren zu können? Gibt es überhaupt noch einen allgemein überzeugenden Zweck? Etwa: das Glück des einzelnen, ein gelingendes Bild vom Wesen des Menschen, die gerechte Gesellschaft, resp. Civitas? Kann man stellvertretend für andere solche Zwecke definieren? Wer sollte es können? Kann man für einen anderen Menschen Verantwortung übernehmen, ohne ihn/sie zugleich auf ein präformiertes Bild, wie er/sie sein sollte, festzulegen? Der Gleichgültigkeit gegenüber Bildungsfragen mag ja auch eine Verdrängung zugrunde liegen, die offenbar notwendig ist, weil wir inzwischen nicht mehr wissen, wie wir auf ungelöste oder unlösbar erscheinende Konflikte angemessen und innovativ reagieren können?!

Aus Zweifeln entstehen Fragen: Ist das traditionelle Bildungswesen unserer Gesellschaft noch die geeignete Institution, ein wirkliches Bildungs- oder Lerninteresse bei den einzelnen zu erzeugen? Liegen Gründe für die weitverbreitete Abwehrhaltung gegenüber der Bildung darin, wie die einzelnen ihre Schulbildung in einer Institution erlebt und erlitten haben, die geprägt war durch Machtstrukturen, durch ein traditionelles Verständnis von Verantwortlichkeit, besetzt war von einem Subjektbegriff, der Unterwerfung, Vereinheitlichung verlangte und dessen Lernbegriff eine veraltete Vorstellung vom Lernen durch Belehrtwerden widerspiegelte? Tradiert das Bildungswesen in seiner Mikrostruktur eine Lebens- und Lernform aus frühindustrieller Zeit und in der Organisation seiner Lehr-/Lernprozesse eine Anlehnung an andere Disziplinaranstalten wie Militär, Gefängnis, Krankenhaus, die aus dem gleichen Geist heraus entstanden sind? Trifft das Bildungswesen nicht mehr das Grundgefühl, den Lebensstil und die kulturellen Bedürfnisse der Menschen unserer Zeit? Sind die Anforderungen, die heute an Bildung zu stellen sind, nicht doch ganz andere; sind sie neuartiger, ungewöhnlicher, in den traditionellen Begriffen nicht mehr so eindeutig beschreibbar wie früher?

Eine Gesellschaft, von der man behauptet hat, daß sie nur noch durch Lernen überleben kann, müßte dann möglicherweise einen anderen – modernen oder meinetwegen postmodernen – Bildungsbegriff erfinden und über neue Formen, wie Bildung anders als bisher zu organisieren ist, nachdenken.

Die demokratische Gesellschaft hat sich zur analytischen Untersuchung und projektiven Beantwortung derart grundlegender Problemstellungen hochdotierte Einrichtungen geschaffen: die Wissenschaften. In unserem Falle sind es die Sozial- und Erziehungswissenschaften. Welche Antworten können wir von ihnen erwarten? Ich möchte dies in kritischer Sicht am Beispiel eines der hervorragendsten Vertreter des Faches darzustellen versuchen: *Hartmut von Hentig* hat einen vielbeachteten *»Sokratischen Eid« für Lehrer und Erzieher* verfasst *(1993,* 258 f.). Ich werde im folgenden die einzelnen Eidesformeln mit Fragen konfrontieren, die auf die ungelösten Probleme aufmerksam machen können, mit denen wir uns m.E. in Zukunft im Bildungsbereich mehr werden beschäftigen müssen:

»Als Lehrer und Erzieher verpflichte ich mich,

– die Eigenart eines jeden Kindes zu achten und gegen jedermann zu verteidigen« (auch wenn ich einen Unterricht zu organisieren habe, der mich nötigt, die Gedanken von Kindern einer organisatorisch zusammengewürfelten Kindergruppe auf einen vorgegebenen Inhalt hin zu focusieren und an einer Zielfigur »guter Schüler« zu orientieren, den ich als Maßstab für die abgestufte Bewertung der Leistungen der einzelnen Individuen zugrunde lege?);

– »für seine körperliche und seelische Unversehrtheit einzustehen« (obwohl die Schulpflicht das Kind zwingt, zu einer festgelegten Zeit seinen Körper an einen Ort hinzubewegen, den es sich nicht ausgesucht hat und Zeit zu verbringen, die nicht in seiner Verfügung steht?);

– »auf seine Regungen zu achten, ihm zuzuhören, es ernst zu nehmen« (auch dann, wenn seine Regungen, beispielsweise aus dem Raum wegzustreben, die Zeit anders zu verwenden, von ihm gut begründet werden? Kann ich als Lehrer/in oder Erzieher/in seine Gründe, wegzustreben, ernst nehmen, obwohl ich für seine zeitliche und räumliche Anwesenheit bürgen muß?);

– »zu allem, was ich seiner Person antue, seine Zustimmung zu suchen, wie ich es bei einem Erwachsenen täte« (auch z.B. bei der Entscheidung über seine Nichtversetzung in die nächsthöhere Klasse?);

– »das Gesetz seiner Entwicklung, soweit es erkennbar ist, zum Guten auszulegen und dem Kind zu ermöglichen, dieses Gesetz anzunehmen« (auch wenn ich weiß, daß diese »Gesetze« willkürliche intellektuelle Konstrukte sind *(M. Heidegger:* »Gestelle«, vgl. Vorträge und Aufsätze, Pfullingen, 27 f.; ders.: Identität und Differenz, Pfullingen 1957, 27), die die unverwechselbare Singularität eines Menschen nicht beschreiben können?);

– »seine Anlagen herauszufordern und zu fördern« (in einem vom Schulcurriculum inhaltlich vorgegebenen Rahmen?);

– »es zu schützen, wo es schwach ist, ihm bei der Überwindung von Angst und Schuld, Bosheit und Lüge, Zweifel und Mißtrauen, Wehleidigkeit und Selbstsucht beizustehen, wo es das braucht« (ohne mir klarzuwerden, daß ich als Repräsentant/in einer staatlichen Organisation mit abgeleiteter Machtbefugnis beteiligt bin an der Entstehung von Angst, Bosheit, Mißtrauen etc.?);

– »seinen Willen nicht zu brechen – auch nicht, wo er unsinnig erscheint; ihm vielmehr dabei zu helfen, seinen Willen in die Herrschaft seiner Vernunft zu nehmen; es also den mündigen Verstandesgebrauch und die Kunst der Verständigung wie des Verstehens zu lehren« (auch wenn mein Kontakt zu ihm durch seine/ihre Zwangsanwesenheit beschädigt ist oder er/sie sich meinem engen Begriff der Verstandesbenutzung und meiner dominanten Überlegenheit im kognitiven Verständigungsprozeß entziehen möchte?);

– »es bereit zu machen, Verantwortung in der Gemeinschaft und für diese zu übernehmen« (Wie geht das in einem Schulsystem, in dem noch nicht mal die

Lehrer/innen über ihre Entscheidungen autonom verfügen können, geschweige denn die Schüler/innen?);

– »*es die Welt erfahren zu lassen, wie sie ist, ohne es der Welt zu unterwerfen, wie sie ist*« (in dem Sinne, wie es der junge *v. Hentig* formulierte: »Kinder nicht in der Schule lernen zu lassen, was die Gesellschaft ist, sondern an der Schule«, vgl. Systemzwang und Selbstbestimmung, Stuttgart 1968, 47. Heißt das also auch: das Interesse wecken, die Mikromacht der Schule prinzipiell infrage zu stellen – mit Kindern, die schulpflichtig sind? Kein Widerspruch?);

– »*es erfahren zu lassen, was und wie das gemeinte gute Leben ist*« (auch wenn die materiellen Bedingungen, die sozialen und mentalen Bedürfnisse der Schüler/innen und ihrer Eltern einerseits und die entsprechenden Lebensansprüche, -möglichkeiten und Glücksvorstellungen der Lehrer/innen bzw. Professor/innen andererseits völlig verschieden sind?);

– »*ihm eine Vision von der besseren Welt zu geben und die Zuversicht, daß sie erreichbar ist*« (was im Treibhaus Schule/Universität möglicherweise verbal leicht zu bewerkstelligen ist. Tendieren Bildner nicht allzu leicht dazu, sich innerhalb der Institutionen als Personen mit Modellcharakter aufzubauen, die dann außerhalb der Schule – »im wirklichen Leben also« – ganz schnell wieder in sich zusammenfallen?);

– »*es die Wahrhaftigkeit zu lehren, nicht die Wahrheit, denn ›die ist bei Gott allein‹*« (Vielleicht wäre es besser, die Kinder im Geiste *Bertolt Brechts* auch das Lügen zu lehren, weil es die Wahrheit des Lebens [und der Schulwirklichkeit] ist, worin sie sich bewähren müssen).

Erziehungswissenschaftler tendieren offenbar dazu, ideelle Konzepte zu entwerfen (es müssen nicht gleich »idealistische Lügen« sein, wie *von Hentig* vorsorglich anmerkt, vgl. 258), die jedoch an der Tiefenstruktur disziplinärer Machtbeziehungen der Bildungsanstalten immer wieder zu scheitern drohen. Ideelle Konzepte sind notwendig, um zu wissen, wohin man will. Real aber können sie nur werden, wenn man darangeht, auch die machtstrukturellen Dimensionen der Disziplinaranstalt Schule aufzubrechen und aufzuheben. Die freien Schulen sind bei aller Unzulänglichkeit ein Versuch in dieser Richtung.

Petra Hanke

Offener Anfangsunterricht nur ein Schlagwort? Versuch einer Merkmalsbeschreibung

Warum ist »offener Anfangsunterricht« in der Diskussion?

An einer Kölner Grundschule wurden die Schulanfänger zu Beginn des Schuljahres 1995/96 von der Lehrerin aufgefordert, auf einem großen Bogen Papier sämtliche Buchstaben und Wörter aufzuschreiben, die sie bereits kennen und schreiben können. Folgender Ergebnisausschnitt, den die Lehrerin dabei gewann, stellt durchaus keine Ausnahmesituation an den Grundschulen heute dar:

Nico, ein sehr hyperaktives Kind, malte – den Stift in geballter Faust haltend – ein großes, dickes N mit der Begründung, daß er diesen Buchstaben bereits aus seinem Namen kenne.	
Marion, ein sprachauffälliges Kind, schrieb ein B, sagte dazu aber F. Marion verwechselt auch lautsprachlich oft B und F (z. B. »Blugzeug« statt »Flugzeug«).	
Peter schrieb die Buchstaben seines Namens sowie des Namens seines Freundes Kai seitenverkehrt.	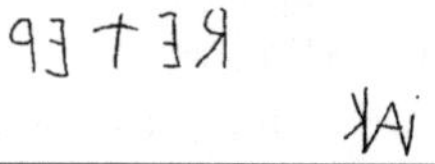
Zuhal, ein türkisches Mädchen, notierte statt Buchstaben Zahlen.	
Fadil malte kleine Männchen, da er – erst seit einem Monat in Deutschland lebend – kaum ein Wort Deutsch sprechen noch verstehen konnte.	
Marina schrieb das gesamte ABC und dazu noch zwei vollständige Sätze.	

Abbildung 1: Unterschiedliche Erfahrungen der Kinder mit Schrift zu Schulbeginn

Diese sechs Kinder stellen nur einen kleinen Ausschnitt aus einer mitunter bis zu 30 Kinder umfassenden Anfängerklasse dar. Eine ausgeprägte Vielfalt an Voraussetzungen für das Lesen- und Schreibenlernen kennzeichnet die Situation zu Schulbeginn. Viele Lehrerinnen und Lehrer fühlen sich in Anbetracht der vielfältigen psychischen, physischen und sozialen Probleme sowie der multilingualen Situation in den Klassen häufig ratlos, nicht darauf vorbereitet, allein gelassen und überfordert. Viele der Lehrerinnen und Lehrer bleiben jedoch auf der Stufe des Klagens über die »veränderten Kinder« nicht stehen, sondern sind aktiv auf der Suche nach alternativen didaktisch-methodischen Möglichkeiten, dieser wahrlich schwierigen Situation gerecht zu werden, den unterschiedlichen Problemen der Kinder individuell zu begegnen. Als eine didaktisch-methodische Perspektive, sich den individuellen Besonderheiten und Bedürfnissen der Kinder intensiver zuwenden zu können, wird der »Offene Unterricht« gesehen, eine Bewegung, die sich aus der Praxis in vielfältigen Varianten entwickelt hat und zunehmend – ansatzweise theoretisch reflektiert – Verbreitung findet. Damit entsteht zugleich ein neues Problem, die Gefahr, daß offener Unterricht zu einem Modewort, zu einem Schlagwort abflacht. So gilt es vermehrt als nicht im Trend liegend, wenn nicht – zumindest ansatzweise – offen unterrichtet wird. Was aber macht Offenheit von Unterricht aus? Die Interpretationen von Offenheit sind oft recht vielfältig und beliebig, woraus ein ganz wesentliches Problem erwächst, wenn es um die Verständigung über offenen Unterricht geht. – Resümierend ist festzustellen, daß Fragen offenen Unterrichts bei Pädagoginnen und Pädagogen sowie Erziehungswissenschaftlerinnen und Erziehungswissenschaftlern kontrovers, häufig auch sehr subjektiv – bedingt durch unterschiedliche Erfahrungskontexte und theoretische Ansichten – diskutiert werden.

Ist offener Unterricht definierbar?

Das Kernproblem der in Theorie und Praxis kontrovers geführten Diskussion um offenen Unterricht besteht darin, daß dieser nicht abschließend und einheitlich definiert werden kann, weil – wie *Jürgens (1995)* hervorhebt – *kein* eindeutiges Theorieverständnis vorliegt. *Jürgens (1994)* unternahm den Versuch, mit Hilfe eines metaanalytischen Vergleichs verschiedener Definitionsansätze eine Art Rahmenkonzeption für offenen Unterricht zu entwickeln. Damit liegen der Theorie- und Praxisdiskussion zumindest grundlegend relevante Merkmale, die für die verschiedenen Theorie- und Praxiskonzepte offenen Unterrichts kennzeichnend sind, vor. Jene basalen Merkmale werden in den folgenden Ausführungen mit Blick auf die Spezifika des Anfangsunterrichts weiter konkretisiert.

Entstehungshintergrund eines Theoriemodells eines offenen Anfangsunterrichts

Die Tatsache, daß kein einheitliches theoretisches Grundverständnis von offenem Unterricht vorliegt, macht es um so schwieriger, wenn es darum geht, Wirkungen dieser Konzeption von Unterricht zu untersuchen. *Brügelmann* verweist in dem Zusammenhang auf die Gefahr, »… daß pädagogisch attraktive Konzepte … programmatisch Unterrichtsentscheidungen bestimmen, ehe ihre theoretische Stimmigkeit und ihre empirische Wirksamkeit im einzelnen und zureichend breit geprüft worden ist« *(1987, 12)*.

Im Rahmen eines gegenwärtig laufenden Forschungsprojekts *(Hanke 1996)* geht es um die Untersuchung von Wirkungen verschiedener Formen der Gestaltung des Anfangsunterrichts (lehrgangsgebunden, offen, gemischt) auf die Laut- und Schriftsprachentwicklung von Grundschulkindern. In dem Zusammenhang erwies es sich als notwendig, von einem einheitlichen basalen Verständnis der einzelnen Unterrichtskonzeptionen auszugehen, deren Merkmale explizit zu beschreiben und zu begründen. Als Ausgangspunkt für die Schaffung eines einheitlichen Theorieverständnisses hinsichtlich der verschiedenen didaktisch-methodischen Ansätze zur Gestaltung des Schriftspracherwerbsprozesses wurden in der Auseinandersetzung mit Erkenntnissen der Unterrichtsforschung und der Schriftspracherwerbsforschung elementare Kategorien didaktisch-methodischer Konzeptionen von Anfangsunterricht bestimmt.

Als elementare Kategorien didaktisch-methodischer Konzeptionen von Anfangsunterricht wurden die folgenden herausgearbeitet:

1. *Auswahl und Anordnung der Lerninhalte*
2. *Einordnung des Erstlese- und -schreibunterrichts in den Fächerkontext*
3. *Planung der Gestaltung der Lehr- und Lernprozesse*
4. *Art und Weise der Gewinnung von Einsichten in die Phonem-/Graphemstruktur von Schriftsprache*
5. *Art und Weise der Gewinnung eines Grundwortschatzes*
6. *Umgang mit Fehlern*
7. *Art und Weise der Erarbeitung orthographischer und grammatischer Regelkenntnisse*
8. *Art und Weise der Entwicklung von Lesestrategien*
9. *Unterrichtsformen*
10. *Differenzierungsformen*
11. *Materialauswahl*
12. *Sozialformen*
13. *Lerntempo*
14. *Rolle der Lehrerin/des Lehrers*
15. *Formen der Leistungsbeurteilung*

Diese Grundkategorien stellen eine Konkretisierung und Spezifizierung (entsprechend der Besonderheiten des Anfangsunterrichts) der von *Jürgens (1994, 46–47)* formulierten Merkmale schülerzentrierter/offener Unterrichtsarrangements dar (1. Sozial-emotionales Klima, 2. Arbeits- und Sozialformen, 3. Inhaltliche Zielbestimmung und Planung, 4. Organisatorisch-methodisches Vorgehen, 5. Lernkontrollen).

Zu den Grundkategorien wurden entsprechend der verschiedenen Rahmenkonzeptionen von Anfangsunterricht (lehrgangsgebunden, offen, gemischt) spezifische Merkmalsausprägungen definiert. Die Merkmalsausprägungen eines offenen Anfangsunterrichts sollen nachfolgend vorgestellt werden.

Merkmale eines offenen Anfangsunterrichts

Zu 1. Auswahl und Anordnung der Lerninhalte

Ausgangspunkt eines offenen Erstlese- und -schreibunterrichts sind die individuellen Erfahrungen der Kinder mit Sprache und Schrift, d.h., die Lerninhalte und -angebote werden auf die Umwelt der Kinder und ihre individuelle Lebensgeschichte bezogen, sie sind daher für das Kind individuell bedeutsam.

Eine Systematik bei der Aneignung von Schriftsprache ergibt sich somit nicht primär aus einer psychologischen Analyse des Lernziels Lese- und Schreibfähigkeit, auch nicht aus einer linguistischen Analyse des Gegenstandes Schriftsprache *(Brügelmann 1986, 174)*, sondern es muß vielmehr eine entsprechende klassenspezifische und individuelle Systematik gefunden werden unter Berücksichtigung psychologischer und linguistischer Aspekte.

So wird das hyperaktive Kind Nico vor allem eine Systematik brauchen, die insbesondere auf seine motorischen Fähigkeiten ausgerichtet ist (wie z. B. das Abschreiten, großflächige Legen oder Kneten von Buchstaben, das Arbeiten mit Laut-Fingerzeichen), während das sprachauffällige Kind Marion eine stärkere Orientierung im artikulatorischen und auditiven Bereich benötigt. Für Peter werden sicher zunächst optisch-graphomotorische Differenzierungsübungen (insbesondere Raum-Lage-Differenzierungen) notwendig sein.

Zusammengefaßt: Die Auswahl und Anordnung der Lerninhalte in einem offenen Anfangsunterricht wird nicht durch einen vorgefertigten einheitlichen Lese- und Schreiblehrgang determiniert, der eine bestimmte systematische Schrittfolge bei der Aneignung von Schriftsprache für alle Kinder gleichsam vorgibt.

Zu 2. Einordnung des Erstlese- und -schreibunterrichts in den Fächerkontext

Da der Erstlese- und -schreibunterricht an die Lebens- und Erfahrungswelt der Kinder unmittelbar anknüpft, erhält der Unterricht durch diese thematische Offenheit häufig einen fächerübergreifenden Charakter (z. B. durch gemeinsame Exkursionen wie die Erkundung des Schulgeländes: Auszählen, Beschriften, Beschreiben, Malen der verschiedenen Objekte auf dem Schulgelände; Exkursion in den Zoo: Sammeln von Tierbildern, Zählen und Beschriften der ausgeschnittenen Tierbilder, Lesen, Schreiben oder Malen einer Tiergeschichte u. v. a. m.).

Zu 3. Planung der Gestaltung der Lehr- und Lernprozesse

Die Kinder werden zunehmend an der Planung der Gestaltung der Lehr- und Lernprozesse beteiligt (z. B. durch das gemeinsame Aufstellen eines allgemeinen/individuellen Tages- oder später Wochenplans; durch das Aufgreifen von Interessen und Bedürfnissen der Kinder).

Zu 4. Art und Weise der Gewinnung von Einsichten in die Phonem-/Graphemstruktur von Schriftsprache

Den Kindern stehen von Anfang an alle Buchstaben/Laute (zumeist in Form von Anlauttabellen) zur Verfügung, mit denen sie entsprechend ihres individuellen

Entwicklungsstandes arbeiten können. Anhand eigener (bedeutsamer) Wörter und Texte werden die Kinder sowohl in gemeinsamen frontalen Phasen als auch in individuellen Phasen an die Phonem-/Graphemstruktur von Schrift herangeführt. Dabei ist vorab keine einheitlich vorstrukturierte Reihenfolge der Beschäftigung mit den einzelnen Buchstaben/Lauten festgelegt, diese ergibt sich entsprechend der klassenspezifischen und individuellen Gegebenheiten.

Während Marina mit Sicherheit von Anfang an mit oder gar schon ohne Anlauttabelle arbeiten und freie Texte schreiben wird, brauchen Zuhal und Fadil mehr Zuwendung in individuellen Phasen.

Gerade die Kinder anderer muttersprachlicher Herkunft sind aufgrund der sich von dem deutschen Schriftsystem oft unterscheidenden Phonem-/Graphembildungen in ihrer Muttersprache (die sie in den meisten Fällen zusätzlich erwerben) erst für die deutschsprachigen Realisierungen zu sensibilisieren.

Zu 5. Art und Weise der Gewinnung eines Grundwortschatzes
Da die Kinder von Anfang an alle Buchstaben/Laute verwenden können, haben sie die Möglichkeit zum Verschriften eines gemeinsam erlebten Wortschatzes sowie zum freien Schreiben. Auf dieser Basis wird mit allen Kindern gemeinsam ein grundlegender Schriftwortschatz aufgebaut, der durch einen individuellen ergänzt wird.

Zu 6. Umgang mit Fehlern
Orthographische Fehler werden zunächst toleriert und als Konsequenz zu Lernanlässen, indem entsprechende gruppenspezifische oder individuelle Lernangebote daraus abgeleitet oder sogenannte »Fehler-Gespräche« mit dem einzelnen Kind oder in der Gruppe geführt werden (weitere Möglichkeiten siehe auch *Ch. Mann 1991*). Die Kinder werden zunehmend zur Selbst- und Partnerkontrolle angeregt.

Zu 7. Art und Weise der Erarbeitung orthographischer und grammatischer Regelkenntnisse
In für die Kinder bedeutsamen Sprachverwendungssituationen werden gemeinsam mit allen Kindern/dem einzelnen Kind Prinzipien der Schriftsprache erarbeitet. Dies erfolgt unter Orientierung an gruppenspezifisch/individuell sowohl im angeleiteten als auch freien Schreiben erreichten Entwicklungsphasen des Schriftspracherwerbs (z. B. der Phase der phonetischen Schreibweisen, der Übergeneralisierungen etc.). Mit Hilfe verschiedener Formen des Umgangs mit den Kindern bedeutsamen Schreibungen (Wörtern und Sätzen) werden mit ihnen gemeinsam Ordnungen gefunden, erzeugt und gezeigt (zum Beispiel durch Verwendung klassenspezifischer und individueller Wörterkarteien, weiterführende Anregungen siehe auch *Balhorn 1995*).

Zusammengefaßt: Es liegt kein einheitlicher Lehrgang zugrunde, der eine formale Orthographie und Grammatik vermittelt, sondern die Kinder erhalten unterstützend Orientierungs- und Strukturierungshilfen auf der Basis eines gemeinsamen und individuellen Wortschatzes.

Zu 8. Art und Weise der Entwicklung von Lesestrategien
Den Kindern werden Wege für differenzierte Zugriffsweisen auf Schriftsprache eröffnet, indem eine herausfordernde Leseumgebung geschaffen wird (z. B. indem eigene Schreibtexte der Kinder zu Lesetexten werden, vielfältige Lesematerialien in einer Leseecke, Verwendung verschiedener Lesespiele wie Wörterdomino, Gezinktes Memory u. a., siehe dazu auch *Brinkmann/Brügelmann 1993*).

Zu 9. Unterrichtsformen
Neben erarbeitenden frontalen Phasen werden den Kindern vielfältige Lernangebote in Phasen von Tages-/Wochenplan- und Freiarbeit unterbreitet bzw. gemeinsam gewonnen. Dabei werden die Kinder mit gemeinsamen/individuellen obligatorischen und/oder gemeinsamen/individuellen fakultativen Lernangeboten konfrontiert, mit denen sich die Kinder zunehmend selbständig und selbsttätig beschäftigen. Dadurch entstehen für die Lehrerinnen und Lehrer vermehrt Freiräume, um sich Kindern mit Lern- und Verhaltensschwierigkeiten und anderen besonderen Ansprüchen zuwenden zu können.

Zu 10. Differenzierungsformen
Neben mitunter für alle Kinder gleichen, grundlegenden Lernangeboten werden zusätzliche, differenzierende Lernangebote und -anreize entsprechend der individuellen Lernfortschritte – unter zunehmender Einbeziehung der Kinder gemeinsam – erarbeitet, d. h., es finden eine innere qualitative (inhaltlich, Anforderungsniveau) und quantitative Differenzierung (Umfang) statt. Diese Lernangebote können entsprechend des jeweiligen individuellen Entwicklungsstandes des einzelnen Kindes offen *(wie z. B. für Marina)* oder aber bereits vorstrukturiert und systematisch aufbereitet sein *(z. B. für Nico und Marion)*.

Zu 11. Materialauswahl
Entsprechend der gewählten Differenzierungsform erfolgt eine sinnvolle Materialauswahl durch die Lehrperson mit zunehmender Eigenaktivität der Kinder. Neben mitunter für alle Kinder einheitlich angebotenem, elementarem (oft bereits vorstrukturiertem) Lernmaterial stehen für eine differenzierende Materialauswahl vielfältige Möglichkeiten zur Verfügung:
a) Die Kinder wählen zwischen speziell für ihren individuellen Entwicklungsstand durch die Lehrperson zur Verfügung gestellten Lernmaterialien (offen strukturiert und systematisch aufbereitet) selbst aus.
   Diese Variante ist zunächst sicher vor allem für Nico, Marion, Peter, Zuhal und Fadil geeignet.
b) Die Kinder können aus einem allen Schülerinnen und Schülern vorliegenden, aber inhaltlich differenzierten Aufgabenangebot entsprechend ihres (selbsteingeschätzten) Entwicklungsstandes Lernmaterialien selbst auswählen.
c) Die Kinder stellen sich selbst Aufgaben entsprechend ihres individuellen Entwicklungsstandes (vorwiegend unabhängig von der Lehrperson) – eingeord-

net in einen übergreifenden Rahmenzusammenhang – und beschaffen sich die dazu notwendigen Informationen und Materialien selbständig.
Dies wäre wahrscheinlich sogar schon eine Variante für Marina.

Zu 12. Sozialformen
Im Unterricht ist eine Vielfalt an Sozialformen ausgeprägt (Einzel-, Partner-, Gruppen-, Klassenarbeit), die sich mitunter aus der Struktur der Lernaufgabe ergibt, die die Kinder häufig aber auch selbst wählen können.

Zu 13. Lerntempo
Die Kinder bestimmen zunehmend mit über Auswahl der Art und Anzahl der Lernaufträge (infolge sich entwickelnder Fähigkeiten zur Selbsteinschätzung) sowie über Tempo und Reihenfolge der Bearbeitung jener. Dadurch bestimmen sie zugleich ihr Lerntempo selbst mit.

Zu 14. Rolle der Lehrerin/des Lehrers
Öffnung von Unterricht bedeutet zugleich eine Öffnung der daran beteiligten Personen: insbesondere der Lehrerinnen und Lehrer, der Kinder und Eltern. Das heißt, die Lehrperson nimmt weniger eine richtende, unterweisende, instruierende als vielmehr eine helfende, unterstützende, anregende, bestärkende und fördernde Position ein. Sie/Er hält sich insgesamt zurück, beobachtet die Lernprozesse und Lernfortschritte der Kinder und gibt zunehmend Lernhilfen durch weiterführende spezifische Aufgabenstellungen.

Zu 15. Formen der Leistungsbeurteilung
Die Lehrerin/Der Lehrer beurteilt die Schülerinnen und Schüler kontinuierlich entsprechend des individuellen Lernfortschritts.

Abschließende Bemerkung
Die erläuterten Merkmalsausprägungen der eingangs vorgestellten Grundkategorien didaktisch-methodischer Konzeptionen von Anfangsunterricht präsentieren in ihrer Gesamtheit eine Reinform von offenem Anfangsunterricht, die nicht von heute auf morgen erreichbar ist. Vielmehr müssen Entwicklungsprozesse auf verschiedenen Ebenen vorausgehen *(Jürgens 1994, 47)*, deren Qualität und Quantität von den konkreten situativen Bedingungen (wie dem psychischen, physischen, sozialen Entwicklungsstand der Kinder einer Klasse, aber auch den Möglichkeiten einer kritischen Eigenreflexion der Position und Rolle der Lehrperson) abhängig sind. Das beschriebene Modell stellt daher eine Art Rahmenkonzeption dar, die als ein Vorentwurf gilt und jeweils unter den gegebenen und zu verändernden Bedingungen realisierbar ist.

Literatur:
Balhorn, H. (1995): Wie Kinder recht schreiben lernen. In: Grundschulmagazin Heft 2, S. 4–6.
Balhorn, H. (1995): Ideen zu einem anregenden Rechtschreibunterricht. In: Grundschulmagazin Heft 2, S. 7–10.
Brinkmann, E./Brügelmann, H. (1993): Ideen-Kiste Schriftsprache 1.verlag für pädagogische medien: Hamburg.

Brügelmann, H. (1992): Kinder auf dem Weg zur Schrift. Libelle Verlag: CH- Bottig-hofen/Lengwil.

Brügelmann, H. (1987): Projekt »Kinder auf dem Weg zur Schrift«. Bericht No. 38b, FB 12 der Universität Bremen.

Hanke, P. (1996): Projekt »Schrift-Spracherwerb«. Bericht Nr. 1, Abteilung für Allgemeine Didaktik und Schulpädagogik der Universität zu Köln.

Jürgens, E. (1994): Die ›neue‹ Reformpädagogik und die Bewegung Offener Unterricht. Academia Verlag: Sankt Augustin.

Jürgens, E. (1995): Offener Unterricht im Spiegel empirischer Forschung. In: Oldenburger Beiträge Nr. 265/95. Oldenburg: Zentrum für pädagogische Berufspraxis.

Mann, Ch. (1991): Selbstbestimmtes Rechtschreibenlernen. Beltz Verlag: Weinheim und Basel.

"Wieso hat däs Fäkl mir a Finf in Deitsch reina wurkt?!"

Hans Brügelmann

Die Öffnung des Unterrichts muß radikaler gedacht, aber auch klarer strukturiert werden

»Ein Curriculum ist also der Entwurf eines relativ geschlossenen Lernsystems [...] ein bestimmtes System der Lernwege mit sachstrukturellen Aufgabensequenzen im Hinblick auf die erwarteten Endleistungen ...«

(Tütken 1970, 59, 57)

Gegen diese Vorstellung einer durch ExpertInnen legitimierten Planung des Unterrichts wurde schon Anfang der 70er Jahre der Anspruch einer Offenheit von Unterricht geltend gemacht *(Brügelmann 1972; Zeitschrift für Pädagogik 3/1973; Deutscher Bildungsrat 1974; Garlichs u.a. 1974).*
Dabei ging es vor allem um die Geltungsansprüche und die Planungsdichte von schulextern entwickelten Lehrplänen, Curricula und didaktischen Materialien. Die überzogenen Planungsansprüche von Politik und Verwaltung einerseits und von Forschung und Entwicklung andererseits konnten damals abgewehrt werden: LehrerInnen haben heute erhebliche Freiräume für die Gestaltung des Unterrichts gewonnen (auch wenn die materiellen Bedingungen ihre Nutzung vielerorts erschweren).

Aber ist damit auch im Unterricht die Möglichkeit gewachsen, daß Kinder persönlich bedeutsame Erfahrungen und Fragen einbringen, individuelle Wege des Lernens gehen können, Verantwortung für ihre Arbeit übernehmen können?

Die (wenigen) empirischen Untersuchungen stimmen eher pessimistisch: je nach Härte des Kriteriums sind es allenfalls 1–25% der LehrerInnen bzw. der Unterrichtsanteile, die sich an offenen Unterrichtskonzeptionen orientieren (vgl. *Richter 1993d; Herff 1994; Könnecke/May 1994; Brügelmann 1996d).* Immer noch ist der Aufbau von Lehrwerken an fachliche Strukturen gebunden, sind Aufgaben stereotyp und auf blinde Wiederholung angelegt; immer noch orientiert sich der Unterricht an einer Alltagspsychologie, die Lehren und Lernen als »Transport« von Wissen und Können versteht; immer noch gewähren eingeschliffene Rollenbilder und Arbeitsformen den SchülerInnen kaum Räume für selbständiges Handeln und Mitverantwortung von Entscheidungen (vgl. die Zusammenfassung empirischer Daten bei *Meyer 1987a,* 134–135, *1987b,* 60–63).

Dennoch sehen manche die Zeit gekommen, auf die Bremse zu treten, weil das Pendel schon zu weit geschwungen sei: »Die methodische Öffnung ist vielerorts erfolgreich vollzogen. Es soll nun auch darum gehen, sich dem Inhalt (der Sache) zuzuwenden, um ihn für die Kinder nutzbar zu machen.« *(Dierckes 1994)*

Ich setze entschieden dagegen: Wir müssen »Offenheit« anspruchsvoller, aber auch präziser bestimmen.[1] Zugleich müssen wir deutlicher machen, daß Offenheit Strukturen nicht ausschließt, sondern im Gegenteil geradezu voraussetzt. Schließlich müssen wir für die Entwicklung solcher Strukturen dieselbe Fantasie und Hartnäckigkeit aufbringen wie für die Erfindung offener Aufgaben und Lernsituationen.

Unterschiedliche (Miß-)Verständnisse von »Öffnung« des Unterrichts
Viele PädagogInnen verstehen offenen Unterricht sehr eng (und überschätzen damit die erreichten Öffnungsgrade, vgl. die Differenz zwischen Selbst- und Fremdeinschätzung in der Untersuchung von *Hanke 1996*, 34). Sie sehen Öffnung nur methodisch-organisatorisch, d. h. als eine Form der inneren Differenzierung, und verlagern die Steuerung des Lernens aus ihrer Person lediglich in das Material (s. auch *Peschel 1995/96*).

Andere, vor allem KritikerInnen der Öffnung, fassen sie zu weit. Sie unterstellen, jedes Kind könne im offenen Unterricht machen, was es wolle, und die Lehrerin gucke nur zu. Überdies werde das heute besonders wichtige soziale Lernen auf dem Altar verabsolutierter Individualisierung geopfert.

Den beiden (Miß-)Verständnissen will ich im folgenden entgegentreten, indem ich

A drei Dimensionen (und zugleich Entwicklungsstufen) qualitativ unterschiedlicher Öffnung bestimme;

B die Spannung des Doppelbegriffs »Offener Unterricht« als Anforderung an die Lehrerrolle genauer herausarbeite;

C verschiedene Formen der Strukturierung von offenem Unterricht auf vier Ebenen vorstelle.

---

1 Dieser Beitrag geht zurück auf meinen Vortrag vor der Jahrestagung der Deutschen Gesellschaft für Lesen und Schreiben am 11. Mai 1996 in München. Eine Langfassung dieses Beitrags ist erhältlich als OASE Bericht No. 4 (gegen eine Schutzgebühr von 5 DM zu beziehen unter der OASE-Anschrift, s. Anm. 2).
Ich danke *Falko Peschel* nicht nur für diese Herausforderung, sondern auch für viele Anregungen und konkrete Hinweise, die mir geholfen haben, meine Position – wie ich hoffe: auch für andere – klarer zu bestimmen. Weitere kritische Anmerkungen verdanke ich *Heiko Balhorn, Heide Niemann, Lilly Roffman* und – wie so oft – *Erika Brinkmann*.
Vgl. zu früheren Bemühungen um eine klarere Bestimmung, was Offenheit im Unterricht ausmacht, schon *Ramseger 1977; Wagner 1978; Bönsch/Schittko 1979*, 36 ff.; *Wallrabenstein 1992; Nauck 1993*.

Dabei möchte ich die meist fachdidaktisch eingeengte Diskussion (»Lernen Kinder [Lesen, Rechnen, ...] im offenen Unterricht schlechter oder besser?«) erweitern um normative Anforderungen an Unterricht in der Demokratie, indem ich die Frage aufwerfe, welches Maß an Mitbestimmung und Mitverantwortung Kindern als jungen MitbürgerInnen zusteht und wie Unterricht dazu beitragen kann, ihre Selbständigkeit und ihre Entwicklung zu einer selbstbewußten Person zu stützen (s. vor allem *B4*).

A Drei Dimensionen der Öffnung des Unterrichts

Im folgenden werden drei Dimensionen der Öffnung von Unterricht untersucht:
- die erste lernpsychologisch und didaktisch begründet durch das Kriterium der »Passung« von Aufgaben im Unterricht auf den Entwicklungsstand des Kindes *(Heckhausen 1968; 1972; Aebli 1969);*
- die zweite erkenntnistheoretisch und entwicklungspsychologisch begründet durch eine konstruktivistische Sicht von Lernen *(Piaget 1970/1973; Glasersfeld 1995);*
- die dritte bildungstheoretisch und politisch begründet durch das Kriterium der Selbständigkeit als Ziel und Bedingung schulischen Lernens *(Dewey 1916/64; Heymann 1996).*

Theoretisch (im Sinne zunehmender pädagogischer Qualität) und pragmatisch (im Sinne zunehmender Anforderungen in der beruflichen und persönlichen Entwicklung einer Lehrperson) beschreibe ich die drei Dimensionen als Stufen – wobei die höheren die niedrigeren einschließen. Diese Sicht erlaubt LehrerInnen eine Veränderung ihres Unterrichts in Schritten, von denen schon der erste bedeutsam ist – wenn er im Blick auf den letzten als Annäherung an das Ziel und nicht schon als Erfüllung des Anspruchs verstanden wird.

A1 Öffnung des Unterrichts für Unterschiede zwischen den Kindern
(»methodisch-organisatorische Öffnung« des Unterrichts)
Unterschiede zwischen Kindern beeinflussen in verschiedener Hinsicht den Erfolg beim Lernen:
- unterschiedliches Wissen und Können aus der jeweiligen Biografie bestimmen die (fehlende) Passung von Aufgabe und Leistungsstand;
- unterschiedliche Lernstile verlangen verschiedene Zugangsmöglichkeiten und Aneignungsweisen;
- unterschiedliches Arbeitstempo bestimmt Dauer bzw. Menge der leistbaren Arbeit.

Innere Differenzierung des Unterrichts ist deshalb eine alte Forderung, die aber häufig mit einer starken Lenkung durch die Lehrperson einhergeht (Diagnose des Lernstandes, Zuweisung von spezifischen Aufgaben, Kontrolle der Annäherung an genau definierte Teilziele; vgl. zur Abgrenzung dieser Art der

»Individualisierung« von Individualisierung in Konzepten offenen Unterrichts *Einsiedler 1988; Brinkmann/Brügelmann 1992).*

In unseren Befragungen von PädagogInnen war die enge Bestimmung einer Individualisierung »von oben« weit verbreitet (die im folgenden berichteten Ergebnisse beziehen sich noch auf die *Pilotstudien 1995):*[2] Rund zwei Drittel der LehrerInnen verbinden den Begriff »Öffnung« mit einem Eingehen auf die Leistungsunterschiede zwischen den SchülerInnen.

Wie kann das konkret aussehen?

Ich will diese Sicht für zwei Schlüsselbegriffe konkretisieren, die in der didaktischen Diskussion sehr verschieden verstanden werden: Mit »Freiarbeit« werden den Kindern – je nach Konzeption unterschiedlich große – Handlungsräume im Unterricht eröffnet; der »Wochenplan« ist eine Organisationsform, um diese Freiräume – unterschiedlich stark – zu strukturieren.

Nach dem hier *(A1)* diskutierten methodischen Verständnis der Öffnung von Unterricht könnte ein »Wochenplan« z. B. folgendermaßen aussehen:

Die Aufgaben werden den SchülerInnen vorgegeben

- entweder für alle gleich,
- oder mit Alternativen zur individuellen Auswahl
- oder einzelnen Kinder(gruppen) – nach ihrem Leistungsstand – von der Lehrerin zugewiesen.

Auch der Weg der Bearbeitung und das richtige Ergebnis stehen fest.

Nehmen wir das Beispiel Schreiben: Das Thema stellt die Lehrerin (z. B. »Im Zoo«), auch die Form der Bearbeitung legt sie fest (z. B. ein »Bericht«, dessen formale Merkmale vorweg erarbeitet wurden). Aber wann die Kinder schreiben, wie lange sie brauchen, welche Hilfsmittel sie nutzen, steht ihnen – innerhalb der ausgewiesenen Zeiten – frei.

Kritisch ist anzumerken: Solche Wahlmöglichkeiten sagen noch nichts über die Qualität der Aufgaben selbst aus: z. B. über ihre Bedeutsamkeit für das einzelne Kind; über die Möglichkeiten, sich zu fordern, Neues zu erfahren, individuelle Neigungen zur Geltung zu bringen.

Viele Materialien »für Freiarbeit« beschränken sich nämlich darauf, Aufgaben aus Rechenbüchern oder aus Arbeitsheften zum Lesen bzw. Rechtschreiben in Karteiform auszulegen. Die Aufgaben selbst sind genauso geschlossen wie in den Schulbüchern. Was zählt, ist auch hier das richtige Ergebnis. Zwar wird von Selbstkontrolle gesprochen, gemeint ist aber eine »Kontrolle durch das Mate-

---

2 Die folgenden Daten stammen aus einer Voruntersuchung zu unserer Erhebung »Offenheit im Unterrichtsalltag«, in der wir untersuchen, welche Vorstellungen und Erfahrungen LehrerInnen mit der »Öffnung des Unterrichts« verbinden (ausführlicher: OASE Bericht Nr. 3, zu beziehen gegen eine Schutzgebühr von 4 DM [in Briefmarken] über *P. Ulmer,* FB 2, Universität, PF 10 12 40, 57068 Siegen).

rial«, in das die Lehrperson oder die Programmentwickler eine bestimmte Lösung eingebaut haben.

Für viele Kinder ist schon das ein Vorteil: Sie sind nicht mehr abhängig von Lob oder Tadel einer Person. Sie können ihre Vorstellungen austesten und sehen am Erfolg, ob sie richtig gedacht haben. Die Auseinandersetzung mit der Sache wird also nicht überlagert durch Beziehungsprobleme.

Einfache Ordnungen im Wahrnehmungsbereich können so vermittelt werden (vgl. das Sinnesmaterial von *Montessori*). Auch bei der Automatisierung von (vorher) verstandenen Operationen in der Mathematik, beim Lesen oder Rechtschreiben, also in der Übungsphase des Lernprozesses, können zeitlich begrenzte Aufgaben dieser Art, z. B. in Form von didaktischen Spielen, Sinn machen.

Individuelle Ideen oder ein Austausch unterschiedlicher Sichtweisen zwischen den Kindern werden dagegen weder gefördert noch gefordert.

A2 Öffnung zur persönlichen Erfahrungswelt der Kinder
(»didaktisch-inhaltliche Öffnung« von Unterricht)

Einen Schritt weiter führt die Einsicht, daß Lernen eigenaktives Konstruieren, nicht bloßes Kopieren von Lösungen bedeutet (vgl. die grammatischen und orthographischen Übergeneralisierungen beim Sprach- und Schrifterwerb oder die »Umweg«-Strategien bei halbschriftlichem Rechnen, die *Hengartner, Selter, Spiegel* und andere durch Überforderungsaufgaben herausgefunden haben). Jede neue Erfahrung wird im Zusammenhang der bereits entwickelten Vorstellungen und Deutungsmuster interpretiert, und die Bedeutsamkeit einer Erfahrung hat mit ihrem Bezug auf die alltägliche Lebenswelt der Kinder zu tun.

Daraus folgt, daß es auch im Unterricht nicht bei der Wahl zwischen (geschlossenen) Aufgaben bleiben kann, sondern daß sich ihre Qualität ändern muß. Nicht nur die Arbeitsbedingungen, auch die Aufgaben selbst müssen offen, d. h. anspruchsvoller werden, Raum für selbständiges Denken und einen inhaltlichen Bezug zu der Erfahrungswelt der Kinder eröffnen.

Von den LehrerInnen unserer Befragung assoziiert nur noch knapp die Hälfte solche Vorstellungen mit dem Begriff »Öffnung des Unterrichts« (gegenüber zwei Dritteln bei *A1*).

Im Blick auf die Realisierung dieser Ansprüche im Unterricht scheint sich das stärker organisatorische Verständnis noch stärker durchzusetzen. Als »weitgehend umgesetzt« nennen 30–50% der Lehrer organisatorisch-methodische Aspekte, während Formen didaktisch-inhaltlicher Öffnung nur einen Realisierungsgrad von 10–15% erreichen.

Was unterscheidet nun die inhaltliche Öffnung von der methodischen Differenzierung konkret?

Das Weiterführende wird anschaulich im Kontrast von *Freinets* Werkstätten zu *Montessoris* »vorbereiteter Umgebung« didaktisch eindeutig definierter Materialien *(= A1)*, in seinem bewußten Ausbruch in die außerschulische Welt als Lernfeld, im Alltagsmaterial, das er zum Ausgangspunkt der Arbeit im Klassenzimmer macht, und in der Korrespondenz mit anderen Klassen als sozialer Rahmung des Lernens.

Das (oben unter *A1*) zitierte »Schreiben von Texten« würde auf dieser Stufe der Öffnung insofern eine neue Qualität gewinnen, als die Kinder auch Inhalt und Form von Texten selbst bestimmen. Sie machen zum Thema, was sie persönlich beschäftigt, und stellen es so dar, wie sie andere glauben ansprechen zu können.

Nach diesem Verständnis von Öffnung des Unterrichts könnte ein »Wochenplan« – anders als oben *(A1)* beschrieben – so aussehen, daß zwar Aufgabentypen vorgegeben sind, z.B. »Arbeit an der Rechtschreibung von Wörtern«, aber daß die Kinder selbst entscheiden, ob sie einzelne Wörter üben (»eigene«, die sie häufig brauchen, oder schwierige, in denen sie immer wieder Fehler machen) oder ob sie einer »Forschungsfrage« nachgehen (z.B. »Wie wird das /i:/ in der Regel verschriftet?«). Auch die Form des Übens könnten sie selbst bestimmen (Partnerdiktat, Abschreiben von Wendekarten, Arbeit mit einer Rechtschreibkartei, Ordnung von Wörtern nach einem bestimmten Rechtschreibmuster).

»Freiarbeit« hieße dann in dieser Sicht: Die Kinder können im Auftragsrahmen selbst Aufgaben wählen/erfinden, oder die vorgegebenen Aufgaben lassen eine unterschiedliche Bearbeitung zu (z.B. eine Rechenmauer zum Addieren, in die die Kinder unterschiedliche Zahlen eintragen, verschiedene Ausgangsmuster ausprobieren; oder ein Alltagsproblem, z.B. die Frage, wieviel Wasser ein Haushalt unter bestimmten Bedingungen verbraucht).

»Selbstkontrolle« meint in diesem Verständnis von »Öffnung« nicht nur Vergleich der eigenen mit einer Musterlösung, sondern argumentative Auseinandersetzung mit anderen Sichtweisen und Vorgehensweisen (z.B. mathematischen Modellierungen eines Problems oder Strategien beim Rechnen). Sie verlangt dann eine Haltung gegenüber der eigenen Arbeit, die von PsychologInnen als Metakognition bezeichnet wird (im Sinne einer kontinuierlichen Selbstbeobachtung und -korrektur bei der Arbeit).

Die Verantwortung der SchülerInnen für konkrete Arbeiten nimmt also im Vergleich zum methodisch-organisatorischen Verständnis erheblich zu. An der Planung des Unterrichts werden sie aber auch hier nicht beteiligt.

A3 Öffnung zur Mitwirkung an und Mitverantwortung von Entscheidungen
(»pädagogisch-politische Öffnung« der Schule)

Bisher haben wir unterstellt, daß letztlich die LehrerInnen (der Lehrplan oder das Schulbuch) bestimmen, was die Kinder lernen – entweder (s. *A1*) festgelegt auf konkrete Kenntnisse bzw. Fertigkeiten oder zumindest (s. *A2)* als Vorgabe bestimmter Probleme oder Aufgabentypen. Selbständigkeit der SchülerInnen beschränkt sich also auf inhaltliche und methodische Ideen für die Lösung von Aufgaben, die Entscheidung über die Aufgaben selbst bleibt der Lehrerin vorbehalten.

Auch in unserer Befragung versteht nur knapp ein Drittel der LehrerInnen den Begriff »Öffnung« im Sinne von mehr Selbständigkeit und Mitbestimmung im Unterricht (gegenüber immerhin knapp 50% bzw. 65% bei *A1* und *A2)*. Der Anteil von LehrerInnen, die für ihren eigenen Unterricht diese Formen als weitgehend realisiert nennen, liegt sogar unter 10%.

Im Gegensatz zu dieser eingeschränkten Mitwirkung an der Unterrichtsplanung findet die Mehrheit der LehrerInnen es im Blick auf das *soziale Zusammenleben* wichtig, die Kinder in die Mitverantwortung zu nehmen, wie die Zustimmung zu folgenden Ansprüchen an Unterricht zeigt (je nach Aspekt 40–70%). Auch in der Realisierungsbreite liegen die Werte für die sozialen Aspekte der Öffnung mit 20–40% deutlich höher.

Was aber bedeutet »Mitbestimmung« konkret?

Ein *»Wochenplan«* könnte so aussehen, daß die Lehrerin und die Klasse gemeinsam einen Arbeitsplan entwickeln und seine Umsetzung kontrollieren, wie *Dewey* das mit seiner Projektmethode fordert. Denn *Dewey* bestimmt »Projekt« nicht äußerlich als ein Vorhaben, das fachübergreifend angelegt ist, in dem SchülerInnen selbst tätig werden können und das in ein Produkt mündet, sondern inhaltlich durch die Mitverantwortung und -kontrolle der gemeinsamen Arbeit durch alle Beteiligten. Eine stärker individuelle Variante wäre, daß die Lehrerin mit dem einzelnen Kind sozusagen einen *»Lernvertrag«* über bestimmte Aufgaben und eine überschaubare Zeit abschließt (vgl. *Reichen 1991,* aber auch Ansätze kooperativer Verhaltensmodifikation).

»Freiarbeit« hieße dann, daß die Kinder eigene Ideen für Arbeitsvorhaben einbringen und gemeinsam oder individuell umsetzen können (wie in den von *Heide Bambach (1989)* geschilderten Forschungs- und Schreibprojekten). *»Selbstkontrolle«* beschränkt sich in diesem Kontext nicht auf die Anwendung metakognitiver Strategien (s. *A2),* sondern bedeutet eine gegenüber der Gruppe und der Lehrerin verantwortete Selbständigkeit. Die eigene Arbeit und Erfahrung werden (wie im »Reisetagebuch« von *Gallin/Ruf)* reflektiert, aber nicht nur im Blick auf das gegenstandsbezogene Lernen, sondern auch auf die persönliche Entwicklung des Kindes.

B Öffnung bis zur Beliebigkeit?

Zur Rolle der Lehrerin im offenen Unterricht

Ich versuche, die Aufgabe der Lehrerin in diesem Unterricht über den Begriff der »Herausforderung«, den ich in *vier Perspektiven* auslege, genauer zu bestimmen:

1. Herausforderung durch Sachen,

2. Herausforderung durch Personen,

3. Herausforderung durch Traditionen,

4. Herausforderung durch Institutionen.

Ein in diesem Verständnis als »offen« qualifizierter Unterricht bedeutet also: Die Lehrerin vermittelt nicht Stoff oder Normen, sondern sie fordert die Erfahrungen, das Denken, die Urteile der Kindes heraus. Denn: Lernen bedeutet immer Veränderung; Passung (s. oben *A1*) heißt insofern nicht *An*passung.

Statt Wissen und Können als Produkt zu »transportieren«, werden Lehrpersonen zu kritischen BegleiterInnen von Lernprozessen, in die sie zwar bestimmte Inhalte einbringen, deren Wirkung auf die SchülerInnen sie aber nie determinieren wollen.

Schon diese Kurzformel macht deutlich, daß LehrerInnen eine wichtige Funktion haben: Kinder herauszufordern, indem sie

– Fragen stellen (»Wie bist du darauf gekommen?«, »Was soll das bedeuten?«),
– Alternativen aufzeigen (»Probier es doch einmal so!«, »Ich würde es so machen!«),
– Zweifel äußern (»Geht das denn auch, wenn …?«, »Ulf hat ein anderes Ergebnis«).

Der Begriff »Öffnung« bekommt damit einen zusätzlichen Sinn: Unterricht soll nicht kanalisieren und festlegen, indem die Vorstellungen des Kindes durch andere ersetzt werden, sondern diese entwickeln, erweitern und bereichern.

Was heißt das konkret?

B1 Herausforderung durch Sachen: als Rätsel, nicht als Lösung

Mit ihrer Praxis des »weißen Blattes« wirft *Hannelore Zehnpfennig* die Kinder auf sich selbst, auf ihre eigenen Fragen und Erfahrungen zurück. Aber auch in einem so radikal offenen Unterricht verschwindet die Lehrerin nicht, wie in den Berichten von *Falko Peschel (1996a+b)* deutlich wird.

Andere PädagogInnen fokussieren die Aufmerksamkeit der Kinder stärker, indem sie die Kinder mit einer »Sache« konfrontieren. Der Spielraum, den Kinder in der Auseinandersetzung mit der Sache haben, ist dabei unterschiedlich weit.

Bei *Maria Montessori* ist der Fokus sehr eng: mögliche Aktivitäten und Deutungen sind festgelegt durch die Isolierung von Merkmalen. Jedes Material hat seine vorher bestimmte (und damit im didaktischen Konzept nur eine sinnvolle) Verwendung. Insofern ist es »geschlossen«, auch wenn die Kinder in der Wahl der Arbeitsbedingungen viel Freiheit haben (s. *A1*).

Ganz anders bei *Martin Wagenschein*. Er konfrontiert die Kinder mit einer Situation, die unterschiedliche Interpretationen zuläßt. Diese Deutungsversuche verweist er immer wieder zurück auf die Sache, an der die Kinder gegenständlich oder mental ihre Hypothesen erproben sollen. Dabei gibt es nicht eindeutig falsche oder richtige, sondern nur mehr oder weniger überzeugend begründete Lösungen. Alltagsgegenstände, Instrumente, Versuchsanordnungen, Dokumente – die »Sache« kann unterschiedlich aussehen. Ihre Offenheit besteht darin, daß nicht eine bestimmte Deutung vorgegeben ist. Aber die Lehrerin überläßt die Vielfalt der Sichtweisen nicht dem freien Spiel der Kräfte. Sie fordert die Deutungen/ Lösungsversuche/Umgangsweisen der Kinder dadurch heraus, daß sie immer wieder auf die Sache verweist: »Stimmt das?«, »Geht das?«, »Was wäre, wenn …?«

Hier wird deutlich, wie wichtig die Fachkompetenz der Lehrerin ist. Nicht um zu belehren, sondern um die Sache zur Herausforderung werden zu lassen – und zwar in unterschiedlicher (Zu-)Richtung, je nach den Deutungen, die die Kinder versuchen.

B2 Herausforderung durch Personen: als PartnerIn, nicht als VorgesetzteR

Lernen hat immer zwei Seiten: eine Erfahrung mit (Aspekten) der Umwelt und eine Erfahrung mit sich selbst in der Beziehung zu anderen (vgl. zur Bedeutung der anderen Kinder unten *B4*).

Die kindliche Persönlichkeit kann sich nur entwickeln, wenn sie zureichend Raum hat, sich zu erproben. Erproben kann sich eine Person aber nur, wenn der Raum Grenzen hat und wenn er nicht leer ist.

Erziehung wird oft verstanden als Vermittlung von Normen. Kindern wird erklärt, was »gut« oder »richtig« ist, sie werden bestraft, wenn sie »böse« sind, und zurechtgewiesen, wenn sie etwas »falsch« machen. Eine solche Erziehung »von oben« verfehlt die Leitidee der Selbständigkeit.

Aber heißt das, keine Grenzen zu setzen?

Wichtige Erfahrungen machen Kinder im Umgang und in der Auseinandersetzung miteinander. Auch wenn Erwachsene sich als PartnerInnen verstehen, heißt das nicht, daß sie sich den kindlichen Wünschen unterordnen, sondern daß sie ihre Interessen, ihre Vorstellungen als gleichwertig behaupten.

Herausforderung bedeutet dann, daß die Lehrerin die Kinder nicht nur auf die Sache verweist, sondern sie mit der eigenen Deutung (der Sache, einer Situation, eines Verhaltens) konfrontiert – nicht im Sinne einer sozusagen »authentischen« und damit überlegenen Interpretation, sondern als alternative Sicht, z.B. bei der Erklärung eines Versuchsergebnisses, bei der Auslegung eines Gedichts oder bei der Reaktion auf einen Konflikt.

Wenn die Lehrperson das Kind als Partner ernst nimmt, ist sie zum einen offen für seine Sicht der Dinge, behauptet aber demgegenüber die eigene Position als ebenso bedeutsam. Ihre Verantwortung für die Gruppe weist ihr darüber hinaus eine zweite Funktion zu: den Schwächeren und Leisen zu helfen, ihre Rechte, Gefühle und Gedanken zu artikulieren, es auch einmal stellvertretend für sie zu tun in einer Situation, in der sie das selbst nicht schaffen (s. unten *B4*).

B3 Herausforderung durch Traditionen: als Konvention, nicht als Wahrheit

Jeder Mensch konstruiert seine eigene Welt im Kopf. Aber Menschen leben nicht als Einsiedler, sondern in einem sozialen Raum mit Traditionen des Denkens und Urteilens. An den individuellen Erfahrungen anzuknüpfen ist wichtig. Die Vielfalt der Subkulturen in unserer heutigen Gesellschaft macht es andererseits unverzichtbar, gemeinsame Erfahrungen zu ermöglichen, eine »gemeinsame Sprache« zu sichern. Bildungstheoretisch bedeutet das: Individualisierung findet ihre Grenzen im Anspruch sozialen Lernens, im Respekt für andere Sichtweisen und in der Beherrschung von Konventionen (soziale und sprachliche Umgangsformen, aber auch: Stellenwertsystem in der Mathematik, Grammatik, Rechtschreibung usw.; vgl. *Heymann 1996*, Kap. 3).

Prägnant haben *Gallin/Ruf* beschrieben, was dies für die Öffnung des Unterrichts bedeutet: von der Singularität individueller Denkversuche über die Divergenz konkurrierender Deutungen zur Regularität (wobei deutlich zu machen ist, daß auch diese eine Konvention und nicht die einzig sinnvolle Möglichkeit darstellt).

Das Denken des Kindes in seinen individuellen Lösungen von Aufgaben akzeptieren, es durch die soziale Interaktion (z. B. über Rechenplakate oder Schreibkonferenzen) in Bewegung bringen und es schließlich mit den Konventionen der Fächer oder den Traditionen verschiedener Subkulturen als möglicher (!) Vereinfachung, Zusammenfassung oder Differenzierung wieder konsolidieren – als Oszillation zwischen diesen Polen läßt sich die Aufgabe der Lehrerin in diesem Feld beschreiben.

Um diesen Prozeß zu regulieren, hat *Lawrence Stenhouse (1975,* Kap. 7) – speziell zur Diskussion kontroverser Fragen – Kriterien für die Lehrerrolle formuliert (er nennt sie »Standards«): Aufgabe der Lehrperson sei es nicht, »richtige« Meinungen zu vermitteln oder zu bestätigen, sondern Minderheitenpositionen zu stärken, Konsens in Frage zu stellen, Begründungen zu erfragen, alternative Sichtweisen einzuführen.

Für verschiedene Lernbereiche der Grundschule sind analoge Prozeßkriterien ausdrücklich entwickelt worden (vgl. für den Sachunterricht *Tütken u. a. 1977ff.;* für den Anfangsunterricht im Lesen und Schreiben *Brügelmann/Brinkmann 1993,* 23, und für den Mathematikunterricht *Hengartner 1992,* 16 ff.).

B4 Herausforderung durch Institutionen: als Aufgabe, nicht als Vorgabe

Schule ist (abgesehen von dem noch nicht so stark formalisierten Kindergarten) die erste Institution im Leben eines Kindes. Hier erlebt es grundsätzlich andere Normen für die Interaktion als in der Familie. Der Wechsel von einer persönlichen zu einer universalistischen Orientierung bereitet vor auf das Leben in einer Gesellschaft, die wegen ihrer Komplexität soziale Beziehungen in hohem Maße formalisieren muß.

Die Schule, vor allem der Anfangsunterricht stellt damit eine schwierige, aber notwendige Entwicklungsaufgabe:

– von der individuellen, auch stark emotional geprägten Beziehung zu anderen Personen

– hin zu Rollenbeziehungen, die stärker von der Funktion in der Institution her und der fachlichen Leistung definiert sind (z. B. als »SchülerIn«).

Die Lehrerin steht damit in einer doppelten Spannung:

a) zwischen ihrer Rolle als Bezugsperson für viele Kinder (s. *B2*) und ihrer Funktion als Inhaberin eines Amtes in der Institution;

b) zwischen dem Anspruch, die Selbständigkeit der Kinder nicht nur zu fördern, sondern auch zu respektieren, und dem Auftrag, gesellschaftliche Anforderungen durchzusetzen (z. B. Selektion).

Diese Spannungen lassen sich nicht generell, sondern nur situativ lösen: als jeweils neu zu findender Kompromiß. Ob dieser überzeugt, ist nicht nur eine Frage der inhaltlichen Stimmigkeit, sondern auch der persönlichen Glaubwürdigkeit. Glaubwürdig können verschiedene Lösungen sein, wenn deutlich wird, daß die Lehrperson die widerstreitenden Interessen/Anforderungen wahr- und ernst nimmt.

Lernen in einer demokratischen Schule und für eine demokratische Gesellschaft fordert aber einen weiteren Schritt (insofern auch über *B2* hinaus): Beteiligung der SchülerInnen an der Planung des Unterrichts und Mitverantwortung für das Zusammenleben in der Klasse. In *A3* habe ich das als Anspruch des Kindes auf Öffnung der Entscheidungsverfahren formuliert. Diesem Recht korrespondiert eine Pflicht, sich Entscheidungen zu beugen, die in einem offenen Verfahren gefunden wurden.

Die vierte Aufgabe der Lehrperson heißt also: Institutionalisierung von Verfahren, vom regelmäßigen Gesprächskreis am Morgen über die ebenfalls noch informelle Leseversammlung bis zum Klassenrat oder gar zum Schülergericht (wie bei *Korczak).*

Solche Formen der Meinungsbildung und der Konfliktlösung gemeinsam mit den Kindern zu entwickeln ist ein wesentliches Medium sozialen Lernens, beschränkt sich aber nicht – wie bei vielen LehrerInnen (s. *A3)* – auf die Regelung des sozialen Miteinanders, sondern schließt Entscheidungen über Inhalte des Unterrichts mit ein. Den Anspruch auf ihre Respektierung im Alltag durchzusetzen, auch stellvertretend für die Leisen und Schwachen, ist eine zentrale Funktion der Lehrperson.

In dieser Hinsicht steht sie auch für gesellschaftliche Anforderungen, allerdings nicht als Curriculum einzelner Stundeninhalte, sondern als Grundkonzept von Lernen in der Schule insgesamt (s. zum Stichwort »Unterrichtskultur« *C3).*

Wie läßt sich die beschriebene Rolle der Lehrerin konkret umsetzen und abstützen?

C Strukturen im offenen Unterricht

Herkömmliche Lehrgänge entlasten die Lehrerin, indem sie
– den Gegenstand,   – die Ziele und   – den Weg
für die Arbeit der SchülerInnen vorgeben.

Dieser Ansatz unterstellt den DidaktikerInnen eine besondere Autorität in
– fachlicher,   – politischer und   – didaktisch-methodischer Hinsicht,
die sie LehrerInnen (im Verhältnis zu den SchülerInnen) über ihre Konzeptionen, Programme und Materialien übertragen.

Wenn wir diese Autorität relativieren im Sinne der oben geforderten Öffnung des Unterrichts (s. *A1* bis *A3*), dann stellt sich die Frage nach alternativen Strukturen (vgl. auch *Schwarz 1994; Speck-Hamdan 1994*). Denn das Wechselspiel von Eigenaktivität der SchülerInnen und Herausforderung durch die Lehrerin gedeiht nicht im luftleeren Raum. Strukturen können LehrerInnen in drei Dimensionen entwickeln, die ich im folgenden exemplarisch am Beispiel des Anfangsunterrichts, vor allem im Lesen und Schreiben, konkretisiere.

C1 Strukturierung durch die inhaltliche Gestaltung von Materialien
Materialien, die wir für Erkundungs-, Ordnungs-, Übungsaufgaben bereitstellen, können inhaltlich so strukturiert werden, daß sie bestimmte Umgangsweisen und Einsichten nahelegen. Das Wortlisten-Training 1–6 von *Balhorn u. a.* mit der Gruppierung von Wörtern nach Rechtschreibgemeinsamkeiten, die morphematisch unterschiedliche Färbung von Wortbausteinen bei *Marion Bergk,* das »Straßenspiel« von *Christa Röber-Siekmeyer* zum Einüben der s-/ss-/ß-Schreibung sind ebenso Beispiele für solche ins Material eingebaute Muster wie in unserer »Ideen-Kiste 1 Schrift-Sprache«

– das gezinkte Memory mit Minimalpaarwörtern, die auf zentrale Merkmale von Schriftwörtern aufmerksam machen;

– die Wortbaumaschine mit Fenstern für Stamm-, Vor- und Nachsilben;

– alle »Odd-man-out«-Aufgaben, die neben mehreren mustergerechten Beispielen einen »Störenfried« enthalten.

Solche Aufgaben/Materialien enthalten also eine Struktur, die dem Kind implizit für die Rekonstruktion im Rahmen seiner aktuellen Denkmuster angeboten, diesen aber nicht durch explizite Vermittlung und Forderung aufgezwungen wird. Ob, wann und wie das Kind die Struktur aufnimmt, entscheidet nicht die Lehrerin, aber sie fordert das kindliche Denken durch das Material heraus und weist ihm sinnvolle Entwicklungsmöglichkeiten: enger im eindimensionalen Sinnesmaterial von *Maria Montessori*, weiter in den *Fröbel*schen Spielgaben. Die Anlauttabelle von *Jürgen Reichen* ist das eindrucksvollste Beispiel dafür, wie mit minimaler Vorgabe eine Denk- und Ordnungshilfe angeboten werden kann, das eine Sachlogik repräsentiert, diese aber als Werkzeug in die Hand des Kindes gibt, um seine Selbständigkeit zu steigern. Wir sind in dieser Richtung noch einen Schritt weitergegangen und haben vorgeschlagen, die Anlauttabelle nur als Hohlform vorzugeben, in die Kinder individuell unterschiedliche Bilder einkleben oder -malen, die ihre persönlichen Schlüsselwörter repräsentieren. In ihrer Werkzeugfunktion weist die Anlauttabelle schon den Übergang zu einer zweiten Strukturierungsform offenen Unterrichts:

C2 Strukturierung durch die methodische Gestaltung von Arbeitsformen
Orientierung und Sicherheit geben wiederkehrende Aufgabentypen. Wir haben sie in der »Ideenkiste Schriftspracherwerb« als methodische Institutionen be-

zeichnet, die von einfachen, häufig an ein Material gebundenen Arbeitsformen (z. B. die »Lektion« bei *Montessori)* über die zweckgebundene Ausweisung von Zeiten (z. B. der »Wochenplan« bei *Petersen)* bis zur aufgabenspezifischen Gestaltung von Räumen (z. B. die »Ateliers« bei *Freinet)* reichen:

- Buchstabenplakate, auf denen jede Woche neu, aber immer nach demselben Muster grafisch unterschiedliche Versionen des aktuellen Buchstabens gesammelt und die Zuordnungen zur Diskussion gestellt werden;
- Anlautteller, auf denen analog wöchentlich Gegenstände, Bilder, Wörter mit demselben Anlaut zusammengestellt werden;
- das Sammelsurium, ein Wörterbuch, in dem Kinder Wörter mit besonderen Schreibweisen sammeln, z. B. mit <aa> oder mit <ieh>;
- die Wörterkartei, in der die SchülerInnen ihre schwierigen Wörter nach dem Vokabelprinzip sortieren und regelmäßig üben;
- das Forscherheft, in dem sie sich besondere Einsichten aus der Untersuchung von Wörtern notieren;
- der Projekttisch, auf dem die Kinder Materialien für ein demnächst anstehendes Vorhaben sammeln und im Blick auf mögliche Teilprojekte miteinander besprechen;
- schließlich auch *Freinets* Druckerei, die bestimmte Arbeitsweisen fordert, aber auch besondere Handlungsmöglichkeiten eröffnet, und
- *Reichens* »Werkstatt« als Dezentralisierung von Aufgaben in Form von Stationen, die von einzelnen Kindern betreut werden.

Ziel solcher methodischen Strukturierungen ist es, Haltungen und Arbeitstechniken zu entwickeln, die das selbständige Lernen erleichtern: Probieren, Prüfen, Ordnen sind solche übergreifenden Leistungen. Eine besondere Qualität gewinnen solche methodischen Grundformen, wenn sie einen bedeutungsvollen »Sitz im Leben« *(Theodor Schulze)* haben wie beispielsweise das Sammeln von Besonderem und Ordnen von Ähnlichem, das schon kleine Kinder fasziniert, aber ebenso wissenschaftliches Arbeiten charakterisiert.

Ist *Montessori* die Meisterin in der Strukturierung von Material, so können wir für die Strukturierung des Unterrichts durch methodische Institutionen viel von *Peter Petersen* lernen. Seine Urformen der Bildung – Gespräch, Arbeit, Spiel, Feier – bieten ein Repertoire an Bauformen des Unterrichts, die sich in spezifischer Weise ergänzen. In der zeitlichen Rhythmisierung der Woche, z. B. mit Schulfeiern zum Auftakt und Ende der Woche, mit Klassengesprächen am Tagesanfang und -ende, mit Kursen und Arbeitsgemeinschaften wird den SchülerInnen eine Zeitstruktur geboten, die erst den Raum für eine Mitplanung und eigene Verantwortung der Arbeit schafft.

Arbeitsformen lassen sich insofern nicht rein technisch bestimmen. Damit kommen wir zur dritten Dimension der Strukturierung von Offenheit, die auch schon bei *Petersen* in seiner Ausformung der »Gemeinschaft« anklingt:

C3 Strukturierung durch die soziale Gestaltung einer Unterrichtskultur

Heinrich Bauersfeld, Mechthild Dehn, Hans-Werner Heymann, Barbara Kochan und viele andere haben auf die Bedeutung der sozialen Normen und Praktiken im Unterricht für die Qualität der Lernmöglichkeiten hingewiesen. Rituale sind wie die methodischen Strukturen Hohlformen, die inhaltlich unterschiedlich gefüllt werden können. Als gemeinsame Orientierungshilfe bieten sie Sicherheit im Tages- und Wochenablauf, darüber hinaus fördern sie die Entwicklung individueller Routinen. Diese entlasten bei der Arbeit, aber sie prägen auch Einstellungen und Verhaltensweisen.

Darum brauchen wir soziale Strukturen, die die Selbständigkeit, die Gesprächs- und Kooperationsfähigkeit, die Toleranz und Kritikfähigkeit der Kinder stützen. Einige bereits erwähnte Möglichkeiten, in denen Sache und Sprache zusammenfinden und auf einer Meta-Ebene gemeinsam geplant bzw. kontrolliert werden (da diese Begriffe leicht zu Etiketten verkommen, charakterisiere ich das inhaltlich Gemeinte stichwortartig durch Bezug auf konkrete AutorInnen):

– der Morgenkreis bei *Walter Kempowski,*

– die Leseversammlung bei *Heide Bambach,*

– die Schreibkonferenz bei *Donald Graves* und *Gudrun Spitta,*

– die Rechenkonferenz bei *Christoph Selter,*

– die Klassenkorrespondenz bei *Célestin Freinet,*

– der Wochenplan bei *Peter Petersen,*

– die Schulversammlung bei *Janusz Korczak,*

– das Projekt bei *John Dewey.*

Diese sozialen Institutionen haben gemeinsam, daß sie das Von- und Miteinander-Lernen der Kinder stützen, daß also nicht nur die Lehrerin die Kinder herausfordert. Ihre Aufgabe ist vorrangig, diese wechselseitige Herausforderung und Unterstützung zu moderieren. In dem Konzept der »Lernwerkstatt« haben wir Besonderheiten und konkrete Bedingungen einer solchen Unterrichtskultur an anderer Stelle zusammengefaßt *(Brügelmann/Richter 1994, 267 ff.).*

C4 Strukturierung didaktischer Planungshilfen für die Lehrerin

Die drei Dimensionen der Strukturierung des Unterrichts geben der Lehrerin ein flexibles Repertoire an die Hand. Je dichter die eine Dimension strukturiert wird, um so offener sollte die andere sein (und kann es auch für die Kinder, vgl. dazu die interessanten Beobachtungen von *Wittoch 1991*). Aber auch jede Struktur für sich muß unter dem Anspruch geprüft werden, ob sie die intellektuelle und die soziale Selbständigkeit der Kinder fordert (und damit fördert).

Es sollte deutlich geworden sein, daß die Lehrerin damit weder zum passiven Zuschauen noch zum bloßen Abwarten verurteilt ist. Andererseits verpflichten die in *A3* und *B4* begründeten Prinzipien sie dazu, diese Strukturen in Abstimmung mit den Kindern zu entwickeln bzw. zu überprüfen.

Für ihre eigene Orientierung und Entlastung allerdings braucht auch die Lehrerin andere Strukturen als in der Lehrgangsform denk- und machbar. Dies gilt vor allem, wenn wir die einleitend definierte Forscher-Rolle der Lehrerin ernst nehmen.

Drei solcher »offenen Strukturen« haben wir an anderer Stelle, nämlich in der »Ideen-Kiste 1 Schrift-Sprache«, entwickelt. Ich fasse die zentralen Elemente deshalb nur noch einmal zusammen:

- eine »didaktische Landkarte« als geordnete Ziel- und Inhaltsperspektive;
- ein Stufenmodell kindlicher Entwicklung als Beobachtungs- und Deutungshilfe;
- Prinzipien für die methodische Gestaltung des Unterrichts als Prozeßkriterien.

Aber LehrerInnen brauchen neben didaktisch-methodischen Orientierungen weitere Strukturen für eine solche Arbeit, die sie nicht allein schaffen können. Solche Rahmenbedingungen sind etwa:

- Organisationsformen des Schulalltags, über die das Kollegium oder die Gesamtkonferenz entscheiden (z.B. Rhythmisierung des Schultags, Abschaffung der Klingel, Gleitzeiten, Anschaffung von alternativen Lehr-/Lernmitteln);
- Klassengrößen und Stundenzahlen, die pro Woche zur Verfügung stehen, die politisch zu verantworten und zu finanzieren sind (etwa die Einführung der halbtägigen »verläßlichen Grundschule«);
- Inhalte und Lernformen in der Aus- und Weiterbildung, aber auch Angebote der Beratung und Supervision, wie sie für andere soziale Berufe selbstverständlich sind (wiederum als Rahmenbedingung politisch zu entscheiden, aber konkret in den Hochschulen und von der Schulverwaltung zu entwickeln und bereitzustellen).

Ein Wort zum Schluß: Ich hoffe, der Vorwurf, *offener Unterricht* sei unstrukturiert oder tendiere von seiner Idee her zum Chaos, gehört nach dem Gesagten in Zukunft der Vergangenheit an. Denn:
»Öffnung des Unterrichts bedeutet nicht Verzicht auf Systematik. Diese Systematik ist aber weder kleinschrittig noch linear. Sie beschreibt einen Lernraum statt eines Lehrgangs. In diesem Raum sind verschiedene Wege möglich, aber es gibt Koordinaten, um ihnen zu folgen und um Richtungen zu weisen. Nur: Öffnung des Unterrichts bedeutet den Verzicht auf eine pädagogische Allmacht, die Begriffe wie ›Diagnose‹, ›Kontrolle‹ und ›Förderprogramm‹ nahelegen. Ich spreche lieber von ›Beobachtungs- und Deutungshilfen‹, von ›methodischen Ideen‹. Diese behutsameren Wörter sind Ausdruck einer Selbstbescheidung, die uns ansteht, wenn wir Kinder als Menschen, Lernen als Erfahrung und Pädagogik als eine etwas hilflose Mischung aus Theoriestücken, Handwerk – und Liebe zu verstehen beginnen.« *(Kinder auf dem Weg zur Schrift«, Nachwort 2. Aufl. 1986, S. 251)*

Literatur:

Aebli, H. (1969): Die geistige Entwicklung als Funktion von Anlage, Reifung, Umwelt- und Erziehungsbedingungen. In: Roth (1969, 151 ff.).

Balhorn, H./Brügelmann, H. (Hrsg.) (1995): Rätsel des Schriftspracherwerbs. Neue Sichtweisen aus der Forschung. »lesen und schreiben – ›Best-of-Theorie‹« (Auswahl aus den [vergriffenen] DGLS-Jahrbüchern 1–5.) Libelle Verlag: CH-Lengwil.

Balhorn, H., u.a. (1990b): Wortlisten (wlt. 1–6). Trainingsprogramm mit Wörtern und Texten. Lehrerkommentar. Verlag für pädagogische Medien: Hamburg (9. Aufl. 1988/89, Nachdruck 1996).

Bambach, H. (1989): Erfundene Geschichten erzählen es richtig. Lesen und Leben in der Schule (2. Aufl. 1993, Libelle Verlag: CH-Lengwil).

Bauersfeld, H. (1995): Tätigkeitstheorie und Radikaler Konstruktivismus. Was verbindet sie und was unterscheidet sie? In: Balhorn/Brügelmann (1995, 6–87; Nachdruck aus: Balhorn/Brügelmann 1993, 38–56).

Bergk, M. (1987): Rechtschreibenlernen von Anfang an. Diesterweg: Frankfurt (3. Aufl. 1993).

Bönsch, M./Schittko, K. (Hrsg.) (1979): Offener Unterricht – Curriculare, kommunikative und unterrichtsorganisatorische Aspekte. Schroedel: Hannover.

Brinkmann, E./Brügelmann, H. (1993): »Ideen-Kiste Schriftsprache 1«. Verlag für pädagogische Medien: Hamburg.

Brügelmann, H. (1972): Offene Curricula – Der experimentell-pragmatische Ansatz in englischen Entwicklungsprojekten. In: Zeitschrift für Pädagogik, 18. Jg., Nr. 1, 98–118.

Brügelmann, H./Balhorn, H. (Hrsg.) (1995): Schriftwelten im Klassenzimmer. Ideen und Erfahrungen aus der Praxis. »lesen und schreiben ›Best-of-Praxis‹« (Auswahlband Praxis aus den vergriffenen DGLS-Jahrbüchern 1–5). Libelle Verlag: CH-Lengwil.

Brügelmann, H./Brinkmann, E. (1993): Offenheit mit Sicherheit. Lehrerkommentar zur »Ideen-Kiste Schriftsprache 1«. Verlag für pädagogische Medien: Hamburg (2. Aufl. 1995).

Brügelmann, H./Richter, S. (Hrsg.) (1994): Wie wir recht schreiben lernen. Zehn Jahre Kinder auf dem Weg zur Schrift. Libelle Verlag: CH-Lengwil.

Brügelmann, H./Balhorn, H./Füssenich, I. (Hrsg.) (1995): Am Rande der Schrift. Zwischen Mehrsprachigkeit und Analfabetismus. DGLS-Jahrbuch Bd. 6. Libelle Verlag: CH-Lengwil.

Deutscher Bildungsrat (1974): Zur Förderung praxisnaher Curriculumentwicklung. Empfehlungen der Bildungskommission. Bundesdruckerei: Bonn.

Brügelmann, H. (1996d): »Öffnung des Unterrichts« – aus der Sicht von LehrerInnen. Zwischenbericht aus einer empirischen Erhebung. Bericht No. 3, Projekt OASE. FB 2 der Universität-Gesamthochschule: Siegen.

Dewey, J. (1964): Demokratie und Erziehung. Westermann: Braunschweig (3. Aufl., 1. Aufl. 1916).

Dehn, M. (1995): Christina und die Rätselrunde – Schule als sozialer Raum für Schrift. In: Brügelmann/Balhorn (1995, 101–114; Nachdruck aus: Brügelmann, H./Balhorn, H. 1990, 112–124).

Dierckes, M. (1994): DGLS-Wintertagung »Rechtschreiblernen«. In: Lesbar, Mitteilungsblatt der DGLS, H. 1/94, 12–13.

Einsiedler, W. (1988): Innere Differenzierung und Offener Unterricht. In: Grundschule, 20. Jg., H. 11, 20–22.

Freinet, C. (1980): Pädagogische Texte. Mit Beispielen aus der praktischen Arbeit nach Freinet. Rororo 7367: Reinbek.

Gallin, P./Ruf, U. (1990): Sprache und Mathematik in der Schule. Auf eigenen Wegen zur Fachkompetenz. Illustriert mit sechzehn Szenen aus der Biographie von Lernenden. Verlag Lehrerinnen und Lehrer Schweiz: Zürich.

Garlichs, A./Heipcke, K./Messner, R./Rumpf, H. (1974): Didaktik offener Curricula. Beltz: Weinheim/Basel.

Gesing, H. (Hrsg.) (1996): Pädagogik und Didaktik der Grundschule – Grundlagenwissen und Praxishandreichungen (in Vorb.).

Glasersfeld, E. v. (1995): Radical constructivism. A way of knowing and learning. The Falmer Press: London/Washington D.C.

Graves, D.H. (1995): Kinder als Autoren: Die Schreibkonferenz. In: Brügelmann/Balhorn (1995, 124–148).

Hanke, P. (1996): Unterrichtsgestaltung und der Erwerb von Laut und Schriftsprache. Eine Wirkungsanalyse. In: Balhorn (1996, 30–39).
Heckhausen, H. (1968): Förderung der Lernmotivierung und der intellektuellen Tüchtigkeiten. In: Roth (1968, 193–228).
Heckhausen, H. (1972): Begabungsentfaltung für jeden. Fromm: Osnabrück.

Wer auch nur einmal den seltsam betörenden
Gesängen der Bibliothekare gelauscht hat,
der möchte sie immer und immer wieder hören.

Hengartner, E. (1992): Für ein Recht der Kinder auf eigenes Denken. Pädagogische Leitideen für das Lernen von Mathematik. In: Die neue Schulpraxis, 62. Jg., H. 7/8, 15–27.
Hengartner, E./Röthlisberger, H. (1995): Rechenfähigkeit von Schulanfängern. In: Brügelmann u. a. (1995, 66–86).
Herff, I. (1994): Der Leselernprozeß. Studienbuch. Baumann/Ehrenwirth-Verlag: München.
Heymann, H. W. (1996): Allgemeinbildung und Mathematik. Bildungstheoretische Reflexionen zum Mathematikunterricht an allgemeinbildenden Schulen. Beltz: Weinheim.
Neumann, M./Lohrisch, L. (1980): Kempowski der Schulmeister. Westermann: Braunschweig.
Kochan, B. (1995): Von der Untersuchung des »Lernens durch Instruktion« zur Untersuchung des »Lernens durch Gebrauch«. In: Balhorn/Brügelmann (1995, 26–28; Nachdruck aus: Brügelmann/Balhorn 1990, 231–234).
Könneke, H./May, B. (1994): Befragung der Schulen zum »Offenen Unterricht«. Auswertungsbericht: Bezirksregierung Hannover / Dez. 402 und Schulaufsichtsamt Hannover-Land I.

Korczak, J. (1994): Das Recht des Kindes auf Achtung. Herausgegeben von Elisabeth Heimpel und Hans Roos. Vandenhoeck und Ruprecht: Göttingen (5. Aufl.).

Lorenz, J.-H. (Hrsg.) (1991a): Störungen beim Mathematiklernen: Schüler, Stoff und Unterricht. IDM-Reihe Untersuchungen zum Mathematikunterricht Bd. 16. Aulis Verlag Deubner: Köln.

Meyer, H. (1987a): UnterrichtsMethoden. I: Theorieband. Scriptor: Königstein.

Meyer, H. (1987b): UnterrichtsMethoden. II: Praxisband. Scriptor: Königstein.

Montessori, M. (1968): Grundlagen meiner Pädagogik. Heidelberg (5. Aufl.).

Nauck, J. (Hrsg.) (1993): Offener Unterricht. Ziele, Praxis, Wirkungen. Westermann: Braunschweig.

Nauck, J. (1993b): Offener Unterricht. Eine analytische Betrachtung. In: Nauck (1993, 173–190).

Neber, H., u.a. (1978): Selbstgesteuertes Lernen. Beltz: Weinheim.

Peschel, F. (1995/96): Offener Unterricht am Ende – oder erst am Anfang? Eine kritische Auseinandersetzung mit Formen offenen Unterrichts und ihrer gängigen Umsetzung in der Schule. Bericht No. 2, Projekt OASE. FB 2 der Universität-Gesamthochschule: Siegen (1. Fassung vervielf. Ms. Troisdorf 1995) (s. Anm. 2).

Peschel, F. (1996b): Offen bis geschlossen – Formen und Chancen offenen Unterrichts. In: Gesing (1996, in Vorb.).

Petersen, P. (1974): Der Kleine Jena-Plan. Beltz: Weinheim/Basel (54./55. Aufl.; 1. Aufl. 1927).

Piaget, J. (1970): Genetic epistemology. Columbia University Press: New York (dt. 1973).

Ramseger, Jörg (1977): Offener Unterricht in der Erprobung. Erfahrungen mit einem didaktischen Modell. Juventa: München (3. Aufl. 1992).

Reichen, J. (1982): Lesen durch Schreiben. Leselehrgang, Schülermaterial und Lehrerkommentar. Sabe Verlagsinstitut für Lehrmittel: Zürich (Heinevetter: Hamburg).

Reichen, J. (1991): Sachunterricht und Sachbegegnung. Grundlagen zur Lehrmittelreihe Mensch und Umwelt. Sabe Verlagsinstitut für Lehrmittel: Zürich (Heinevetter: Hamburg).

Richter, S. (1993d): Wie »offen« ist die Schule? Ergebnisse einer Schulleiterbefragung. In: Beispiele (Niedersachsen), 11. Jg., H. 1, 14–17.

Röber-Siekmeyer, C. (1992): Die Schriftsprache entdecken. Rechtschreiben im offenen Unterricht. Beltz Praxis: Weinheim.

Roth, H. (Hrsg.) (1968): Begabung und Lernen. Gutachten und Studien für den Deutschen Bildungsrat. Klett: Stuttgart.

Schwarz, H. (1994): Lebens- und Lernort Grundschule. Cornelsen Scriptor.

Selter, C. (1994c): Eigenproduktionen im Arithmetikunterricht der Primarstufe. … Unterrichtsversuch zum multiplikativen Rechnen im zweiten Schuljahr. Deutscher Universitätsverlag: Wiesbaden.

Speck-Hamdan, A. (1994): Strukturierung und Offenheit im Unterricht der Grundschule. Habilitationsvortrag an der Universität: München (vervielf. Ms.).

Spiegel, H. (1993b): Rechnen auf eigenen Wegen – Addition dreistelliger Zahlen zu Beginn des 3. Schuljahres. In: Grundschulunterricht, 40. Jg., H. 10, 5–7.

Spitta, G. (1992): Schreibkonferenzen – ein Weg vom spontanen Schreiben zum bewußten Verfassen von Texten in Klasse 3 und 4. Scriptor-Cornelsen: Berlin u.a.

Stenhouse, L. (1975): An introduction to curriculum research and development. Heinemann Educational Books: London et al. (dt. Zusammenfassung in: Zeitschrift für Pädagogik, 19. Jg., H. 3, 447–452).

Tütken, H. (1970): Curriculum und Begabung in der Grundschule. In: Schwartz u.a. (1970c, 55–68).

Wagenschein, M. (1980): Naturphänomene sehen und verstehen. Genetische Lehrgänge. Klett: Stuttgart.

Wagner, A. C. (1978): Selbstgesteuertes Lernen im Offenen Unterricht – Erfahrungen mit einem Unterrichtsversuch in der Grundschule. In: Neber u.a. (1978, 49–67).

Wallrabenstein, W. (1991): Offene Schule – offener Unterricht. Ratgeber für Eltern und Lehrer. Rororo-Sachbuch 8752: Reinbek.

Wittoch, M. (1991): Diagnose von Störungen. Erfahrungen mit Lernarrangements bei Kindern, die eine Schule für Lernbehinderte besuchen. In: Lorenz (1991, 90–105).

Zeitschrift für Pädagogik, Themenheft »Offene Curricula«, 19. Jg., H. 3, 1973.

Hans Brügelmann / Heide Niemann

Mädchen lesen anders als Jungen und außerdem ...

Mädchen lesen anders als Jungen, und außerdem schreiben sie auch anders. Zu diesen Ergebnissen kommt *Joan Swann (1992)* auf der Grundlage zahlreicher Untersuchungen und Beobachtungen. Bei der genauen Analyse unterschiedlicher Lesevorlieben von Mädchen und Jungen stellt sie z.b. fest, daß mehr Jungen als Mädchen Sachbücher bevorzugen. Hinzu kommt, daß die Jungen eine Vorliebe für Lektüren äußern, die von der Schule nicht angeboten werden, wie z.b. Comics, Fotobücher, Sportbücher ...

Diese Neigung zur Sachlichkeit schlägt sich auch bei schriftlichen Aufgaben nieder, schreiben Jungen doch eher sachliche Texte, während Mädchen sich durchgängig für erfundene Geschichten, also Fantasiegeschichten begeistern.

Swann führt die Unterschiede in den Fähigkeiten und Neigungen auf verschiedene Faktoren zurück, und stellt dabei diese drei Momente in den Vordergrund:

- Wahrnehmung des Lesens und Schreibens in der Schule als »stille« und »passive« Tätigkeiten, was sie für Mädchen attraktiver machen könnte als für Jungen.
- Fehlende Attraktivität vieler Lesebücher für Jungen.
- Niedriges Selbstvertrauen von Mädchen in ihre intellektuelle Leistungsfähigkeit und ihre Wahrnehmung von sprachlichen Fächern als »leichten Fächern«.

Was ist zu tun, damit diese Geschlechtsstereotypen nicht im Sinne von »self-fullfilling prophecy« weiter erhärtet werden? Eltern, Lehrerinnen und Lehrer müssen zunächst einmal über diese Unterschiede aufgeklärt werden, und dann gilt es Konsequenzen für den Unterricht zu ziehen. Hier sollen bewußt nur einige genannt werden:

1. Bei der Zusammenstellung von Bücherangeboten (z.B. Bücherkisten) unterschiedliche Vorlieben berücksichtigen, d.h., auch Comics und Sachbücher einbeziehen.
2. Mädchen und Jungen ermutigen, auch andere Leseerfahrungen zu machen, um dadurch Verständnis für die Lesevorlieben des jeweils »anderen Geschlechts« zu sammeln.
3. Lese- und Schreibaktivitäten weniger einseitig durch Mütter und Lehrerinnen zu vermitteln, um somit der Geringschätzung dieser Aktivitäten durch Jungen entgegenzutreten.

Übrigens: Unter der Fragestellung »Lesen Frauen anders« kommt *Ruth Klüger (1996)* zu sehr interessanten, teils ähnlichen Feststellungen, und *Sigrun Richter (1996)* befaßt sich ebenfalls mit diesem Thema in ihrem neuen Buch.

Literatur:

Klüger, R. (1996): Frauen lesen anders. dtv: München.

Richter, S. (1996): Unterschiede in den Schulleistungen von Jungen und Mädchen. Geschlechtsspezifische Aspekte des Schriftspracherwerbs und ihre Berücksichtigung im Unterricht. S. Roederer: Regensburg.

Swann, J. (1992): Girls, boys, and language. Blackwell: Oxford, UK / Cambridge, Mass.

II. Teil

Mündlichkeit ist das Fundament von Schriftlichkeit

Jetzt hör mir mal gut zu — erst wolltest
Du zum Flugplatz — dort hieß es plötzlich
"Fubaz bäh!" und Du wolltest zum Hauptbahnhof.
Dort kam dann "Habahof böd!" und Du wolltest
zum Hafen! Wir sind jetzt hier am Hafen und ich
will, daß Du jetzt endlich die Schnauze hälst
oder aber "Hafa sön!" sagst!

Hartmut Günther

Mündlichkeit und Schriftlichkeit

1. Die Priorität der Mündlichkeit

Die Menschen haben früher gesprochen als geschrieben; es gibt keine menschlichen Gesellschaften, in denen nicht gesprochen wird, wohl aber solche, in denen niemand schreibt: Mündlichkeit ist Charakteristikum aller menschlichen Gesellschaften. Diese historische Priorität der Mündlichkeit gilt vielen als ausreichende Basis für die Ansicht, die geschriebene Sprache sei auch in systematischer Hinsicht von der gesprochenen Sprache abgeleitet (sog. Abhängigkeitshypothese). Unabhängig von der Frage nach der Richtigkeit dieser Position ist ein logischer Zusammenhang zweifellos nicht herzustellen: Sowenig, wie das Fahrradfahren aus dem Gehen abgeleitet werden kann, weil die Menschen früher gelaufen als radgefahren sind, sowenig die geschriebene aus der gesprochenen Sprache, nur weil diese historisch früher ist als jene. Umgekehrt freilich gilt auch: Wir haben das Gehen nicht aufgegeben, nur weil das Fahrrad zur Verfügung steht.

2. Das Medium

Beim Sprechen erzeugen wir mit unseren Sprechorganen Schall, den wir mit den Ohren wahrnehmen. Mündliche Äußerungen haben eine zeitliche Ausdehnung, und sie sind flüchtig. Wie auch immer der lautsprachliche Wahrnehmungsprozeß im einzelnen funktioniert – er muß darauf eingestellt sein, daß der Wahrnehmungsgegenstand sofort wieder vergeht.

Schriftliche Äußerungen haben keine zeitliche, sondern eine räumliche Ausdehnung, sie sind nicht flüchtig, sondern konstant. Mit Hilfe von Werkzeugen erzeugen wir sie mit den Händen, und wir nehmen sie mit den Augen wahr. Zeitliche Beschränkungen, die in der Natur der Sache lägen, gibt es nicht.

Es ist merkwürdig, daß diese so offensichtlichen Unterschiede zwischen Lautsprache und Schrift und ihre Konsequenzen in der Geschichte der mit Sprache befaßten Wissenschaften nicht ins Zentrum der Überlegungen zum Verhältnis von Schriftlichkeit und Mündlichkeit gestellt worden sind. Vielmehr galten sie den meisten Sprachwissenschaftlern als Äußerlichkeit, die für die eigentlichen Sprachprozesse unwesentlich ist. Denn Gegenstand der Sprachwissenschaft ist ja spätestens seit *Saussure* nicht das konkrete Sprechen und Schreiben, Hören und Lesen – Gegenstand der Sprachwissenschaft ist das diesen Prozessen zugrundeliegende abstrakte Sprachsystem, das in verschiedenen Medien realisiert sein kann. Diese Position haben Forscher wie *Hugo Steger (1987, 57)* – der hier nur stellvertretend für die linguistische Mehrheitsmeinung steht – zu der

Feststellung geführt, daß es keine eigenen Sprachvarietäten *gesprochene* vs. *geschriebene* Sprache gibt; feststellbare Unterschiede sind für ihn *Typisierungen auf der Ebene der Situationen und Texte und sind damit Stil.* Nur wenigen ist aufgefallen, daß sich diese Konzeption und die Abhängigkeitshypothese im Grunde gegenseitig ausschließen: Wenn Sprache immateriell ist, kann ihre Realisation in dem einen Medium (Schrift) nicht von ihrer Realisation in dem anderen Medium (Lautsprache) abhängig bzw. abgeleitet sein. Es ist aber festzuhalten, daß die (durchaus sinnvolle) linguistische Konzeption einer Unterscheidung von *langue* und *parole (Saussure)* oder von *Kompetenz* und *Performanz (Chomsky)* dazu geführt hat, daß die Frage nach den medialen Aspekten der Sprache und ihrer Konsequenzen für sprachliche Vorgänge an den Rand bzw. in andere Fächer (Phonetik, Psychologie) abgeschoben wurde.

3. Mediale und konzeptionelle Schriftlichkeit[1]

Eine ganz andere, neue Perspektive in der wissenschaftlichen Diskussion von Mündlichkeit und Schriftlichkeit ist die Unterscheidung von medialer und konzeptioneller Dimension *(Koch/Oesterreicher 1986, 1994* im Anschluß an *Ludwig Söll,* vgl. auch *Raible 1994).* Es ist eine in der Rhetorik, der Sprachwissenschaft und der Lese- und Schreibdidaktik vielfach diskutierte, bekannte Tatsache, daß es eine Reihe von Kommunikationsbedingungen und Versprachlichungsstrategien gibt, die typischerweise eher dem mündlichen oder eher dem schriftlichen Bereich angehören. *Abbildung 1* auf der folgenden Seite (nach *Koch/Oesterreicher 1986)* zeigt einige Merkmale.

Auf der Ebene der Kommunikationsbedingungen stehen z. B. (eher) dialogische Strukturen beim Gebrauch gesprochener Sprache einem Vorherrschen von Monologizität im schriftlichen Bereich gegenüber. Gesprochene Äußerungen sind direkt auf die Situation bezogen, oft nur in der Situation verständlich, während die gelungene schriftliche Äußerung so explizit sein muß, daß sie kontextfrei verständlich ist. In mündlicher Rede wird spontan reagiert, beim Schreiben wird reflektiert. Auf der Ebene der Versprachlichungsstrategien finden wir im Bereich der Mündlichkeit eher parataktische, im Bereich der Schriftlichkeit eher hypotaktische Organisation der Äußerungen, wir treffen auf größere Kompaktheit und Elaboriertheit der Einheiten in schriftlichen Texten gegenüber kurzen, einfachen Strukturen beim Sprechen; die Organisation der Rede ist am Fortgang des Gesprächs orientiert, nicht an der formalen Struktur des sprachlichen Produkts; zur Herstellung von Kohärenz und Kohäsion werden in der mündlichen Erzählung andere (und häufig nichtsprachliche) Mittel verwendet als bei der schriftlichen Textproduktion etc.

Alles dies ist seit langem mehr oder weniger bekannt. Ein Manko solcher Charakterisierungen der Unterschiede zwischen Mündlichkeit und Schriftlichkeit liegt freilich darin, daß bestenfalls Tendenzen vorliegen, deren systematischer

---

1 Die Abschnitte 3 und 4 folgen *Günther (1993)* und enthalten teilweise unverändert übernommene Passagen.

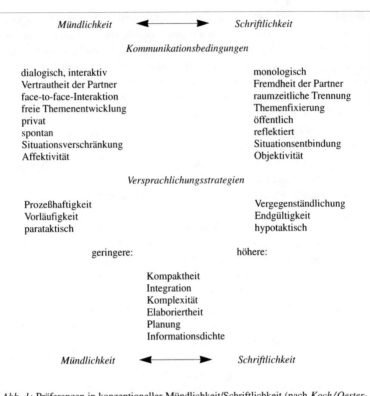

Mündlichkeit ◄────────► Schriftlichkeit

Kommunikationsbedingungen

dialogisch, interaktiv   monologisch
Vertrautheit der Partner   Fremdheit der Partner
face-to-face-Interaktion   raumzeitliche Trennung
freie Themenentwicklung   Themenfixierung
privat   öffentlich
spontan   reflektiert
Situationsverschränkung   Situationsentbindung
Affektivität   Objektivität

Versprachlichungsstrategien

Prozeßhaftigkeit   Vergegenständlichung
Vorläufigkeit   Endgültigkeit
parataktisch   hypotaktisch

        geringere: höhere:

                    Kompaktheit
                    Integration
                    Komplexität
                    Elaboriertheit
                    Planung
                    Informationsdichte

    Mündlichkeit ◄────────► Schriftlichkeit

Abb. 1: Präferenzen in konzeptioneller Mündlichkeit/Schriftlichkeit (nach *Koch/Oester-reicher 1986*)

Ort zudem unklar ist. Denn selbstverständlich gibt es auch in der gesprochenen Sprache Hypotaxe, also untergeordnete Nebensätze, und natürlich gibt es Spontaneität in der Schriftlichkeit; genau darauf bezieht sich *Steger (1987)* in seiner Untersuchung, in der er zu zeigen versucht, daß es im heutigen Deutsch keine Sprachmittel gibt, die nur schriftlich oder nur mündlich verwendet werden können. Der entscheidende Fortschritt im Ansatz von *Koch/Oesterreicher (1986)* liegt in der Erkenntnis, daß eine direkte, d.h. eindimensionale Abbildung der medialen Dichotomie schriftlich vs. mündlich auf solche Merkmale (wie hypotaktisch vs. parataktisch, monologisch vs. dialogisch, reflektiert vs. spontan etc.) dem Gegenstand nicht gerecht wird, so, als handele es sich einfach um mit dem Kanal (optisches vs. akustisches Signal) verbundene Unterschiede. Die Autoren lokalisieren den Unterschied von Mündlichkeit und Schriftlichkeit auf zwei Dimensionen, einer medialen und einer konzeptionellen. Im medialen Sinne soll hinfort von *phonisch* und *graphisch*, im konzeptionellen Sinne von *mündlich* und *schriftlich* gesprochen werden. *Abbildung 2* verdeutlicht den Ansatz durch die Anordnung verschiedener sprachlicher Vorgänge auf einer zweidimensionalen Skala.

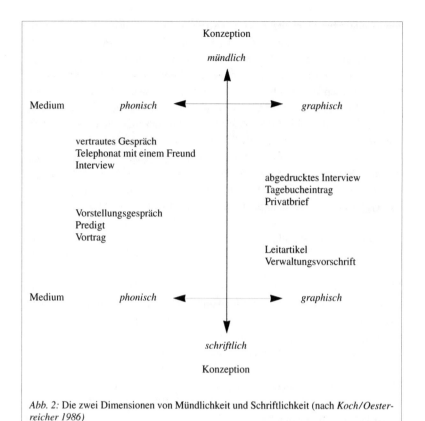

| | Konzeption | |
| | *mündlich* | |

Medium   *phonisch* ◄————————► *graphisch*

vertrautes Gespräch
Telephonat mit einem Freund
Interview

                                           abgedrucktes Interview
                                           Tagebucheintrag
                                           Privatbrief

Vorstellungsgespräch
Predigt
Vortrag

                                           Leitartikel
                                           Verwaltungsvorschrift

Medium   *phonisch* ◄————————► *graphisch*

| | *schriftlich* | |
| | Konzeption | |

Abb. 2: Die zwei Dimensionen von Mündlichkeit und Schriftlichkeit (nach *Koch/Oester-reicher 1986*)

Die horizontale Achse kennzeichnet die mediale Dimension; sie ist dichotomisch. Eine Äußerung, ein Text kann immer nur entweder phonisch (links) oder graphisch (rechts) sein. Konzeptionelle Schriftlichkeit bzw. Mündlichkeit ist die zweite Dimension, dargestellt auf der vertikalen Achse; sie ist graduell. Ein vertrautes Gespräch ist konzeptionell »mündlicher« als eine Predigt, ein schriftlicher Tagebucheintrag »weniger schriftlich« (konzeptionell!) als ein Leitartikel. Die beiden Dimensionen stehen orthogonal aufeinander, sind also beliebig kombinierbar. Es gibt mündliche Texte mit hoher konzeptioneller Schriftlichkeit. So sind eine Predigt und ein wissenschaftlicher Vortrag medial phonisch: Es wird Schall produziert. Und doch reden die Vortragenden oder auch die Prediger quasi wie gedruckt, selbst wenn sie nicht einem Manuskript folgen. Deshalb gehören Predigt und wissenschaftlicher Vortrag in die Domäne der konzeptionellen Schriftlichkeit: Es wird gesprochen, aber es handelt sich um Schriftlichkeit. Dieses Paradox ist uns wohl nur deshalb sowenig bewußt, weil wir als Erwachsene, zudem, wenn wir täglich mit Schriftlichem umgehen, immer die potentielle Übersetzung in das andere Medium mitdenken oder jedenfalls mitdenken können. Dem hochliteralen Menschen steht in der Regel der Eckpunkt »reiner« konzeptioneller Mündlichkeit nur noch in Ausnahmesituationen (z. B. beim Fluchen oder beim lautlichen Reagieren in der Fankurve beim Meisterschaftsspiel) zur Verfügung; umgekehrt funktioniert »reine« konzeptionelle Schriftlichkeit z. B. bestimmter juristischer Texte kaum ohne helfende, erklärende Mündlichkeit. So wird deutlich, daß die oben in *Abbildung 1* aufgelisteten Merkmale nicht notwendig alle zugleich verwirklicht sein müssen, daß schriftliche Texte Merkmale konzeptioneller Mündlichkeit aufweisen können, mündliche Äußerungen Merkmale konzeptioneller Schriftlichkeit. Damit erklärt sich die oben erwähnte unbefriedigende Situation: Hypotaxe und monologische Struktur etwa sind durchaus Kennzeichen konzeptioneller Schriftlichkeit, diese wird eher im graphischen Medium realisiert als im phonischen, aber nicht notwendig so. Es ist dies typisch für unsere heutige Situation: Schriftlichkeit und Mündlichkeit existieren nicht nebeneinander, sondern, wenn ich so sagen darf, durcheinander. Darauf komme ich zurück.

4. Schriftlichkeit

Mit dem Ausdruck *Schriftlichkeit* bezeichnet man alles, was für Individuen oder ganze Gesellschaften verbunden ist damit, daß in einer Gesellschaft schriftliche Texte gebraucht werden. Schriftlichkeit ohne korrespondierende/konkurrierende Mündlichkeit gibt es nicht. Der relativ junge Begriff Schriftlichkeit zur Bezeichnung einer spezifischen Verfaßtheit von Gesellschaften und Individuen geht wohl auf den englischen Begriff *literacy* zurück, dessen Bedeutung am klarsten in der Koordination mit seinem Gegensatz aufscheint. *Orality and Literacy* heißt das Buch, in dem *Walter S. Ong 1982* diesen Gegensatz thematisiert hat (und dessen deutsche Übersetzung besser den Titel »Mündlichkeit und Schriftlichkeit« trüge). *Ong* diskutiert, wie die Einführung der Schrift in orale Gesellschaften, insbesondere aber die massenweise Reproduktion von Texten durch den Buchdruck, die Kommunikations- und Lebensverhältnisse der modernen Gesellschaft und der darin lebenden Individuen grundlegend verändert haben. »Das Schreiben konstruiert das Denken neu« heißt das vierte Kapitel, und als zentrale Errungenschaft der Schriftlichkeit wird das Konzept des Textes herausgestellt. Entscheidend an diesem Konzept ist die Idee der Wörtlichkeit, d. h., ein Text im Unterschied zu Gesprächsäußerungen ist eine sprachliche Äußerung, deren Form festgehalten ist, der immer wieder als gleiche Form wiederholt wird (wie dies der Buchdruck dann auch technisch realisiert). Es entsteht durch ihre Reproduktion als getreue Kopien überhaupt erst die sprachliche Identität von Äußerungen. Denn der genaue Wortlaut einer Äußerung spielt in mündlichen Kulturen keine wesentliche Rolle; er gewinnt seine Bedeutung erst in einer Schriftkultur. Dort entwickelt sich durch die Gegenständlichkeit und Nicht-Flüchtigkeit schriftlicher Äußerungen ein anderes Verhältnis zur Sprache, und erst dann, wenn die Identität der Äußerung auch im Alltag eine Rolle spielt, können externe Normen wie z. B. Orthographien überhaupt entstehen.

Im alltäglichen Sprachgebrauch wird der Begriff »Text« ganz automatisch mit Schriftlichkeit assoziiert. In verschiedenen Arbeiten hat *Konrad Ehlich* (z. B. *1989, 1994)* ihn aus Notwendigkeiten der Überlieferung abgeleitet. Texte sind durch ihre sprechsituationsüberdauernde Stabilität gekennzeichnet; Texte liegen dann vor, wenn eine Sprechhandlung aus ihrer primären Sprechsituation herausgelöst, für eine andere Sprechsituation gespeichert und dort erneut realisiert wird – *Ehlich* bezeichnet das sehr einprägsam als eine »zerdehnte Sprechsituation«. Für diesen Zweck wird Wörtlichkeit zentral – es soll *genau* der Sprechakt x zum Zeitpunkt t_1 in der Situation y transportiert werden in die Situation z zum Zeitpunkt t_2. In diesem Sinne läßt sich auch von mündlichen Texten reden, am plastischsten demonstriert durch den eine verbale Nachricht überbringenden Boten. Die raum-zeitliche Zerdehnung der Sprechsituation ist der systematisch auslösende Faktor für die Entstehung von Texten. Die Notwendigkeit dazu tritt auf bei der Notwendigkeit der Weitergabe von nicht jeweils aus der Handlungssituation rekonstruierbarem Wissen. Es handelt sich um Wissensbestände, die nur sprachlich tradierbar sind, eben weil der Gegenstand nicht praktisch demonstrierbar ist. Wie man ein Haus baut, Getreide sät oder ein Wildschwein fängt – dieses Wissen ist tradierbar durch Vormachen und mündliches Erklären im Kontext. Wie aber die Vorfahren hießen, was sie erlebten und mit welchen überirdischen Phänomenen sie zu tun hatten, das kann man nur sprachlich und kontextfrei weitergeben – die Ahnen sind tot, ihre Zeiten vorbei, und die Götter kann man nicht sehen. Ähnliches gilt für die Kontrolle von Anlieferung und Verbrauch im wirtschaftlichen Bereich: Ab einer gewissen Größenordnung läßt sich »Buch«führung nicht mehr ohne externes Gedächtnis bewältigen. Die sprachliche, kontextfreie Wissensweitergabe wird erreicht durch die »Verdauerung« sprachlicher Äußerungen in Listen und Texten (vgl. *Ehlich 1994,* 19 f.).

Dabei ist natürlich schriftliche Überlieferung nicht die einzig mögliche Form sprachlicher wörtlicher Überlieferung – so dürften die rhythmische Gliederung und andere Aspekte der formalen Organisation von zu tradierenden Texten ursprünglich nicht der Herstellung von Kunst gedient haben, sondern dem Zweck der Memorierbarkeit. Problematisch ist dabei freilich die Überlieferung von umfangreicher sog. »oraler Literatur«. Das phänomenale Gedächtnis des *Homer,* über das wir heute kopfschüttelnd staunen, entpuppt sich mittlerweile als keineswegs Zehntausende von Versen fassend. Die Idee, »die Mythen präliteraler Gesellschaften seien durch Generationen von Barden wortgetreu überliefert worden, ist selbst ein schriftbedingter Mythos«. Man kann sagen, »daß umfangreiches wörtliches Memorieren in präliteralen Gesellschaften nicht üblich und im übrigen auch nicht möglich ist. Wie sollte auch die Richtigkeit überprüft werden?«, bemerkt *Scheerer (1993)* mit Verweis auf wissenschaftliche Literatur zur Gedächtniskapazität. Was im Gedächtnis aufbewahrt wurde, waren Formeln, Teilformen und Handlungsschemata, die in den jeweiligen Situationen neu realisiert wurden. Wenn das aber zutrifft, so ist damit impliziert, daß es in präliteralen Gesellschaften Texte im o.a. Sinn nicht oder nur in ganz geringem Umfang geben kann. Mündlichkeit ist charakterisiert durch das Fehlen von umfangreichen Texten im genannten Sinne. Mnemotechnische Mittel wie Rhythmus, Alliteration, Reim, Versmaß etc. können dieses Grundproblem der ungenügenden »Verdauerbarkeit« mündlicher Äußerungen nicht gänzlich aus der Welt schaffen – eben deshalb wird Schrift notwendig als Medium für ein externes Gedächtnis. Mit dem neuen Medium aber verändert sich Sprache selbst – es werden Formen geschaffen, die es vorher nicht gibt. Vielleicht das einleuchtendste Beispiel ist die Liste von Gegenständen zu Verwaltungszwecken. Die Anfänge der Schrift im Zweistromland sind Listen für Buchhaltungszwecke *(Nissen/Damerow/Englund 1990)*. *Koch (1990)* demonstriert, daß die Anfänge der Verschriftung der romanischen Sprachen überwiegend Listen sind, und diskutiert funktionale Aspekte dieses Befunds. Aber auch andere Textformen, im Grunde das gesamte Spektrum moderner Literaturformen, verdanken ihre Entstehung der Schriftlichkeit. Es ist die Gegenständlichkeit der geschriebenen Sprache, die Sprache selbst zum Gegenstand und damit zum Objekt der Reflexion und bewußten Bearbeitung werden läßt. Diese aber ist festgelegt im Medium, in der Nicht-Flüchtigkeit der geschriebenen im Unterschied zur gesprochenen Äußerung.[2]

Mit diesen Überlegungen wird zunächst einmal nicht behauptet, daß Schriftlichkeit eine notwendige Bedingung für bestimmte Textformen sei. In der Tat leiten *Koch/Oesterreicher (1986)* ihr Konzept der konzeptionellen Mündlichkeit/Schriftlichkeit ab aus dem allgemeineren Nähe-Distanz-Kontinuum. Konzeptionelle Mündlichkeit ist Sprache der Nähe, Sprache der Distanz ist konzeptionelle Schriftlichkeit. Distanzsprachliche Phänomene aber gibt es natürlich auch in rein oralen Gesellschaften, z.B. in Magie und Ritus.[3] Auch Sprachreflexion hat Schriftlichkeit nicht als *notwendige* Voraussetzung, und nicht alle kulturellen Errungenschaften sind grundsätzlich schriftgebunden. Zu Recht weist *Hornberger (1994)* einen solchen Anspruch zurück, impliziert er doch eine quasi apriorische Inferiorität oraler Gesellschaften. Monokausale historische Erklärungen, sei es die Entstehung der Demokratie aufgrund der Erfindung des Alphabets, der modernen Industrie aufgrund der Erfindung der Buchdruckerkunst oder ähnliche Ansätze, können nur verfehlt sein (vgl. *Raible 1994*).

---

2 Bemerkenswerterweise vollziehen sich heute in den »neuen Medien« gegenläufige Entwicklungen. *Giese (1993)* hat darauf hingewiesen, daß der Text im Computer seine bisherige Endgültigkeit (oder Wörtlichkeit) verliert, und *Ludwig (1994)* verweist auf den Verlust der Greifbarkeit und Konstanz des geschriebenen Textes. Auch hier ist zu vermuten, daß diese neuen Medien zu Veränderungen der Sprache und des Sprachgebrauchs führen werden.
3 Tradierte und skandierte Beschwörungsformeln oraler Gesellschaften mögen also als konzeptionell schriftlich gelten, obwohl sie in dieser Gesellschaft definitionsgemäß nicht geschrieben werden – und sei es nur, um ein besonders spektakuläres Beispiel für den vorliegenden Argumentationszusammenhang zu haben. Das Beispiel wird konkret, wenn man an die immer wieder vorgetragene Behauptung (z.B. *Raible 1994*, 3) denkt, daß die indischen Veden tatsächlich mündlich überliefert worden sind.

5. Medium und Medien

Freilich ist es ebenso verfehlt, mit der Anbindung des Begriffs von konzeptioneller Mündlichkeit/Schriftlichkeit an das Nähe-Distanz-Kontinuum die Rolle des Mediums völlig herunterzuspielen. Man muß nicht *Marshal McLuhans* Diktum »the medium *is* the message« unterschreiben, um zu erkennen, daß die Veränderung des Mediums Auswirkungen auf den Inhalt und die Form der Äußerung hat. Solchen Phänomenen ist in den letzten Jahren der Freiburger Sonderforschungsbereich *Übergänge und Spannungsfelder zwischen Mündlichkeit und Schriftlichkeit* nachgegangen. Zu nennen sind z.B. hier die Entfaltung des Spektrums der Textformen und Textsorten aufgrund der zunehmenden Literalisierung, meßbar allein an der Zahl der erscheinenden verschiedenen Texte: Im Mittelalter wird in erster Linie abgeschrieben, nicht ein neuer Text verfaßt *(Ludwig 1994, 57–60)*; danach explodiert (schon vor Erfindung des Buchdrucks!) die Zahl der Texte *(Raible 1994, 8–10)*. Das Inventar und die Anwendung sprachlicher Mittel verändern sich, wie *Raible (1992)* am Beispiel konjunktionaler Ausdrücke zeigt. Die Herausbildung einer deutschen Standardlautung ist Produkt der vorangehenden Ausbildung einer Standardschreibung *(Augst/Müller 1996)*. All diese Veränderungen sind medial bedingt, sie lassen sich auf die oben (Zf. 2) geschilderten Spezifika geschriebener Texte zurückführen, d.h. ihre Nicht-Flüchtigkeit. Dieser Aspekt des Mediums impliziert weiterhin die Möglichkeit anderer kognitiver Prozesse (vgl. *Scheerer 1993*). Dies wird nirgends so deutlich greifbar wie im Schriftspracherwerb. Das Kind begreift seine Sprache neu, wenn es sie in das neue, konstante Medium der Schrift transportiert sieht – ein Sachverhalt, der seit *Wygotski* allgemein bekannt sein sollte. Damit verbunden ist der (vor allem außerhalb der Schulpraxis häufig übersehene) Sachverhalt, daß nicht nur die Sprache in dem anderen Medium gelernt werden muß, sondern vor allem auch die damit verbundenen neuen sprachlichen Formen und kognitiven Operationen, vgl. *Günther (1995)* sowie *Aust (1996)* für das Lesen und *Feilke (1996)* für das Schreiben.

In diesem Zusammenhang muß aber auch auf einen verhängnisvollen Irrtum hingewiesen werden. Es wird auch in didaktischem Kontext häufig ein Schreckensbild der Art entworfen, daß die guten alten Werte verdrängt werden durch die schlechten neuen. Schon *Plato* beklagt (schreibend!) den Verlust der Gedächtnisfähigkeiten nach Einführung der Schrift (vgl. *Geier 1994);* die Erfindung der Schreibmaschine wurde mit dem Verlust handschriftlicher Fähigkeiten in Verbindung gebracht, dem Fernsehen, hört man, sei der Niedergang der Lesefähigkeit geschuldet. Die Mediengeschichte zeigt, daß solche Vorgänge nicht stattfinden. Jeweils neue Medien erobern bestimmte Gebrauchsbereiche, und die jeweils »alten« Medien behaupten Kernbereiche. Wir sprechen immer noch (trotz der Erfindung der Schrift), wir schreiben immer noch selbst (trotz Buchdruck), und die Computerkids müssen schon allein deshalb lesen lernen, um das andere Medium effektiv benutzen zu können.

Hinzu kommt, daß vom kompetenten Anwender verlangt wird, die Überführung vom einen in das andere Medium jederzeit durchführen zu können – eine spontane Äußerung niederzuschreiben, einen Text vorzulesen, aus einem Manuskript vorzutragen, das Protokoll einer Sitzung anzufertigen. Charakteristisch dabei ist die unmerkliche oder auch deutlich (negativ oder positiv) gespürte Veränderung, die die sprachliche Form dabei durchmacht. Jeder, der einmal für Gesprächsanalysen Transkripte angefertigt hat, weiß das ebenso wie jeder, der schon dabei ertappt wurde, beim Vorlesen der Lieblingsgeschichte seines Kindes den Wortlaut (bewußt oder unbewußt) verändert zu haben.

Oben hatte ich bemerkt, daß Mündlichkeit und Schriftlichkeit in unserer Zeit sozusagen »durcheinander« existieren und gebraucht werden. Dies ist ernst zu nehmen. Der eben geäußerte Gedanke bedeutet nämlich nicht nur, daß sich die neuen Medien bestimmte Bereiche erobern und die alten Medien in festen, abgetrennten Nischen verbleiben. Vielmehr wirken Medien aufeinander ein. Es ist geradezu die Basis der Idee von konzeptioneller Schriftlichkeit bzw. Mündlichkeit als graduelle Erscheinung, daß sprachliche Vorgänge als mehr oder weniger schriftlich bzw. mündlich gekennzeichnet werden. Bestimmte Formen konzeptioneller Schriftlichkeit beherrschen bestimmte Kinder, lange bevor sie Lesen und Schreiben lernen. Denn während das Fehlen eines Mediums, der Schrift, tatsächlich bestimmte kognitive und kommunikative Handlungen wenn nicht ausschließt, so doch extrem schwierig macht, ist seine Verfügbarkeit gleichzeitig Ausgangspunkt von rückwirkenden Veränderungen. Es entstehen in einem Medium bestimmte Formen, die dann in das andere zurücktransportiert werden. *Walters (1994)* betont den engen Zusammenhang von *academic discourse und literacy*, d.h. von der Schriftgeprägtheit mündlicher Sprachformen im akademischen Umfeld. *Koch/Oesterreicher (1994)* betonen die wichtige Rolle der Schriftlichkeit beim sprachlichen Ausbau von bislang nicht verschrifteten Sprachen. Der Unterschied zwischen geschriebener und gesprochener Sprache kann deshalb nicht an altverschrifteten Sprachen wie dem heutigen Deutsch oder Englisch untersucht werden – zu sehr sind Schriftlichkeit und Mündlichkeit miteinander verschränkt. Man kann das auch anders ausdrücken: Mündlichkeit und Schriftlichkeit sind in unserer Gesellschaft keine dichotomischen Gegensätze mehr, und deshalb ist die Frage nach der Priorität der Lautsprache kein interessanter Gegenstand mehr.

Literatur:

Antos, G./Krings, H. P. (1989) (Hrsg.): Textproduktion. Niemeyer: Tübingen.
Augst, G./Müller, K. (1996): Die schriftliche Sprache im Deutschen. In: Günther/Ludwig et al. Bd. II, 1500–1506.
Aust, H. (1987) (Hrsg.): Wörter – Schätze, Fugen und Fächer des Wissens. Festgabe für Theodor Lewandowski zum 60. Geburtstag. Narr: Tübingen.
Aust, H. (1996): Die Entfaltung der Fähigkeit des Lesens. In: Günther/Ludwig et al. Bd. II, 1169–1178.
Baurmann, J./Günther, H./Knoop, U. (Hrsg.) (1993): homo scribens – Perspektiven der Schriftlichkeitsforschung. Niemeyer: Tübingen.

Ehlich, K. (1989): Zur Genese von Textformen. Prolegomena zu einer pragmatischen Texttypologie. In: Antos/Krings (1989), 84–99.

Ehlich, K. (1994): Funktion und Struktur schriftlicher Kommunikation. In: Günther/Ludwig et al., Bd. I, 18–41.

Feilke, H. (1996): Die Entwicklung der Schreibfähigkeiten. In: Günther/Ludwig et al., Bd. II, 1178–1191.

Geier, M. (1994): Schriftlichkeit und Philosophie. In: Günther/Ludwig et al., Bd. I, 646–654.

Giese, H.W. (1993): Von der sichtbaren Sprache zur unsichtbaren Schrift: Auswirkungen moderner Sprach-Schrift-Verarbeitungstechnologien auf den alltäglichen Schreibprozeß. In: Baurmann et al. (1993), 113–140.

Günther, H. (1993): Erziehung zur Schriftlichkeit. In: Klotz/Eisenberg (1993), 85–96.

Günther, H. (1995): Die Schrift als Modell der Lautsprache. In: Osnabrücker Beiträge zur Sprachtheorie 51 (1995), 15–32.

Günther, H./Ludwig, O. et al. (1994/96) (Hrsg.): Schrift und Schriftlichkeit – Ein interdisziplinäres Handbuch internationaler Forschung. Bd. I (1994), Bd. II (1996). Berlin: de Gruyter.

Hornberger, N. (1994): Oral and literate cultures. In: Günther/Ludwig et al., Bd. I, 424–432.

Koch, P. (1990): Von Frater Semeno zum Bojaren Neasçu. Listen als Domäne früh verschrifteter Volkssprache in der Romania. In: Raible (1990), 121–165.

Koch, P. / Oesterreicher, W. (1986): Sprache der Nähe – Sprache der Distanz. Mündlichkeit und Schriftlichkeit im Spannungsfeld von Sprachtheorie und Sprachgeschichte. In: Romanistisches Jahrbuch 1986, 15–43.

Koch, P. / Oesterreicher, W. (1994): Schriftlichkeit und Sprache. In: Günther/Ludwig et al., Bd. I, 587–604.

Klotz, P./Eisenberg, P. (1993) (Hrsg.): Sprache gebrauchen – Sprachwissen erwerben. Klett: Stuttgart.

Ludwig, O. (1994). Geschichte des Schreibens. In: Günther/Ludwig et al., Bd. I, 48–65.

Nissen, H.J./Damerow, P./Englund, R.K. (1990): Frühe Schrift und Techniken der Wirtschaftsverwaltung im alten Vorderen Orient. Franzbecker: Berlin.

Ong, W. J. (1982): Oralität und Literalität – Die Technologisierung des Wortes (engl. Original »Orality and Literacy« 1982). Westdeutscher Verlag: Opladen.

Raible, W. (1992): Junktion. Eine Dimension der Sprache und ihre Realisierungsformen zwischen Aggregation und Integration. Sitzungsberichte der Heidelberger Akademie der Wissenschaften, Jahrgang 1992, 2.

Raible, W. (1994): Orality and literacy. In: Günther/Ludwig et al., Bd. I, 1–18.

Raible, W. (1990) (Hrsg.): Erscheinungsformen kultureller Prozesse. Narr:Tübingen.

Scheerer, E. (1993): Mündlichkeit und Schriftlichkeit – Implikationen für die Modellierung kognitiver Prozesse. In: Baurmann et al., (1993), 141–176.

Steger, H. (1987): Bilden »gesprochene Sprache« und »geschriebene Sprache« eigene Sprachvarietäten? In: Aust (1987), 35–58.

Olga Jaumann-Graumann

»Ich hade schön mal Angst gegrigt womal was rünter gewalen ist.«

Was geht in Boris vor, wenn er diesen Satz schreibt?

Ein Plädoyer für das persönliche Gespräch

Viele Leserinnen und Leser fühlen sich durch obiges Zitat sicher angeregt, Boris Rechtschreibleistung im Verhältnis zu seinem Alter zu analysieren. Dies wäre zwar interessant, ist jedoch nicht das Anliegen dieses Beitrags. Es geht vielmehr darum zu zeigen, wie groß der Unterschied sein kann zwischen der (scheinbaren) Banalität einer schriftlichen Aussage und dem, was das Kind eigentlich sagen möchte, was es bedrückt, was es beschäftigt, worüber es nachdenkt. Anlaß für diesen Beitrag war für mich die persönliche Betroffenheit über diese offensichtliche Diskrepanz im Gespräch mit Kindern einer »normalen« Grundschulklasse, sprich: 27 Kinder (15 Kinder mit z. T. großen Schwierigkeiten mit der deutschen Sprache, 5 Kinder mit erheblichen Lernschwierigkeiten und Verhaltensauffälligkeiten). Ich möchte anhand von Beispielen diese Diskrepanz zwischen schriftlicher und mündlicher Äußerung verdeutlichen und damit den Anstoß geben, über folgende These zu diskutieren:

Kinder, die mit einem Defizit an mündlichen Kommunikationsmöglichkeiten in die Schule kommen, haben Schwierigkeiten, sich schriftlich adäquat mitzuteilen. Sie brauchen zuerst erwachsene Menschen, die ihnen Zeit und Raum geben, über ihre Gedanken, Erlebnisse, Erfahrungen und Probleme zu sprechen, ihnen im persönlichen Gespräch zuhören und ihnen zeigen, wie ernst sie das Kind mit seinen Anliegen nehmen. Auf dieser Grundlage erst kann es sich für die schriftliche Kommunikation öffnen und (im Rahmen seiner individuellen Fähigkeiten) die dazu notwendigen Fertigkeiten erwerben.

Schwerpunkt der Diskussion in den letzten Jahren ist das freie Schreiben und seine Bedeutung für die schriftsprachliche Entwicklung des Kindes. Im Rahmen dieser Diskussion hat es den Anschein, als sei die Bedeutung, die der mündlichen Kommunikation als notwendige Vorbereitung zur schriftsprachlichen Kommunikation zukommt, aus dem Blick geraten. Für Kinder aus intellektuellen Familien mag die Bedeutung der Pflege mündlicher Kommunikation in der Tat in der Schule eine untergeordnete Rolle spielen. Für Kinder aus weniger privilegierten Sozialschichten und für nicht deutschsprachige Kinder – und diese Kinder sind in unseren Grundschulen die Mehrheit – hat die mündliche Kommunikation jedoch einen besonderen Stellenwert.

Im folgenden möchte ich meine These an Gesprächsbeispielen von drei Kindern verdeutlichen.

Zur Diskrepanz zwischen dem, was Kinder aufschreiben, und dem, was sie dabei bewegt

Die drei Kinder *Boris, Markus* und *Nadine,* die im folgenden vorgestellt werden, gehen ins 2. Schuljahr. Die meisten Kinder dieser Klasse schreiben nicht von selbst, obgleich sie zum freien Schreiben angeregt werden und Zeit und Gelegenheit dazu erhalten. Die Lehrerin, *Frau Wolff-Kramer,* die die als äußerst schwierig bekannte Klasse erst im zweiten Schulhalbjahr des zweiten Schuljahres übernommen hat, bittet mich, über einige Kinder mit besonders großen Lese- und Rechtschreibschwierigkeiten ein förderdiagnostisches Gutachten abzugeben. Ich habe die Möglichkeit, einige Male allein in einem Raum mit den Kindern einzeln zu arbeiten.

Neben der Durchführung einiger Tests schlage ich den Kindern vor, eine Geschichte über ein Erlebnis zu schreiben, das ihnen einmal Angst gemacht hat. Das Thema »Angst« wählte ich, um jedes Kind dazu anzuregen, über ein sehr persönliches Erlebnis zu berichten, und um etwas über das Kind selbst zu erfahren. Alle drei Kinder freuen sich auf die individuelle Zuwendung, die sie erhalten, fassen sofort Vertrauen und sind aufgeschlossen und bereit zur Mitarbeit.

Markus

Markus ist erst vor vier Jahren aus Rußland gekommen. Auf meine Frage, ob es ihm hier gefällt, antwortet er: »Gut, aber der Schnee war schöner in Rußland (seine Augen leuchten dabei), er war soo hoch.« (Er zeigt die Höhe mit der Hand.) *Markus* ist ein zierlicher Junge und macht einen gepflegten Eindruck.

Auf meine Bitte, eine Geschichte zu schreiben, wie er einmal Angst gehabt hat, schreibt er langsam und mit vielen Pausen folgendes:

In der dunkelnen Nacht hates gbizt und gedonert. Ich krak da angst weil der Bliz das fenster kaput gemacht hat.

Anschließend führen wir darüber ein Gespräch *(Markus* Aussagen sind in Kursivschrift, die Fragen in Normalschrift):

Der Blitz hat eingeschlagen, weil wir Licht und Fernseher anhatten. Es war am Abend, aber da habe ich nicht geschlafen, es war so gegen sieben Uhr im Oktober.

Hast du öfter Angst vor Gewitter?

Nee, das hab ich mir abgewöhnt. Das letzte Gewitter hab ich mir angeschaut. Beim Fenster geguckt, alle haben sich erschrockt, dann hab ich gelacht und da hab ich es mir abgewöhnt. Und ich hab mich kaputtgelacht.

Was haben deine Eltern damals gesagt, als das Fenster kaputtging?

Daß wir Geld sparen und ein neues Fenster kaufen.

Wie lang habt ihr gespart?

Fünf Tage, da haben wir das ganze Geld zusammen genommen und gekauft das Glas fürs Fenster.

Wenn du das Fenster kaputtgemacht hättest, hätte Mama geschimpft?

Ja, sogar sehr dolle. Bestimmt mit dem Riemen, das tut sehr doll weh!

Hast du gedacht, daß du schuld wärst, als das Fenster kaputtging?

Ja, ich bin schnell unter die Decke, vor dem Donner.

Warum hast du gedacht, du wärst schuld?

Weil ich nah dran war (am Fenster). Ich hab Angst, daß ich Ärger krieg, von Mutter und Vater angeschrien werde.

So laut wie der Donner?

Nicht ganz, aber fast.

Damit beendeten wir dieses Gespräch. In diesem Gespräch kam sehr viel mehr zum Ausdruck, als *Markus* hätte schreiben können und eventuell auch hätte schreiben wollen. Es wird die Situation von Aussiedlerfamilien deutlich, der Geldmangel, die strenge Erziehung (strenger, als deutsche Kinder sie im allgemeinen heute erleben); es werden *Markus'* Unsicherheit und Angst deutlich, auch die Angst vor den Eltern (wie ich später erfahre, schlägt der Vater seine Familie) und seine Bemühungen, groß und stark zu wirken. Nach Aussage von *Frau Wolff-Kramer* hält *Markus'* Mutter nicht viel von den Fähigkeiten ihres Sohnes, sie spricht negativ über ihn. *Markus'* Selbstwertgefühl scheint möglicherweise auch dadurch gestört zu sein. Es stellt sich die Frage, inwieweit *Markus'* Mutter durch die Negativbewertung ihres Sohnes eigene Unsicherheiten und Versagensängste in dem für sie vermutlich immer noch fremden Land zum Ausdruck bringt und auf *Markus* überträgt.

Markus macht nach dem Gespräch einen sehr zufriedenen Eindruck. Ich zeige ihm noch die sehr guten Ergebnisse der Tests und sage ihm, dass er ein intelligenter Junge sei, der das Lesen und Schreiben jetzt bestimmt ganz schnell lernen wird. Hochmotiviert geht er in die Klasse zurück.

Nadine

Nadine ist ein sehr dünnes und kleines Mädchen. Sie macht einen aufgeweckten aber auch recht schutzbedürftigen Eindruck. Es ist offensichtlich, daß sie ziemlich frech werden kann, und daß sie bereits ihre kindliche Weiblichkeit einsetzen kann, um Erwachsene für sich zu gewinnen. Sie macht körperlich einen etwas verwahrlosten Eindruck.

In der Situation allein mit mir ist sie zutraulich und gesprächig. Auf meine Bitte hin, eine Geschichte über ein Angsterlebnis zu schreiben, beginnt sie sofort und schreibt folgendes:

Nikulastag. Ich habe anst Wen Nikulaustag ist. im Wald.
Ich hap manchmal vor Wölfe angst.
Schpine

Ich hup Vor Schpinen angst.

Da *Nadine* sehr gesprächig war, kann ich hier nur Ausschnitte unseres Gesprächs wiedergeben:

Erzähl mal vom Nikolaus!

Wenn Nikolaustag ist und wenn ich dann von Nikolaus Ärger kriege.

Was macht dir Angst?

Der hat da so nen Stock in der Hand, da sind andere Kinder da dranne komme und manche kriegen Ärger.

Was für einen Ärger?

Wenn man Blödsinn macht.

Wie sieht der Ärger aus?

Weiß ich nich – manche Kinder weinen, wenn sie Ärger kriegen oder manche Kinder weinen, wenn sie dranne kommen, da muß man erst ein Gedicht aufsagen.

Was kann da passieren, wenn man ein Gedicht aufsagt?

Kinder, die dasitzen und lachen tun, kommen extra dran und kriegen Ärger.

Ist der Nikolaus im Wald?

Einmal hab ich ihn gesehen, da war er bei uns, da ist er am Wald lang gegangen. Am Anfang, wenn er kommt, klopft oder klingelt er – dann muß jemand den Stuhl holen, damit er sich setzen kann. Er muß so viele Sachen schleppen, die Engel haben den Sack zugenäht. Einmal war er im Kindergarten, da konnte man sein Gesicht sehen. Da hat er die Kinder immer gefragt: du ißt gern Nutella.

Der Nikolaus im Kindergarten war ja ganz lieb. Welcher Nikolaus ist denn nicht lieb?

Der mit der Maske, der kommt nach meiner Oma, da kommt er immer hin. Manchmal, wenn die Eltern dran sind, kriegen die auch Ärger, aber Oma kriegt nie Ärger. Die kriegt viele Geschenke, und dann versprechen die Kinder, daß sie nie wieder Blödsinn machen. Die Erwachsenen lachen, wenn er weg ist. Und der Nikolaus schaut durchs Fenster, ob sie Blödsinn machen, dann kommt er wieder … (gekürzt)

Wenn ich manchmal in der Bude bin – wir haben ne Bude gebaut –, da haben wir Fenster aufgemacht, und meine Cousine hat sich Steckgabeln geholt, da haben wir die Tür aufgemacht. Ich bin ins Bett, da hat sich die Tür bewegt, da hat sie das Messer an die Tür geschmissen. Da hat meine Cousine gesagt, das ist bestimmt der Nikolaus. Da mußt du aufpassen, da kriegst du Ärger vom Nikolaus.

Manchmal wackelt die Kette bei uns, da sagt mein Bruder, wir müssen uns verstecken, es kommt der Nikolaus – der Nikolaus kommt immer.

Manchmal, wenn mein Bruder im Bett ist – der schläft eigentlich bei meiner Mutter –, dann sagt er immer leise: Mama und Papa kommen. Einmal hat es geklingelt, und Mama hat gesagt: das ist bestimmt der Nikolaus.

Du schreibst, daß du auch im Wald vor Wölfen Angst hast.

Manchmal, da kommen Jäger und die schießen Tiere tot, und da denk ich, der Jäger denkt, ich bin ein Hase und daß er mich dann abschießen tut.

Wenn die Wölfe kommen, dann fressen die mich auf.

Hast du schon einen gesehen?

Nein.

Wie stellst du dir einen Wolf vor?

Der sieht lang aus, hat einen schönen wuscheligen Schwanz, hat vier Beine und hat schönes dickes Fell, hat ne Nase, die rund ist und so weich und hat scharfe Zähne und hat so bißchen Krallen.

Warum hast du Angst vor dem Wolf – der sieht doch gut aus!

Er hat aber scharfe Zähne.

Was kann der denn machen, mit den scharfen Zähnen?

Beißen, ins Bein, in Arm mit Krallen einen Strich machen.

Gibt es bei uns Wölfe?

Nee, nur manchmal, im Wald.

Ich bitte sie, einen Wolf zu malen. Hochmotiviert und angeregt, schreibt und malt sie folgendes:

Ich hal nur man chmal for Wölfe an st. Ich hn nur angst wen der Wolf Böse ausiut

Der Wolf ist grat auf den Weku um eyen zu suchen Der Wolf ist nicht böse son dern Lieu.

Im Gespräch wurde zum einen die Allgegenwärtigkeit des Nikolaus deutlich, der offensichtlich als »schwarzer Mann« zur Einschüchterung benutzt wird, und die recht widersprüchliche Haltung den Wölfen gegenüber. Auch die Angst vor dem Nikolaus scheint ja nicht durchgängig zu sein. Ohne mich hier auf ein Terrain begeben zu wollen, das Psychotherapeuten vorbehalten bleiben sollte, kommt in den Erzählungen *Nadines* ein möglicherweise widersprüchliches Verhältnis zu Männern zutage. Es hat den Anschein, als suche sie körperliche Zuwendung, vor der sie aber auch Angst hat. Trotz häufiger Nachfragen wird nicht wirklich deutlich, worin der Ärger besteht, den das Kind bekommt. *Nadine* kann oder will den Ärger nicht benennen. Vielleicht ist es Liebesverlust. In Betracht ziehen sollte man auch sexuellen Mißbrauch, der in einem viel höheren Maße innerhalb der sozialen Lebenswelt der Kinder stattfindet, als gemeinhin bekannt wird.

Für den vorliegenden Zusammenhang zeigt sich, daß die sehr allgemeinen schriftlichen Aussagen des Kindes nicht ausreichen, um einen Einblick in seine Gedankenwelt zu bekommen und auf tieferliegende Probleme aufmerksam zu werden. Erst das persönliche Gespräch, das kontinuierlich fortgeführt werden müßte, kann einen ersten Zugang schaffen. Auffällig ist auch der Unterschied in *Nadines* schriftlichen Äußerungen vor und nach dem Gespräch, sowohl was den Umfang, die Komplexität der Aussage als auch die Rechtschreibung betrifft. Die entspannte, vertrauensvolle Atmosphäre nach dem Gespräch hat offensichtlich bewirkt, daß *Nadine* eher zur schriftlichen Mitteilung bereit ist und sich der richtigen Schreibweise von eigentlich bekannten Wörtern wieder erinnert.

Boris

Boris ist ein großer, etwas dicklicher Junge, der eine Brille trägt und übergroße Augen hat. Er ist langsam in seinen Bewegungen, schaut freundlich und etwas treuherzig. Er hat große Probleme mit der Schriftsprache.

Boris gefällt offensichtlich die Zuwendung sehr gut, die er in dem individuellen Unterricht erhält. Ich weiß von ihm, daß seine Mutter arbeitet und er tagsüber bei der Oma lebt. Boris macht einen ungepflegten und körperlich vernachlässigten Eindruck. Er braucht lange, um folgenden Satz zu schreiben:

»Ich hade schön mal Angst gegrigt womal was rünter gewalen ist.«

Erzähl mal etwas zu dem, was du da geschrieben hast.

Ich war im Bett und habe geschlafen, da ist ein großes Auto aus Holz runtergefallen, und dann hab ich mich erschrocken, und dann bin ich zu Mama ins Bett gegangen, weil – so große Angst hatte ich.

Was hat dich erschreckt?

Ich dachte, das wär ein Geist.

Was hätte der Geist mir dir machen können?

Mir Unsinn in'n Kopf sagen.

Was für einen Unsinn?

Wie zum Beispiel, du mußt morgen einen umbringen in der Schule und so.

Möchtest du jemand umbringen?

Nein, nein, nein (schlägt sich an den Kopf), so hab ich dann gemacht – ich will natürlich kein' umbringen!

Ich frage ihn, ob ihn jemand in der Schule ärgert. Er erzählt, daß er immer wieder geärgert wird, aber daß er gelernt hätte, sich zu wehren. Er will in der Schule keinen Ärger haben, und er will auch zu Hause keinen Ärger haben. Auf meine Frage, warum nicht, sagt er:

Weil, wenn ich Streiche mach, dann hab ich immer Fernsehverbot. Ich hab mal die Wand angemalt, blau, lila, ich hatte Lust – dann hat Peter gesagt: Du hast bis Ostern Hausarrest. Mama hat gesagt: Laß ihn doch nur 2 Wochen.

Wer ist Peter?

Mama sein Lebensgefährte.

Möchtest du lieber mit Mama allein leben?

Ja, ich möcht' lieber mit Mama allein leben, aber die Mama kann nicht allein leben. Die Mama hat immer böse Stimmen gehört – die wollte immer, daß ich bei ihr bin. Dann hab ich Oma angerufen: Kannst du mal mein Onkel holen, weil Mama ist krank. Die Mama wollte mich nicht gehen lassen, da hab ich die Mama in den Arm gebissen, und da war es so blau, und dann hat sie mein Onkel ins Krankenhaus gebracht. Und wo ich Angst vor dem Auto gehabt habe (er meint die aufgeschriebene Geschichte), da bin ich ins Ehebett gegangen, wo mein Vater gestorben ist – da war ich drei Jahre – der hatte auch 'ne Brille, auch solche Haare (faßt sich an den Kopf) – der war zuckerkrank, und der hat einen Fehler gemacht und zwei Korn getrunken, weil er jung war, der konnte ja nicht absehen, wenn andere trinken, und meine Mutter hat gesagt: Du darfst das nicht, und da ist er ins Krankenhaus gekommen und hat die Ärztin gesagt, der ist tot – da war ich drei – da hatte ich noch keinen Verstand.

(Nach einer Pause): Hättest du gerne, daß dein Papa noch lebt?

Weil der so lieb ist. – Manchmal hat er mit dem Schlappen so gemacht (macht eine Drohgebärde), damit ich Angst kriege – da hat die Oma gesagt, laß ihn doch. Aber als ich drei war, da hab ich das Feuerzeug an die Gardine gemacht, da war alles voller Brand, da hab ich gezittert, wie verrückt – da hat Papa nicht mehr gelebt – das war zwei Wochen nachdem, daß Mama – daß Mama mich nicht weglassen wollte – da kam die Feuerwehr. Da war ich fünf.

Wäre das auch so ein Unsinn, den der Geist dir sagen könnte?

Nein – da hab ich ja noch nicht gewußt, was das ist …

Wie sieht der Geist aus?

So weiß.

Wer sieht denn weiß aus? Sieht ein Toter auch weiß aus?

Ja, wenn der in 'n Kühlfach gelegt wird, ihh, da sieht er schrecklich aus, und ich war da auch mit, wie mein Papa da im Kühlregal da so rauskam – da war der so richtig kalt – wie der gestorben ist, da war der bestimmt auch kalt.

Hast du das Gefühl, daß der Papa wiederkommt als Geist?

Ja, ja bestimmt, bestimmt, der ist ja da oben, der beschützt mich.

Macht dir das auch ein bißchen Angst?

(Schüttelt verneinend den Kopf.) – Ja, so ein bißchen.

Könnte es sein, daß er dir was tut?

Nein, mich beschützen. Ich glaub nicht an Gott – vielleicht ist das ja nur eine Geschichte – ich glaube doch, daß ein kleines bißchen ein Gott da ist, weil es Regen gibt, und dann meinen die, daß Gott weint.

Ich breche das Gespräch ab. *Boris* schaut mich vertrauensvoll an. Auf meine Frage, ob das heute schön für ihn gewesen wäre, nickt er strahlend.

Viele Äußerungen und unkindlichen Redewendungen (z. B. »… da hatte ich noch keinen Verstand«) deuten darauf hin, daß die Oma, die in ihrer Kommunikationsfähigkeit eher eingeschränkt ist (wie ich später erfahre), mit *Boris* über den Tod des Vaters gesprochen hat. Darüber hinaus kann er vermutlich mit niemandem darüber sprechen, vor allem nicht über seine offensichtlich widersprüchliche Beziehung zu seinem toten Vater. Auch seine Mutter und deren Lebensgefährte dürften keine wirklichen Gesprächspartner sein, da sie mit ihren eigenen Problemen ausgelastet sind. Einen engen Freund hat *Boris* nicht. In der Klasse wird er von den anderen Kindern akzeptiert, hat aber eher eine Außenseiterrolle.

Erste Schlußfolgerungen, die sich aus diesen Beispielen ziehen lassen

Vor allem das Gespräch mit *Boris,* in dem Erlebnisse zur Sprache gekommen sind, die eine Lehrerin im Unterricht unter den gegebenen Verhältnissen auch dann nicht bearbeiten kann, wenn sie, wie seine jetzige Lehrerin, *Frau Wolff-Kramer,* die dafür notwendige Vorbildung hat, hat mich tiefbetroffen gemacht. Schule ist nicht unbedingt ein Ort, an dem Kinder über ihre Sorgen sprechen (s. u. a. *Jaumann 1995, Mrochen 1995).* In unserer Schule ist wenig Raum, Kindersorgen wahrzunehmen und aufzufangen, und nur wenig Lehrende haben die dazu erforderlichen Kompetenzen *(Fölling-Albers 1992).* Doch es ist eine inzwischen sattsam bekannte Tatsache, daß Kinder nicht lernen können, wenn sie Sorgen haben, und daß ihnen Lernen dann auch nicht abverlangt werden kann. In dem hier vorgestellten Zusammenhang ergibt sich die weitere Frage, ob und inwieweit solche Kinder überhaupt dazu fähig sind bzw. befähigt werden können, Schriftsprache als bereicherndes Kommunikationsmittel zu erleben, wenn ihnen Raum und Zeit, über ihre Sorgen und Nöte zu sprechen, nicht gegeben wird. Spätestens seit der Diskussion um *elaborierten* und *restringierten Code* sowie um die *Defizit-* bzw. *Differenzhypothese* (u. a. *Oevermann 1970,*

Neuland 1975) ist bekannt, daß ein enger Zusammenhang besteht zwischen der sozialen Lebenswelt eines Kindes und seinen späteren Fähigkeiten im mündlichen und schriftlichen Sprachgebrauch. Diese Diskussion ist in den letzten Jahrzehnten in den Hintergrund getreten, auch die Diskussion um den Zusammenhang zwischen Leselehrmethode, Lese- und Schreiberfolg und der sozialen Herkunft (s. *Jaumann 1982)*. Nach wie vor haben jedoch die damals aufgestellten Thesen und Untersuchungsergebnisse ihre Gültigkeit, wenn sie auch heutigen Verhältnissen angepaßt werden müßten. Die Ergebnisse der Sozialisationsforschung der 60er und 70er Jahre wurden zur Kenntnis genommen, haben jedoch m. E. nicht ausreichend Eingang in die schulische Pädagogik und Didaktik gefunden. Vermutlich trat die Bedeutung des Zusammenhangs zwischen Lebensweise und Sprachentwicklung in dem Maße in den Hintergrund, in dem in den 60er Jahren die Klassen in den Grundschulen kleiner wurden, ausreichend LehrerInnen zur Verfügung standen und zudem verstärkt die Möglichkeit bestand, Kinder mit Lernschwierigkeiten in die Schule für Lernbehinderte zu überweisen. Die Klassen werden jedoch immer größer, und die Anforderung, auch Kinder mit Lernschwierigkeiten und Lernbehinderungen in die Grundschule zu integrieren, wird in den meisten Bundesländern erhoben. Damit haben wir es in den Grundschulen wieder verstärkt mit Kindern zu tun, die aus unterprivilegierten Sozialschichten kommen. Ich sehe im Moment die Gefahr, in der Diskussion um Mündlichkeit und Schriftlichkeit hinter die bereits erworbenen Erkenntnisse der Sozialisationsforschung zu fallen, indem vom Prototyp des sozial privilegierten Grundschulkindes ausgegangen wird, das kreativ mit Sprache umgehen kann und sich kontinuierlich in seiner Kommunikationsfähigkeit weiterentwickelt, das aber in der Schulrealität in der Minderheit ist.

Die hier beschriebenen Kinder haben das Lesen und Schreiben bis zum Ende des zweiten Schuljahres gelernt. Was sie noch nicht gelernt haben, ist, sich mit Hilfe der Schriftsprache mitzuteilen, d. h., sie haben das Wesentliche, nämlich den Kommunikationsaspekt unserer Schriftsprache, noch nicht als für sich benutzbar erfahren. Die ausgewählten Fallbeispiele zeigen damit, daß Lese- und Schreibunterricht vielen Kindern nicht gerecht wird und werden kann, wenn nur die Spracherwerbsebene betrachtet, die Rechtschreibung analysiert und vielfältige Angebote für das freie Schreiben gemacht werden. Schriftliche Kommunikation läßt sich nicht von mündlicher Kommunikation trennen, und beides ist wiederum untrennbar verknüpft mit Erfahrungen, Erlebnissen und Emotionen sowie mit den je individuellen Möglichkeiten ihrer Bewältigung und Verarbeitung. Zunächst unabhängig von physischen Gegebenheiten, die den Schriftspracherwerb beeinträchtigen können, spielen psychische Blockaden eine nicht unwesentliche Rolle. Ich meine, daß ein Kind in der Grundschule, das gehemmt, blockiert, von einem Problem stark emotional berührt ist und Schwierigkeiten hat, über dieses Problem zu sprechen, erst recht keine Möglichkeit hat, sich mit Hilfe einer noch nicht automatisierten Fähigkeit, der Schriftsprache, mitzuteilen. Ich stelle hier die Behauptung auf, daß die Angebote freien Schreibens bei diesen Kindern (und in jeder Klasse gibt es sehr viele solcher Kinder) noch nicht fruchtbar werden können.

Was wäre zu tun?

Der Fragestellung weiter nachzugehen, wie sich verstärkte, kompetente persönliche Zuwendung Erwachsener auf die Lese- und Schreibleistungen eines Kindes auswirkt, wäre m. E. eine lohnende Forschungsaufgabe.

Es war für mich interessant zu beobachten, daß *Boris* obige Aussage ohne Aufforderung in meiner Gegenwart nochmals etwa drei Wochen später folgendermaßen schreibt:

»Ich hate mal angst wo ein auto runtergefalen ist.«

Auch wenn seine Aussage wieder nur kurz ist (vielleicht will er mir signalisieren, daß er noch einmal allein mit mir sprechen möchte), so ist doch der rechtschriftliche Fortschritt (den zu kommentieren hier zu weit führen würde), offensichtlich. Inzwischen schrieb er sein erstes »Buch«, wozu ihn *Frau Wolff-Kramer* erstmals motivieren konnte. Sie schenkt ihm – soweit das in dieser Klasse möglich ist – ihre besondere Zuwendung und gibt ihm ein Gefühl des Angenommenseins.

Offen bleibt die Frage, wie Lehrerinnen und Lehrer unter den gegebenen Bedingungen dem Anspruch gerecht werden sollen, die emotional und sozialisationsbedingten mündlichen und schriftlichen Kommunikationsprobleme von Kindern zu erkennen und zu beheben. Es scheint angesichts des offensichtlichen Burn-out-Syndroms nicht der richtige Zeitpunkt zu sein, gerade Anforderungen an Lehrerinnen und Lehrer, die eher sozialtherapeutischer Art sind, noch zu verschärfen. Andererseits trägt m. E. gerade das Gefühl, vielen Kindern überhaupt nicht gerecht zu werden, viel zur Dauerfrustration von engagierten Lehrerinnen und Lehrern bei. Doch es ist schwer, konkrete Hilfen anzubieten. Viel ist m. E. schon getan, wenn Lehrerinnen und Lehrer sensibel sind für die Signale, die Kinder in ihrer Not senden. Das heißt, auf den Zusammenhang hier bezogen, daß sie schriftliche Äußerungen, auch – oder gerade – wenn sie noch so banal klingen, ernst und ggf. zum Anlaß für ein persönliches Gespräch nehmen.

Wie immer in der Pädagogik, gibt es auch hierfür keine Rezepte. Morgendliche Gesprächsrunden, in denen jedes Kind etwas erzählen kann, haben Öffentlichkeitscharakter und sind keinesfalls als Sprechanlaß für jedes Kind gleichermaßen geeignet. Auch Schreibkonferenzen (s. *Spitta, Bambach* u. a.) z. B., die durchaus ihre Bedeutung und Berechtigung haben, finden in einer gewissen Öffentlichkeit statt und müssen naturgemäß in ihren inhaltlichen Aussagen eher an der Oberfläche bleiben, da tiefgreifende Sorgen und Probleme im allgemeinen nicht für die Besprechung in der Gruppe geeignet sind.

Dagegen ist es notwendig – mehr als dies gemeinhin getan wird –, Gesprächsanlässe in vielfältigen Formen zu bieten, in denen jedes Kind individuell und in unterschiedlichen Situationen die Möglichkeit hat, allein oder in der Gruppe, in Kommunikation mit der Lehrerin, dem Lehrer oder anderen Kindern zu treten.

Gesprächsanlässe können Lesetexte oder Bilder bieten, die aus der Lebenswelt der Kinder entnommen sind, in denen sie sich wiederfinden und die sie anregen, über eigene Erfahrungen zu sprechen. Derartiges Text- und Bildmaterial zu finden, ist nicht leicht, es darf nicht banal sein, aber auch nicht krampfhaft problemorientiert. Die Verlagerung von Unterricht nach draußen sowie Projekte schaffen per se Situationen, in denen sich Kinder in einem anderen Licht zeigen können. Sie bieten Kommunikationsanlässe, die in der Enge des Klassenzimmers und der Begrenztheit eines Fachunterrichts nicht möglich wären. Auch extra eingerichtete Kindersprechstunden bieten zu intensiven Gesprächen Gelegenheit (s. auch u. a. *Garlichs, Müller-Bardorff*).

Für eine äußerst praktikable Möglichkeit halte ich die Methode, im Wechsel mit dem Kind, von diesem erzählte Sätze oder Wörter aufzuschreiben. Dies bietet die Möglichkeit, mit einem Kind persönliche Gespräche zu führen und es zugleich zur schriftsprachlichen Mitteilung anzuleiten. *Gerheid Scheerer-Neumann* berichtet über gute Erfolge mit dieser Methode, die ich bestätigen kann. Da dies nur in der Einzelarbeit möglich ist, sollten Formen offenen Unterrichts in stärkerem Maße dazu benutzt werden, Freiräume für die Lehrerin, den Lehrer zur individuellen Arbeit mit einem Kind zu schaffen. Darüber hinaus wären im Stundenplan ausgewiesene Stunden für die Einzelbetreuung erforderlich. Dieses setzt allerdings voraus, daß sich die Lehrerinnen und Lehrer in die Lebenswelt dieser hier beschriebenen Kinder einfühlen können, was aufgrund ihrer eigenen Sozialisation nicht selbstverständlich ist. Es wird notwendig sein, daß sie sich eine eigene Vorstellung dazu durch Anschauung verschaffen.

Schlußgedanke

Die hier in aller Kürze gemachten Vorschläge sind zugegebenermaßen angesichts der heutigen Schulsituation dürftig und tragen zunächst wenig dazu bei, die Probleme der Kinder zu lösen. Dennoch – die Kinder haben ein Recht darauf, in ihrer ganzen Persönlichkeit ernst genommen zu werden, und sie brauchen Lehrerinnen und Lehrer, die sich auch ihnen ihrerseits (unter Wahrung der notwendigen Abgrenzung) in ihrer ganzen Persönlichkeit zur Verfügung stellen. Wie die schulpolitischen Bedingungen dazu geschaffen und die Lehrerausbildung darauf abgestellt werden kann, muß an anderer Stelle diskutiert werden.

Literatur:
Bambach, Heide (1989): Erfundene Geschichten erzählen es richtig. Lesen und Leben in der Schule. 2. Aufl. 1993, Libelle-Verlag.
Fölling-Albers, Maria (1992): Schulkinder heute. Auswirkungen veränderter Kindheit auf Unterricht und Schulleben. Weinheim.
Garlichs, Ariane (1994): Eine »Insel« zum Austoben und Zusichkommen. Mein Wunschprojekt für jede Schule.
Jaumann, Olga (1982): Der Leselernprozeß bei benachteiligten Kindern. Analyse ihrer sozialen Lage – Umsetzung in eine Leselehrmethode. Weinheim.
Jaumann, Olga (1995): Problemkinder-Kinderprobleme aus grundschulpädagogischer Sicht. In: Behnken, Imbke und Jaumann, Olga (Hrsg.) (1995): Kindheit und Schule. Kinderleben im Blick von Grundschulpädagogik und Kindheitsforschung. Juventa.

Mrochen, Siegfried (1995): Problemkinder-Kinderprobleme aus sozialtherapeutischer Sicht. In: Behnken, Imbke und Jaumann, Olga (Hrsg.) (1995): Kindheit und Schule. Kinderleben im Blick von Grundschulpädagogik und Kindheitsforschung. Juventa.
Müller-Bardorff, Helga (1994): Nichts geht über Gespräche. In: Die Grundschulzeitschrift 73, S. 44–45.
Spitta, Gudrun (1992): Schreibkonferenzen – ein Weg vom spontanen Schreiben zum bewußten Verfassen von Texten in Klasse 3 und 4. Berlin.

Fiction und die Folgen elaborierter Vorstellungskraft.

Gerheid Scheerer-Neumann

Was lernen Kinder beim Schriftspracherwerb außer Lesen und Schreiben?

»Reading is parasitic on speech« – dieses einprägsame Schlagwort von einer der ersten kognitionspsychologischen Tagungen zum Schriftspracherwerb vor etwa 25 Jahren habe ich bis heute nicht vergessen, ebenso einen zweiten Wahlspruch: »Reading is only incidentally visual.« Beide Sätze betonen den sprachlichen Aspekt beim Lesen und Lesenlernen – Texte sind nicht nur Buchstaben, sondern »festgehaltene«, geschriebene Sprache. Die Aufgabe des Lesers besteht nicht einfach im Decodieren; Lesen ist eine komplexe kognitive und konstruktive Leistung, in die der Leser seine bisherigen sprachlichen Erfahrungen einbringt. Das Verständnis des Lesens als vorrangig sprachliche Tätigkeit hat sowohl die Didaktik des Erstlesens als auch die Forschung, insbesondere die Erforschung der Schwierigkeiten beim Lesenlernen, fruchtbar beeinflusst: Leseprobleme wurden nun auf der Ebene sprachlicher Strukturen und nicht nur in der rein graphematischen Differenzierung (z. B. d–b Verwechslungen) gesucht und analysiert *(Scheerer-Neumann 1977);* die eigentlich schon bekannte Kontinuität zwischen Spracherwerbsstörungen und Schriftspracherwerbsstörungen ließ sich vielversprechend einordnen (vgl. *Becker 1967, Weismer 1993).*

Soweit – so gut – aber: Die immer deutlicher werdenden Beziehungen zwischen dem – primären – Spracherwerb und dem – sekundären – Schriftspracherwerb dürfen den Blick für die Eigenständigkeit der Schrift und die Rückwirkungen des Schriftspracherwerbs auf die sprachlichen Fähigkeiten eines Kindes nicht verstellen. Im vorliegenden Beitrag werden komplexe Beziehungen zwischen gesprochener und geschriebener Sprache an Hand von Beispielen aus dem Schulalltag aufgezeigt und durch einen etwas spekulativen Blick auf das Beziehungsgeflecht zwischen Schriftspracherwerb und kognitiver Entwicklung abgerundet.

Schrift für den Schulanfänger: Wörtlich?

Tom, ein eher langsamer Leselerner, liest im Februar seines 1. Schuljahrs einen Satz aus einem Text über den Frühling, den seine Lehrerin für die Klasse geschrieben hat:

Text: Im Garten sind Tulpen.

Tom: *im ga:tn* (mit Kontexthilfe sofort lexikalisch/semantisch entschlüsselt)
        si::n:t tu:lp tu:lp

                    Lehrerin: Erst mal bis hier (zeigt <tul>),

86

Tom: *tu:l*	L.: Und jetzt das!
	(zeigt \<pen\>)
Tom: *pe:n*	L.: Und jetzt den ganzen Satz!
Tom: *im gatn waksn tulpn*	L.: Nein, nicht wachsen!
Tom: *im gatn waksn tulpn (?)*	L.: Nein, lies noch mal ganz
	genau von Anfang an!
Tom: *i:m ga:rr. te:n wa: si::nt tulpn*	L.: Gut!

Legende: : = gedehnt gesprochen . = Pause
(Aus Lesbarkeitsgründen wurden nur die Äußerungen des Kindes in Lautschrift notiert.)

Die Tonbandaufnahme dieses Leseprotokolls habe ich mehrfach in Lehrveranstaltungen vorgespielt, um zu zeigen, dass Kinder beim Lesen die von uns aus lesetechnischen Gründen gewählten einfach strukturierten Wörter und Sätze häufig sprachlich verbessern. Ich denke auch heute noch, dass diese Interpretation nicht falsch ist, aber ich möchte der Erklärung einen weiteren Aspekt hinzufügen: Für Kinder in der allerersten Phase des Leseerwerbs ist das Lesen auch unserer alphabetischen Schrift vor allem eine Sinnentnahme, die »wörtliche« Festlegung scheint dabei weniger wichtig zu sein. *Jasmin,* die schon im Dezember ihres 1. Schuljahrs kleine Geschichten aus der Regenbogen-Lesekiste lesen konnte, wiederholte nach mühsamem Erlesen eines Satzes den Sinn jeweils in ihren Worten. So zum Text \<Aber Muki mag mein Bett lieber\>: »Der Muki schläft lieber im Bett.« Ich hatte bei ihr und auch bei einigen anderen Kindern den Eindruck, dass dies subjektiv nicht die »Wiedergabe des Inhalts in eigenen Worten« war (die wir genau dann von Kindern fordern, wenn ihnen das Wörtliche wichtig ist!), sondern dass ihr beide Fassungen identisch erschienen. Diese Beobachtung stimmt mit den Befunden aus einem Experiment von *Torrance/Lee/Olson (1992)* überein, in dem Vorschulkinder in einer Spielsituation angeben mussten, ob eine Handpuppe das Vorgesprochene wörtlich oder nur sinngemäß wiedergab. Vorschulkindern gelang diese Unterscheidung nicht; erst Kinder mit Leseerfahrung konnten zwischen »wörtlich« und »sinngemäß« unterscheiden. Dieser Befund überrascht nicht, wenn wir bedenken, dass Vorschulkinder vorwiegend in einer oralen Kultur[1] aufwachsen, in der das Wörtliche austauschbar ist: Das bleibende inhaltliche Gerüst bei einer variablen sprachlichen Ausgestaltung ist das Kennzeichen des Geschichtenerzählens in oralen Kulturen. Das Wörtliche ist in diesen Kulturen dagegen etwas Besonderes: Ihm kommen die Funktionen der Bestimmung von Situationen (»Es war einmal...«), der Strukturierung des Erzählten, der Beschwörung usw. zu. Insofern

---

1 Natürlich ist die Umwelt von Vorschulkindern bei uns nicht ganz einer oralen Kultur vergleichbar: Durch das Vorlesen von Kinderbüchern und durch Fernsehsendungen kommen sie oft mit einer zwar gesprochenen, aber in ihren Merkmalen »geschriebenen« Sprache in Kontakt.

steht der Wunsch von Vorschulkindern nach gelegentlichem Wörtlichem auch nicht im Gegensatz zu den erwähnten Beobachtungen und Befunden: Die wörtliche »Gute-Nacht-Geschichte« hat nicht vorrangig die Funktion des Geschichtenerzählens, sondern ist Teil eines Rituals, das Sicherheit gibt, eine Zauberformel, die die abendliche Trennung erleichtert. Ist die wörtliche Form gut bekannt, fällt es Vorschulkindern sehr schwer, sich davon zu lösen: In dem erwähnten Experiment von *Torrance/Lee/Olson* akzeptierten Vorschulkinder sinngemäße Umschreibungen von Kinderversen (nursery rhymes) nicht als inhaltliche Äquivalente.

Entwicklungspsychologisch ist es also verständlich, wenn beginnende Leser die Schrift zunächst so behandeln wie eine geschriebene mündliche Sprache. Die Erkenntnis der Bedeutung des Wörtlichen außerhalb von Ritualen kann als ein Produkt der *Erfahrung mit Schrift* und des Gesprächs mit Schriftkundigen über Geschriebenes gelten. Sie ist eng mit der Entwicklung des Wortbegriffs verbunden, der im nächsten Abschnitt angesprochen wird.

Wort- und Phonembewusstsein

Welche der folgenden Aufgaben ist für Vorschulkinder die schwierigste? Welche die leichteste?

• Einen kurzen vorgesprochenen Satz in Wörter gliedern.
• Ein vorgesprochenes mehrsilbiges Wort in Silben gliedern.
• Ein einsilbiges Wort in seine Phoneme gliedern.

Fragt man StudentInnen des ersten Semesters, so nehmen viele von ihnen ohne Zögern die Größe der Einheit als Kriterium für die vermutete Schwierigkeit: Am leichtesten wäre dann die Wort-, am schwierigsten die Phonemsegmentierung. Studenten und Studentinnen mit Kindergarten- oder Schulerfahrung stimmen dieser Einschätzung nicht zu: Sie wissen, dass die Silbengliederung schon recht gut im Vorschulalter geleistet werden kann, während sich der Wortbegriff und die Fähigkeit zur vollständigen Phonemanalyse erst im Laufe des 1. Schuljahrs entwickeln.

Worin liegen diese Unterschiede begründet? In allen drei Aufgaben geht es um die Analyse der gesprochenen Sprache. Ausreichende akustische (bzw. artikulatorische) Hinweisreize gibt es jedoch nur in der Silbenaufgabe. Bei der Segmentierung eines Satzes in Wörter lassen sich dagegen die Hinweise für die Gliederung nicht vollständig aus dem Lautstrom entnehmen: Die Segmentierung setzt schon einen Wortbegriff voraus, d.h. die Kenntnis dessen, nach dem in der Analyse gesucht werden muss. Wie wird dieser Begriff erworben? Sehr wahrscheinlich spielt die Erfahrung mit der Abgrenzung der Wörter in der Schrift durch Leerstellen eine wichtige Rolle bei der Entwicklung des Wortbegriffs, vor allem, wenn mit ihr in eigenen Schreibungen aktiv experimentiert wird (vgl. *Abb. 1*). Morphologische, syntaktisch-distributionelle und semantische Merkmale des Wortes sind prinzipiell schon Vorschulkindern zugänglich;

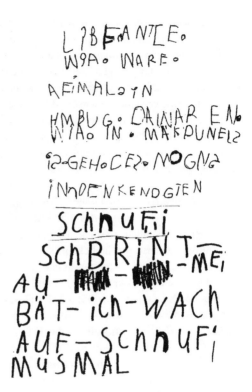

Abbildung 1

allein ihre Nutzung kann das rasche Ansteigen der Fähigkeit zur Wortsegmentierung mit Beginn der Schulzeit nicht erklären.

Beim Vergleich zwischen Wort- und Phonemanalyse lässt sich kein prinzipieller Unterschied im Schwierigkeitsgrad für Vorschulkinder angeben: Dieser ist abhängig von der gewählten Komplexität des Materials. Die Phonemsegmentierung ist aber eindeutig schwieriger als die Silbengliederung; die Phone innerhalb einer Silbe sind durch Koartikulation miteinander verwoben, so dass ihre Segmentierung eine eher kognitive als sensorische Analyse erfordert. Wie wird diese erworben? »Reifung« scheidet als primärer Erklärungsansatz aus; Studien mit Analphabeten und mit Kindern, die eine logographische Schrift erlernen, zeigen eindeutig, dass die Fähigkeit zur Phonemanalyse sich nicht spontan entwickelt. Sie wird also erlernt – durch welche Erfahrungen? In der Literatur finden sich zwei alternative Ansätze, die didaktische Implikationen vor allem für die vorschulische Förderung der Voraussetzungen zum Schriftspracherwerb haben: Während z.B. *Lundberg/Frost/Peterson (1988)* die Phonemanalyse als eine rein phonologische Leistung für möglich halten und deshalb auch ein rein mündliches Training schon im Vorschulalter vorschlagen, sehen *Ehri (1987)* und *Morais* und seine Brüsseler Kollegen (z.B. *Morais/Alegria/Content 1987*) den Erwerb der Phonemanalyse in engem Zusammenhang mit dem Schrifterwerb: Danach werden *Phoneme interaktiv in ihrer Korrespondenz zu Graphemen* erfahren; ein Training der Phonemanalyse wäre danach vor Einführung von Buchstaben nicht sinnvoll.

Die Datenlage bestätigt in gewisser Weise beide Positionen: Auf der einen Seite kann eine beginnende phonemanalytische Kompetenz durch ein rein phonologisches Training erreicht werden, auf der anderen Seite ist die Lösung komplexerer phonologischer Aufgaben, vor allem die vollständige Phonemanalyse eines Wortes, tatsächlich von der Schrifterfahrung abhängig. Der vollständige phonologische Aufbau eines Wortes wird erst durch seine Widerspiegelung in den Graphemen transparent.

Einige Hypothesen über weitere kognitive Veränderungen durch den Schriftspracherwerb

Die bisher vorgestellten Beispiele haben deutlich gemacht, dass Kinder durch den Schriftspracherwerb Einblicke in Sprachstrukturen erhalten, die ihnen allein durch ihre Erfahrung mit der mündlichen Sprache nicht zugänglich sind. Welche weiteren Auswirkungen im Bereich der kognitiven Entwicklung hat die zunehmende Nutzung des Mediums Schrift? Naheliegend und auch empirisch nachgewiesen ist ein positiver Einfluss auf die Wortschatzentwicklung, die verbale Flüssigkeit (operationalisiert durch die Anzahl der Wörter, die einer Person zu einem Reizwort einfallen) und das »Weltwissen«: Sowohl Kinder als auch erwachsene »Vielleser« unterscheiden sich von »Weniglesern« durch einen umfangreicheren Wortschatz und ein ausgeprägteres Wissen über die innerhalb einer Kultur wichtigen Sachverhalte (»knowledge base«) *(Stanovich 1993)*. Der letztgenannte Befund ist unmittelbar einsichtig: Beim Lesen keineswegs nur von Sachtexten wird Wissen implizit und explizit erworben. Die Beziehung zwischen Lesen und Wortschatz (die im Rahmen der frühen Legasthenieforschung kausal auch umgekehrt interpretiert wurde!) (vgl. Übersicht bei *Angermaier 1970)*, ist auf die größere sprachliche Vielfalt in geschriebener im Vergleich zur mündlichen Sprache zurückzuführen. Nach einer Untersuchung von *Hayes /Ahrens (1988)* enthält ein Kinderbuch für 9–12jährige 50% mehr seltene Wörter als eine Unterhaltung zwischen fortgeschrittenen StudentInnen! Die geschilderten Zusammenhänge sind nachvollziehbar, und es erscheint fast müßig, sie einer experimentellen Überprüfung zu unterziehen. Aber: Gibt es auch Auswirkungen der Schriftsprache mit geringerer »face validity« oder gar solche, die gar nicht sprachspezifisch sind? Entsprechende Vermutungen stehen schon lange im Raum und wurden in den 70er Jahren in den USA unter der Überschrift »Great Divide Theories«[2] zusammengefasst. Great Divide bedeutet: Literalität befähigt die Menschen nicht nur zur schriftlichen Kommunikation, sondern hat eminente Auswirkungen auf logische, analytische und kritische Denkprozesse, das Er-

---

2 Obwohl dieser Begriff von den Gegnern dieser Theorien negativ belegt wurde, verwende ich ihn wegen seiner Prägnanz.

kennen der Bedeutung von Zeit und Raum und andere »höhere kognitive Prozesse«. Diese Hypothese ist von entwicklungspsychologischem wie auch von kulturanthropologischem Interesse: Entwicklungspsychologisch könnte sie die explosionsartigen kognitiven Veränderungen in den Jahren unmittelbar nach dem Schriftspracherwerb erklären, kulturanthropologisch zur Interpretation und zum Verständnis oraler Kulturen beitragen. Leider haben Untersuchungen zur Überprüfung dieser Hypothese mit methodischen Klippen zu kämpfen: Schwierigkeiten bereiten vor allem die Einbettung des Schriftspracherwerbs in das allgemeine schulische Lernen und außerschulische erzieherische Einflüsse. Einer Studie von *Scribner/Cole (1981)*, die versuchte, den Anteil schulischen Unterrichts von literaler Erfahrung zu trennen, kommt deshalb eine besondere Bedeutung zu. Ihre Befunde haben Aufsehen erregt und die Hypothese der »Great Divide« für Jahre in den Bereich des »literacy myth« verbannt.

Scribner/Cole untersuchten die kognitiven Leistungen bei den Vai in Afrika, einem Volk, in dem die Menschen je nach Bildungsgrad in einer, zwei oder drei Schriften literalisiert werden: Die Vai-Schrift wird unabhängig von der Schule erworben und privat und im wirtschaftlichen Kontakt mit Einheimischen gebraucht; Arabisch wird im religiösen Kontext und Englisch in der Schule gelehrt. Es zeigte sich nun, daß Personen, die nur in Vai literalisiert waren, sich in den untersuchten kognitiven Leistungen nicht von einheimischen Analphabeten unterschieden, den Personen mit einer Schulbildung jedoch unterlegen waren. Damit hatte sich die Annahme einer Schlüsselfunktion der Schriftsprache für die kognitive Entwicklung nicht bestätigt.

Nun dürfen einzelne Untersuchungsergebnisse nicht überbewertet werden, und *Scribner/Cole* selbst sahen eine mögliche Begrenzung ihrer Studie in der reduzierten Funktion des Vai, das für das Aufschreiben von Geschichten oder gar von philosophischen Texten nicht genügend elaboriert ist. *Stanovich (1993)* hält aus diesem Grund die Debatte um die »Great Divide Theories« für noch nicht beendet. Ich schließe mich seiner Meinung an und denke, dass sich aus der vorliegenden Literatur zumindest entwicklungspsychologisch doch vorsichtige Annahmen über den Einfluss des Schriftspracherwerbs auf kognitive Prozesse machen lassen.

Dekontextualisierung

Vorschulkinder verwenden Begriffe bevorzugt innerhalb eines situativen, operationalen Bezugsrahmens; dies wird besonders deutlich bei Gedächtnis- und Rechenaufgaben, die im Kontext eines Handlungszusammenhangs besser gelöst werden (vgl. *Istomina 1948*). Der Kontext bietet das Verlässliche, das Dauerhafte, das das flüchtige Wort nicht zu geben vermag. Schrift dagegen ermöglicht Prozesse der Dekontextualisierung; sie erlaubt eine andere Form der Auseinandersetzung mit Sachverhalten, Aussagen und Meinungen. Erst wenn diese schriftlich festgehalten sind, besteht die Möglichkeit, sich immer wieder mit ihnen zu befassen, sie unter verschiedenen Aspekten zu betrachten und zu analysieren.

Luria hat zum Problem der Dekontextualisierung schon in den 30er Jahren (veröffentlicht 1974) relevante Beobachtungen bei usbekischen und kirgisischen Analphabeten im Rahmen eines Begriffsbildungsexperiments gemacht: Er legte Abbildungen vor, die einen Hammer, eine Säge, ein Holzscheit und eine Axt zeigten; die Aufgabe bestand darin, den Gegenstand zu identifizieren, der nicht in die Gruppe »passte«. Den meisten Probanden gelang die formale Kategorisierung nicht, statt dessen zentrierte sich ihre Aufmerksamkeit auf den Gebrauchswert der Werkzeuge im Hinblick auf eine Bearbeitung des Holzscheits. Ein ähnliches Phänomen findet sich in den freien Assoziationen von Vorschulkindern: Ihre Assoziationen sind *syntagmatisch*, d.h., die Kinder neigen dazu, ein Reizwort (z.B. »Bananen«) syntaktisch und semantisch zu ergänzen (z.B. »schmecken gut«), während schon jüngere Schulkinder *paradigmatische* Assoziationen geben, d.h. mit einem Element der gleichen Wortart antworten (z.B. »Orange«). Möglicherweise wird durch den Umgang mit Schrift, durch den die Syntax der Sprache erst transparent wird (vgl. *Olson 1993*), eine neue Struktur im semantischen Gedächtnis angelegt.

Selbstzentrierung

Schrift ermöglicht auch eine verstärkte Selbstzentrierung; im Gegensatz zur Kommunikation in oralen Kulturen ist der Leser – vor allem der stumme Leser unseres Jahrhunderts – auf sich gestellt und tritt mit dem Text in Interaktion. *Saunders (1995)* sieht in seinem faszinierenden Buch »Der Verlust der Sprachkultur« genau diese Situation als konstituierend für die Entwicklung des reflektierenden Selbst an, eine Voraussetzung für ein individualisiertes Bewusstsein. Inwieweit eine nicht-sprachliche Literalität – etwa eine »Computer-Literalität« diese Funktion ebenso übernehmen könnte, ist offen.

Dies ist nur eine kleine Auswahl möglicher Auswirkungen des Schriftspracherwerbs auf die kognitive Entwicklung; vielleicht wird die interkulturelle psycho- und soziolinguistische Forschung in den nächsten Jahren etwas mehr Licht in die Beziehungen bringen – faszinierende Spekulationen sind ein guter Motor für die weitere Forschung.

Literatur:

Becker, R. (1967): Die Lese-Rechtschreib-Schwäche aus logopädischer Sicht. Volk und Gesundheit: Berlin.

Ehri, L. (1987): Learning to spell and read words. Journal of Reading Behavior, 19, 5–31.

Hayes, D. P. / Ahrens, M. (1988): Vocabulary simplification for children: A special case of »motherese«? Journal of Child Language, 15, 395–410.

Istomina, Z. M. (1948): Development of voluntary memory at preschool age. Izv. Akad. Pedag. Nauk RSFSR, 1948, No. 14.

Lundberg, I. / Frost, J. / Peterson, O. (1988): Effects of an extensive program for stimulating phonological awareness in preschool children. Reading Research Quarterly, 23, 263–284.

Luria, A. R. (1974): Die historische Bedingtheit individueller Erkenntnisprozesse. Moskau.

Morais, J. / Alegria, J. / Content, A. (1987): The relationships between segmental analysis and alphabetic literacy: An interactive view. Cahiers de Psychologie Cognitive, 7, 415–438.

Olson, D. (1993): On the relations between speech and reading. Paper presented at the Workshop on Written Language and Literacy sponsored by the European Science Foundation, Wassenaar.

Saunders, B. (1995): Der Verlust der Sprachkultur. S. Fischer: Frankfurt/M.
Scribner, S./Cole, M. (1981): The psychology of literacy. Harvard University Press: Cambridge, MA.
Scheerer-Neumann, G. (1977): Funktionsanalyse des Lesens: Grundlage für ein spezifisches Lesetraining. Psychologie in Erziehung und Unterricht, 24, 125–135.
Stanovich, K. (1993): Does reading make you smarter? Literacy and the development of verbal intelligence. In: Reese, W. H. (ed.): Advances in Child Development and Behavior, 24, 134–180.
Torrance, N./Lee, E./Olson, D. (1992): The development of the distinction between paraphrase and exact wording in the recognition of utterances. Paper presented at AERA, San Francisco (zitiert nach Olson 1993).
Weismer, S.: Perceptual and cognitive deficits in children with specific language impairment: Implications for diagnosis and intervention. In: Grimm, H./Skowronek, H. (eds.): Language acquisition problems and reading disorders: Aspects of diagnosis and intervention. De Gruyter: Berlin & New York.

Zwischenstück

Freimut Wössner zum Thema aquanautische Dekontextualisierung

"Du, ich *kaun* nicht weiter rausschwimmen! Meine Uhr ist nur bis 30 Meter wasserdicht!"

Johanna Juna

Richtig schreiben in der Grundschule

Einleitung

Was ist Schreiben? In Abänderung der Definition des Lesens von *Grimm*[1] kann Schreiben betrachtet werden als die erworbene Fähigkeit des Menschen, Informationen mittels konventioneller optischer Zeichen festzuhalten und weiterzugeben. Beim traditionellen Schreib-/Leseunterricht, bei dem Buchstabe für Buchstabe mit allen Kindern gemeinsam erarbeitet wird, entstehen die Texte meist nur aus den gelernten Buchstaben. Die Mitteilungsfunktion des Schreibens wird zugunsten formaler Aspekte vernachlässigt, denn nicht der Inhalt ist Ausgangspunkt, sondern die zur Verfügung stehenden konventionellen Zeichen. Es vergeht relativ viel Zeit, bis die Kinder die Regeln der Verschriftung soweit beherrschen, daß sie selbständig niederschreiben können, was sie bewegt und interessiert.

Beim Prozeß des Schreibenlernens ist der Erwerb verschiedener Teilfähigkeiten zu beobachten: einmal das Erlernen konventioneller Zeichen und zum anderen das Strukturieren von Erlebnissen in Gedanken, die in Sätzen und Wörtern ausgedrückt werden. Je nach methodischem Ansatz wird der eine oder andere Aspekt mehr betont. Bei traditionellen Methoden, die nach einem Buchstabenkanon vorgehen, steht das Erlernen der konventionellen Schriftzeichen im Vordergrund, es dauert oft monatelang, bis die Kinder dazu ermutigt werden, ihre Gedanken und Ideen selbständig schriftlich festzuhalten. Bei der Methode des »Individuellen Schreiben- und Lesenlernens« wird vom Festhalten des Inhalts ausgegangen. Im Rahmen eines Forschungsprojekts der Pädagogischen Tatsachenforschung im Pädagogischen Institut der Stadt Wien wurde seit dem Schuljahr 1986/87 in ersten Klassen diese Methode entwickelt.[2] Durch zahlreiche Unterrichtsbesuche und *Individuelle Lernprozeßanalysen* (ILPA) wurde auch Einblick gewonnen in die Art, wie Kinder Informationen über Schriftkonvention aufnehmen und verarbeiten.

---

1 *Grimm, Hannelore/Engelkamp, Johannes (1981):* Sprachpsychologie; Handbuch und Lexikon der Psycholinguistik. Berlin: Erich Schmidt.
2 *Bergk-Mitterlehner, Marion (1987):* Rechtschreibenlernen von Anfang an. Diesterweg. Teile dieses Artikels wurden in dem Buch *Juna, Johanna/Stretenovic, Karl (Hrsg.):* »Legasthenie – gibt's die«, Verlag Jugend und Volk, Wien 1993, veröffentlicht.

1. Die Denkstrategien von Schreibanfängern
Kinder denken realistisch und haben noch Schwierigkeiten
mit der Metasprache

Ist das Interesse der Kinder durch einen Sachinhalt gefesselt, fällt es ihnen schwer, auf den methodischen Sprechkode der Lehrerin einzugehen. Dazu ein Beispiel: In der dritten Schulwoche ist das Thema »Obst«. Es ist eine wunderschöne Stunde, verschiedene Früchte werden zerschnitten, gekostet und betrachtet. Plötzlich sagt die Lehrerin: »Paßt einmal auf, ich sag euch jetzt ein Rätsel! Was haben die drei gemeinsam: eine Birne, eine Kiwi und ein Pfirsich?«

Die Kinder raten: »Die Schale, … Kerne?«

Daraufhin hilft die Lehrerin weiter: »So hört doch genau zu: eine Kiiiiwiiii, eine Biiirne und ein Pfiiiirsich!«

Jetzt merken einige Kinder, welche Antwort von ihnen erwartet wird: »Das iiiiii!«

Die Kinder nehmen alles wörtlich
Wenn der Erwachsene nicht berücksichtigt, daß Sechsjährige alles wortwörtlich nehmen, führt dies leicht zu Mißverständnissen. Bei einer Lernprozeßanalyse wird ein Mädchen gebeten, alle Wörter aufzuschreiben, die es schon schreiben kann.

Mama wir Wor Muti bitte

Um herauszufinden, ob das Mädchen schon lautgetreu schreiben kann und ob der Fehler in »Muti« zufällig auftritt, wird ein Satz angesagt.

Muti wir waren im Kino.

Da »Muti« wieder falsch geschrieben wird, verläßt die Beobachterin die Ebene der Lernprozeßanalyse und gibt einen Hinweis auf die richtige Schreibung des Wortes: »Weißt du, Mutti hat zwei ›tt‹!« Worauf das Kind prompt schreibt:

Muti hat tt.

Kinder müssen viele neue Begriffe lernen
In einer ersten Klasse schreiben die Kinder das erstemal Sätze. Der Punkt wird als wesentlicher Bestandteil des Satzes besonders besprochen. Als die Beobachterin die Verschriftungen der Kinder ansieht, fehlt bei einer Arbeit der Punkt, und sie fragt die Schreiberin, warum sie keinen Punkt gemacht habe. Daraufhin dreht das Mädchen das Blatt um und sagt ganz empört: »Du hast doch gesagt, der Punkt gehört hinten!« Auf der sonst leeren Rückseite ist ein großer schwarzer Punkt zu sehen.

Kinder stellen eigene Überlegungen an
Hansi schreibt in der zweiten Schulwoche das Wort »ich«. Er malt langsam den ersten Buchstaben und murmelt vor sich hin: »Das ist das i!« Dann malt er das »c«: »Das ist das /ç/!« Plötzlich stutzt er, zeigt auf das »h« und fragt: »Und wie heißt jetzt der dritte?« Er hat sehr wohl die Laut-Buchstaben-Beziehung erfaßt, daß aber mehr als zwei Buchstaben zu einem Graphem gehören können, ist für ihn neu.

Kinder bilden Analogieschlüsse und übergeneralisieren dabei
Ein Kind verschriftet das Wort »Vater« lautgetreu, indem es den Schwa-Laut so schreibt, wie es ihn hört: »Vata«. Die Lehrerin erklärt ihm, daß dieses dumpfe »a« mit »er« geschrieben wird. Das Kind nimmt die Information auf, speichert sie, wendet das Gelernte am nächsten Tag an und schreibt logischerweise »Paper« statt »Papa«! Auch hier zeigen sich Parallelen zum Spracherwerb, denn eine Kollegin erzählt von ihrem dreijährigen Sohn Stephan, der seinen Vater »Paper« ruft, wenn dieser auf »Papa« nicht sofort hört.

Kinder lernen inzidentiell (nebenbei)
Sechsjährige und Siebenjährige beziehen auch Informationen auf sich, die gar nicht für sie gedacht sind. Nur so ist folgende Schreibweise zu erklären: Auf einem Einkaufszettel schreiben einige Kinder einer ersten Klasse »Salart« statt »Salat«. Auf die Frage der Beobachterin weisen sie darauf hin, daß die Lehrerin das so wolle. Tatsächlich ist die Lehrerin während des Schreibens durch die Klasse gegangen und hat einige Kinder darauf hingewiesen, bei dem Wort »Kartoffel« das »r« zwischen dem »a« und dem »t« nicht zu vergessen.

Kinder experimentieren mit neuen Informationen
Einige Kinder schreiben auf ihrem Einkaufszettel »Saltz« statt »Salz«. Nach Meinung der Lehrerin ist dies eine Nachwirkung des am Vortag geübten Wortes »jetzt«. Immer wieder berichten Kolleginnen nach Übungsstunden vom Ansteigen der geübten Rechtschreibeigenart. So tauchten Doppel-m-Schreibungen nach einer einschlägigen Übung auch in Wörtern auf, die gar keine solche Schwierigkeit enthalten. Es sieht so aus, als ob die Kinder ihr neu erworbenes Wissen ausprobieren und einüben wollten.

Kinder dieser Altersstufe können nicht mehrere Gesichtspunkte gleichzeitig berücksichtigen

Wie aus den Umfüllversuchen von *Piaget (1969)* bekannt ist, sind Kinder dieser Altersstufe überfordert, wenn sie mehr als eine Variable in ihre Überlegungen einbeziehen sollen. Solange die Schreibung der Wörter noch nicht automatisiert ist, erschließen die Kinder die Schreibweise oft logisch. So lassen sich auch Fehler der Groß- und Kleinschreibung erklären: »HausTür« statt »Haustür«.

Für unbekannte Wörter verwenden Kinder das Lautungsprinzip

Wenn Kinder Wörter verschriften, die sie noch nicht gelernt haben, verwenden sie meist das Lautungsprinzip. An anderer Stelle wurde eine Systematik von Fehlern vorgestellt, die auf dieses Prinzip zurückgehen. Interessanterweise verwenden Kinder manchmal auch beim Abschreiben diese Strategie, was zu Fehlern führen kann, deren Zustandekommen nicht gleich offensichtlich ist. Lernprozeßanalysen zeigen, daß diese Kinder keine richtige Abschreibstrategie erworben haben. Sie lesen die an der Tafel stehenden Wörter und schreiben sie dann lautgetreu ins Heft. Dieses letzte Beispiel beweist, wie notwendig das Wissen um das Zustandekommen von Fehlschreibungen ist, denn nur dann kann die Lehrerin die entsprechenden Fördermaßnahmen setzen. Nur die Fehler anzustreichen und verbessern zu lassen bringt keine Änderung der »Abschreibstrategie«, die mit dem Kind gemeinsam aufgebaut werden muß.

Schon im Laufe des ersten Schuljahres verwenden Kinder verschiedene Lösungsstrategien, um zur richtigen Schreibweise der Wörter zu kommen. Mit dem Anwachsen des Gebrauchswortschatzes werden auch die Rechtschreibprobleme größer. So berichtet eine Mutter von ihrer Tochter, die bis zur Mitte der zweiten Klasse kaum Schwierigkeiten mit dem Schreiben bereits gelernter Wörter hatte, daß diese ganz plötzlich und für die Mutter unerklärliche Fehler mache. So schreibe sie z. B. »ckehrt« statt »kehrt«. Gefragt, warum sie auf einmal ein »ck« am Wortanfang schreibe, erklärt sie: »Ja weißt du, ich komm jetzt immer so durcheinander mit dem »tz«, »ck« und »ch«. Bevor ich gewußt habe, daß es ein »ck« gibt, hab ich mich leichter getan!«

2. Kinder verarbeiten die Information über die richtige Orthographie ganz verschieden

Die Lernwege der Kinder sind so verschieden wie die Kinder selbst. Nicht nur ihre Leistungen differieren, sondern auch die Art, wie sie mit Informationen über richtiges Schreiben umgehen. Genügt einigen der Impuls der Lehrerin, um einen Fehler sofort zu finden, helfen anderen auch gezielte Hinweise wenig oder gar nicht. Da immer wieder auftauchende Fehler nicht allein durch eine schlechte Gedächtnisleistung erklärt werden können, war es naheliegend zu hinterfragen, welche Denkstrategien die Kinder beim Erwerb der richtigen Orthographie anwenden. Um zu erfassen, welche Überlegungen Kinder zu Fehlschreibungen anstellen, wurden sie mit ihren Fehlern konfrontiert und gefragt: »Was glaubst du, ist in diesem Wort falsch?« Die folgenden Beispiele sollen demonstrieren, welche Hypothesen Kinder aufstellen und wie diese im Laufe der Zeit zu systematischen Lösungstrategien ausgebaut werden.

2.1 Kinder stellen Hypothesen auf
über die richtige Schreibung von Wörtern

Fehler   Überlegung der Kinder

Das Kind schreibt ...   *... und antwortet auf die Frage: »Was*
                                        glaubst du, ist in diesem Wort falsch?«

Das Kind hat nur eine vage Vorstellung vom Rechtschreibproblem
»löst« statt »löscht«   »Ich kenne keine Möglichkeiten!«
»fahlen« statt »fallen«   »Es hat sicher etwas Besonderes!«
»Klocke« statt »Glocke«   »Irgend etwas muß doppelt sein!«
»ihmer« statt »immer«   »Mit ›scharfem i‹!«
»hunger« statt »Hunger«   »Mit ›langem ie‹?«

Das Kind wendet das Lautungsprinzip zum Erkennen von Länge und Kürze an
»soh« statt »so«   Kind spricht langsam und gedehnt:
                                        »Sohhhhh!« und sagt: »Ich hab da
                                        irgendwie ein ›h‹ gehört.«
»Bllumen« statt »Blumen«   Kind überartikuliert!

Das Kind verwechselt Länge und Kürze
»hofe« statt »hoffe«   Liest das Wort besonders betont:
                                        »Ich glaube, daß da noch was fehlt,
                                        noch ein ›h‹? Da bin ich mir nicht
                                        sicher – oder 2 ›f‹?«
»ausgespotet« statt »ausgespottet«   »Mit ›h‹?«
»nemen« statt »nehmen«   »Ein ›Doppel-m‹ fehlt!«

Manchmal sind die Überlegungen der Kinder nur schwer nachzuvollziehen
»fermischt« statt »vermischt«   »Gehört so, weil es mit ›ver‹ beginnt,
                                        wie ›verreisen‹ und ›Ferien‹.«
»Herchen« statt »Herrchen«   »Mit ›Doppel-n‹, weil ›Herrchen‹
                                        kommt von ›Herr‹. Und ›Mann‹
                                        schreibt man mit zwei ›nn‹!«
                                        Dann bemerkt der Bub seinen Irrtum,
                                        lacht und korrigiert: »Mit ›rr‹!«

Aus der Ratestrategie werden systematische Überlegungen

»fhro« statt »froh«	»Groß? Mit 2 ›ff‹? Das ›f‹ hört man doch?«
»Ziegare« statt »Zigarre«	»Langes ›ie‹ ist falsch? ›h‹? Ein ›n‹ hinten dran?«
»begint« statt »beginnt«	»Es hat kein ›langes i‹! Es hat auch keinen Doppelbuchstaben?«
»schlif« statt »schlief«	»Mit ›v‹?« »Mit ›ie‹?«
»Wiend« statt »Wind«	»Aja, doch mit ohne ›ie‹! Da weiter unten stimmt es aber. Da hab ich es einmal so und einmal so geschrieben, damit es auf jeden Fall einmal stimmt!«

Das Ableitungsprinzip wird »falsch« angewendet

»gehgangen« statt »gegangen«	»Kommt doch von ›gehen‹!«
»Dalmadiener« statt »Dalmatiner«	
»Uhrlaub« statt »Urlaub«	
»volksam« statt »folgsam«	

Kinder haben oft noch Schwierigkeiten, bei ihren Überlegungen mehrere Gesichtspunkte zu berücksichtigen (z. B. beim grammatischen Prinzip)
»das Rote Buch« statt »das rote Buch«

Kinder haben Schwierigkeiten, Homonyme auseinanderzuhalten

»mer« statt »mehr«	»Mit ›ee‹?«
»war« statt »wahr«	»Das hab ich immer so geschrieben!«

2.2 Es besteht ein Zusammenhang zwischen den Hypothesen der Kinder und den Rechtschreibhilfen, die von der Lehrerin gegeben werden

In manchen Klassen fällt auf, daß keine Hypothesen gebildet werden. Die Kinder können entweder die Wörter schreiben oder eben nicht. Auf die Frage, was denn in dem Wort falsch sei, wissen sie keine Antwort. »Ich habe keine Vermutungen!« stellt ein Bub lakonisch fest. Die Lehrerinnen solcher Klassen praktizieren vorwiegend eine »Vorschreib-Nachschreib-Strategie« und halten meist wenig von einer Verbalisierung der Rechtschreibprobleme. Auch die »Buchstabiermethode«, das aus dem englischen Sprachraum bekannte »Spelling-training«, ist nur in Klassen zu finden, in denen die Lehrerin von dieser Einprägungsform überzeugt ist und diese Fertigkeit mit den Kindern übt. Diese Beobachtungen lassen vermuten, daß ein enger Zusammenhang zwischen den von der Lehrerin dargebotenen methodischen Hilfen und den von den Kindern praktizierten Lösungsstrategien besteht. Im folgenden sind die Antworten der Lehrerin auf entsprechende Fragen der Kinder aufgelistet.

Ein Kind fragt: »Wie schreibt man denn ...«	Antwort der Lehrerin:
»beobachtete?«	»Genauso, wie man es spricht, sag es dir deutlich vor!«
»Äpfel?«	»›Äpfel‹ kommt von ›Apfel‹!«
»Angel?«	Die Lehrerin klatscht zweimal in die Hände und sagt die Silben des Wortes dazu: »An-gel«!
»Rucksack?«	Lehrerin: »Hat zwei ›ck‹!«
»Geburtstag?«	Die Lehrerin schreibt das Wort an die Tafel.
»Ferien?«	»Achtung, hat nichts mit ›ver‹ zu tun!«
»Fahrrad?«	»Da stoßen zwei ›r‹ zusammen!«

Auch wenn die Lehrerin, während die Kinder eine Geschichte schreiben, durch die Klasse geht und Fehler entdeckt, gibt sie Hinweise zur richtigen Schreibung.

»Du weißt doch, am Anfang schreibt man ...!« – »Es heißt ›d i e‹ Sachen!« – »Setz den Begleiter davor!« – »Schau im Wörterbuch nach!« – »Wie ist die Blume? Schön! Schön ist ein Wiewort!« – »Nach einem Fragezeichen schreibt man ...?« – »Das heißt nicht ›Schlidschu‹, sondern ›Schlitttttschuhhhh‹!« »Lies das Wort noch einmal durch und schau genau, was du geschrieben hast!«

Beim Vergleich der verschiedenen Lösungshilfen entsteht der Eindruck, daß diese besonders für jüngere Kinder oft verwirrend sind. Soll nämlich das Kind selbständig richtig schreiben, so muß es, solange es die Schreibung eines Wortes noch nicht automatisiert hat, entscheiden, welche Lösungsstrategie im gegebenen Fall zielführend ist. Erst wenn das Kind weiß, ob es z.B. in die Hände klatschen, den Begleiter vor ein Wort setzen oder sich das Wort vorsagen soll, kann es zur richtigen Schreibweise kommen. Das eigentliche Problem ist daher die Wahl der adäquaten Lösungsstrategie, die der Erwachsene automatisch richtig trifft, weil er weiß, wie das Wort zu schreiben ist. Folgt man diesen Überlegungen, dann wundert man sich, daß die Kinder überhaupt richtig schreiben lernen. (Aber die Kinder lernen auch sprechen ohne systematische Information durch den Erwachsenen!)
Der Fortschritt der Kinder auf der vierten Schulstufe zeigt sich nicht nur in ihrer Orthographie, sondern auch in der Art, wie sie nach der Schreibung von Wörtern fragen.

2.3 Beobachtungen auf der vierten Schulstufe
Kinder auf der vierten Schulstufe wurden ersucht, laut nach der richtigen Schreibweise von Wörtern zu fragen, während sie einen Aufsatz schrieben. Diese Fragen wurden mitgeschrieben und analysiert. Dabei fiel auf, daß drei Kategorien von Fragen gestellt wurden.

Die »Entweder-oder-Frage«

»Schreibt man ›Fest‹ mit ›Vogel-v‹ oder mit ›Fahnen-f‹?«
»Schreibt man ›lebendig‹ groß oder klein?«
»›Endlich‹ mit ›d‹ oder ›t‹?«
»›Balkon‹ mit ›B‹ oder ›P‹?«
»Ist ›nach Hause‹ ein Wort oder zwei Wörter?«

Das Kind, das eine »Entweder-oder-Frage« stellt, hat schon eine gute Vorstellung von der Schreibweise des Wortes. Es stellt die Frage »zweiseitig«, weil es sich noch nicht für eine der zwei Möglichkeiten entscheiden kann.

Die direkte Frage nach der Rechtschreibschwierigkeit

Diese Fragen sind auf der vierten Schulstufe in der Überzahl. Sie werden von der Lehrerin meist nur mit »Ja« oder »Nein« beantwortet.
»Schreibt man ›Glück‹ im Satz groß?« – »›Irgendwann‹ mit ›Doppel-n‹?« – »Schreibt man ›Taxifahrer‹ groß?« – »Schreibt man ›plötzlich‹ mit ›tz‹?« – »Gehört ›laß‹ mit scharfem ›ß‹?« – »Ist ›wegblasen‹ ein Wort?« – »›Nämlich‹ mit ›Umlaut-a‹?«

Bei vielen dieser Fragen entsteht der Eindruck, daß die Kinder einfach sichergehen wollen, keinen Fehler zu machen.

Die offene Frage: »Wie schreibt man?«

Nach wie vor stellen die Kinder auf der vierten Schulstufe diese Fragen, allerdings seltener als in den unteren Schulstufen. Die Lehrerin variiert ihre Frage je nach Rechtschreibproblem und Lernstand des Kindes. So schreibt sie das Wort einfach an die Tafel, wenn es sich um ein unbekanntes Wort, z. B. um ein Fremdwort, handelt.

»Wie schreibt man ›Paragleiter‹?«

Diese »Vorschreib-Nachschreib-Strategie« wird nur mehr ganz selten praktiziert. Meistens antwortet die Lehrerin mit einer Gegenfrage, damit zwingt sie die Kinder, ihre Überlegungen zu verbalisieren.

»Beule?« »Was willst du wissen?« »Mit ›eu‹?« »Ja!«

Oft gibt sie dem Kind einen Lösungshinweis, d. h., sie nimmt ihm die Entscheidung ab, welche Lösungsstrategie zur richtigen Schreibweise führt.

Kind fragt:	*Lehrerin antwortet:*
»Schreibt man ›Glück‹ im Satz groß?«	»Was ist das für ein Wort?«
»Soll ich ›dem‹ oder ›den‹ schreiben?«	»Wende an, was wir in dieser Woche gelernt haben!«
»Gehört da ›dem‹ oder ›den‹?«	»Denk an die Probewörter, schau dir den ganzen Satz an!«
»Wieder« mit »ie«?	»Das kommt darauf an, wenn man etwas noch einmal macht, dann schon!«

3. Zusammenfassung und Ausblick

Ein Vergleich der Fragen von Kindern verschiedener vierter Klassen zeigt eine unterschiedliche Verteilung der Strategien.

Hinterfragt man das Zustandekommen dieses Sachverhalts, so stößt man beim Versuch der Kausalattribuierungen immer wieder auf drei Bereiche, die in Wechselwirkung zueinander stehen: die komplizierte Orthographie der deutschen Sprache, die Methoden der Lehrer(innen) und die Denkstrategien der Kinder *(Abb 1.)*.

Das Problemdreieck der Rechtschreibung

Die komplizierte Orthographie
der deutschen Sprache

Die methodischen Hilfen
der Lehrer(innen)

Die Denkstrategien
der Kinder

Abbildung 1

Zwischen diesen Bereichen gibt es enge Verflechtungen. Meist entscheiden die Lehrer(innen) intuitiv, eventuell durch bestimmte Materialien angeregt, wie sie an ein bestimmtes Rechtschreibproblem methodisch herangehen. Unbewußt scheinen sie sich auch an den eigenen Erfahrungen zu orientieren, indem sie meist jene Lerntechniken forcieren, die ihnen selber geholfen haben. Wie Gespräche mit Lehrer(innen) zeigen, sind sie sich des Zusammenhangs zwischen ihren eigenen Methoden und dem hypothesentestenden Rechtschreiben ihrer Schüler und Schülerinnen oft gar nicht bewußt.

Es ist Aufgabe der Lehrerfortbildung, die neu gewonnenen Erkenntnisse zu verbreiten:

Zusammenfassung der Erkenntnisse

1. Die Lernwege der Kinder sind so verschieden wie die Kinder selbst.
2. Die Denkstrategien der Kinder beeinflussen entscheidend ihre Rechtschreibleistung.
3. Es besteht ein Zusammenhang zwischen der Methode der Lehrer(innen) und den Hypothesen, die Kinder zur richtigen Schreibweise der Wörter anstellen.
4. Gute Rechtschreiber(innen) stellen auf der vierten Schulstufe nur bei ihnen unbekannten Wörtern die offene Frage »Wie schreibt man?«
5. In Klassen, in denen viele Kinder gezielt nach dem Rechtschreibproblem fragen, erzählen die Lehrer(innen), daß sie schon auf der ersten Schulstufe von den Kindern verlangt hätten, ihre »offenen Fragen« zu konkretisieren und damit das eigentliche Problem zu verbalisieren.

Methodische Hilfestellung im Aufsatzunterricht nach Wössner.

Howard Gibson

Story as a context for talk: developing oracy within the primary classroom

[Vorbemerkung von Heide Niemann: *Im folgenden Beitrag geht es um die Frage nach der gezielten Weiterentwicklung von Mündlichkeit im Unterricht der Grundschule.*

Im Mittelpunkt steht dabei die Forderung nach einem Raum, einer Atmosphäre, einem Rahmen, um das Lernen im oder durch das Gespräch zu unterstützen. Zu den fördernden, unterstützenden Momenten in einem derartigen Raum gehören vor allem das Buch und die Person der Lehrerin. Wenn Bücher im Unterricht eingesetzt werden, kommt es fast immer zu Gesprächen; dabei handelt sich aber in der Regel um von der Lehrerin initiierte, mehr oder weniger stark gelenkte Gespräche. Deshalb entsteht die Notwendigkeit, Gesprächsaktivitäten und -formen zu planen, in denen Kinder befähigt werden, lehrerunabhängig im Gespräch Ideen zu entwickeln, Probleme zu lösen, Sachverhalte zu diskutieren. Ein anspruchsvolles Vorhaben, das von der Lehrerin ein diszipliniertes Gesprächsverhalten verlangt (zuhören können!) und das ein Aufbrechen frontal gesteuerten Unterrichts bedingt. Erst dann können Geschichten / Bücher so genutzt werden, dass die Kinder einen Gewinn davontragen.]

There have been some important research findings comparing children's talk at home and at school *(Heath 1983; Tizard/Hughes 1984; Labov 1988; Wells 1986; Norman 1992)*. Gordon Wells' longitudinal study in Bristol was perhaps a particularly interesting study that is still of relevance to teachers today. At one point he introduces his reader to Rosie, a six year old child with a supposed »language deficit« in mainstream school, whom he recorded talking to her mother at home and to her teachers at school. What the research showed was that a central factor in Rosie's reticence to talk at school could be attributable to the social context in which the talk took place, or indeed failed to take place. For in the presence of her teacher Rosie felt ill at ease, unempowered to initiate conversation, without worldly knowledge of or interest in topics like skiing that the teacher introduced, and so on.

What such studies have shown is that primary teachers need to be aware that a child's oral skills developed in the home do not automatically accompany them when they enter the school gate. They confirm a suspicion that a child capable of talking quite lucidly at home is not necessarily the »same« child in a classroom context. What this paper seeks to do is to combine what we know about the relationship between children's talk and social context, with the suggestion that one particularly good setting for developing children's oracy is to be found in the use of story books. It also aims to clarify the teacher's role in establishing classroom contexts that favour talking-for-learning.

Why stories? One conclusion that Wells drew from his study was that there was a link between the practice of children sharing books with adults in the home and their literacy development at school *(Wells 1986; Kirby 1992; Loveday/Simmons 1988)*. The practice of reading stories collaboratively was seen not merely as a socially pleasant pre-reading activity but, when the quality of the book and child/parent interaction was high, as cognitively demanding. One reason for this was that the sharing of stories in the home was said to provide a »context of joint enterprise« in which the child felt prepared to raise questions and talk in response to the text, not as a passive recipient responding to adult questioning but as an active learner. Because stories provided a favourable vehicle for collaborative conversation, with them children both learned to talk and talked to learn *(Fox 1993).*

Primary schools have benefited from such studies and it is now common practice to find stories used as a focus for talk within the classroom. This happens several ways. First: when a child is heard read by the teacher or by a visiting classroom helper/parent on a one-to-one basis. This may happen during a class reading period and involves not simply the decoding of the text (»reading the lines«) but a much broader discussion concerning the child's understanding of the story, the sharing of insights about the illustrations, a joint appraisal of the author, the child's reading interests, habits, preferences, and so on. For some teachers this »reading beyond the lines« is also a time when they hear about family intimacies, like news of a pet or about the death of an elderly relative. This may be because it is a social context for conversation that most closely mimics that of the home, a context where children feel permitted to initiate dialogue that wanders away from the teacher's agenda. *Wells'* transcript of three year old David reading The Giant Jam Sandwich *(Lord/Burroway 1974)* with his mother at home is perhaps a model for good classroom practice in this regard *(Wells 1986; Baker 1985).*

Second: talk is also generated through the daily reading of a class book usually towards the close of the school day. From such a reading come many opportunities for oracy development through comprehension activities like recall and prediction tasks where children speculate upon »what happens next?«; »hot seating« where one child becomes a character in the story and answers questions in role; role-play activities where children problem-solve issues such as moral or ecological dilemmas contained within the story; the creation of alternative narration, where groups of children retell events from a point of view other than that used by the author, such as a peripheral character or from the evil witches' perspective, and so on *(DES 1989; Fox 1982; Anon 1988).*

A third area in which talk and story are brought together is in the use of »big books«. These are often enlargements of well-loved children's stories or homemade variants. A teacher will gather her children close by and, by reading the text out aloud while finger pointing to the words, model how print on a page becomes the story being told. Big books also provide the opportunity for a collective discussion about the language of the book, its use of rhyme, of rhythm, new vocabulary, strange spellings, and so on. The teacher can also generate collaborative discussion about how the pictures and text support each other, thereby validating the children's own use of picture clues as they move towards independent reading. Or, indeed, how in some books the pictures and texts tell different stories simultaneously, as in Rosie's Walk by Pat Hutchins *(Hutchins 1970; Meek 1983; Doonan 1993).*

What underlies many of these book-based activities is a clear notion of the importance of children's talk in learning and of the teacher's role in planning for it. And yet, in the examples so far referred to we have implied that it is the teacher's role to remain »in control« of the discussion. Drawing upon what we know about the nature of informal or unplanned talk and its link with learning, is it evident that children's stories can also provide a suitable context for generating talk where the teacher's role is less dominant. His or her task would not be to orchestrate the discussion but, rather, plan activities, social groupings and tasks that were purposeful and that needed small-group talk to succeed. We can illustrate this with reference to The Lighthouse Keeper's Lunch by *Ronda* and *David Armitage (1980),* although the reader will no doubt extrapolate the principle and apply it to other texts.

This story is about a lighthouse keeper called Mr Grinling who has devised a way of receiving his lunch from the cliff via a rope and pulley. Mr Grinling's eternal problem is a flock of greedy sea gulls who constantly intercept and steal from his lunch basket as it travels from land to lighthouse. What is to be done? Having heard the story the children have a »real context« for talk across various areas of the curriculum. The learning experiences offered them lie in the challenge to find open-ended solutions to resolve Mr Grinling's problem. Such »problem-solving« activities might include:

– Make a 3-metre pulley system with ropes to get Mr Grinling's lunch safely from the cliff to the lighthouse.
– Make a basket with a lid that stops the seagulls stealing the food when in transit.
– Make the lighthouse with a flashing bulb and homemade switch. Can you add a buzzer to scare the birds off?

Mr Grinling's lunch was »a mixed seafood salad, cold chicken garni, peach surprise, iced sea biscuits, drinks and assorted fruit«. Perhaps the food was put into five square cartons. Devise different ways of wrapping it economically with squared paper. Find different ways of packing it in a basket so the birds can find no gaps.

With these sorts of story-generated problem-solving activities the teacher's aim would be to establish social/learning contexts in which there was a clear place for two quite distinct types of children's talk. On the one hand, investigative, exploratory or informal talk where children in small groups would be socially at ease and unselfconscious, collaboratively engaged in practical tasks that involved unplanned conversation. Here the talk would naturally overlap, contain *hedging, tentativeness, digression, speculation,* and so on (see *Wragg/Brown 1993).* And, on the other hand, more formal talk where children would be invited to report back to the class as a larger audience, answering their questions and explaining clearly the procedures, processes and problems they experienced when in small groups. Here the presence of a formal audience, including the teacher, would change the social setting and make the delivery and function of the talk quite dissimilar from informal talking-to-learn.

In both informal and formal talk-contexts the teacher might decide to »scaffold« children's learning *(Bruner 1983; Donaldson 1978; Norman 1992)*. Here the situation is potentially hazardous for while her aim would be to intervene and support children in their use of language to develop clarity of thought, scaffolding can degenerate into teacher-dominated talk where the intention of creating a context of joint enterprise evaporates. The possibility for the teacher to scaffold reflection, both within and outside the text, extends to other areas of the curriculum also. Above we have focused on technology/mathematics based tasks but these could equally have been art activities (»Re-design the book cover«, »Illustrate the text differently« etc.) or language focused (»Write to the Armitages telling them what you think of the book«, »Write a sequel from the poor seagulls point of view« etc.), or geographical, musical, and so on. Scaffolding in such learning contexts, despite the possibility of adults taking-over children's thinking, might be seen as essential in supporting their tentative ideas and in questioning their initial thoughts, moving their thinking beyond that which they could manage on their own. It is this, as *Wells* reminds us, that parents often do so much better than teachers.

Given the importance and complexity of children's talk, there are four key factors that may help make the teacher's role effective.

First: clarity regarding the significance of the social context upon talk. This may sharpen awareness of what a child brings to school with them with regard to oral skills, promote deliberation about the real possibilities of small-group work within the classroom, and make explicit choices that teachers need to make regarding possible social groupings:
– size – pairs, groups of three, groups of six, whole class?
– with or without the presence of the teacher?
– self-chosen or teacher-selected?
– single sex or mixed?
– similar or different abilities?

Second: the teacher may need to establish »ground rules« for talk. These are often implicit within a class but may need to become more open and shared, especially in larger classes or where children are not used to collaborative work. If children are to be set group tasks where the teacher has planned not to be present, then children will need guidance and clarity regarding the reasons and purpose for their talk. They will, for example, need to know in what way they are expected to collaborate; how they are to find common solutions to unresolved issues or »agree« upon areas of disagreement; how they will be expected to report back, and so on. Experienced teachers will also recognise that it does not inevitably follow that because children are in groups talking they are necessarily using collaborative talk to solve common problems. They will know that physical proximity is no guarantee of purposeful group talk, and that utterances at the level of »can I borrow your pencil?« do not invariably lead to leaps in children's learning. The evidence seems to suggest that collaborative talk depends far more on the clarity of intentions, the social composition of the group, ownership of the task, and agreed »ground rules« of operation.

Third: teachers will need to provide the physical facilities that enable children's talk and listening skills to develop *(NOP 1990)*. With regard to the use of stories this might include: a listening corner with story books on tape, with headphones and multiple copies of the text to share; a well-stocked book corner and, where possible, a set reading time during the day when children can either read independently or discuss a book with a friend or teacher; materials for making puppets, music, time-lines, maps, models, and so on, to accompany and support a reading of the story; the provision of a variety of audiences for children so that there are genuine purposes for »book talk« – audiences that will be attentive to their recommendations of good stories, audiences that will engage with their prediction of how a story will unfold or with their assessment of an illustrator's work, audiences to play a board game that a group has devised based upon the story events, and so on.

And fourth: teachers themselves need to develop the skills of good listeners, explainers and questioners and cultivate the ability to model the effective use of talk within their everyday classroom practice *(NOP 1990)*. This may happen in their measured use of closed questions that are useful when assessing children's understanding but that generate little talk (»How many seagulls can you see in the picture?« »Mrs Grinling's basket is made of what?«).

And in their use of more open questions that have no fixed answer and that can be used to challenge and extend children's thinking (»Why do you like the illustrations?« »Why might it be that Mrs Grinling is represented as lunch-maker and not lighthouse keeper in the story?«).

Teachers may also need to create an ethos in which children become partners in decision-making within the broader context of an ordered classroom environment. This might find expression in a teacher abandoning the reading of what has become an unpopular story, especially when her children are willing to make explicit the reasons for their critical stance. This type of issue and others mentioned in this paper – the nature of group work, the idea of a context of joint enterprise, the negotiation and ownership of tasks, the structuring of collaborative talk for learning, informal and formal talk, the nature of scaffolding, forms of questioning, and so on – are no doubt more complex than a paper of this length could possibly explore thoroughly. But behind this complexity is a simple message, that stories can play a vital role in developing children's oral skills at home and at school.

Bibliography:
Armitage, R. & D. (1980): The Lighthouse Keeper's Lunch. London: Picture Puffin.
Anon (1988): Integrating the Core Curriculum: Some ideas for combining Mathematics, Science and English by problem-solving from picture books. In: Books for Keeps 55 (1988, 23–6).
Baker, A. (1985): Developing reading with juniors. In: Moon, C. (1985, 16–26): Practical Ways to Teach Reading. East Grinstead: Ward Lock.
Bruner, J. S. (1983): Child's Talk. London: Oxford University Press.
Bennett, J. (1985): Learning to Read with Picture Books. Stroud: Thimble Press.
Benton, M. / Fox, G. (1985): Teaching Literature: Nine to Fourteen. Oxford: Oxford University Press.
Burroway, J. / Lord, J.V. (1974): The Giant Jam Sandwich. Piccolo Picture Books.
DES (Department of Education and Science) (1989): Approaches to the Class Novel: Appendix 6. In: English for Ages 5-16: June 1989. London: HMSO.
Doonan, J. (1993): Looking at Pictures in Picture Books. Stroud: Thimble Press.
Donaldson, M. (1978): Children's Minds. London: Fontana.
Fox, C. (1993): At the Very Edge of the Forest: The influence of literature on storytelling by children. London: Cassell.
Fox, G. (1982): Twenty-four things to do with a book. In: Hoffman, M. et. al (1982: 52–54) Children, Language & Literature: OU INSET. Milton Keynes: OUP.
Heath, S. B. (1983): Ways with Words: Language, Life and Work in Communities and Classrooms. Cambridge: Cambridge University Press.
Hutchins, P. (1970): Rosie's Walk. London: Picture Puffin.
Kirby, P. (1992): Story Reading at Home and at School: Its influence upon children's early literacy growth. In: Reading 26 (2).
Labov, W. (1988): The Logic of Non-standard English. In: Mercer, N. (1988: 143–162): Language and Literacy from an educational perspective: volume 1. Milton Keynes: Open University Press.
Loveday, E. / Simmons, K. (1988): Reading at Home – Does it Matter?. In: Reading (July).
Meek, M. (1988): How Texts Teach What Children Learn. Stroud: Thimble Press.
Moss, E. (1985): Picture Books for Young People 9–13. Stroud: Thimble Press.
National Oracy Project (1990): Teaching Talking and Learning in Key Stage One. York: NOP.
Norman, K. (1992): Thinking Voices – the work of the National Oracy Project. London: Hodder & Stoughton.
Tizard, B. / Hughes, M. (1984): Young Children Learning. London: Fontana.
Waterland, L. (1988): Read With Me: An Apprenticeship Approach to Reading. Stroud: Thimble Press.
Wells, G. (1986): The Meaning Makers – Children learning language and using language to learn. London: Hodder & Stoughton.
Wragg, E. / Brown, G. (1993): Questioning. London: Routledge.

Yaron Matras

Probleme und Chancen
der Verschriftung der Sprache
der Roma und Sinti

1. Einleitung

Romanes – die Sprache der Roma und Sinti – ist die einzige indische Sprache, die in Europa seit mehreren Jahrhunderten beheimatet ist. Obwohl Romanes-Sprecher in keinem Gebiet die Mehrheit bilden und immer zwei- oder mehrsprachig sind, zeigt die Sprache einen gemeinsamen Kernbestand an Lexikon, Morphologie und Grammatik. Dieser kann aus historisch-typologischer Sicht als das Ergebnis einer Restrukturierung des ererbten indischen Formenbestands nach dem Muster der europäischen Kontaktsprachen am Balkan (vor allem des Griechischen) betrachtet werden (vgl. *Matras 1994*), eine Entwicklung, die offensichtlich auf die Konstituierungsphase nach der Ankunft der Roma im Balkan-Gebiet im frühen Mittelalter zurückgeht. So bewahrt Romanes Grundzüge der indischen Formenbildung, paßt sich jedoch auf der Ebene der Satzstruktur den Kontaktsprachen am Balkan an.

Die Zersplitterung der Romanes-Mundarten wird gewöhnlich als ein Resultat der Migrationen einzelner Gruppen von Roma aus dem Balkan nach Westen und Norden ab dem 14. Jahrhundert betrachtet. Die Hauptdialektgruppen sind heute die balkanische, die nördliche (in Polen, Nordrußland und den baltischen Ländern), die zentrale (in Südpolen und der Tschechoslowakei), die Sinti/Manuš (in Deutschland und angrenzenden Gebieten), und die Vlach (ursprünglich in Rumänien, der Wallachei und Ungarn, doch in der Folge größerer Migrationsbewegungen ab dem 19. Jahrhundert beinah in allen Ländern Europas sowie in Amerika verbreitet). Innerhalb dieser Gruppen gibt es weitere Differenzierungen nach Stamm und Region. Oft entstehen durch Vermischung der Dialekte und den Einfluß spezifischer Kombinationen von Kontaktsprachen sogar »Familiendialekte«. Neben phonologischen und einigen morphologischen Unterschieden gehen die Dialektgruppen in der Integration von Lehnelementen aus den jeweiligen Kontaktsprachen auseinander.

2. Probleme der Verschriftung

Die dialektale Zersplitterung und der Einfluß der Zweisprachigkeit auf das Romanes führen zu sprachlichen und technisch-logistischen Problemen bei der Überlegung, die Sprache zu verschriften. Aus sprachlicher Sicht stellt sich die

Frage, welche Varietät des Romanes als überregionales schriftliches Medium geeignet wäre, dessen sich Sprecher verschiedener Mundarten bedienen könnten; bzw. ob es einzelne Formen gibt, die allen oder großen Zahlen von Sprechern zugänglich wären und die sich zu einer Art künstlichen Standardsprache kombinieren ließen. Mit »technisch« meine ich die Wahl der Schrift und der Schriftzeichen. Zwar ist die große Mehrzahl der Roma, soweit sie Zugang zu Schulbildung haben, mit dem lateinischen Alphabet vertraut, doch enthält das Romanes, wie andere europäische Sprachen auch, eine Reihe von Phonemen, die im Lateinischen nicht vorkommen und daher in der rudimentären Form der römischen Schrift nicht berücksichtigt werden, allen voran die Palatalen wie /č/, /š/ oder /ž/; für diese Laute haben einzelne europäische Sprachen verschiedene Zeichen. Schließlich verstehe ich unter »logistisch« diejenigen Probleme, die mit der Verbreitung oder der Implementierung der getroffenen sprachlichen und technischen Lösungen zusammenhängen.

3. Wer schreibt Romanes?

Bevor auf die einzelnen sprachlichen, technischen und logistischen Lösungsansätze eingegangen wird, muß die Frage angesprochen werden, wer Interesse daran hat, Romanes zu schreiben, und zu welchem Zweck. Bedingt durch die Geschichte der Roma als ein marginalisiertes, meistens in kleineren Gruppen und ohne territorialen und institutionellen Zusammenhalt lebendes Volk ist Romanes bisher kaum verschriftet worden. Die Traditionen der Roma selbst – ob Verhaltensregeln und Normen, Ämter und Gesetze der Gemeinschaft oder Märchen und Lieder – sind ausschließlich in mündlicher Form überliefert worden. In manchen Gruppen gibt es sogar Widerstand gegen die Idee der Verschriftung, aus Angst, sie würde die Kultur der Roma Außenstehenden zugänglich machen und sie auf diese Weise unerwünschten Einflüssen aussetzen.

Neben Wissenschaftlern, die bereits seit vier Jahrhunderten die Sprache der Roma dokumentieren, sind daher die einzigen, die innerhalb der Gemeinschaft selbst ihre Sprache schreiben, Personen, die neue Ideen und Organisationsformen in ihre Gemeinschaft zu importieren versuchen (vgl. *Matras/Reershemius 1991*). Diese sind in einigen Fällen Linguisten und andere Wissenschaftler, die das Prinzip der Schriftsprache und der schriftsprachlichen Norm einführen wollen. Es sind aber auch Angehörige neuerer Missionsbewegungen, die für Bibelübersetzungen verantwortlich sind, oder Aktivisten der kulturellen Vereinigungen und der Bürgerrechtsbewegung, die Romanes als schriftliches Kommunikationsmedium untereinander für praktische Zwecke brauchen und eine Schriftsprache als Mittel der Verbreitung von Ideen unter einem Zielpublikum suchen. Schließlich sind es sehr häufig Personen, die selbst keine Muttersprachler sind, die sich aber mit der Romanes-Sprachgemeinschaft identifiziert fühlen und an sie mit eigenen, konkreten Verschriftungsansätzen herantreten.

111

4. Versuche der Vereinheitlichung

Von solchen ausgehend, sind bislang zwei nennenswerte Versuche der Vereinheitlichung des Romanes entstanden. Das erste, vielleicht weniger bekannte Unternehmen ist die Grammatik des ehemaligen Mitglieds des Europäischen Parlaments für die spanischen Sozialisten, *Juan de Dios Ramirez Heredia,* selber Gitano, jedoch kein muttersprachlicher Romanes-Sprecher (die Gitanos bewahren ihre ethnische Identität, nicht aber das Romanes). *Ramirez* verfaßte eine künstliche Grammatik, deren Hauptziel es ist, Romanes den spanischen Gitanos näherzubringen.

Ramirez' Standardsprache, die er in Anlehnung an den von den Gitanos gesprochenen spanischen Dialekt Romanó-Kaló nennt, ist durch die folgenden Merkmale gekennzeichnet:

1. Sie enthält, künstlich zusammengestellt, einen Grundwortschatz, eine Form der Verbkonjugation und der Adjektivdeklination sowie Präpositionen und Konjunktionen aus dem Romanes, die mit einer maximalen Anzahl von Dialekten übereinstimmen sollen und so Sprechern aller Dialekte zugänglich sind. Allerdings läßt sich die Kombination dieser Formen in keinem einzigen Dialekt so finden.

2. Sie versucht, grammatische Kategorien, die in den einzelnen Dialekten des Romanes auseinandergehen, zu vereinfachen, vor allem dann, wenn dies das Erlernen der Sprache für Spanischsprachige erleichtert. So sind die Kasusendungen des Romanes, die in den einzelnen Dialekten mit Präpositionen konkurrieren, zugunsten der letzteren einfach abgeschafft worden. Da aber keine Mundart einen präpositionalen Ersatz für den Instrumental hat, verwendet Ramirez das deutsche *mit,* das im Dialekt der Sinti als Entlehnung aus dem Deutschen vorkommt. Als Genitivpräposition, die im Romanes ebenfalls fehlt, erscheint *kotar,* das »von dort« oder »daher« bedeutet. Es erinnert an *katar,* das in manchen Dialekten als »von« fungiert – ein Zusammenhang, der durch das spanische *de* angeregt wird.

3. Es werden, ausgehend von spanischen Wortstämmen, Lehnübersetzungen gebildet, um den Wortschatz der Sprache zu erweitern.

4. Schließlich wird eine Orthographie verwendet, in der keine diakritischen Zeichen vorkommen und die auf jeder Schreibmaschine leicht zu erstellen ist.

Das Standard-Romanes von *Ramirez* hat einen wesentlichen Nachteil: Es wird von niemandem gesprochen und nur von wenigen Nicht-Linguisten verstanden. Ein Vorteil ist die konsequente und moderne Verbreitung: Die Sprachform wird regelmäßig in der in Barcelona erscheinenden Zeitschrift *Nevipens Romani* verwendet und ist außerdem in der Form von Sprachkursen auf dem Internet zugänglich.

Der zweite, seit längerem andauernde Vereinheitlichungsversuch wird durch Teile der Internationalen Romani Union – eines politischen Zusammenschlusses von Roma-Intellektuellen – unterstützt, doch vor allem durch die Arbeiten von *Marcel Cortiade* – einem französischen Nicht-Roma, der die Organisation

berät – vorangetrieben. Das Prinzip des Standardalphabets *Cortiades* – dargestellt im Abschlußdokument des Warschauer Kongresses der Internationalen Romani Union vom April 1990 – ist es, die einzelnen dialektalen Varianten in der
Phonologie durch »abstrakte« Grapheme zu berücksichtigen, die die konkrete
Aussprache dem Leser selbst überlassen (s. Besprechung in *Friedman 1985;
Igla 1991).* So wird das oben angesprochene Problem der Palatalisierung durch
das Einsetzen des Zeichens ˘ über dem nachfolgenden Vokal gelöst: Das Wort
phendŏm soll man also, je nach Mundart, *phendom, phendjom, phendžom* etc.
aussprechen. Den unterschiedlichen Entwicklungen des Phonems dž > ź > ž wird
durch ein Graphem ჳ Rechnung getragen. Ein auffälliges Merkmal des Alphabets sind Grapheme, die eigentlich Archimorpheme darstellen und die Variation wiedergeben sollen, die es nach verschiedenen Lauten bei Kasusendungen
gibt. So lautet die Lokativendung *-te* in *les-te* »bei ihm« aber *-de* in *man-de* »bei
mir«. Ähnliche Varianten sind *-tar/-dar* im Ablativ, *-ke/-ge* im Dativ,
-ko/-go im Genitiv, und *-sa/-tsa* im Instrumental. Sie werden im Warschauer Alphabet jeweils durch die Grapheme *q, θ* und *ç* vertreten. Ansonsten, was die Wahl
einzelner lexikalischer und morphologischer Varianten betrifft, basiert diese
Standardform auf der balkanischen Mundart, mit Neologismen.

Cortiades Standardsprache wurde bislang in erster Linie durch seine eigenen
Publikationen verbreitet. Doch ihre Erwähnung in der Abschlußresolution auf
dem Kongreß der Romani Union verhalf dem Urheber, Unterstützung durch
Stiftungen der Europäischen Union zu erhalten. So konnten inzwischen neben
einigen Zeitschriftenausgaben auch Übersetzungen von Kinderbüchern entstehen, die das Warschauer Alphabet verwenden. Eine Grammatik und ein kleines
Wörterbuch in dem Warschauer Alphabet sind außerdem nach dem Warschauer Kongreß in Rumänien entstanden.

5. Dialektale und regionale Schriftsprachen

Der überwiegende Teil der neueren Publikationen auf Romanes – Zeitschrif-
tenaufsätze, Märchensammlungen, Bibelübersetzungen sowie private und ge-
schäftliche Korrespondenz zwischen Mitgliedern der Verbände – wird jedoch in
einer Form verfaßt, die ich als »dialektale und regionale Schriftsprachen« bezeichne. Im wesentlichen regieren hier zwei Prinzipien: Zum einen werden
Texte in der dialektalen Variante der Autoren geschrieben. Da die meisten dieser Schriftstücke an einen Adressatenkreis gerichtet sind, der aus derselben Gemeinschaft stammt wie der Autor, ist die Wahl der sprachlichen Form für die
Leser selten ein Problem. Zum anderen wird meistens das Alphabet der jeweiligen Landessprache übernommen. So zeigt eine in *Deutschland* publizierte
Bibelübersetzung im Dialekt der Sinti die Grapheme *sch, tsch, ch*, während
Texte aus der *Tschechischen Republik* in der zentralen Mundart als Entsprechungen *š, č* und *ch* haben und eine in der *Vlach-Mundart* erscheinende Zeitschrift aus den USA *sh, ch* und *h* aufweist.

Dennoch gibt es bewußte Versuche, zwischen den Alphabeten der jeweiligen Landessprachen und der internationalen wissenschaftlichen Umschrift Kompromisse zu finden. So wählen alle Regionalschriftsprachen die Grapheme *ph*, *kh* und *th*, um die aspirierten Verschlußlaute des Romanes wiederzugeben. Die in Polen hergestellte Zeitschrift *Rrom po Drom* verwendet gelegentlich die Zeichen *č* und *š* neben Zeichen aus dem polnischen Alphabet wie *dż* (statt *dž*). In Makedonien wurde 1992 auf einer Standardisierungskonferenz beschlossen, neben dem kyrillischen auch das lateinische Alphabet für das Romanes offiziell einzuführen. Dieses wurde teilweise an die in der Wissenschaft üblichen Umschrift angeglichen (s. *Friedman 1995*).

Regionale Verschriftungsversuche haben zur Zeit gute Chancen, als Schriftformen verbreitet zu werden: Sie entstehen in und aus einem regionalen Zusammenhang, oft unter Mitwirkung eines Personenkreises, der die Verbreitung der Schriftstücke unterstützt. Sie sind also im Gegensatz zu den Entwürfen einer Einheitssprache in der Regel keine Ein-Mann-Unternehmen. Darüber hinaus sprechen sie einen Adressatenkreis in dessen eigener Muttersprache an, hinzu noch in einem Alphabet, das nicht durch besondere Anstrengung erlernt werden muß und aus den schulischen Erfahrungen in der Landessprache abgeleitet werden kann. Ihr Nachteil liegt darin, daß sie sich eben auf den eigenen Kreis von Sprechern derselben Mundart in einem jeweiligen Land beschränken. Gerade für den Austausch zwischen Aktivisten in verschiedenen Ländern, aber auch für Migranten und ihre Kinder ergeben sich dadurch große Schwierigkeiten beim Versuch, Zugang zu schriftlichem Material in Romanes zu finden.

6. Wissenschaftliche Verschriftung

Ab der zweiten Hälfte des 19. Jahrhunderts entstanden in der Romanes-Philologie Umschrift-Konventionen, die zwar bis heute nicht vereinheitlicht sind, dennoch aber eine vergleichsweise normierte Transkription der Phonemsysteme einzelner Dialekte der Sprache ermöglichen. Neuere wissenschaftliche Arbeiten verwenden ein Schriftsystem, das vor allem durch die Grapheme *č, š, ž, j*, und *x* gekennzeichnet ist (s. zum Beispiel *Boretzky/Igla 1994; Matras 1994; Hancock 1995*). Anders als Autoren und Bürgerrechtler, die im regionalen, gemeinschaftsspezifischen Kontext arbeiten und daher auf die sprachlichen und technischen Voraussetzungen eines jeweils unterschiedlichen Personenkreises für praktische Zwecke Rücksicht nehmen müssen, stellt die linguistische Diskussion einen internationalen und deskriptiven Arbeitszusammenhang dar. Hier wird nicht die Vereinheitlichung angestrebt, aber da die Vergleichbarkeit der dialektalen Daten von großer Bedeutung ist, wird in der Regel auf tendenziell einheitliche oder zumindest kompatible Schreibweisen Wert gelegt. Im Fall von Lehrwerken oder Wörterbüchern – aus zahlreichen rezenten Beispielen seien hier lediglich *Hancock (1995)* bzw. *Boretzky/Igla (1994)* nochmals erwähnt – ist auch eine, wenn auch indirekte normative Auswirkung auf die Sprachgemeinschaft zu erwarten, soweit Lehrer und Autoren sich dieser Werke bedienen.

Der Einfluß der wissenschaftlichen Arbeiten auf die praxisorientierte Verschriftung des Romanes zeigt sich bereits im Alphabet, das auf der makedonischen Standardisierungskonferenz entworfen wurde, aber auch in Lehrwerken, die in Bulgarien, Schweden und Norwegen erschienen sind. Mündliche Erzählungen sind in den vergangenen Jahren in einigen Ländern mit Hilfe einer wissenschaftlichen Transkription verschriftet worden. Sie sind Lehrern, Autoren und Zeitschriftenredakteuren, wenn nicht den jeweiligen Sprachgemeinschaften als solchen, zugänglich. Da mehrere Schriftzeichen in der wissenschaftlichen Umschriftkonvention denen der serbokroatischen und tschechoslowakischen Alphabete entsprechen, lassen sich deskriptive Werke, Erzählsammlungen in literarischer Umschrift und regionale Verschriftungsansätze in manchen Teilen Mittel- und Südosteuropas zumindest in bezug auf die Schreibweise zu einem bestimmten »Typ« eines verschrifteten Romanes zusammenfassen. Es zeigen sich also verschriftete Einzeldialekte mit lokalen orthographischen Varianten, die sich hinsichtlich ihrer gegenseitigen Verständlichkeit und orthographischen Kompatibilität etwa mit den skandinavischen Sprachen vergleichen lassen (s. *Matras 1996*).

7. »*Einheit durch Vielfalt*«

An diesen »Typ« eines schriftlichen Romanes knüpft die Kinderheft-Reihe *Jekh duj trin ... Romanes* (»Eins, zwei, drei ... auf Romanes«) beim *verlag für pädagogische medien* in Hamburg an, weshalb ich diesen Beitrag mit einer kurzen Darstellung der Verschriftungsprinzipien dieser Reihe – sozusagen als Ausblick – abschließen möchte.

Die Reihe ist kürzlich unter meiner Anleitung und Redaktion von Muttersprachlern dreier Mundarten – *Lešaki* (ein in Polen gesprochener, nördlicher Dialekt), *Lovari* (ein Vlach-Dialekt) und *Gurbet* (ein Vlach-balkanischer Mischdialekt) – ins Romanes übersetzt worden. Aus der deutschen Vorlage wurden zwölf Texte ausgewählt, die aus kultureller, didaktischer und sprachlicher Sicht als geeignet für den Unterricht mit Roma-Kindern betrachtet wurden. Hefte, in denen deutsche Wortspiele vorkommen, konnten natürlich nicht berücksichtigt werden. Ebensowenig wurden Hefte einbezogen, in denen auf Wortschatzerweiterung abgehoben wird und wo mehrere Unterschiede zwischen den drei Dialekten nicht hätten vermieden werden können. Die drei Versionen des Textes auf Romanes erscheinen jeweils auf einer Seite und sind durch eigene Symbole – Sterne, Sonne und Mond – stets gekennzeichnet. In der Übersetzung wurde auf maximale Übereinstimmung zwischen den Dialekten bei der Wortwahl geachtet, doch gehen sie in der Phonologie und Morphologie in der Regel auseinander.

Diese Unterschiede werden aber dadurch kompensiert, daß alle drei Versionen nach denselben orthographischen Regeln verschriftet worden sind. Ausnahmen bilden insgesamt vier Grapheme im Text, die für Phoneme stehen, die nur in einem der Dialekte vorkommen (ł und *y* in Lešaki, *ć* und *d* in Gurbet). Man muß davon ausgehen, daß viele Kinder und Lehrer mit einzelnen Zeichen dieses Alphabets – *š, č, ž, x* – zunächst nicht vertraut sein werden. Doch der kurze Text – in der Regel 1–2 Zeilen pro Seite –, der Zusammenhang mit den Bildern und vor allem der Gebrauch der eigenen mundartlichen Variante sollen sie dabei unterstützen, mit der Schrift vertraut zu werden. Ist dies einmal erreicht, wird gegenüber den anderen Varianten Neugier geweckt. Die Übersetzungen in die jeweils anderen Mundarten können dann ohne größeren Aufwand gelesen werden und zu einer Vertrautheit mit Variation in der Schriftlichkeit führen, die an die Gewohnheiten der dialektalen Vielfalt in der mündlichen Kommunikation anknüpft.

Literatur:

Boretzky, Norbert/Igla, Birgit (1994): Wörterbuch Romani–Deutsch–Englisch. Mit einer Grammatik der Dialekt-Varianten. Wiesbaden: Harrassowitz.

Friedman, Victor A. (1985): Problems in the codification of a standard Romani literary language. In: Grumet, Joanne (ed.) Papers from the Fourth and Fifth Annual Meetings. New York: Gypsy Lore Society, North American Chapter. (Gypsy Lore Society Publications No. 2). 56–75.

Friedman, Victor A. (1995): Romani standardization and status in the Republic of Macedonia. In: Matras, Yaron (ed.). Romani in contact. The history, structure and sociology of a language. Amsterdam: Benjamins. 177–188.

Hancock, Ian (1995): A handbook of Vlax Romani. Columbus: Slavica.

Igla, Birgit (1991): Probleme der Standardisierung des Romani. In: Dow, James R/Stolz, Thomas (Hrgs.): Akten des 7. Essener Kolloquiums über Minoritätensprachen/Sprachminoritäten. Bochum: Universitätsverlag N. Brockmeyer.

Matras, Yaron (1994): Untersuchungen zu Grammatik und Diskurs des Romanes. Dialekt der Kelderaša/Lovara. Wiesbaden: Harrassowitz.

Matras, Yaron (1996): Besprechung von Boretzky/Igla 1994. Zeitschrift für Balkanologie

Matras, Yaron/Reershemius, Gertrud (1991): Standardization Beyond the State: The Cases of Yiddish, Kurdish and Romani. In: von Gleich, U. / Wolff, E. (eds.): Standardization of national languages. (Arbeiten zur Mehrsprachigkeit 42). 103–123.

Verlan, Veul und Kauderwelsch: Frankreichs neue Sprachsitten aus der Banlieue

«Keul cette meuf, tu la kiffes?»

PARIS ■ Frankreich kämpft mit der Académie Française, dem weltweiten Frankophonie-Verbund und sogar Gesetzesverboten um den Erhalt der eigenen Sprache. Derweil krempeln in den heimischen Banlieue-Quartieren die Jugendlichen das klassische Französisch nach Lust und Laune um. Und die übrigen Franzosen eifern ihnen nach.

Stefan Brändle

«Leurs ciboulos si moulos sont ramollos comme des chamolos», rappen die Musiker der Gruppe «Légitime processus» auf ihrer neuen CD. Mit ein wenig gutem Willen lässt sich da noch erraten, wovon die Rede ist: von Köpfen so weich wie Karamellen. Bei Sté Strausz, der jungen schwarzen Rapperin aus dem Pariser Vorort Saint-Denis, kommen aber selbst normalsterbliche Franzosen nicht mehr mit. Die rauhbeinige Sprachhexerin fügt in ihre Songs fremdsprachliche Elemente ein, kehrt Wortsilben um, kürzt Worte ab, mischt sie mit Zigeunerdialekt, ändert die Syntax, den Sprachfluss - kurz, sie schüttelt das gute alte Französische wie einen Cocktailbecher. Was als Mix herauskommt, ist für Sprachpuristen eher ungeniessbar.

Wie Reebok oder Nike

Begonnen hat vor ein paar Jahren alles mit dem «Verlan», der Silbenumkehrung für «l'envers», was auf deutsch umgekehrt bedeutet. Diese Wortspielerei ist zwar so alt wie der «Argot» (Gaunersprache oder die Abkürzungsmode, statt «matin» (Morgen) nur noch «mat» zu sagen und nach «Saint-Trop» in die Ferien zu fahren. Das neue Verlan-Fieber geht aber heute weit weit über eine Sprachmode hinaus und ist zu einem nationalen Phänomen geworden, das seine Ausläufer bis in den Elysée-Palast gefunden hat. Sich besonders «branché» (modern) wähnend, benutzte auch Präsident Mitterrand einmal den Umkehrausdruck «chébran». Mit der Folge allerdings, dass «chébran» als Wort sofort wieder aus der Mode kam. Denn das Verlan ist für seine Benützer ein Erkennungszeichen innerhalb einer Gruppe; es dient der Abgrenzung gegen die Erwachsenenwelt oder die Staatsautorität. Es verleiht Identität wie Reebok oder Nike. In den weitläufigen Betonwüsten der Pariser Banlieue wird es heute ständig weiterentwickelt, als sogenanntes «veul», das keinen Regeln mehr folgt. Mit ein Zweck ist, von aussen nicht mehr verstanden zu werden - nicht von den «gaulois», den weissen Franzosen, und schon gar nicht von den Zugskontrolleuren, Gendarmen und anderen «inspecteurs de police», die auf gut Veul nur noch «steurs» genannt werden. Von Wissenschaftern als «Soziolekt» bezeichnet, prägt das Banlieue-Kauderwelsch längst auch Spielfilme wie «Rai» oder «La haine» (der Hass). Die von der Strasse weg rekrutierten Laienschauspieler stehen mit der Polizei genauso auf Kriegsfuss wie mit den Sprachwächtern der Académie Française. Das Kulturministerium, das noch 1994 ernsthaft Sprachsünder büssen wollte, schaut machtlos zu. Die Jugendlichen sind den Behörden schlicht zu schnell. Kaum hatte sich das Verlan-Wort «beur» (Umkehrung von «arabe») landesweit eingebürgert und sogar Eingang in die Wörterbibel und die Vorstadtkids schon weitergegangen: Sie führten dafür «rebeu» ein - als Verlan des Verlan. Heute beginnen auch die Bewohner in den schicken Pariser Arrondissements «rebeu» zu sagen, wenn sie von jenen Tunesiern oder Marokkanern sprechen, die an der Strassenecke die kleinen, bis Mitternacht geöffneten Gemüse- und Früchteläden führen. Wer einwendet, «rebeu» klinge zu fremdartig, um sich einmal ganz durchzusetzen, mag sich erinnern, dass man bei «beur» einmal dasselbe dachte.

Je weniger Aussenstehende verstehen, desto besser. Man staune nicht, einen Jugendlichen in der Métro seinen Kumpel fragen zu hören: «Keul cette meuf, tu la kiffes?» Auf gut französisch würde er sagen: «Regarde, cette fille, est-ce qu'elle te plaît?» - «Schau das Mädchen, gefällt sie dir?». Zum besseren Verständnis: «Keul» ist das umgekehrte englische Wort «look», und «kiffe» kommt vom marokkanischen «Kif», Haschisch, das in Paris heute gleichbedeutend ist mit gut oder ausgezeichnet. «Meuf», reiner Verlan für «femme» (Frau, Mädchen), wird heute genauso wie das Wort «keum» (Mann, Typ), das sogar einer regelmässigen Jugendfernsehsendung den Namen gegeben hat.

Sprachliche Berührungsängste gibt es nicht. «Tcheb» (Dirne) beginnt sich als Verlan-Version des englischen Wortes «bitch» einzubürgern. Als «bledman» (bled heisst «Region» in Nordafrika) wurden zuerst illegale Einwanderer bezeichnet, heute aber sämtliche Leute, die in den Traditionen ihres Herkunftslandes konservativ verhaftet bleiben, wie etwa Eltern oder Islamfundamentalisten. Argot vermischt sich mit Verlan, indem aus «tune» (Geld) zu «neutu» wurde; und wer auf französisch seine Beschämung ausdrücken will, muss nicht unbedingt «j'ai la honte» sagen, sondern wird in Marseille auch mit «J'ai la hach» verstanden - hachna bedeutet auf arabisch Schande. Die lokalen Unterschiede in Paris, Lyon oder Marseille sind allerdings beträchtlich. Denn insgesamt verlassen nur die wenigsten Wort-Neuschöpfungen jemals ihr Quartier. Etwa so wenig wie ihre Erfinder.

Sprachreformen ganz ohne Kongresse und Konferenzen. Aus: Zürichsee-Zeitung, 3. Juli 1996

Anne Börner

»Bei mein kann isch doch net teile.
Ja, das is blöde, da komm isch immer –
aus'm, aus'm Takt raus«

Sprachreflexionen: Diagnostische und didaktische Hilfe[1]

1. Reflexionen über Schriftsprache:
Diagnostische und didaktische Funktion

Mit *Wygotski* gehe ich davon aus, daß beim Schriftspracherwerb Bewußtheit über die Struktur der (Schrift-)Sprache gefordert ist. Ohne diese Bewußtheit, also Einsicht in die Strukturen, ist eine »willkürliche« Verfügung über die Schriftsprache nicht denkbar; nur diese willkürliche Verfügung führt zur »Beherrschung« des Rechtschreibens über hochgeübtes Material hinaus. Reflexionen über Schriftsprache, sogenannte »metasprachliche Äußerungen«, sind wesentlich, um Sprachbewußtheit zu erreichen.

Lehrende müssen Lernenden die spezielle Sachstruktur, das System der Schriftsprache, vermitteln. Dazu ist es erforderlich, viel Erfahrung mit Schriftsprache zu machen. Um den Lernprozeß produktiv zu bewältigen und Sprachbewußtheit zu erreichen, muß Schriftsprache nun aber auch aus konkreten Handlungszusammenhängen herausgelöst, d. h., Schriftsprache muß zum Objekt gemacht, beobachtet, analysiert werden. Gefragt ist formales, abstraktes Denken. Diese »analytische Haltung« gegenüber Schriftsprache ist nach *Andresen/Januschek (1984)* Voraussetzung für Bewußtheit und damit für die »willkürliche« Beherrschung der Schriftsprache.

Die Lernenden müssen über Schriftsprache in Form von metasprachlichen Äußerungen nachdenken, reflektieren. *Andresen* betont in dem Zusammenhang, daß nur über die systematische Sprachreflexion in Form von expliziten sprachanalytischen Äußerungen die »eigentliche Bewußtwerdung« im Sinne von *Wygotski* und *Leontiev* erreicht wird *(Andresen 1985)*. Erst wenn Einsichten in schriftsprachliche Strukturen explizit »auf den Begriff« gebracht worden sind, sind sie jederzeit »identifizierbar« und damit konstant verfügbar *(Andresen*

---

1 Der folgende Beitrag ist die Kurzfassung eines Vortrags, gehalten auf der Studientagung der Fachhochschule Köln in Zusammenarbeit mit der Thomas-Morus-Akademie Bensberg im November 1995. Er berichtet über die Ergebnisse meiner Dissertation zur Sprachbewußtheit funktionaler AnalphabetInnen *(Börner 1995)*, die sich mit dem Rechtschreiblernen befaßte. Die ausführliche Fassung des Vortrags ist erschienen in: Ausgeblendet und vergessen? Analphabetismus in Deutschland. 1996.

1985). Diese systematische Sprachreflexion ist nicht einfach vorhanden oder entwickelt sich naturgemäß, auch sie muß angebahnt werden *(Andresen/Januschek 1984)*. Hier kommt dem Dialog mit dem Könner eine besondere didaktische Funktion zu *(Erichson 1989)*. *Balhorn* unterstreicht, daß beim (Recht-)Schreiblernen der Dialog als didaktisches Element mithelfen kann, unbewußtes Wissen auf die Ebene der Bewußtheit zu heben *(Balhorn 1985)*.

Funktionale AnalphabetInnen sind gegenüber Kindern, die Schriftsprache lernen, in einer besonderen Situation. Sie haben wenig Erfahrungen mit dem Lerngegenstand Schriftsprache und unzureichendes Wissen über deren Struktur, da sie bislang kaum Gelegenheit zur notwendigen geistigen Auseinandersetzung hatten oder diese frühzeitig aufgegeben haben.

Die Versprachlichung (schrift-)sprachlichen Handelns hat m. E. nun für diese Zielgruppe einen extrem hohen Stellenwert. Metasprachliche Fähigkeiten in Form expliziter (Schrift-)Sprachreflexion sind, wie bereits ausgeführt, generell unerläßlich, um ein Konzept über schriftsprachliche Strukturen zu bilden, damit Schriftsprache beherrscht werden kann. Sie sind speziell für funktionale AnalphabetInnen notwendig, um bislang defizitäre Lernprozesse positiv zu beeinflussen, damit die notwendigen klassifizierenden Handlungen vorgenommen, z. B. Analogien gebildet werden können, und der bislang stagnierende Aneignungsprozeß wieder in Gang gesetzt wird.

War bisher nur die Rede von der besonderen didaktischen Funktion der Schriftsprach-Reflexionen, so sei nun auf die diagnostischen Informationen hingewiesen, die die Schriftsprachreflexionen der Lernenden den Lehrenden geben. Die diagnostische Fremdperspektive in Form von Fehleranalysen u. ä. ist zwar notwendig, aber nicht hinreichend, will man den Lernstand von SchreiberInnen bestimmen und im weiteren zielorientiert fördern. Die eigenen Überlegungen der SchreiberInnen zu ihren Schreibversuchen geben wesentliche diagnostische Informationen über ihren Stand und die Weiterentwicklung in bezug auf die Auseinandersetzung mit der Schriftsprache, sie können für kontinuierliche Lernbeobachtungen genutzt werden. Dazu einige Kriterien:

Über die Reflexion von schriftsprachlichen Produkten in Form des Dialogs mit dem Könner wird Sprachbewußtheit gefördert. Indem ihre Hypothesen über Schriftsprache bestätigt oder korrigiert und präzisiert werden, wird SchreiberInnen so bewußt, was sie gedacht und getan haben. Wenn SchreiberInnen sich also der Aufgabe stellen, über Schriftsprache, d. h. ihre Verschriftungen, richtige wie falsche, nachzudenken, sich zu äußern, ist dies ein erster wichtiger Schritt, Sprachbewußtheit zu erlangen. Ein weiteres wichtiges Indiz für steigende Sprachbewußtheit ist das Korrekturverhalten. Abhängig von der steigenden Einsicht in die Strukturen der Schriftsprache verändert es sich: SchreiberInnen beginnen zu korrigieren, sie korrigieren häufiger, die Korrekturen werden produktiver und prozeßbezogener. Gemessen an dem Modell vom Schriftspracherwerb als Entwicklungsprozeß in qualitativen Stufen *(Frith 1986* und *Günther 1986)*, ist wichtig, welche Stufe die SchreiberInnen verbal beschreiben;

hier zeigt sich, wie weit die Einsicht in Strukturprinzipien gediehen ist: Beschreiben sie ein visuell orientiertes Vorgehen (Merken), Schreiben nach Gehör oder verbalisieren sie Analogien.

Nun sind die Wege zur Sprachbewußtheit selten gradlinig; SchreiberInnen kommen oft über Umwege zum Ziel, und jede(r) hat einen eigenen Weg. Der Weg zu einer höheren Form der Sprachbewußtheit, zu einer besseren Einsicht in die Struktur, läuft zunächst über Hypothesen, sprich »Fehler«. Auch ein hoher Grad an Sprachbewußtheit bedeutet nicht automatisch »Fehlerfreiheit« in bezug auf die Rechtschreibung. So können SchreiberInnen über eine hohe Einsicht in Schriftsprachstrukturen verfügen, aber immer noch – abhängig vom schriftlichen Material, das sie zu bearbeiten haben, und dessen Komplexität *(May 1993)* – »fehlerhaft« schreiben.

2. Fallbeispiel: Jens

Jens (vgl. auch die ausführliche Fallbeschreibung in *Börner 1995,* 117–157) hat zunächst bis zum 5. Schuljahr eine Sprachbehinderten-Schule besucht und kam dann auf die Hauptschule. Die Schuljahre 7–9 verbrachte er auf der Schule für Lernbehinderte. Schließlich absolvierte er das Berufsvorbereitungsjahr (BVJ) an einer Berufsschule, ohne den Hauptschulabschluß zu erwerben. Er begann dann in einer außerbetrieblichen Ausbildungseinrichtung eine Ausbildung zum Maler und Lackierer. *Jens* ist zum Zeitpunkt der Förderung im zweiten Lehrjahr und 19 Jahre alt. Die BetreuerInnen der Ausbildung reden ihm zu, am Förderunterricht teilzunehmen, da seine Schreibprodukte kaum lesbar sind.

Als Beispiel hier *Jens'* Antwort auf einen Übungsbrief des Stützunterrichts, in dem er einen Kunden über Verputzarten beraten sollte. Zu dieser Zeit setzte er sich in seiner Ausbildung mit unterschiedlichen Verputzarten auseinander. Er konnte die Aufgabe mündlich ohne Schwierigkeiten erfüllen, genauestens zählte er die Verputzarten und deren Vor- und Nachteile auf. Mit Hilfe der Tutorin formulierte er die Antwort auf die briefliche Anfrage und schrieb sie dann nieder.

Der niedergeschriebene Text sollte lauten:

Ich empfehle Ihnen, Kratzputz zu nehmen.
Kunststoffputz ist mit Kleber. Das ist nicht so gut.
Der Kratzputz ist natürlicher.
Mit freundlichen Grüßen.

Jens schrieb:

Ich menfeler nir Kratzputz zu nehmen
der Kuststoffputz ist mit Kleber. Ist micht zu gut.
der Kratzputz ist matürlicher.

Mit ferundlich Grüß

Marburg, den 1.2.1989

Sehr geehrter Herr ███

ich will mein Einfamilienhaus außen neu verputzen lassen. Ich wollte dies
eigentlich mit Kratzputz machen, ein Bekannter riet mir aber zu Kunststoffputz.
Nun frage ich Sie als Experten, welcher Putz wohl der geeignete ist.

Mit freundlichen Grüßen.

(Unterschrift)
(Bernd   .)

Sehr geehrter Herr

(handschriftlicher Text)
Ich menfeler mir Kratzputz zunyou nehmen
der Kunststoffputz ist mit Kleber. Ist nicht
zu gut.
ler Kratzputz ist ätau! natürlicher.

(handschriftlich) Mit fervundlich Gruß   Dalu 2.2.89

(Unterschrift / geschwärzt)

2.1 Anfängliche Äußerungen zu Verschriftungen
und deren diagnostischer Gehalt

Nach der Begutachtung seiner Schreibprodukte kamen zunächst Zweifel auf, ob
Jens überhaupt über seine Verschriftungen reflektieren will, und ob er überhaupt
irgendwelche Einsichten in Schriftsprachstrukturen hat.
Im Gegensatz zu anderen untersuchten Jugendlichen jedoch stellt sich *Jens* der
Anforderung, über seine Verschriftungen zu reflektieren, und ist bei den Befra-
gungen sehr gesprächig.

121

Er beschreibt in seinen Äußerungen von Beginn des Förderunterrichts an drei Zugriffsweisen und deren Kombinationen, die er nutzt, um Wörter möglichst korrekt zu verschriften. Er nutzt:

- den visuellen Zugriff: er merkt sich Wörter,
- den Zugriff über das Hören/Sprechen: er spricht sie sich (segmentierend) vor,
- den paradigmatischen Zugriff: er bildet unterschiedliche Formen von Analogien.

1) Visueller Zugriff
Wortbilder, die Tätigkeiten, Gegenstände u. ä. bezeichnen, mit denen *Jens* beruflich zu tun hat, prägt er sich ein. Als Auszubildender im Maler- und Lackierer-Handwerk geht er zum Beispiel täglich mit Farben und Lacken um, er sieht die entsprechenden Bezeichnungen auf den Dosen. Solche Begriffe kann er bis auf Groß- und Kleinschreibung normgerecht verschriften, wenn sie für ihn eine durchschaubare sprachliche Struktur haben. *Jens* schreibt in der 3. Unterrichtsstunde fast korrekt *Weiß* für weiß und sagt:»Ja weiß – hab' isch 'en ganzen Tag m' zu tun.« Ähnlich auch *Kunstharz Lack* für *Kunstharz-Lack* in der 5. Stunde, hier sagt er:»das steht auf je – jede Lackdose drauf, *Kunstharz*«.

2) Zugriff des Hörens/Vorsprechens
Die Zugriffsweise des segmentierenden Vorsprechens ist für *Jens* von großer Bedeutung. *Jens* segmentiert hier sequentiell in Silben und Komposita. Dies gibt ihm eine hilfreiche Stütze bei der Verschriftung von längeren Wörtern, so daß er sich bei längeren Wörtern sicherer fühlt, weil er sie sich, wie er sagt,»teilen« kann. In einem Gespräch anläßlich der Eingangsbefragung erklärt er:»... sag mal, isch tät jetz *Oberhessenschau* schreiben, das hab isch ja eben gut hinbekommen, ...da weiß isch, bei Oberhessenschau, da hab isch drei Teile, *Oberhessen-schau,* ja, da schreib isch das: *Ober-hessen-schau ...*«

3) Paradigmatischer Zugriff
Eine weitere Zugriffsweise von *Jens* ist, über Analogien die Schreibweise von Wörtern zu erschließen. Er bildet unterschiedliche Analogien. So verschriftet er in der ersten Unterrichtsstunde *fressen* für *fresse* und sagt auf Nachfrage:»... *fressen – wie essen«;* er hat damit Analogie auf der Basis des Klangbausteins gebildet. Als zweite Analogieform versucht er, auf Wörter derselben Wortfamilie zurückzugreifen und daraus abzuleiten, wie das Zielwort zu schreiben ist. Es gelingt ihm sogar, mehrere Zugriffsweisen zu kombinieren. Bei den ersten Versuchen, die Analogiebildung für die Rechtschreibung zu nutzen, kommt es zu neuen Fehlern. So versucht *Jens,* was grundsätzlich positiv ist, die Zugriffsweise der Analogiebildung, die eine paradigmatische Segmentierung erfordert, mit der sequentiellen Segmentierung in Silben oder Komposita zu kombinieren. Hier kann es dazu kommen, daß er auf inadäquate Vergleichsmodelle zurückgreift. Er verschriftet z. B. in der 3. Stunde *undergrund* für Untergrund und sagt:

»Isch weiß es au nit, einfach geschriebe, wie ich's dachte, erst *und,* dann *er,* dann *Grund.*« Bei der Kombination der sequentiellen und der paradigmatischen Strategie hat *Jens* sich zunächst nach der sequentiellen Teilung gerichtet und ihm bekannte und häufig vorkommende Wörter *(und, er, Grund)* aus dem, was er sich vorgesprochen hat, identifiziert. Er hat dabei nicht überprüft, ob diese Segmentierung mit dem Gesamtsinn des Wortes übereinstimmt.

Schwierigkeiten mit der Schriftsprache

Jens' Äußerungen, die schon viel Struktureinsichten widerspiegeln, versetzen angesichts seiner Schreibprodukte in Erstaunen. Wie kommt es, daß dieser Schreiber seine Einsichten in Schriftsprachstrukturen nur in äußerst beschränktem Ausmaß nutzen kann, so daß kaum leserliche Schreibprodukte das Ergebnis sind? Was hindert ihn daran, die vorhandenen Kenntnisse häufiger anzuwenden? Diese »asynchrone« Erscheinung *(Füssenich 1992)* – prinzipielles Wissen über schriftsprachliche Zugriffsweisen einerseits und ihrer mangelnden Anwendung am konkreten Wortmaterial andererseits – soll nun näher beleuchtet werden. Die Äußerungen von *Jens* tragen entscheidend zur Klärung bei.

1) Er äußerte mehrfach, daß er insbesondere dann mit Schriftsprachstrukturen kämpft, wenn er sich Wörter »nicht vorstellen« kann; um einen Zugang zur Verschriftung eines Wortes zu finden, muß *Jens* etwas mit dem Wort verbinden. So sagt er in der zweiten Unterrichtsstunde, auf die Frage, was schwer gewesen sei: »Hier, die kleene Wötter.« Auf Bitten der Tutorin präzisiert *Jens* dann, daß er unter »kleene Wötter« die Wörter *melden, Stand, werben* meint. Auf Nachfrage, was genau ihn da unsicher gemacht habe, sagt er: »Das ganze Wott wußt' isch net, *melden,* kann isch nit vorstellen.«
Bei den Wörtern, zu denen er eine »Verbindung« findet, wie etwa Kunstharz-Lack, hat er auch Möglichkeiten, unterschiedliche Zugriffsweisen zur Verschriftung zu nutzen. Soll er für ihn unbekanntere Wörter schreiben, wird er unsicher und sieht keine Möglichkeit, die ihm bekannten Zugriffsweisen anzuwenden, auch wenn es sich aus der linguistischen Sicht um einfach(er) strukturierte Wörter handelt.
Völlig hilflos ist er, wenn er mit Fremdwörtern (z. B. aus dem Bereich der Arbeitssicherheit oder der Hygiene) konfrontiert wird. In dem Zusammenhang berichtet er in der 5. Unterrichtsstunde über seine frustrierenden Erfahrungen in der Berufsschule: »Wenn das so Wötter sind, die isch'n ganzen Tag hör, angeschliffen, abgeschliffen un so, das weiß isch dann irgendwie, aber inner Berufsschule, die ganze Fremdwörter, da weiß isch überhaupt nich, was das is.«
Eine Bedingung, die vorhandenen Kenntnisse über Zugriffsweisen umzusetzen, ist also, daß er weiß, was diese Wörter bedeuten und sich die Gegenstände, Tätigkeiten, Situationen, die sie bezeichnen, vorstellen kann und/oder Erfahrung damit hat.

2) Die oben beschriebene Bedingung deckt allerdings nicht alle Problemsituationen ab. Subjektiv als schwierig empfundene Sprachstrukturen verhindern ebenfalls, einen Ansatzpunkt zum Umsetzen seiner Kenntnisse zu finden. Schon anläßlich der Eingangsbefragung hatte *Jens* zum Erstaunen der Interviewerin erklärt, er könne längere Wörter besser schreiben, da er sie sich zerteilen könne, kürzere dagegen seien schwer für ihn. Er kann Oberhessenschau schreiben, aber »Bei mein kann isch doch net teile. Ja, das is blöde, da komm isch immer – aus'm, aus'm Takt raus«. Ähnlich auch die Erläuterung in der 1. Stunde zu seiner Verschriftung *Blud* für blöde: »Kann isch nit teile ...«

Jens fühlt sich relativ sicher, wenn er die Wörter silbisch (oder auch in Morpheme) zerlegen kann. Er hat allerdings grundsätzlich Schwierigkeiten bei der Analyse der Binnenstruktur. Auch hier äußert er, daß er sich die Wörter nicht vorstellen kann. Nicht-vorstellen-Können bezieht sich in dem Fall auf die subjektiv schwierigen Sprachstrukturen, es ist dann gleichbedeutend mit »nicht teilen«-Können und von daher Keine-Vorstellung-Haben, welche Elemente in welcher Reihenfolge im Wort vorkommen.

Wenn *Jens* keine Möglichkeit gefunden hat, sich das Wort zu durchgliedern, hat er einfach drauflosgeschrieben. *Sich Wörter nicht vorstellen können* und *kurze Wörter schreiben müssen,* die er nicht teilen kann, sind die seltenen Situationen, für die er beschreibt, daß er planlos gehandelt hat.

3) Die größten Schwierigkeiten bei der Dekomposition der Wörter bereiten *Jens* Flexionsendungen. In der Eingangsdiagnose (Rechtschreibtest, Diktat und Verschriftung eines kurzen, freien Textes) und in *Jens'* ersten Schreibprodukten weisen viele Verschriftungen darauf hin, daß *Jens,* wenn er eine Endung wahrnimmt, häufig automatisch <en> verschriftet. Er scheint Endungen einerseits nicht als produktive, flexible Segmente wahrzunehmen. So verschriftet er in der ersten Unterrichtsstunde für »ich fresse meinen Schläger« <fressen>, erläutert, daß er auf eine Klanganalogie zurückgegriffen hat, äußert sich aber nicht zur Endung, die er auch nicht als fehlerhaft bemerkt hat. Andererseits klingt in seinen Äußerungen (vgl. nachfolgendes Beispiel aus der 4. Unterrichtsstunde) an, daß er aus Hilflosigkeit stereotyp zu dieser Verschriftung greift:

(*arbeiten* für Arbeit)

I: ... Arbeit, wie biste darauf gekommen?

J: Hab' isch zuerst Arbeit und dann arbeiten – e-en hab' isch drangemacht.

I: Mmh, warum ausgerechnet e-en.

J: (unverständlich) Keins hinmachen – eja, isch wußt's nit!!

2.2 Beobachtungen zum Korrekturverhalten

Bei der Bearbeitung des Rechtschreibtests sowie beim Diktat der Eingangsdiagnose fällt auf, daß er an die Aufgaben sehr überstürzt herangeht. Beim Diktat ist *Jens* schnell und ungeduldig, wenn er ein Wort nicht sofort schreiben kann. Er läßt es dann unvollendet stehen und sagt: »Weiter.« Er will auch am Ende nicht mehr nachkontrollieren, er sagt zur Frage, ob die Tutorin das Diktat noch einmal vorlesen soll: »Nä, hier«, und reicht den Zettel an die Tutorin weiter. Im Postskript der 2. Unterrichtsstunde ist notiert, daß *Jens* sehr ungeduldig wird, wenn er Wörter nicht sofort »kann«. Er nimmt sich – so geht aus den Aufzeichnungen hervor – wenig Zeit und probiert erst gar nicht, ob er vielleicht doch zu einer für ihn befriedigenden Verschriftung kommt. Er korrigiert auch nach dem Ende der Schreibaufgabe nicht, vergleicht, wenn ihm der diktierte Text vorgelesen wird, das Diktat nicht mit seinem Schreibprodukt, guckt mehr oder minder demonstrativ nicht hin und schiebt den Text weg.

Auch wenn er selber nicht korrigiert, will er doch eine Rückmeldung über das Ergebnis seiner Schreibbemühungen. Bei den Befragungen antwortet er in den ersten Unterrichtsstunden manchmal mit einer Gegenfrage, deren Inhalt die Einforderung der Rückversicherung ist, ob die Verschriftung »richtig« ist.

2.3 Der didaktische Wert von Schriftsprachreflexionen: steigende Sprachbewußtheit – veränderte Äußerungen – veränderte Schreibprodukte
Drei Veränderungen fallen bei der weiteren Analyse von *Jens* schriftsprachlichen Reflexionen ins Auge:
1) Die Entwicklung des Problems der Dekomposition und Binnenanalyse von Wörtern, insbesondere auch der produktiven Dekomposition von Endungen;
2) die Integration der unterschiedlichen Zugriffsweisen;
3) das veränderte Korrekturverhalten.

1) Bei der Dekomposition und Analyse der Binnenstruktur der Wörter verfolgt *Jens* die Strategie, seine großräumigen sequentiellen Segmentierungen (Silben, Komposita) mit der kleinräumigen Analyse zu verbinden, wenn die Wörter mehrsilbig sind. Auch bei langen Wörtern, die er sich zerteilen kann, hat er mitunter Schwierigkeiten bei der Feinanalyse der Wortteile. Besonders deutlich werden diese Schwierigkeiten, wenn innerhalb der zu verschriftenden Wörter die sprachstrukturell objektiv schwierigen Konsonantenhäufungen auftauchen. Zunehmend gelingt ihm dann aber die Feinanalyse der Binnenstruktur innerhalb der Segmentierungen. Nach wie vor schwierig ist für ihn das Problem der Konsonantenhäufung, wenn er komplexe Strukturen bewältigen muß (*vgl. May 1993):*

(*Sperrholzbertter* für Sperrholzbretter)

I: ... Sperrholzbretter, wie Du darauf gekommen bist
J: – em – s – s ... –
I: Mmh, wie hastes gemacht, 's is ja 'n langes Wort, nee, wie hasses gemacht, das hinzuschreiben?
J: erst Sperr
I: ja
J: holz
I: ja
J: und bretter

I: ja, un gab's irgend was, was schwer für Dich war in dem Wort, bei Sperrholzbretter

J: am Anfang, es, es-pe-e-er-er

Bei diesem Beispiel aus der 16. Stunde gelingt es ihm zwar aufgrund seiner
großräumigen Segmentierung, die Schwierigkeit der Anhäufung von Konsonanten an Silbengrenzen zu bewältigen, die Anlautkombination <br> vereinfacht er, indem er innerhalb der Silbe die Phoneme vertauscht. Es entsteht eine
akzeptable, im Deutschen zulässige Lautgestalt /ber/, die verschriftet wird, auch
wenn dadurch der Wortteil sinnentstellt wird.

Die Häufigkeit, mit der *Jens* die Zugriffsweise der paradigmatischen Segmentierungen nutzt, steigt an, weil ihm diese zusätzliche Segmentierungsform hilft,
neue Wörter zu erschließen. Allerdings verhindert die Analogiebildung zunächst
nicht alle Rechtschreibfehler: Die Schwierigkeiten mit der Analyse der lautlichen Sequenz und deren korrekter Verschriftung bringen manchmal den produktiven Nutzen der Analogiebildung ins Wanken. So verschriftet er in der
9. Stunde *Mutser* für Muster und sagt: »... wie der Thomas Muster, der Tennis-
spieler, heißt au so.«

Was die Flexionsendungen betrifft, so versucht *Jens,* mehr auf die Endungen zu
achten. Als ihm langsam bewußt wird, daß Endung nicht immer automatisch
<en> bedeutet, sondern es unterschiedliche Endungen geben kann, verschriftet
er neben <en> – unabhängig von der konkreten Lautung – eine zweite, andere
Endung, nämlich <t>. Diese Endung kommt in seinen Texten, die er schreiben
muß, häufig vor: In sein Berichtsheft muß er seine täglichen Tätigkeiten in Stich-
punkten notieren. Üblicherweise wird dabei das Partizip Perfekt genutzt, etwa
»Werkstatt gefegt«, »Schild gemacht« u. ä. So schreibt *Jens* in der 4. Stunde *ge-
fallt* für gefallen, segmentiert (ge-fall) zunächst und erläutert, daß er *Fall* deswegen kennt, weil dies in den Gerichtsakten seines Freundes, die er gelesen hat,
ein paarmal vorkommt. Auf Nachfrage der Tutorin, wie er denn auf den Rest des
Wortes gekommen sei, das ja gefallen heiße, antwortet *Jens:* »Hab' isch einfach
'n te drangemacht.« Zum Ende der Förderung zeigt sich, daß er insgesamt auf
Endungen (auch solche, die bisher nicht bearbeitet wurden) stärker achtet als
früher. So verschriftet er in der letzten Unterrichtsstunde *Schwingschleifer.* Bei
der Verschriftung sagt er: »Schwingschleif- e-er,- gelle?«

2) Integration der Zugriffsweisen
Jens verschriftet zunehmend kompliziertere Wörter seines Arbeitsfeldes. Dabei
wendet er, je nach subjektivem Schwierigkeitsgrad, ihm bekannte Zugriffsweisen zielgerichtet als Prüfstrategie an oder kombiniert alle Zugriffsweisen. In der
15. Unterrichtsstunde verschriftet er *Flecken* korrekt und erläutert: »...ei – isch
wollt' – ef-el, das ist klar un – wie Fläche, wird es ja auch geschrieben fast ... eh,
un dann ecke, fast wie Ecke.« *Jens* hat die normgerechte Verschriftung erreicht,
indem er die Anlautgruppe vom Wort segmentiert hat (Fl-ecken). Diese Anlautkombination hat er sich paradigmatisch erschlossen, indem er als Vergleich ein

anderes Wort dieser Anlautgruppe heranzog (Fl-äche), gleichzeitig hat er sie sequentiell in Feinbestandteile zerlegt (ef-el). Den überbleibenden Wortteil hat er sich vermittels der Klanganalogie (fast wie Ecke) erschlossen.

Insgesamt kommt er so wesentlich häufiger zu normgerechten Schreibungen. Die zunehmende flexible Nutzung und Kombination der Zugriffsweisen wird auch im Abschlußgespräch der Enddiagnose nach der 20. Stunde deutlich. Befragt nach seiner Strategie beim Schreiben, verbalisiert er eine Kombination aus flexibler sequentieller und paradigmatischer Segmentierung. So erläutert er, wie er das schwierige Wort *blockiert* schreiben würde: »Erst ma block und dann, block wird doch so geschrieben: be-el-o-ze-ka, block. Un dann blockiert, da schreib isch halt block, block hin un dann blockiert.«

Im Laufe des Unterrichts werden ihm Zugänge erschlossen, über die er sich mehr Wörter »vorstellen« kann. Bei ihm bekanntem (»vorstellbarem«) Wortmaterial kann er alle ihm bekannten und prinzipiell gekonnten Zugriffsweisen (Merken, Hören/Vorsprechen, Analogiebildung) nutzen. Aufgrund seiner kognitiven Auseinandersetzung mit der Schriftsprache baut *Jens* Stück für Stück die gelernten Zugriffe aus und perfektioniert sie. Er bewältigt immer komplexere Rechtschreibprobleme. In der letzten Phase des Förderunterrichts kombiniert er flexibel unterschiedliche Zugriffsweisen. Eben dies zeichnet – sieht man Schriftspracherwerb als Entwicklungsprozeß in qualitativen Stufen – kompetente Schreiber aus (vgl. dazu *Günthers* Beschreibung der »integrativ-automatisierten Phase«, *Günther 1986)*.

3) Korrekturverhalten

Jens, der zu Anfang nicht korrigiert, ja dem Korrekturverhalten ostentativ ausweicht, wird durch die Befragungen angeregt, über seine Schreibweisen nachzudenken. Er beginnt zunächst, nur während der Befragung, gezielte Fragen zu spezifischen Verschriftungsproblemen zu stellen. Einige Zeit später beginnt er, schon während der Verschriftung zu korrigieren. In der 7. Unterrichtsstunde schreibt er erst *Donntag* für Donnerstag. Während des Verschriftungsprozesses korrigiert er zur normgerechten Schreibweise. Die Tutorin befragt ihn zu diesem Vorgang. *Jens* antwortet:

J: Eh, ich hab' einfach so Donner Donntag hingeschrieben, un dann hab' ich gedacht, heißt ja Donnerstag, hab' isch gelesen, das e-er-es drangemacht.

I: Ja, uhu, ja. Wie haste das gemerkt, kannze Dich da noch dran erinnern, kam Dir das irgendwie komisch vor oder was war das?

J: Nja, isch hab' da draufgeguckt gehabt, Donntag, un dann hab' ich das e-er-es (unverständlich) genau hingesetzt.

Formulierte er anfangs öfter, daß er »einfach so runter« schreibt, entdeckt er im Gegensatz zu vorher die Fehler nun schon beim Schreiben und kann die Verschriftungen zum Teil produktiv korrigieren. Dabei spricht er sich das Wort genau vor, um die Reihenfolge zu überprüfen. Er nutzt schließlich die Möglichkeit der Korrektur während der Verschriftung, zum Ende der Schreibtätigkeit und während der Befragung. Es gelingt ihm bei seiner umfangreichen Korrekturtätigkeit, Fehler in der Reihenfolge der Laute zu bemerken und zu korrigieren. Im Postskript der 20. Unterrichtsstunde ist festgehalten, daß *Jens* nun bei Wörtern, die er nicht gleich kann, zunächst versucht, sie eigenständig zu verschriften. Wenn ihm etwas »komisch« vorkommt, fragt er gezielt nach und begibt sich nach einer Zwischenrückmeldung wieder an die Verschriftung.

Jens' Lernweg, der bei einer vagen Problemsicht beginnt, die zu überhasteten, hilflosen Reaktionen führt, ohne daß er Korrekturmöglichkeiten mit Hilfe seiner prinzipiell entwickelten Zugriffsweisen wahrnehmen kann, führt zunächst zur aktuellen Bewußtwerdung. Er stutzt, stellt spezifische Fragen zu Schriftsprachproblemen und zeigt schließlich aufgrund wachsenden Wissens über Schriftsprache in allen möglichen Situationen eine lebhafte Korrekturtätigkeit, ohne daß er im Unterricht präskriptiv zur Korrekturtätigkeit angehalten wurde (etwa: »Man muß immer genau nachprüfen, was man geschrieben hat« o. ä.). Seine Korrekturen sind häufig produktiv, in seinen Äußerungen über Korrekturen reflektiert und beschreibt er prozeßbezogen. Er diskutiert schließlich sogar Rechtschreibprobleme. Die Stützlehrerin beschreibt, *Jens* könne nun sein Berichtsheft selbständig führen und zeige ein größeres Selbstbewußtsein: »Bin doch schon ganz gut geworden, gelle?« Er traut sich auch an schwierigere Aufgaben heran. Seine Bereitschaft, Aufgaben allein anzugehen und nach der ersten Bearbeitung noch einmal durchzugehen, hat sich deutlich erhöht. Durch die Reflexion des Verschriftungsprozesses stieg sein Bewußtsein für (schrift-)sprachliche Einheiten. Dies ermöglichte es ihm wiederum, seinen Verschriftungsprozeß zu kontrollieren und zu korrigierende Elemente zu entdecken. *Jens* erreicht dann, wenn er einen Zugang zu Wörtern findet, tendenziell das Stadium der eigentlichen Bewußtwerdung und zeigt einen hohen Grad an Entwicklung in bezug auf die schriftsprachspezifischen Zugriffsweisen und deren Verwendung. Er kann diese Zugriffsweisen explizit mit konkreten Begriffen beschreiben.

Mißt man diesen erfolgreichen Lernweg allerdings an der Forderung der Fehlerfreiheit, so würde *Jens* hier immer noch ein mangelhafter Erfolg bescheinigt. Zwar ist die Fehleranzahl, so zeigen Rechtschreibtest und Diktat der Abschlußdiagnose, deutlich gesunken, aber sie liegt immer noch über dem Erwartungswert der Gesellschaft an 19jährige Jugendliche, die 10 Jahre Schulbesuch hinter sich haben.

Literatur:
Andresen, H. / Januschek, F. (1984): Sprachreflexion und Rechtschreibunterricht. In: Diskussion Deutsch, 240–254.
Andresen, H. (1985): Schriftspracherwerb und Entstehung von Sprachbewußtheit. Westdeutscher Verlag: Opladen.
Augst, G. (Hrsg.) (1986): New Trends in Graphemics and Orthography. De Gruyter: Berlin/New York.

Balhorn, H. (1983): Rechtschreiblernen als Regelbildung. Wie machen sich schreiber ihr orthografisches wissen bewußt? In: Diskussion Deutsch, 581–595.

Balhorn, H. (1985): Rechtschreibung in Kinderköpfen. In: Die Grundschule, 10, 16–20.

Balhorn, H. & Brügelmann, H. (Hrsg.) (1993): Bedeutungen erfinden – im Kopf, mit Schrift und miteinander. Faude: Konstanz.

Börner, A. (1995): Sprachbewußtheit funktionaler AnalphabetInnen am Beispiel ihrer Äußerungen zu Verschriftungen. Peter Lang: Frankfurt.

Brügelmann, H. (Hrsg.) (1986): ABC und Schriftsprache: Rätsel für Kinder, Lehrer und Forscher. Faude: Konstanz.

Erichson, C. (1989): Spontan-Schreiber entdecken die Rechtschreibung. In: Günther 1989, 350–367. Edition Schindele: Heidelberg.

Frith, U. (1986): Psychologische Aspekte des orthographischen Wissens. Entwicklung und Entwicklungsstörung. In: Augst, 218–233. De Gruyter: Berlin.

Füssenich, I. (1992): Gut vorbereitet auf den Schriftspracherwerb? Diagnostik der gesprochenen Sprache und der Phonem-Graphem-Korrespondenz. In: Alfa-Rundbrief. Zeitschrift für Alphabetisierung und Elementarbildung, 19, 13–15.

Günther, K.B. (1986): Ein Stufenmodell der Entwicklung kindlicher Lese- und Rechtschreibstrategien. In: Brügelmann 1986a, 32–54. Faude: Konstanz.

Günther, K.B. (Hrsg.) (1989): Ontogenese, Entwicklungsprozeß und Störungen beim Schriftspracherwerb. Edition Schindele: Heidelberg.

May, P. (1993): Vom Umgang mit Komplexität beim Schreiben. In: Balhorn/Brügelmann, 277–289. Faude: Konstanz.

Wygotski, L.S. (1977): Denken und Sprechen. Fischer: Frankfurt.

Chinesisch für Anfänger

Im vierten Jahrbuch »Das Gehirn, sein Alfabet und andere Geschichten« *(S. 96 ff.)* haben wir eine faszinierende, in ihrer Vielfalt aber auch sehr anspruchsvolle Diskussion des Lesens in verschiedenen Schriftsystemen vorgestellt: *Kerckhove, D. de/Lumsden, C. J. (Eds.) (1988a):* The alphabet and the brain. Springer: Berlin et al. (vgl. ergänzend den Beitrag von *Katsuo Tamaoka* im fünften Jahrbuch »Bedeutungen erfinden«, *S. 123 ff.*). – Nun liegt eine Einführung vor, die auch interessierten Laien den Zugang zu den ostasiatischen Schriftsystemen erschließt.

> *Taylor, I./Taylor, M. M. (1995):* Writing and literacy in Chinese, Korean, and Japanese. Studies in Written Language and Literacy, Vol. 3. John Benjamin: Amsterdam/Philadelphia.

Insup Taylor ist selbst in Korea aufgewachsen und hat zudem wichtige Publikationen über die Psychologie des Lesens und des Schriftspracherwerbs geschrieben (vor allem »The psychology of reading« [1983] und »Scripts and literacy: Reading and learning to read Alphabets, syllabaries, and characters« [1995]).

In diesem Band stellt sie – getrennt für *China, Korea* und *Japan* – vor, wie sich aus dem bereits 3400 Jahre alten chinesischen Schriftsystem die heutigen, recht unterschiedlichen, aber immer noch miteinander verwandten Systeme in den drei Kulturen entwickelt haben. Der Reichtum ihres Buches besteht in der Verknüpfung von kulturhistorischen, (psycho-)linguistischen, (lern-)psychologischen, pädagogisch-didaktischen und (bildungs-)politischen Perspektiven. – Das Besondere der drei verschiedenen Schriftsysteme (mit ihren Untersystemen) wird auch dem verständlich, der keine linguistischen Fachkenntnisse hat (und trotzdem werden Verkürzungen vermieden, die in popularisierenden Darstellungen oft zu finden sind). Vor allem macht *Taylor* die verschiedenen Vorteile deutlich, welche die schwerer zu lernenden Begriffszeichen immer noch bieten.

Spannend für LeseforscherInnen sind vor allem die Kontrast-Experimente zum Lesen und Schreiben in verschiedenen Schriftsystemen. Die Gesamtbilanz mag trivial erscheinen *(S. 175):*

– Die Bedeutung einzelner Wörter wird rascher aus *Begriffszeichen* als aus den *Lautzeichen* erschlossen.
– Umgekehrt wird die Aussprache eines Wortes leichter aus Laut- als aus Begriffszeichen erschlossen.
– Die Unterschiede sind gering, aber über verschiedene Versuche hinweg stabil.
– Im Textzusammenhang verschwinden die Unterschiede fast ganz.

Aber im Detail eröffnen die Experimente interessante Einsichten, auch für die Gestaltung des Anfangsunterrichts im Lesen und Schreiben, z.B. zu den unterschiedlichen Lernkurven von Begriffszeichen (homogener, rascher Basiserfolg) und Lautzeichen (Explosion nach langsamem, heterogenem Beginn).
Und wußten Sie, dass in der 5. Klasse schwache Leseleistungen (= mindestens zwei Jahrgangsstufen schlechter) 31% der US-amerikanischen SchülerInnen, 21% der japanischen, aber nur 12% der chinesischen Kinder zeigen.
Ich empfehle die Lektüre der Kap. 9, 14 und 22 vor allem denjenigen, die nach einer »Brücke« vom Zeichnen vor der Schule zur Lautschrift in der Schule suchen.

Hans Brügelmann

III. Teil

Lesen und Schreiben
wirken auf mündliche Sprache zurück

Erich Schön

Entwicklung des Lesens – Zukunft des Lesens

Das wichtigste, vielleicht aber auch erstaunlichste Ergebnis der zahlreichen empirischen Untersuchungen zum Leseverhalten seit der Emnid-Studie von 1958 ist, daß die zentralen Daten sehr stabil sind.[1] So benutzte z.B. das Institut für Demoskopie (IfD) Allensbach seit 1967 in 11 vergleichbaren Studien immer wieder die Frageformulierung: »Haben Sie in den letzten 12 Monaten ein Buch gelesen?« – »Falls Ja: Was würden Sie ungefähr schätzen, wie oft sie dazu kommen, ein Buch zur Hand zu nehmen – würden Sie sagen …« Diese Formulierung wurde auch für die Studie der Stiftung Lesen 1992 übernommen. Nehmen wir also die erste und die momentan letzte der vergleichbaren Studien und betrachten die Antworten von 1967 (IfD) und 1992 (Stiftung Lesen[2]): Täglich: 10% zu 13%; mehrmals pro Woche: 19% zu 21%; einmal pro Woche: 13% zu 12%; so alle 14 Tage: 8% zu 5%; einmal pro Monat: 8% zu 9%; seltener: 10% zu 16%; im letzten Jahr nicht: 32% zu 23%.

Wo Zahlen im Laufe der Jahre schwanken oder sich veränderten, da haben methodische Unterschiede der Studien, z.B. verschiedene Formulierungen der Fragen, oft mehr Einfluß auf die Ergebnisse als Veränderungen in der Realität. Die Formulierung »ein Buch gelesen« ergibt niedrigere Werte als »… in einem Buch

---

1 Aus Platzgründen kann ich nur eine Auswahl wichtiger Studien anführen. Zum Überblick über die älteren Studien *Bodo Franzmann:* Das Buch als Basismedium. In: Börsenblatt f. d. dt. Buchhandel, Frankfurt, 96, 6. 11. 1981, S. 2910–2918 [Emnid 1958, DIVO 1964, IfD 1967/68, IfD 1973/74, Ifak 1973, IfD 1978, Infratest 1978; mit bibl. Nachweisen]. – Zu den Studien des IfD: *Ludwig Muth (Hrsg.):* Der befragte Leser. Buch u. Demoskopie. Beiträge v. *Renate Köcher, Elisabeth Noelle-Neumann, Gerhard Schmidtchen u. Rüdiger Schulz.* München u.a. 1993 [IfD 1967/68, 1973/74, 1978, 1981, 1983/84, 1987, 1988; mit bibl. Nachweisen]. – Studien der Bertelsmann-Stiftung: *Ulrich Saxer/Wolfgang Langenbucher/Angela Fritz:* Kommunikationsverhalten und Medien. Gütersloh 1989. – *Angela Fritz:* Lesen im Medienumfeld. Mit e. Synopse v. Ulrich Saxer zur Lese(r)forschung u. Lese(r)förderung. Gütersloh 1991. – *Bettina Hurrelmann/Michael Hammer/Ferdinand Nies:* Lesesozialisation, Bd. 1: Leseklima in der Familie. Gütersloh 1993. – *Heinz Bonfadelli/Angela Fritz/Renate Köcher,* mit e. Synopse v. *Ulrich Saxer:* Lesesozialisation, Bd. 2: Leseerfahrungen und Lesekarrieren. Gütersloh 1993. – Die Bertelsmann-Studie 1995 ist nicht publiziert – Studien der ARD/ZDF-Medienkommission (Ausw.!): *Heinz Bonfadelli* u.a.: Jugend u. Medien. Frankfurt a.M. 1986. – *Bernward Frank* u.a.: Kultur u. Medien. Baden-Baden 1991. – Von der Studie der »Stiftung Lesen« 1992 (an deren Konzeption und Auswertung Vf. beteiligt war) sind nur Grob-Ergebnisse publiziert: *Stiftung Lesen (Hrsg.):* Leseverhalten in Deutschland 1992/93. Mainz: Stiftung Lesen 1993 (nicht im Handel).
2 Bei der Studie der Stiftung Lesen 1992 beziehe ich mich auf die Daten für die »alten Bundesländer«, weil nur so ein Vergleich mit 1967 sinnvoll ist.

gelesen, etwas nachgeschlagen«. Befragt man die Bevölkerung ab 14 Jahren, erhält man höhere Werte, als wenn man die Bevölkerung ab 16 oder gar ab 18 Jahren befragt, da Jugendliche mehr lesen als Erwachsene und so die Einbeziehung Jüngerer den Durchschnitt anhebt. Ein-Themen-Befragungen zum Leseverhalten (wie die der Stiftung Lesen 1992) ergeben höhere Werte als Studien, in denen einzelne Fragen zum Lesen in Multi-Themen-Befragungen enthalten sind. Und so weiter.

Zudem gehen auch tatsächliche Veränderungen im Lesen einzelner Gruppen oft darauf zurück, daß sich weniger das Verhalten einer konstanten Gruppe als der Charakter und die Zusammensetzung dieser Gruppe verändert haben. Wer etwa beklagt, daß heutige Hauptschüler weniger lesen bzw. schlechter lesen können als Hauptschüler vor 25 Jahren, darf nicht übersehen, daß damals über 50% eines Jahrgangs die Hauptschule besuchten, heute kaum noch 30%: Damit war auch eine Selektion verbunden, bei der sicher nicht gerade die eifrigen Leser an der Hauptschule verblieben. Diese Gruppe erscheint nun bei den Realschülern. Entsprechend darf man nicht von jenen ca. 33% eines Jahrgangs, die heute das Abitur erwerben, die gleiche Neigung zum Lesen erwarten wie von den ca. 13% vor 25 Jahren. *Ludwig Muth* spricht vom »Denkfehler der Bildungsreformer«:[3] Eifriges Lesen korreliert zwar mit höherer Bildung, das ist aber keine einfache Kausalität.

Langfristig stabil ist also die Relation, daß etwa ein Drittel der Bevölkerung mehrmals pro Woche oder täglich ein Buch zur Hand nimmt, ein Drittel einmal pro Woche oder seltener und ein Drittel nie.[4] Die Häufigkeit des Bücherlesens ist in den letzten 25 Jahren fast gleich geblieben, obwohl das Bildungsniveau der Bevölkerung gestiegen ist und die Freizeit zugenommen hat, aber auch, obwohl das Fernsehen an Bedeutung gewonnen hat. Immerhin deutet sich eine leichte Zunahme derjenigen an, die mindestens einmal pro Woche in einem Buch lesen, sowie eine Abnahme derer, die nie in einem Buch lesen.

Dennoch zeichnen sich einige Tendenzen ab, die aber nicht annähernd so spektakulär sind, wie man nach den gelegentlichen journalistischen Katastrophenmeldungen meinen könnte. Um diese Tendenzen der Entwicklung des Lesens zu erfassen, muß man von langfristigen, d. h. über mehrere Studien hinweg stabilen Trends ausgehen. Diese Entwicklungen liegen aber gewissermaßen unter der Oberfläche der globalen Durchschnittszahlen, etwa bei inhomogenen Entwicklungen einzelner Gruppen und Untergruppen. So können sich hinter wenig veränderten Durchschnittszahlen z. B. gegenläufige Entwicklungen bei Männern und Frauen, bei regelmäßigen und bei seltenen Lesern oder im Bereich des literarischen und des Qualifizierungslesens verbergen. Vor allem liegen diese Entwicklungen weniger bei den plakativen quantitativen Daten als bei qualita-

---

3 *Muth* (wie Anm. 1), S. 7–9.
4 Überblick über quantitative Daten der aktuellen Situation: Stiftung Lesen/Der Spiegel (Hrsg.): Jahrbuch Lesen '95. Mainz u. Hamburg 1995.

tiven Veränderungen. Die folgenden Thesen zur nahen Zukunft des Lesens basieren auf der Betrachtung der zahlreichen Studien der letzten 25 Jahre und der aus ihnen erkennbaren Veränderungen und Kontinuitäten über Jahrzehnte hinweg.

1. Lesen bleibt eine Basisqualifikation auch für die Nutzung anderer Medien.

Es gibt offenbar einen Transfer von Kompetenzen, die beim Lesen erworben werden, auf die Nutzung anderer Medien, vor allem auch des Fernsehens:[5] Regelmäßige Leser können auch die audiovisuellen Medien besser nutzen, v.a., weil sie ihre beim Lesen eingeübte Fähigkeit zur Strukturierung des Wahrgenommenen einsetzen. Das reicht vom besseren Verständnis der Nachrichten über die Nutzung von Magazinen zur Information bis zur kompetenteren Rezeption von Spielfilmen. Dazu kommt, daß regelmäßige Leser das gesamte Medienangebot in anderer Weise und Qualität nutzen als Nicht- oder Wenig-Leser; aber dies ist eine – z.T. auf Drittvariablen wie Bildung oder Persönlichkeitsmerkmale zurückzuführende – Korrelation, nicht schon eine Kausalität! Umgekehrt ist ein Transfer von Rezeptionsformen der »Neuen Medien« auf das Lesen nicht zu sehen.[6] Gewiß verändern die neuen Medien den Lebensstil; und im Umgang mit ihnen werden auch spezifische Kompetenzen benötigt und entwickelt, die mit dem Lesen nicht erworben werden. Aber einen kompetenten (!) Umgang mit den neuen Medien ohne die Basis einer qualifizierten Lese-Kompetenz kann es nicht geben.

2. Das Lesen zur Information und zur beruflichen Qualifizierung gewinnt gegenüber dem Lesen von Belletristik noch mehr an Bedeutung.

Ohnehin ist bereits jetzt (nach der Studie der Stiftung Lesen 1992/93) die Zeit, die im Durchschnitt aller Befragten für die Lektüre von Sach- und Fachbüchern aufgewandt wird, fast ebens lang wie die für Belletristiklektüre (ohne Berücksichtigung von anderen Büchern wie Nachschlagewerke, Kinderbücher etc.): Die Männer lasen pro Woche 184,4 Minuten *»in einem Sach-/Fachbuch«* und 128,5 Minuten *»einen Roman, Erzählungen oder Gedichte«*. Die Frauen lasen umgekehrt nur 123,8 Minuten *»in einem Sach-/Fachbuch«* und 194,2 Minuten *»einen Roman, Erzählungen oder Gedichte«*. Vor 25 Jahren hatte noch das Belletristik-Lesen überwogen.
Dabei ist die Zahl der Qualifizierungsleser zwar kleiner, sie lesen aber länger:

---

5 Vgl. *Bettina Hurrelmann:* Lesenlernen als Grundlage einer umfassenden Medienkompetenz. In: Hans Rudolf Becher/Jürgen Bennack (Hg.): Taschenbuch Grundschule. Baltmannsweiler 1993; S. 246–260. – *Dies.:* Lesen als Schlüssel zur Medienkultur. In: Medienkompetenz als Herausforderung an Schule und Bildung. Gütersloh 1992; S. 249–265.
6 Vgl. *Erich Schön:* Veränderungen der literarischen Rezeptionskompetenz Jugendlicher im aktuellen Medienverbund. In: Günter Lange/Wilhelm Steffens (Hrsg.): Moderne Formen des Erzählens in der Kinder- und Jugendliteratur der Gegenwart unter literarischen und didaktischen Aspekten. Würzburg 1995; S. 99–127.

Von 100 Befragten, die zumindest selten Bücher lesen, lasen 28 »gestern ... unterhaltende Bücher/Bücher mit literarischem Anspruch«, taten dies aber im Durchschnitt nur 58 Minuten lang. Nur 15 lasen »gestern ... wissenschaftliche Bücher, Fach-, Schul- und Lehrbücher«; sie taten dies aber 1 Stunde und 21 Minuten lang. (Andere Gattungen kommen dazu: »Ratgeberbücher«, »Sachbücher zu verschiedenen Wissensgebieten« etc.)

3. Dieser Bedeutungsgewinn des Qualifizierungslesens entspricht den bei Männern und Frauen unterschiedlichen Entwicklungen.

– Von den Männern lasen 1967 40% »wenigstens einmal in der Woche« ein »Buch zur Unterhaltung« und 29% ein »Buch, das zur Weiterbildung beiträgt«. 1992 lasen 32% mindestens einmal pro Woche »Bücher zur Unterhaltung« und 33% »Bücher zur Weiterbildung, für den Beruf«.

– Von den Frauen lasen 1967 47% »wenigstens einmal in der Woche« ein »Buch zur Unterhaltung« und 18% ein »Buch, das zur Weiterbildung beiträgt«. 1992 lasen 46% mindestens einmal pro Woche »Bücher zur Unterhaltung« und 19% »Bücher zur Weiterbildung, für den Beruf«.

Bei den Männern nahm also das Unterhaltungslesen ab, das Qualifizierungslesen zu. Bei den Frauen blieb beides etwa gleich.[7]

Die Geschlechtsspezifik des Leseverhaltens wie des Medienverhaltens überhaupt hat in den letzten Jahrzehnten nicht ab-, sondern eher zugenommen. Dies betrifft nicht nur quantitative Daten des Medienverhaltens und die Polarisierung nach Lesestoffen bzw. Gattungen beim Fernsehen etc. Auch die Polarisierung der Geschlechter in bezug auf die Leseweisen verstärkt sich. Ein Beispiel: Öfter als Frauen sagen Männer von sich, daß sie Bücher nicht zu Ende lesen oder beim Lesen Seiten überschlagen, die Differenz liegt bei ca. 5 Prozentpunkten. (Ist »Zapping« beim Lesen eine »modernere« oder eine »instrumentellere« Leseweise der Männer?)

4. Der Charakter des Lesens wandelt sich zu einer instrumentelleren Leseweise.

Es scheint, daß die durchschnittliche Lesegeschwindigkeit gestiegen ist.[8] Kursorisches Lesen gewinnt Raum; der Leser konzentriert sich auf jene Passagen, die ihm wichtig sind; anderes ist er kompetent auszulassen. Dies betrifft als Kompetenz zunächst die Informations- und Qualifizierungslektüre; insofern könnte ein Zusammenhang bestehen damit, daß das Leseverständnis deutscher

---

7 Ich vergleiche wieder die erste mit der momentan letzten vergleichbaren Studie, IfD Allensbach 1967 mit der Studie der Stiftung Lesen 1992 (Alte BuLä, vgl. auch Anm. 2). – Bei der Studie 1992 gab es neben den genannten noch die Kategorien »Bücher zur allgemeinen Information« und »Bücher für die persönlichen Interessen, Hobbys«. In beiden führen die Männer (24% zu 17% bzw. 24% zu 19%, mindestens einmal pro Woche).
8 *Ulrich Saxer:* Lese(r)forschung – Lese(r)förderung. In: Angela Fritz: Lesen im Medienumfeld. Gütersloh 1991; S. 99–134, hier S. 126–129.

Schüler für Sachtexte und noch mehr für Gebrauchstexte höher ist als für literarische, d. h. Erzähltexte.[9]

Aber ist hier vielleicht ein Anstieg der Kompetenzen für operationales Lesen zugleich ein Rückgang der Kompetenzen für literarisches? Nur 25% der Befragten sagten (Stiftung Lesen von 1992) von sich, daß sie belletristische Bücher (wenn überhaupt, dann) »immer«, und 33%, daß sie diese »oft« ganz lesen. Bücher ganz und womöglich gar von vorn nach hinten zu lesen ist offenbar ein eher seltenes Nutzungsmuster und vielleicht Merkmal traditioneller Mentalität, die klassisch-romantische Vorstellung vom integralen Kunstwerk eine historische Episode.

5. Lesen in der Freizeit, literarisches Lesen, verliert seine Prägung durch soziales Prestige.

Mit dem Rückgang des Prestigewertes der Tätigkeit Lesen, von Belesenheit und von Buchbesitz verliert das Lesen quasi seine bildungsbürgerliche Aura, seinen »Wert an sich«, aber damit auch seinen latenten Verpflichtungscharakter. Es wird zu einer instrumentellen Tätigkeit, wie seit je schon im Bereich der Qualifikation und Information, so auch im Bereich der Belletristik bzw. der »Unterhaltung«. Nicht ein kultureller Anspruch der Literatur führt zu ihrer Lektüre, sondern zum Kriterium wird, ob diese Lektüre im Resultat bestimmte Funktionen erfüllt, von den bekannten Relax- und Escape-Funktionen über die Identifikation mit fiktiven Figuren bis zur erotischen Anregung.

6. Lesen ist in die Mediennutzung allgemein eingebettet und geschieht komplementär mit der Nutzung anderer Medien.

Dabei erfolgt die Zuwendung zum Lesen weniger zur Tätigkeit als solcher als zu einem bestimmten Buch, also aus einem objektspezifischen Interesse. Das Fernsehen hingegen entspricht einer unspezifischen Motivation, da die Zuwendung weniger zu einem bestimmten Inhalt erfolgt als zur Tätigkeit als solcher und sich auf das Angebotskontinuum Fernsehen bezieht. Dem entspricht die Zunahme des Fernsehens zum »Stimmungsmanagement« (mood control). Das heißt auch: Die heute oft noch als vergleichbar angesehenen Funktionen von Fernsehen und belletristischem Lesen differenzieren sich. D.h. weiter: Das Fernsehen wird die »Literatur« nicht verdrängen, allenfalls die Trivialliteratur. Die Orientierung an wenig veränderten Durchschnittswerten verdeckt, daß sich die Polarisierung von regelmäßigen Lesern, die eher immer mehr lesen und die zugleich kompetentere Nutzer auch anderer Medien sind, und von Wenig- oder Nicht-Lesern vergrößert. (Die »Wissenskluft«-Forschung beschreibt dies differenziert.[10])

---

9 Vgl. *Rainer H. Lehmann/Rainer Peek/Iris Pieper/Regine von Stritzky:* Leseverständnis u. Lesegewohnheiten dt. Schüler u. Schülerinnen. Weinheim u. Basel 1995; S. 215–220. – 15jährige Schüler erreichten, bewertet anhand einer 600-Punkte-Skala, in Dtld. West (Ost) bei Erzähltexten 514 (512), bei Sachtexten 521 (523), bei Gebrauchstexten 532 (543) Punkte. Diese Abfolge ist in Ländern wie Frankreich oder den USA anders.

10 Vgl. *Heinz Bonfadelli:* Die Wissenskluft-Perspektive. Massenmedien und gesellschaftliche Information. Konstanz 1994.

Heide Niemann

Lesen für alle – ohne Eltern geht es nicht

Ausgangsüberlegungen

Wer kennt nicht diese Situation aus dem Grundschulunterricht: Kinder sollen ihre Lieblingsbücher in die Schule mitbringen, die Lehrerin interessiert sich für das, was daheim gelesen wird. Am nächsten Tag breiten die Kinder stolz ihre Schätze aus, und das, was die Lehrerin schon vermutet hat, bestätigt sich: Viele Kinder zeigen Bilderbücher, die sie zu Weihnachten oder zum Geburtstag geschenkt bekommen haben, einige Ausgaben sind zerlesen, andere sorgfältig gehütet. Einige Kinder aber haben kein Buch dabei. Es sind die Kinder, deren Eltern selten oder gar nicht zum Elternabend kommen, es sind die Kinder, die Schwierigkeiten beim Lesen haben, es sind die Kinder, die ihre Hausaufgaben nicht regelmäßig machen. Die Lehrerin nimmt das als gegeben hin, sie wußte es ja, schließlich hatte sie diesen Eltern schon mehrfach nahegelegt, daß sie unbedingt zu Hause mit den Kindern lesen müßten und daß sie den Kindern auch einmal ein Buch geben sollten – alle Bemühungen waren umsonst, dann mußte sie »es wohl so laufen lassen«.

Vielleicht gibt es aber doch für diejenigen, die nicht aufgeben, Möglichkeiten oder Wege, um die Eltern zu erreichen, die angeblich schulfern oder sogar schulfeindlich sind. Wenn es darum geht, Strategien für Elternarbeit zu entwickeln, berücksichtigt Schule in der Regel nur die Eltern, die von sich aus zur Schule kommen und Interesse zeigen. Das bedeutet, daß diejenigen, die nicht kommen, ausgeschlossen sind. Dennoch wird von ihnen erwartet, daß sie z.B. mit ihren Kindern Hausaufgaben machen, ihnen vorlesen o.ä. Aus meiner Einschätzung führt das zu einer Überforderung von Eltern, die sich dann als Reaktion noch mehr zurückziehen und u.U. ihrem Kind die schulischen Mißerfolge anlasten.

Wege

In einem Projekt zur »family literacy« – WHELP *(West Heidelberg Early Literacy Project, Toomey/Sloane 1994)* – wurden diese Erfahrungen zum Ausgangspunkt gemacht, um Kindern von sogenannt schulfernen Eltern schon vor der Einschulung durch regelmäßiges Vorlesen gezielte Hilfestellungen für die Entwicklung von Sprach- und Schriftfähigkeit zu geben. Es wurde bewußt der Weg über das Vorlesen gewählt: Die Bedeutung des Vorlesens auf die kindliche Sprachentwicklung ist unbestritten, über diesen Zugang können Eltern und Kinder gleichermaßen angesprochen werden *(Feitelson u. a. 1986*, vgl. auch den Beitrag von *Feneberg* in diesem Buch). Wenn Kinder zur Schule kommen, erfahren sie oft, daß sich die Sprache der Schulbücher, die Sprache der Lehrerin und auch die Sprache der Mitschülerinnen und Mitschüler beträchtlich von der im häuslichen Bereich verwendeten Sprache unterscheidet. Schule setzt aber eine gemeinsame Sprache voraus, und obwohl die unterschiedlichen Vorerfahrungen bekannt sind bzw. vermutet werden, wird diese einheitliche Anforderung beibehalten. Je unterschiedlicher die Sprachwelten, um so schwieriger ist es für Kinder, die Kluft zu überwinden. Vorlesen kann eine Brücke zwischen den (Sprach-)Welten sein und hat deswegen eine besondere Bedeutung: »... reading children's literature aloud is an important way of bridging the gap between informal conversational language and school texts, for it gives children familiarity with the language of decontextualized texts, through the medium of speech« *(Toomey/Sloane,* 131).

Diese Überlegungen lagen dem Projekt zugrunde, mit dem Bücher an sogenannt »schulferne Familien« herangetragen werden sollten. Die Zielgruppe bestand aus Familien mit Kindern, die vor der Einschulung standen. Diese Gruppe setzte sich folgendermaßen zusammen:
– 42% der Eltern hatten die Schule ohne einen Schulabschluß verlassen;
– 48% mit einem Schulabschluß (unserem Hauptschulabschluß vergleichbar);
– 10% hatten einen höheren Schulabschluß erreicht.
Es war das Ziel, mit diesen Familien so lange intensiv zu arbeiten, bis diese selbständig weiterarbeiten konnten. Über Hausbesuche sollten die Eltern für Bücher interessiert werden. Deshalb kam regelmäßig eine Besucherin, um den Kindern vorzulesen und um die Eltern selbst zum Vorlesen zu ermutigen. Bei jedem Besuch wurden Bücher getauscht und die Eltern über »literacy encouraging behaviour« beraten, wobei sich die Beratung (manchmal unterstützt durch einfache Faltblätter) nach dem Verstehensgrad der Eltern richtete. Dabei waren diese Ziele ausgewiesen:

– Die Kinder für Bücher zu interessieren und ihre Aufmerksamkeitsspanne für die Aufnahme von Texten zu erhöhen, indem mit Ausdruck vorgelesen wird, und dabei so zu lesen, daß die Kinder zu Fragen und Kommentaren ermutigt werden.

– Sicherzustellen, daß die Kinder die Texte verstehen. Dafür müssen die Eltern lernen, u. a. Verbindungen zwischen Text und Erlebniswelt der Kinder aufzuzeigen, ungewöhnliche Wörter zu erklären und die Illustrationen einzubeziehen.

– Die Aufmerksamkeit der Kinder auf Schrift zu lenken, indem die Eltern auf die Verwendung von Schrift im Alltag aufmerksam machen, beim Vorlesen mit dem Finger mitgehen, bevorzugte Geschichten wiederholt lesen und dabei die Aufmerksamkeit auf bestimmte Textstellen richten. Daneben wurden andere Strategien eingesetzt, wie: die Familien mit Papier und Bleistiften zu versorgen und damit den Kindern Gelegenheit zum Kritzeln, Schreiben und Malen zu geben.

In dem Projekt wurden die Hausbesuche durch wöchentliche Berichte, die den Fortschritt der Kinder und andere bedeutsame Informationen festhielten, ausgewertet. Ein wichtiges Ergebnis war dabei, daß die Freude der Kinder am Vorlesen ausschlaggebend für die Mitarbeit der Eltern war. Wurde beim ersten Besuch dem Kind gestaltend und ausdrucksvoll vorgelesen, freute sich das Kind auf die folgenden Besuche, und gleichzeitig erhielten die Eltern ein Modell für »motivierendes« Vorlesen, waren doch auch diejenigen, die schon in der Vergangenheit vorgelesen hatten, nicht immer erfolgreich gewesen, ihr Lesen war zu monoton. (Wie bedeutsam es ist, Mütter und Väter auf ihre Rolle als Tutoren, gerade auch beim Lesenlernen, vorzubereiten, habe ich schon an anderer Stelle beschrieben *[Niemann 1990]*.) Es wurde in diesem Projekt offensichtlich, daß kurze, nicht zu umfangreiche Bücher wichtig waren. Die Aufmerksamkeit der Kinder für längere Texte war nicht ausgebildet, und außerdem griffen gerade die Mütter, die das Vorlesen nicht gewohnt waren, lieber zu kürzeren Texten. Die Reaktionen der Eltern auf dieses Projekt reichten weit über die Buchgespräche hinaus. Schon nach kurzer Zeit wurde die Hausbesucherin, bald als »book lady« bekannt, in Gespräche über Finanzsorgen, allgemeine Schulprobleme, Krankheiten usw. eingebunden und erhielt somit Einblicke, die mehr als »literacy development« umfaßten.

Auf der Grundlage der Erfahrungen aus dem Projekt kann folgendes gesagt werden: Die Mehrzahl der beteiligten Eltern (etwa 69%) war stark an der Erziehung ihrer Kinder interessiert, es fehlt ihnen aber an Wissen und Selbstvertrauen, es richtig zu machen. Einige von ihnen hatten ihren Kindern in der Vergangenheit schon vorgelesen, die Häufigkeit und die Art des Vorlesens aber und auch die Auswahl an Büchern waren nicht zufriedenstellend gewesen. Durch das Vorbild der Besucherin und auch durch den Einsatz von Kassetten waren sie nun so weit gekommen, daß eine Mutter sagte: »I really enjoy doing it now« (*Toomey/Sloane,* 136). Bei anderen Eltern zeigte sich der Fortschritt darin, daß sie Bücher über Kindererziehung kauften und begannen, sich auf die Schule vorzubereiten. Die Eltern, die bereits angefangen hatten, unterstützend zu arbeiten, suchten zu einem großen Teil Bestätigung und Anleitung. Sie fragten z. B. danach, ob sie die Buchstaben des Alphabets oder die Laute benennen sollten, ob es richtig sei, den Kindern aus ihren Lieblingsbüchern vorzulesen oder ob Abwechslung notwendig sei, ob die Kinder beim Vorlesen mit in das Buch schauen sollten usw. – Eine kleinere Gruppe machten die Eltern aus, die zwar um die Erziehung ihrer Kinder besorgt waren, wegen äußerer Nöte (Geldsorgen, Krankheit usw.) jedoch so gefordert wurden, daß sie an dem Projekt nur unregelmäßig teilnehmen konnten. In dem Moment, in dem der äußere Druck aber nachließ, kümmerten auch sie sich intensiver um die schulischen Fragen.

Die Auswertung von Interviews zeigte, daß der Erfolg des Projekts auf das Bereitstellen von Büchern zurückzuführen war. Dieses wird besonders deutlich am Beispiel zweier Schulen: Eine Schule, die den Kindern nicht erlaubte, selbst Bücher für das häusliche Lesen auszuwählen, schickte ein Angebot an Büchern in die Elternhäuser, stieß dabei aber auf starke Ablehnung bei den Eltern. Eine andere Schule, die in ihrer Bücherei ein sehr attraktives Angebot an Büchern für die Eltern bereithielt, mußte feststellen, daß dieses Angebot kaum angenommen wurde. Die Eltern hätten die Schule betreten müssen, um die Bücher auszuleihen, ein Schritt, der Mut erforderte. Die offensichtliche Kluft zwischen Elternhaus und Schule konnte nur überbrückt werden, indem regelmäßig Bücher in die Familien gebracht wurden, somit die Chance zur individuellen Bücherwahl gegeben war, und indem durch den persönlichen Kontakt Vertrauen aufgebaut wurde.

Die Bedeutung des persönlichen Kontakts wird auch an anderen Stellen deutlich betont. So beschreibt z. B. *Enz (1995)* eine deutliche Zunahme in der Bereitschaft von Eltern zur Mitarbeit, wenn es gelingt, durch Workshops und regelmäßige Elternbriefe Fragen zum Lesen und Schreiben zu beantworten. Er hebt dabei die Art und die Form der Kommunikation hervor, und stellt in den Mittelpunkt die Notwendigkeit hinreichender Information zu dem, was die Schwierigkeiten beim Lesen und Schreiben ausmachen können. In dem Maße, in dem Schulen es verstanden haben, in den schriftlichen Mitteilungen und bei den Workshops eine Sprache zu wählen, die alle Eltern erreicht, und einen Ton zu treffen, mit dem die Eltern sich angenommen fühlen, wird das Band zwischen Schule und Elternhaus verstärkt. Ein wichtiger Schritt auf dem Weg, mit Eltern gemeinsam das Ziel zu erreichen, den Kindern den Schriftspracherwerb zu erleichtern.

Zusammenfassung

Programme zur »family literacy« zeichnen sich durch einen ganzheitlichen, familienorientierten Zugang aus. Sehr oft bilden sogenannte benachteiligte Familien die Zielgruppe, und dann ist es das oberste Ziel, in diesen Familien den Teufelskreis zwischen Armut und schulischem Scheitern zu durchbrechen. Das gelingt nur, wenn der Zugang zum Lesen und Schreiben für die Kinder und Eltern eine neue Bedeutung, eine neue Qualität erhält. Wenn Schule Eltern nicht überfordert, sondern Hilfen anbietet, damit sie selbst lernen, z.B. vorzulesen und Bücher auszuwählen, dann werden diese Eltern für die Schule zu Partnern. Die Erfahrung, daß Lesen und Vorlesen ihren Kindern Freude bereiten und daß Lesen eine starke soziale Komponente hat, ist dabei ungeheuer wichtig, denn gerade diese Erfahrungen fehlen oft *(Wolfendale/Topping 1996)*.

Aus vielen Projekten wird berichtet, daß über den Aufbau von persönlichen Kontakten die Bereitschaft zum Mitmachen von ehemals zurückhaltenden Eltern deutlich gesteigert wird. Aufbau von persönlichen Kontakten bedeutet aber für viele Lehrerinnen und Lehrer eine zusätzliche Belastung, und sie wehren ab, weil sie zusätzliche Anforderungen befürchten. Die Arbeit und Kraft, die für den Aufbau solcher Kontakte notwendig sind, werden aber an anderer Stelle eingespart, nämlich dann, wenn es darum geht, allen Kindern gerecht zu werden. Es ist wichtig sich zu vergegenwärtigen, daß es für Eltern (die oftmals selbst schlechte Schulerfahrungen in ihrer Kindheit gesammelt haben) einen Unterschied ausmacht, ob die Schule auf sie zugeht, sie persönlich einlädt, sie anruft oder anspricht. Auch die Eltern, von denen die Schule fälschlicherweise oft annimmt, sie seien am schulischen Fortkommen ihrer Kinder nicht interessiert, hoffen sehr, daß ihre Kinder Erfolg haben werden »… a commitment that is grounded in their own frustrations about school failure.« *(Darling/Paul* 277).

Es ist ein großes Dilemma, daß viele Lehrerinnen und Lehrer, ihre eigene Professionalität überschätzend (gerade diese Berufsgruppe gehört oft zu den sozialen Aufsteigern *(Toomey/Sloane* 146), den Kontakt mit den Eltern vorziehen, die ihre Einstellung teilen und ihre Sprache sprechen. In dem Maße, in dem Schule aber gerade den Eltern, die existentielle Probleme haben, zusätzlichen Streß aufbürdet und das schlechte Gewissen verstärkt (Phänomene, die dem Kind nicht helfen), trägt sie dazu bei, daß diese Eltern sich noch mehr zurückziehen. Wenn es der Schule gelingt, Vätern und Müttern nicht bewertend gegenüberzustehen, sondern sie als Partner in Sachen Erziehung anzunehmen, dann ist ein erster Schritt getan. Der individuelle Weg über Bücher für Kinder kann dabei hilfreich sein, und dieses gelingt um so besser, wenn Kinder die Möglichkeit haben, für sie attraktive Bücher selbst auszuwählen und sich ihnen gemeinsam mit ihren Eltern zu nähern.

Literatur:
Darling, S./Paull, S.(1994): Implications for Family Literacy Programs. In: Bridges to literacy, children, families, and schools, ed. by Dickinson, D. K. Blackwell: Oxford UK & Cambridge USA, 273–284.
Enz, B. (1995): Strategies for promoting parental support for emergent literacy programs. In: The Reading Teacher, vol. 49, no. 2, October 1995, 168–172.
Feitelson, D./Bracha, K./Goldstein, Z. (1986): Effects of listening to series on first graders' comprehension and use of language. In: Research in the training of English, 20 (4), 339–350.
Niemann, H. (1990): Paired Reading. In: Brügelmann, H./Balhorn, H. (Hrsg.): Das Gehirn, sein Alfabet und andere Geschichten, 125–127.
Toomey, D./Sloane, J. (1994): Fostering children's early literacy development through parent involvement. In: Bridges to literacy, children, families, and schools, ed. by Dickinson, D. K. Blackwell: Oxford UK & Cambridge USA, 129–149.
Wolfendale, S./Topping, K. (1996): Family Involvement in Literacy. Cassell: London.

Sabine Feneberg

Die Auswirkungen des Geschichtenvorlesens auf die Leseentwicklung von Kindern

Kinder hören Geschichten von frühester Kindheit an. Eine Kindheit ohne Geschichten scheint in Schriftkulturen undenkbar. Was aber lernen Kinder dabei?

Erste Impulse für die Forschung zum Geschichtenvorlesen kamen von Studien über Frühleser/innen *(Durkin 1966)*. In diesen Studien wurde (u. a.) nach Merkmalen in den Elternhäusern von Frühleser/innen gesucht, die deren frühes Interesse am Lesen begünstigt haben könnten. Das regelmäßige Geschichtenvorlesen war ein Merkmal unter vielen eines insgesamt literarisch anregungsreichen Elternhauses.

Vier Forschungsschwerpunkte zum Geschichtenvorlesen sind heute erkennbar:

1. Aus der Perspektive entwicklungspsychologischer Ansätze versuchte man herauszufinden, inwieweit sich das Vorlesen von Geschichten fördernd auf die Leseentwicklung von Kindern auswirkt. Hierbei fanden in erster Linie experimentelle und korrelationsstatistische Untersuchungen ihre Anwendung. Für die Vorschulkinder ergab sich ein einheitlicher Trend. Demnach hatten Kinder, die während ihrer Vorschulzeit regelmäßig Geschichten vorgelesen bekamen, mehr Interesse am Lesenlernen als Kinder, die in der Vorschulzeit selten oder gar keine Geschichten gehört hatten. Die Überlegenheit bestand außerdem in einer Reihe leserelevanter Vorkenntnisse wie der Buchstabenkenntnis, der Kenntnis der Leserichtung, der Wortgrenzen und Satzzeichen sowie dem Erkennen von Umweltwörtern. Bei den Schulkindern konnte die Vorlesehäufigkeit im Vorschulalter nur teilweise Leistungsunterschiede in der Dekodierfähigkeit und im Leseverstehen aufklären. Einiges spricht dafür, daß die Vorlesehäufigkeit zu Beginn des Leselernprozesses stärkeren Einfluß auf die Leseleistung von Kindern hat, während später andere (schulische) Variablen einflußreicher werden *(Mason 1990)*.

Zusätzlich deuten die Untersuchungsergebnisse darauf hin, daß die Vorlesehäufigkeit ein schichtunterscheidendes Merkmal darstellt. Eltern der Mittelschicht lesen ihren Kindern häufiger pro Woche und länger vor als Eltern der Unterschicht *(Morrow 1983)*. Hier muß allerdings berücksichtigt werden, daß alle einschlägigen Untersuchungen aus dem englischsprachigen Ausland, vor allem den Vereinigten Staaten stammen, wo Schichtunterschiede weit stärker ausgeprägt sind als hierzulande. Diese Überlegung muß für einige noch folgende Untersuchungsergebnisse im Hinterkopf behalten werden. – Problematisch an allen bisher zitierten Untersuchungen ist deren methodisches Vorgehen. So wurde ausschließlich nach Zusammenhängen zwischen der Vorlesehäufigkeit und leserelevanten Vorkenntnissen bzw. dem Lesen selber gesucht. Die weit interessantere Frage, welche (schriftsprachlichen) Inhalte beim Vorlesen vermittelt werden und, damit zusammenhängend, wie diese Inhalte auf das (schriftsprachliche) Wissen der Kinder durchschlagen, ist so aber nicht zu beantworten.

2. Ziel eines zweiten Forschungsschwerpunktes ist deshalb die detaillierte Analyse der vorlesebegleitenden Gespräche. Hier wird aus entwicklungspsychologischer und ethnologischer Sicht der Frage nachgegangen, welche Interaktionsmuster und welche Interaktionsinhalte das Geschichtenvorlesen (»story book reading«) charakterisieren. Die vorwiegend mit qualitativen Untersuchungsmethoden erhobenen Daten werden dann im Hinblick auf ihre Bedeutung für die vorschulische Literalisierung des Kindes interpretiert *(Yaden/Smolkin/Conlon 1989; Heath 1982)*. Die vorlesebegleitenden Gespräche zwischen Eltern (o. ä.) und jüngeren Kindern basieren demnach auf Was-und Wo-Frageund Antwortmustern, bei älteren Kindern zusätzlich auf interpretativen Warum-Frage-und Antwortmustern. Eltern greifen zusätzlich zu einer Reihe von Techniken, mit deren Hilfe sie die Aufarbeitung von vorgelesenen Geschichten unterstützen. Diese inhaltsklärenden Techniken weisen einige Übereinstimmungen auf mit den von *Tausch/Tausch (1979)* beschriebenen »fördernden und nichtdirigierenden Erziehungsstilen«. Besonders effektiv sind die Gesprächsstile dann, wenn sich die Eltern auf die Fähigkeiten ihrer Kinder einstellen, sie unterstützen, aber nicht (verbal) bevormunden. Vorlesebegleitende Hilfen wie synonyme Umschreibungen schwieriger Wörter, ergänzende Erklärungen zu inhaltlich komplexen Ereignissen, Auslassungen oder Neuformulierungen schwieriger Textpassagen, das Heranziehen von Bildern zur Bedeutungserschließung sowie das Herstellen von Zusammenhängen zwischen der Buchwelt und der realen Welt des Kindes und umgekehrt (Dekontextualisierung) sind nur dann sinnvoll, wenn die Kinder alleine nicht mehr weiterkommen. *L. S. Wygotskis* Theorie der »Zone der nächsten Entwicklung« dient in der Forschung zum Geschichtenvorlesen als theoretischer Erklärungsrahmen *(Wygotski 1978)*. Eltern agieren immer dann in der »Zone der nächsten Entwicklung«, wenn sie soviel inhalts-klärende Hilfen als nötig und sowenig als möglich anbieten. In Anlehnung an *Wygotski* wird dabei vermutet, daß Kinder zunächst nur mit Hilfe ihrer Eltern (komplexere) Geschichten verstehen können, im Laufe der Zeit jedoch die Informationsverarbeitungsstrategien ihrer Eltern verinnerlichen und nach und nach selbständig anwenden *(Teale 1981)*.
Die detaillierte inhaltliche Analyse der vorlesebegleitenden Gespräche ergab, daß die Dialoge zwischen Eltern und Kindern in erster Linie um den expliziten Geschichteninhalt kreisen. Charaktere, Geschichtendetails und Ereignisse werden vorwiegend in Kommentarform benannt. Gleichzeitig machen aber schon Drei- bis Fünfjährige komplexe Aussagen zum Geschichteninhalt und versu-

chen, dessen tieferen Sinn durch interpretative Fragen zu verstehen. Dabei ist noch nicht überzeugend geklärt, welche Rolle das textbegleitende Bild bei der Erschließung des Geschichteninhalts spielt. Die Untersuchungsbefunde legen die Vermutung nahe, daß jüngere Vorschulkinder hauptsächlich durch das Betrachten der textbegleitenden Bilder dem Vorlesen folgen. Je älter die Kinder werden, desto mehr sind sie in der Lage, den Text alleine als Informationsquelle zu nutzen. Sind die vorgelesenen Geschichten sehr anspruchsvoll und/oder geben die Eltern keine ausreichenden inhaltsklärenden Hilfen, dann greifen auch ältere Kinder wieder auf das Bild zurück *(Feneberg 1994)*.

Kinder scheinen außerdem beim mehrmaligen Anhören von Geschichten nicht nur mehr und komplexere Äußerungen zu formulieren, sondern nach dem expliziten, vermehrt auch dem impliziten Geschichteninhalt zu besprechen. Kinder mit weniger Erfahrung im Umgang mit Geschichten profitieren dabei vermutlich noch mehr vom mehrmaligen Vorlesen als »versierte Geschichtenhörer/innen« *(Feneberg 1994)*. Als Fazit sollte das häufigere Vorlesen ein und derselben Geschichte in Kindergarten und Grundschule öfter praktiziert werden.

3. Dem Vorlesen von Geschichten geht in der Regel das Betrachten von Bilderbüchern voraus (»picture book reading«). Unter die Forschung zum Geschichtenvorlesen werden auch Untersuchungsansätze subsummiert, die die Interaktionsmuster zwischen Eltern und Kindern beim Bilderbuchbetrachten untersuchen *(Heath 1982; Ninio/Bruner 1978; Ninio 1980)*. Ein von *Ninio/Bruner (1978)* identifiziertes Dialogmuster wurde seither vielfach bestätigt und gilt mittlerweile als universelles Gesprächsmuster beim Bilderbuchbetrachten. Die Gespräche, die das Bilderbuchbetrachten begleiten, bestehen demnach aus vier Schlüsseläußerungen, die zyklisch angeordnet sind mit konstant bleibender Reihenfolge:

1) der Aufruf, z.B. »Schau!«,

2) die Frage, z.B. »Was ist das?«,

3) die Bezeichnung, z.B. »Das ist ein/e X«, und

4) die Rückmeldung, z.B. »Ja.«.

Der sprachlich kompetentere Erwachsene übernimmt zunächst alle Äußerungen selbst. Mit zunehmender sprachlicher Fähigkeit des Kindes zieht sich der Erwachsene nach und nach aus dem Gespräch zurück, bis schließlich ein gleichberechtigter Dialog stattfindet. Beziehen Eltern ihre Kinder auf diese Weise in die Gespräche mit ein, dann kann das Bilderbuchbetrachten dazu beitragen, den aktiven Wortschatz des Kindes zu erweitern *(Ninio 1980)*. Es gilt als unumstritten, daß die Gespräche um das Bilderbuch als eine der effektivsten, weil komprimiertesten Spracherwerbssituationen der frühen Kindheit bezeichnet werden können. Beschränken Eltern ihre Kinder beim Bilderbuchbetrachten auf das Zeigenlassen von Bildinhalten (z.B. »Wo ist der/die/das X?«) oder auf das Nachsprechen bzw. Benennen von Bildinhalten (z.B. »Sag X!«), dann lassen sich keine positiven Effekte für den aktiven Wortschatz nachweisen. Die Anwendung bestimmter Interaktionsstile beim Bilderbuchbetrachten ist auch hier schichtabhängig. Mittelschichtmütter praktizieren wieder effektivere Gesprächsstile für den Spracherwerb ihrer Kinder als Unterschichtmütter. Wie *Whitehurst et al. (1988)* zeigen konnten, lassen sich Gesprächsstile, die den Spracherwerb unterstützen, aber nicht nur leicht trainieren, sondern bringen auch bei den Kindern beachtliche Wortschatzgewinne mit sich. (Schichtbedingte) sprachliche Benachteiligungen könnten demnach schon früh spielerisch beim Bilderbuchbetrachten »en passant« abgemildert oder gar ausgeglichen werden.

Kinder lernen beim Bilderbuchbetrachten darüber hinaus aber auch, Bücher zu handhaben und deren »Unterhaltungswert« zu schätzen.

Wie beim Geschichtenvorlesen werden auch schon beim Bilderbuchbetrachten Frage- und Antwortkategorien erworben und Bildinhalte erarbeitet, hinterfragt und interpretiert. Wichtiger noch als beim Geschichtenvorlesen ist die Dekontextualisierung von Bilderbuchwelt und realer Welt des Kindes beim Bilderbuchbetrachten. Es wird vermutet, daß das Herstellen von Zusammenhängen zwischen Buchwelt und realer Welt durch die Eltern (z. B. »Schau, das da drüben ist so eine Ente wie in deinem Bilderbuch.«) das Erkennen zweidimensionaler Darstellungen als Entsprechungen dreidimensionaler (schon bekannter) Objekte erleichtert *(Heath 1982; Ferreiro/Teberosky 1982; Wells 1987)*. Kinder lernen so außerdem, daß Buchinhalte (auf dieser Altersstufe noch in Bildform) die Realität repräsentieren. Realität und Buchwelt können verglichen werden und Ausgangspunkt für erste kognitive (sprachliche) Auseinandersetzungen sein.

4. Detaillierte Analysen der Gespräche ergaben, daß nur in den seltensten Fällen während des Bilderbuchbetrachtens (wenn einzelne Buchstaben, Wörter oder Sätze abgedruckt sind) oder während des Geschichtenvorlesens über Buchstaben oder andere Aspekte der Buchstabenschrift gesprochen wird. Schriftsprachliche Kenntnisse im engeren Sinne werden vermutlich weniger beim Bilderbuchbetrachten oder Geschichtenvorlesen erworben, als vielmehr bei der Auseinandersetzung mit Schrift im täglichen Leben (Firmenlogos, Packungsaufschriften, Verkehrsschilder etc.). Werden Kinder, die noch nicht lesen und schreiben können, allerdings aufgefordert, häufig gehörte Geschichten immer wieder über einen Zeitraum von mehreren Monaten hinweg nachzuerzählen, dann konnte in Einzelfallstudien eine Entwicklung vom Bild zum Wort gezeigt werden. Die untersuchten Kinder erzählten zunächst nur die Inhalte der textbegleitenden Bilder nach. Im Laufe der Zeit integrierten sie immer mehr erinnerte Textteile in ihre Nacherzählungen, begannen dann zuerst einzelne Buchstaben, im Anschluß daran das Lautprinzip der Buchstabenschrift zu entdecken und lernten schließlich lesen *(Sulzby 1985)*. Dieser vierte und bislang noch wenig erforschte Bereich innerhalb der Forschung zum Geschichtenvorlesen könnte durch breiter angelegte Untersuchungen mehr Einblicke in die Entwicklungsschritte geben, die Kinder »auf ihrem Weg zur Schrift« durchlaufen. Gleichzeitig wäre es so wie-

derum möglich, jene Kinder spielerisch in Kindergärten oder anderen vorschulischen Einrichtungen zu fördern, die im Elternhaus wenig Gelegenheit hatten, Erfahrungen mit Schrift zu sammeln.

Kinder lernen beim Bilderbuchbetrachten oder Geschichtenvorlesen weit mehr kennen als nur die dargestellten Inhalte. Sie werden im weitesten Sinne in die Welt der Bücher eingeführt. Mit *Bruno Bettelheim* sei deshalb gesagt: »Kinder brauchen Bücher.«

Literatur:

Durkin, D. (1966): Children who read early. Teachers College Press: New York.

Feneberg, S. (1994): Wie kommt das Kind zum Buch? Die Bedeutung des Geschichtenvorlesens für die Leseentwicklung von Kindern. ars una: Neuried bei München.

Heath, S. B. (1982): What no bedtime story means: Narrative skills at home and school. In: Language Arts, Vol.11, 49–76.

Mason, J. M. (1990): Reading stories to preliterate children: A proposed connection to reading. (Tech.Rep.No.510): Urbana-Champain: University of Illinois, Center for the Study of Reading.

Morrow, L. M. (1983): Home and school correlates of early interest in literature. In: Journal of Educational Research, Vol. 76, No. 4, 221–230.

Ninio, A. / Bruner, J. (1979): The achievement and antecedents of labelling. In: Journal of Child Language, 5, 5–15.

Ninio, A. (1980): Picture-book reading in mother-infant dyads in two sub-groups in Israel. In: Child Development, 51, 587–590.

Sulzby, E. (1985): Children's emergent reading of favorite storybooks. In: Reading Research Quarterly XX/4, 458–481.

Tausch, R. / Tausch, A. (1979): Erziehungspsychologie. Begegnung von Person zu Person. Hogrefe: Göttingen u.a.

Teale, W. H. (1981): Parents reading to their children: What we know and need to know. In: Language Arts, Vol. 58, No. 8, 902–911.

Wells, G. (1987): Apprenticeship in literacy.In:Interchange, Vol. 18, Nos. 1/2, 109–123.

Whitehurst, G. J. et al. (1988): Accelerating language development through picture book reading. In: Developmental Psychology, Vol.24, No. 4, 552–559.

Wygotski, L. S. (1978): Denken und Sprechen. Fischer: Frankfurt.

Yaden, D. B. et al. (1989): Preschooler's questions about pictures, print conventions, and story text during reading aloud at home. Reading Research Quarterly XXIV, 189–214.

Alice Krotky

Lesen im Park

Ferienaktion, die Wiener Kindern
Lust auf Lesen machen soll

Ein schöner Tag im Sommer. Um wild herumzutollen, ist es eigentlich viel zu heiß: Im Schatten eines Baumes, ein Buch in der Hand, sich wegtragen lassen, mitten hinein in spannende Abenteuer, fremde, aufregende Welten! Für viele gehört das wohl zu den schönsten Ferienerinnerungen der Kindheit.

Die MitarbeiterInnen des Internationalen Instituts für Jugendliteratur und Leseforschung waren daher gleich mit Begeisterung dabei, als vor nunmehr 14 Jahren angeregt wurde, während der zweimonatigen Schulferien im Juli und August probeweise eine Lesestation für Kinder in einem großen Wiener Park – dem Kurpark Oberlaa – einzurichten.

»Lesen im Park«, das zur Gänze von der Stadt Wien finanziert und vom Internationalen Institut für Jugendliteratur und Leseforschung organisiert und durchgeführt wird, begann sich zu etablieren.

Der Ausgangspunkt war denkbar einfach: Wie bzw. wo kann man Kinder, die um Büchereien und Buchhandlungen einen weiten Bogen machen und sich den Inhalt der Klassenlektüre lieber vom Banknachbarn erzählen lassen, als ihn selbst zu ergründen, das Lesen schmackhaft machen? Am besten da, wo sie sich ohnehin gerne aufhalten: auf dem Spielplatz, im Park. Dort auf Bücherstände, Schatztruhen und Wühlkisten, vollbeladen mit Büchern, zu treffen und auf Bänken oder Pölstern in der Wiese liegend schmökern zu können, hat zunächst einmal den Reiz des Neuen – und bewährt sich durch seine absolut zwangfreie, gemütliche Atmosphäre. Beim Entlehnen haben Bürokratismen wie Ausweise oder elterliche Unterschriften bei »Lesen im Park« nichts zu suchen, eine Karteikarte mit dem Namen des Lesers und den entlehnten Titeln genügt.

Im ersten Jahr seines Bestehens wurde »Lesen im Park« von Kindern und Eltern so positiv aufgenommen, daß 1982 eine weitere Station in einem großen Wiener Park – dem Donaupark – eröffnet werden konnte.

Mittlerweile haben Wiener Kinder an sechs verschiedenen Standorten Gelegenheit, sich mit Ferienlektüre zu versorgen. Sie tun es eifrig: über 10000 Besucher konnten 1995 gezählt werden!

An besonders heißen Sommertagen sinken die Besucherzahlen in den Parks, die der Schwimmbäder steigen. Es lag daher nahe, in einem der größten und traditionsreichsten Wiener Sommerbäder ebenfalls eine Lesestation einzurichten. Es ist nicht zuletzt der guten Zusammenarbeit mit der Wiener Bäderverwaltung zu danken, daß dieser Versuch von Anfang an ein voller Erfolg war. Eltern begrüßen besonders, daß es mit Hilfe des attraktiven Buchangebots leichter gelingt, den Nachwuchs zumindest zeitweise vom kühlen Naß auf die Liegewiese zu bringen.

Der Freizeitcharakter der Aktion erhält durch die Einbindung ins »Wiener Ferienspiel« zusätzliche Unterstützung. Dabei handelt es sich um eine groß angelegte Veranstaltung der Stadt Wien, an der alle Wiener Pflichtschüler (1.–8. Schulstufe) teilnehmen können. Ziel des Ferienspiels ist es, jenen Kindern, die die Ferien in der Stadt verbringen, ein sinnvolles und pädagogisch wertvolles Freizeitprogramm anzubieten, bei dem Spaß und Spiel im Vordergrund stehen.

Lesen gewinnt durch die Integration in den Spielbereich an Selbstverständlichkeit, Freizeitcharakter und Unterhaltungswert werden betont: Da greift auch ein Kind, das mit dem Lesen noch seine Schwierigkeiten hat oder es überhaupt erst lernt, lieber zum Buch. Kinder, in deren Familien der Umgang mit dem Buch nicht alltäglich ist, merken hier erstmals, daß Lesen mehr als ein Schulfach sein kann.

Hierin liegt die große Chance, die Bemühungen dieser Art haben: Bereits in den 60er Jahren erkannte *Richard Bamberger,* daß es »der Schule zwar gelingt, eine Anzahl von Kindern vorübergehend am Lesen zu interessieren, nicht aber in diesen Kindern lebenslang wirksame Leseinteressen und Lesegewohnheiten zu verankern«.[1]

Keineswegs sollen außerschulische Leseförderungsprojekte in Konkurrenz zur Arbeit innerhalb der Schule gesehen werden. Aber: »Wenn schulische Leseförderung erfolgreich sein will, braucht sie einen kompetenten Partner, der Bücher und andere Medien zur Verfügung stellt. Das Material muß aktuell und attraktiv sein, unterschiedliche Lesefähigkeit und Vorkenntnisse der Schüler berücksichtigen und bei Bedarf problemlos ausgetauscht werden können«, wie *Andreas Mittrowann* in seinem Beitrag »Kooperationspartner: zum Beispiel Schule und öffentliche Bibliothek« in »Lesen in der Schule« betont.[2]

Der Erfolg einer Aktion wie »Lesen im Park« hängt weitgehend von der Bereitstellung entsprechender Literatur ab, die den Interessen der Kinder und Jugendlichen entgegenkommt. In den Anfängen konnte sich das Institut bei der Zu-

---

1 *Bamberger, Richard:* Buchpädagogik. 1972, Schriftenreihe des österr. Buchklubs der Jugend und des Internationalen Instituts für Jugendliteratur und Leseforschung, Band 13, Wien.
2 *Mittrowann, A.:* Kooperationspartner: zum Beispiel Schule und öffentliche Bibliothek. In: Lesen in der Schule. Perspektiven der schulischen Leseförderung. 1995, Verlag Bertelsmann Stiftung, Gütersloh.

sammenstellung der Buchbestände auf zwei von ihm selbst durchgeführte Untersuchungen stützen (Zehnjährige als Buchleser[3], Vierzehnjährige als Buchleser[4]), in denen die Frage nach den Leseinteressen der erfaßten Altersgruppen breiten Raum einnahm. Es zeigte sich, daß sich bei Kindern und Jugendlichen jene Bücher besonderer Beliebtheit erfreuen, die spannend sind, starken emotionellen Anspruch haben, abenteuerliche Handlungselemente aufweisen, humorvoll sind, sich durch Anschaulichkeit und Lebendigkeit der Darstellung auszeichnen und trotzdem einen – gemessen an den Lesefähigkeiten der jeweiligen Altersstufe – geringen Schwierigkeitsgrad aufweisen. Als Gradmesser für Leserwünsche dienen mittlerweile auch die Karteikarten der Entlehnungen, die ziemlich deutlich zeigen, was von den jungen Lesern besonders bevorzugt wird. Das Buchsortiment wird auf dieser Grundlage in jedem Jahr neu überdacht und sorgfältig ergänzt, wobei auch auf »Modeströmungen« innerhalb der Kinderkultur Rücksicht genommen wird. So waren z. B. vor wenigen Jahren die Bücher zum Thema »Saurier« ganz besonders gefragt. Oft kristallisiert sich ein besonderer Trend erst im Laufe der direkten Arbeit mit den Kindern heraus. Hier ist es dann notwendig, rasch für den gewünschten Nachschub zu sorgen. Bei aller Rücksicht auf die Leserwünsche dürfen natürlich auch die Ansprüche an hohe literarische Qualität und hervorragende künstlerische Gestaltung nicht zu kurz kommen. Es ist oft gar nicht so einfach, all diesen Ansprüchen gerecht zu werden. Die Auswahl erfordert daher viel Erfahrung und Fingerspitzengefühl und nimmt in der Arbeit an dem Projekt breiten Raum ein.

In ihrem Beitrag »Lesen muß man lernen« im Band »Medienprojekte«[5] verweist *Bettina Hurrelmann* darauf, daß »Lesen lange vor dem Schulanfang beginnt«. Der Grundstein für lebenslange Leseinteressen und den Aufbau einer geglückten Leserbiograhie sollte schon im »Bilderbuchalter« gelegt werden. Wie prägend der Einfluß von Literatur in früher Kindheit sein kann, beschreibt *Ursula Dietschi Keller* im Vorwort ihres Buches »Bilderbücher für Vorschulkinder«:[6]

»Dank meiner Erfahrungen beim Gebrauch von Bilderbüchern in Kindergruppen ist mir bewußt geworden, welch bedeutsames Mittel das Bilderbuch inmitten der Medienlandschaft ist. Bei keiner anderen Beschäftigung war es möglich, eine Kindergruppe so konzentriert zu erleben. Die auftretenden Fragen und Bemerkungen direkt nach der Bilderbuchvermittlung versetzten mich stets in Staunen. Noch viel mehr jedoch staunte ich fünf Jahre später bei einer Wiederbe-

3 *Bamberger, R./Binder, L./Vanecek, E.:* Zehnjährige als Buchleser. Untersuchung zum Leseverhalten, zur Leseleistung und zu den Leseinteressen. 1977, Jugend und Volk, Wien–München.
4 *Binder, L./Urban, W./Vanecek, E.:* Vierzehnjährige als Buchleser. Eine Untersuchung des Leseverhaltens, der Leseleistung und der Leseinteressen am Ende der Pflichtschulzeit. 1984, Jugend und Volk, Wien–München.
5 *Hurrelmann, B.:* Lesen muß man lernen. In: Medienprojekte. Erfahrungen – Ergebnisse – Initiativen. 1993, Bertelsmann Stiftung, Gütersloh.
6 *Dietschi Keller, U.:* Bilderbücher für Vorschulkinder. Bedeutung und Auswahl. 1995, verlag pro juventute, Zürich.

gegnung mit denselben Kindern, die nun dem sogenannten Bilderbuchalter entwachsen waren: Einzelne Kinder sprachen gemeinsame Bilderbucherlebnisse und Bilderbuchfiguren an, die ihnen großen Eindruck gemacht hatten.«

Im Lauf der Jahre ließ sich deutlich beobachten: Die typischen »Stammleser«, die der Leseaktion über Jahre hinweg treu bleiben, sind Kinder, die schon mit drei, vier Jahren, also lange vor Schuleintritt, erstmals bei »Lesen im Park« mitgemacht haben.

In persönlichen Gesprächen mit erwachsenen Begleitpersonen stellen die Betreuer der Aktion die erfreuliche Tatsache fest, daß viele von ihnen mit den eigenen Kindern »Lesen im Park« besuchen, weil es aus der eigenen Kindheit her in bester Erinnerung geblieben ist.

Die Praxis zeigt außerdem, daß viele Kinder mit nichtdeutscher Muttersprache »Lesen im Park« gerne nutzen; so wird das Buch zum Kommunikationsmittel zwischen Kindern verschiedener Herkunftsländer, »miteinander lesen« kann »miteinander leben« vorbereiten. Diesem Trend wird in vielerlei Hinsicht Rechnung getragen: An allen Stationen liegt neben deutschsprachiger Literatur – vom Bilderbuch bis hin zur Lektüre für junge Erwachsene – und zweisprachigem Lesematerial auch Literatur in serbokroatischer und türkischer Sprache auf.

Bei der Wahl der Standorte der mobilen Lesestationen geht das Institut bewußt an Plätze, wo auf Grund der Wohnsituation der Umgebung mit einer großen Zahl von Kindern mit nichtdeutscher Muttersprache gerechnet werden kann. Diese Entwicklung bringt es auch mit sich, daß an die BetreuerInnen einzelner Stationen immer höhere Anforderungen gestellt werden.

Neben der rein bibliothekarischen Tätigkeit gewinnt die animative Komponente mehr und mehr an Bedeutung. Die Möglichkeiten, Kinder zum kreativen Umgang mit Literatur anzuregen, sind vielfältig und reichen vom einfachen Vorlesen bis hin zu spontanem Dramatisieren von Texten. Mal- und Zeichenaktionen lassen sich aus dem Programm von »Lesen im Park« gar nicht mehr wegdenken.

Auf die Bedeutung von »kreativem Schreiben« im Hinblick auf Leseerziehung verweisen *Heide Elsholz* und *Rüdiger Urbanek* im Beitrag »Lesen in der Schule« in »Medien als Bildungsaufgabe in Ost und West«.[7] Daß Lese- und Schreibspiele, die Kinder zu spielerischem Umgang mit Sprache ermuntern, sich besonderer Beliebtheit erfreuen, wissen die Betreuer von »Lesen im Park« genau. Die Ergebnisse zeugen von außerordentlicher Phantasie und Kreativität. Für die Erarbeitung passender Lese- und Schreibspiele hat sich das Buch »Worte im Aufwind. 100 Schreibspiele und Schreibaktionen« von *Harry Böske* und *Ulrich*

---

7 *Elsholz, H./Urbanek, R.:* Lesen in der Schule. In: Medien als Bildungsaufgabe in Ost und West. 1993, Verlag Bertelsmann Stiftung, Gütersloh.

Land[8] besonders bewährt. Es wurde ebenso zum unverzichtbaren »Handbuch« wie *Ulrich Baers* »666 Spiele«[9], das neben heiteren Lese- und Schreibspielen eine Fülle von Spielideen enthält, die es erleichtern, mit Kindergruppen zu arbeiten, die inhomogen sind und in denen sich die einzelnen Teilnehmer zunächst kennenlernen müssen, um eine Basis für gemeinsame kreative Arbeit zu haben.

Das weitere Rüstzeug für ihre Tätigkeit erhalten die MitarbeiterInnen an der Ferienaktion – StudentInnen und junge LehrerInnen – im Rahmen von Ausbildungsseminaren am Institut. Dabei zeigt sich, mit welch großem Engagement und Freude an dieser speziellen Form von Literaturvermittlung sie an die vielfältigen Aufgaben herangehen. Viele neue und innovative Ideen kommen direkt aus diesem Kreis.

Bei »Lesen im Park« stehen die jungen LeserInnen im Mittelpunkt. Für erwachsene Begleitpersonen liegt Informationsmaterial über die Bedeutung des Lesens im Erziehungsprozeß auf. Buchlisten mit empfehlenswerter Literatur für alle Altersstufen werden angeboten. Die Betreuer beraten gerne im Hinblick auf Leseerziehung und Buchauswahl.

»Lesen im Park« soll zur lebendigen Brücke hin zur öffentlichen Bücherei werden. Darum erhalten die BesucherInnen eine Aufstellung mit Adressen aller Filialen der Wiener Städtischen Büchereien, so daß einmal geweckte Leseinteressen auch während des Schuljahres weiter gefördert werden können. Ein wichtiger Anspruch, den die MitarbeiterInnen an sich stellen, ist daher: Kindern zu vermitteln, daß da, wo es Bücher gibt, auch immer Spaß, Unterhaltung und ein offenes Ohr für all ihre kleinen und großen Sorgen zu finden sind.

Die begeisterten Reaktionen der Kinder auf »Lesen im Park« zeigen, daß das Buch die Konkurrenz anderer Medien keineswegs zu scheuen braucht und Lesen nach wie vor einen hohen Stellenwert im Kanon der Freizeitangebote für Kinder hat.

---

8 *Böske, H./Land, U.:* Worte im Aufwind. 100 Schreibspiele und Schreibaktionen. 1989, Bundesvereinigung Kulturelle Jugendbildung e.V., Remscheid.
9 *Baer, U.:* 666 Spiele für jede Gruppe und alle Situationen. 1994, Kallmeyersche Verlagsbuchhandlung, Seelze-Velber.

Andrea Bertschi-Kaufmann

Lesejournale

Fenster mit Sicht auf die Lese- und Schreibentwicklungen der Grundschulkinder

Lesen und Schreiben im offenen Deutschunterricht

»Das ist ein superspannendes, dickes und 225-Seiten-Buch. Es geht um zwei Jungen, die starben und kamen in eine kriegerische Welt (…) Schade, jetzt ist es zu Ende.« Mit einer langen Eintragung in ihr Lesetagebuch nimmt Kathrin Abschied von den aufregenden Welten der »Gebrüder Löwenherz« *(A. Lindgren)*, dann sucht sie sich in der Schulbibliothek gleich das nächste »dicke« Buch aus, liest und schreibt. Im Verlauf des 4. Schuljahres erweitert Kathrin ihr Lektürerepertoire um 42 Bücher, wählt dafür Kinderbuchklassiker und neuere lange Erzählungen.

Kathrin gehört zu einer der Klassen, die sich am Projekt »Leseförderung und Leseentwicklung«[1] beteiligen. In ihren Lesestunden üben sie nicht an isolierten Texten, sondern finden sich zurecht in einem differenzierten Angebot verschiedenster Bücher und Aufgaben, die zum Lesen und Suchen, zum Verarbeiten und Gestalten, zum Gespräch über das Gelesene anregen. Einfache Bücher mit grosser Schrift und Bildern als Sinnstütze stehen ebenso zur Verfügung wie die umfangreichen und anspruchsvollen; beim freien Schreiben entstehen kurze Notizen, Kommentare, Bilder, ganze Geschichten.

Wenn Kindern vielerlei Lesestoffe zur Verfügung stehen, entwickeln sich sehr viele zu ausgesprochenen Viellesern, zu eigentlichen Kennerinnen und Kennern ausgewählter Literaturen; ihre Lesewege strukturieren sie mit den Spielregeln, die sie in den Büchern entdecken; sie finden Erzähl- und Schreibmuster und nutzen sie in ihren eigenen Texten.

Leseförderung hat ihr Ziel dann erreicht, wenn die Zugänge, die die Kinder in der Schule zum Buch gefunden haben, für ihre Lesefertigkeiten und für ihr Leseverhalten ausserhalb der Schulstunde wirksam werden. Uns interessieren deshalb nicht nur verschiedene Möglichkeiten für einen lebendigen und reichen Leseunterricht, sondern vor allem auch die Frage, welche Wirkung er auf ein-

---

1 »Leseförderung und Leseentwicklung« ist ein fachdidaktisches Entwicklungsprojekt, an welchem die Lehrerinnen- und Lehrerbildung (Höhere Pädagogische Lehranstalt, HPL), die Pädagogische Arbeitsstelle des Kantons Aargau, Schweiz, und die Schulpraxis beteiligt sind. 25 Grundschullehrkräfte erproben verschiedene Förderanlagen und Materialien für einen offenen Lese- und Schreibunterricht. Die Lesejournale der Kinder bilden den Fundus zur Beobachtung der Wirksamkeit der Massnahmen und zum Einblick in die verschiedenen Lese- und Schreibentwicklungen der einzelnen Kinder.

zelne Kinder, auf ihre Lese- und Schreibentwicklung hat, was und wie sie lesen und verstehen, wenn sie im offenen Leseunterricht eigene Wege gehen. Mit ihren Lesejournalen (Lesetagebüchern), welche die Schülerinnen und Schüler auf ihren individuellen Lese- und Lernwegen begleiten, vermitteln sie dafür aufschlussreiche Einblicke. Leseprozesse und Leseerfahrungen halten sie in eigenen Texten fest, kommentieren, spinnen Geschichten weiter und machen damit ihre Lese- und Schreibentwicklungen sichtbar. Statt punktueller und sporadischer Leistungen dokumentieren Lesejournale längere Prozesse: Kinder führen ihre Tagebücher während mindestens einem Jahr. Im Vordergrund steht die Beratung, der Dialog zwischen Lehrer/Lehrerin und den lesenden und schreibenden Kindern.

Die Journale erhalten damit für die Kinder, die Lehrerinnen und Lehrer und für unsere Untersuchung mehrfache Bedeutung:
• Für die Kinder sind sie Begleiter auf den Wegen, die sie wählen, wenn sie sich für ein Buch, eine Aufgabe, eine Gruppenarbeit entscheiden. Ihrem Lesetagebuch teilen sie mit, was sie lesen, was sie dabei beeindruckt oder ärgert, vielleicht auch ratlos lässt. Sie halten für sich fest, womit sie sich – lesend – gerade beschäftigen und erhalten gestaltete Dokumente, in denen sie immer wieder zurückblättern und die eigenen Lernschritte beobachten können. Den allermeisten macht es ausgesprochen Spass, immer wieder im eigenen Journal zu blättern und zu lesen. Vor allem teilen die Kinder mit ihren Eintragungen auch ihrer Lehrerin/ihrem Lehrer mit, was sie ausgewählt, wie sie gelesen haben und welche Hilfen sie brauchen, und sie können mit kurzen Antworten, mit der Aufmerksamkeit für das, was sie bei der freien Arbeit tun, rechnen. Das Lesejournal wird zum Hin-und-her-Buch zwischen dem Kind und seinem Lehrer/seiner Lehrerin.
Wenn Leseeindrücke zunächst einmal zu Papier gebracht werden sollen, müssen geeignete Schreibformen, Darstellungen, Illustrationen gesucht und ausprobiert werden. Mit ihren eigenen – teils längeren, teils kürzeren – Texten erhalten die Kinder zunehmende Sicherheit und Geläufigkeit beim Schreiben: sie schreiben nicht immer viel und nicht makellos, aber häufig und in Zusammenhängen, in denen Schreiben Sinn macht.

• Die Lehrerinnen und Lehrer erhalten Einblick und Überblick darüber, wie die Kinder die verschiedenen Angebote im Klassenzimmer bzw. in der Klassenbibliothek nutzen. Mit kurzen Kommentaren geben sie ihnen zu verstehen, dass sie an ihren Leseerfahrungen teilnehmen, dass sie sich an sorgfältigen und einfallsreichen Darstellungen freuen, und sie ermuntern einzelne Kinder, genauer oder einfach auch einmal mehr zu schreiben:
»Du hast über die letzten beiden Oma-und-Frieder-Bücher *(Gudrun Mebs)* geschrieben, du findest sie »lustig«. Kannst du mir die nächste lustige Stelle in deinem Tagebuch erzählen? Wenn du's gut machst, merke ich gleich selber, was du mit »lustig« meinst. Oder: Du erfindest selber eine tolle Oma-und-Frieder-Geschichte. Wie sie beginnen muss, weisst du ja.«

Vor allem erkennen die Lehrerinnen und Lehrer in den Journalen, wer Hilfe und Unterstützung braucht, wen sie in den nächsten Lese- und Schreibstunden beraten oder länger betreuen wollen.

• Für die Beobachtung und die Beurteilung der Lese- und Schreibarbeit in der offenen Unterrichtsanlage sind die Lesejournale eine wichtige Grundlage. Sie zeigen, von welchen Texten sich die Schülerinnen und Schüler haben anregen lassen, welche Erzähl- und Sprachmuster integriert werden, wie lange einzelne bei vertrauten Textsorten oder Schreibformen verharren, bis sie sich schliesslich Erweiterungen ihres Repertoires zumuten. Die Lesetagebücher dokumentieren die Lernfortschritte und die Stagnationen der einzelnen Kinder und geben damit Aufschluss darüber, wie Kinder das offene Angebot im freien, zwar begleiteten, aber nicht angeleiteten Unterricht aufnehmen und verarbeiten.

Im Gesamt der kontinuierlichen Eintragungen in den Tagebüchern fallen zunächst die Nutzungsweisen auf, die bei den Grundschulkindern verschiedener Klassenstufen besonders häufig sind:
• Innerhalb derselben Klasse bewältigen die Kinder sehr unterschiedliche Lese- und Schreibpensen. Weder die Leistungen der viellesenden (…) noch das erarbeitete Repertoire der leseschwachen entsprach den Erwartungen: im offenen Unterricht lesen und schreiben Kinder mehr; während viele die Lektüren ausserhalb der Schulzeit freiwillig fortsetzen, gehört das Lesetagebuch für die meisten zur Schularbeit.

Die meisten Kinder zeigen mit der Wahl ihrer Bücher, dass sie die eigene Lesefähigkeiten selber laufend richtig einschätzen.

• Viele Kinder schätzen auch die Lesefähigkeiten der ihnen nahestehenden richtig ein, beraten einander bei der Auswahl kompetent und animieren sich gegenseitig auch zum Schwierigeren.

• Die Lese- und Schreibentwicklungen der Grundschulkinder verlaufen sprunghaft; nach langen – scheinbaren – Stagnationen eröffnen sich für viele Erweiterungen und Kompetenzen, die wenige Tage zuvor nicht sichtbar waren.

• Kinder, die sich häufig umfangreiche und anspruchsvolle Literatur zumuten, »erholen« sich zwischendurch mit Büchern »mit grosser Schrift und fürs erste Lesealter«.

• Für andere schafft die Möglichkeit, einfache Bücher lesen zu dürfen, aus deren »Lesealter« man eigentlich herausgewachsen sein sollte, Zugang zu den schwierigeren.

• Die Beiträge – Texte und Zeichnungen –, mit welchen die einzelnen Kinder im Lesetagebuch auf ihre Lektüren reagieren, sind unterschiedlich umfangreich, unterschiedlich exakt. Ganz offensichtlich bewerten die Schreiberinnen und Schreiber mit der Sorgfalt ihrer Eintragung das Leseerlebnis, das die Buchvorlage ihnen eben vermittelt hat.

• Bei den meisten Kindern entwickelt sich das eigene Schreiben mit den zunehmend anspruchsvolleren Lektüren. In vielen Kindertexten sind Sprach- und Erzählmuster der Vorlage erkennbar und erweisen sich als »Schreibhilfe«.

• Kinder, für die Deutsch Zweitsprache ist, finden in den Büchern für ihr eigenes Schreiben zunächst Kopiervorlagen, dann Muster, mit denen sie laufend autonomer verfahren.

• Einige Kinder zeigen erstaunliche Divergenzen zwischen ihrem anspruchsvollen Leserepertoire und ihren Schreibfähigkeiten. In ergänzenden Interviews zeigt sich, dass sie mehr aus Texten verstehen, als sie aufschreiben oder auf Anhieb erklären können.

Soweit erste Beobachtungen, die eine Bestätigung dafür zu sein scheinen, dass sich im Rahmen einer vermehrt individuellen Lese- und Schreibförderung Lernfortschritte leichter beobachten lassen. Viele Kinder überraschen allerdings mit Lese- und Schreibentwicklungen, deren innere Logik erst mit genaueren (Längsschnitt-)Beobachtungen erkennbar wird. Um ihre Lernschritte im einzelnen wahrzunehmen und zu verstehen, müssen wir uns den einzelnen Kindern zuwenden:

Lesewege von Lucky Luke zu Uwe Timm – wie Kinder ihr Leserepertoire erweitern

Dass Kindern die Wahl zwischen »einfachen« und anspruchsvollen Büchern offen steht, ist in unserer dem Lesebuch verpflichteten Schule ungewohnt. Die leichte Lektüre – Buchserien, die Erzähl- und Sprachmuster von Band zu Band wiederholen, Comics, die in Bild-Folgen und kaum mit Schrift erzählen – gehört in dieser Tradition in den Bereich der Freizeit, währenddem schulische Leseförderung den Weg zur Hochliteratur vorbereiten soll. Darf Unterrichtszeit mit einfachen Texten verbraucht werden? Welches Lektüreprogramm stellen sich Kinder zusammen, wenn sie aus dem differenzierenden Angebot frei wählen können? – Zweierlei Vermutungen gingen unseren Beobachtungen voraus:

Während die einen befürchteten, die meisten Kinder könnten bei den ihnen ohnehin zugänglichen und vertrauten Literaturen verharren und damit anstrengenden Leseleistungen ausweichen, erhofften sich andere eine kontinuierliche Leseentwicklung vom »Einfachen« zum »Schwierigen«, welche die Kinder sozusagen in einem selbstgebauten Lesecurriculum sukzessive durchlaufen würden. Bereits nach einem Jahr zeigt sich, dass die meisten Kinder ganz andere Wege gehen.

Kinder nutzen das offene Leseangebot anders, als ihre Lehrerinnen und Lehrer erwartet haben: beweglicher und sprunghafter bewegen sie sich zwischen ihren Lesegewohnheiten und den ihnen vertrauten Genres einerseits und der »Trendliteratur«, die massgebende Kinder in der Klasse thematisieren und empfehlen, andererseits. Individuelle Entwicklungen werden allerdings sichtbar, und dies besonders deutlich bei Kindern, die sich für die Erweiterung des Leserepertoires und für die Bewältigung fremder und komplexer Textmuster besonders viel Zeit lassen.

Zum Beispiel Dominik (4. Schuljahr): Comics als Leselehrer
Dominik nimmt sich in der ersten freien Lesestunde *Deyv* und *Waltheriys* »Circus Bodoni« (1), einen Comic-Band, »denn die Bücher von Carlsen Comics viende ich alle gut«, notiert er dazu in sein Lesejournal und bezeichnet sich damit – für sich selber und für uns – als Kenner dieser Serie. Weil einige Jungen seiner Klasse unterdessen *Knisters* »Teppichpiloten« entdeckt haben (der erste Band wurde soeben vorgelesen) und man sich vordrängen muss, um den Folgeband zu ergattern, tut Dominik mit. »Teppichpiloten starten durch« ist ein Kinderroman mit 160 Seiten. Dominik bricht die Lektüre ab, »weil es so langweilig ist … ich entfele die Knister Bücher nur denen die sie gerne lesen«, schreibt er und teilt damit – vor allem sich selber – mit, dass er nicht zum Lesepublikum dieser textdichten, fantastisch überraschenden Literatur gehört. Für lange Zeit – während mindestens 10 Monaten – überlässt er die »dicken« Bücher anderen Leserinnen und Lesern in der Klasse und kehrt zu seiner Stamm-Lektüre zurück: er findet *Deyv* und *Waltheriys* »Lady Alberta« (3) – »fiend ich sehr toll« –, nimmt sich zwischendurch ein Sachbuch über Schiffe von *David Slariya,* »Schiffe« (4), und liest sich dann beinahe durch die ganze Comic-Literatur, die in der Schulbibliothek zur Verfügung steht:

Morris/Goscinny, Lucky Luke, »Die vier Räuber« (5)
Tome/Janry, Spirou, »Die Angst im Nacken« (6) »…Die Spirou comics haben mir schon imer gefalen. Denn sie sind spannend und lustig.«
Franquin, »Tiefschlaf für die ganze Stadt« (7)
Uderzo/Goszinny, »Asterix – Der Kampf der Häuptlinge« (8)
Franquin, »Im Banne des …« (9)
Franquin, »Spirou und Fantasio. Das Versteck der Muräne« (11)
Roba, »Boule und Bill«. »Techtelmechtel« (15)
Franquin, »Spirou und Fantasio. Das Versteck der Muräne« (18, wiederholte Lektüre!)
Morris/Goscinny, »Lucky Luke. Das Greenhorn« (19)
Morris/Goscinny, »Lucky Luke. Die Daltons auf dem Kriegspfad« (20)
Morris/Goscinny, »Lucky Luke. Der Apache Canyon« (21)

Dominik wechselt jetzt auch zu Comic-Sammlungen, die er noch nicht kannte; seine Eintragungen lassen erkennen, dass er Bildfolgen und Textteile genau verfolgt. Dazwischen nimmt sich Dominik jetzt auch Bücher mit durchlaufendem Text; wieder schliesst er sich dem Lesegeschmack der Jungengruppe an: er gehört jetzt auch zu den Krimi-Lesern, liest die Bücher mit, in deren Story er von den anderen Kindern im Gespräch bereits eingeführt worden ist, wählt sich allerdings die Exemplare, die in grosser Schrift geschrieben sind.

Alfred Hitchcock, »Die drei ??? und der Superpapagei« (10)
Ursel Scheffler, »Kommissar Kugelblitz. Der lila Leierkasten (12)
Alfred Hitchcock, »Die drei ??? und die bedrohte Ranch« (17)
Alfred Hitchcock, »Die drei ??? und der seltsame Wecker« (22)

Innnerhalb der »Kugelblitz«-Serie und in den zahlreichen Folgen der »???« wiederholt sich ein und dieselbe Dramaturgie in Varianten. Dominik findet sie zunächst »toll«, vom nächsten Band nimmt er bereits Abstand: »Dieses Buch finde ich nicht langweilig aber auch nicht spanend!« und holt sich – abwechselnd zur Krimi-Lektüre – laufend die neu angeschafften Comic-Bände aus der Bibliothek.

Die Eintragungen in seinem Lesejournal werden zunehmend länger, ausführlicher, expliziter. Dominik gibt jetzt nicht mehr bloss kurze Werturteile ab; er erzählt ganze Ausschnitte wieder, rafft lange Comic-Folgen in einem Überblick zusammen und bemerkt Widersprüchliches und Falsches in seinen bevorzugten Comics (zu *Morris/Goscinny,* »Lucky Luke. Die Daltons auf dem Kriegspfad«: »Die Daltons lachen sich tot so tönte es bei diesem Buch. Aber am Schluss sitzen die Daltons wieder hinter Schoss (Schloss) und riegel.«). Sein drittes »???«-Buch liest er schliesslich nicht zu Ende. Nach langer Zeit hat Dominik wieder einmal eine Lektüre abgebrochen. »Ich hate nicht genügend Zeit, um das Buch vertig zu lesen. Vieleicht jukt (reizt) es mich wieder einmal dieses buch auszuhleien«, schreibt er und macht sich damit deutlich, dass ihm *Hitchcocks* Erzählmuster allzu gegenwärtig und bekannt ist, als dass es noch reizvolle Leseerfahrungen vermitteln könnte. Seine nächste Lektüre (zu der er durchaus Zeit findet!) ist *Uwe Timms* »Der Schatz auf Pagensand« (23). Seine Lehrerin hat »Rennschwein Rudi Rüssel« *(Uwe Timm)* in der Klasse vorgelesen; Dominik traut sich das folgende – 190 Seiten dicke – Abenteuer-Buch des jetzt bekannten Autors selber zu. »Am anfang ist das Buch nicht besonders spanend«, beginnt er seine Eintragung und macht sich (und uns) bewusst, dass er sich den Zugang zur Geschichte erst hat suchen müssen und dabei erste Widerstände erfolgreich überwunden hat. Die Gratifikation für seine Ausdauer und die Orientierung in einer zunächst unbekannten Erzähldramaturgie ist die Teilnahme an der Schatzsuche, an einer aufregenden Verfolgungsjagd, und Dominik verrät mit seinem langen Kommentar, dass er der komplexen Handlung gefolgt ist und dass er sie sich in einem kohärenten – eigenen – Text vergegenwärtigen kann.
Der Sprung in Dominiks Leseentwicklung scheint riesig zu sein: 10 Monate hat er mit Variationen von Bekanntem verbracht oder mit Geschichten, die er – aus der Erzählung anderer – sozusagen schon zum voraus kannte und die häufig auch von jüngeren Leserinnen und Lesern bewältigt werden. Den Zugang zum anspruchsvollen »dicken« Buch hat Dominik schliesslich nur scheinbar »mit einem Mal« / unvermittelt gefunden. Das lange Verharren in der vertrauten Literatur hat ihn als Leser sicherer und neugieriger werden lassen – dementsprechend gelingen ihm zunehmend Ideen und umfangreichere und differenziertere Beiträge im Lesetagebuch. Die Geduld und Gelassenheit, mit der die Lehrerin den Jungen Lesegewohnheiten hat wiederholen, ihn aber auch Neues kennen lernenlassen, ohne ihn zum Schwierigeren zu drängen, die Aufmerksamkeit, mit der sie auf seine trivialen Leseerfahrungen eingegangen ist, haben ihm eine Erweiterung ermöglicht, die wir bei ihm nicht erwartet hätten. Einfache – und

scheinbar anregungsarme – Texte motivieren nicht bloss zum Weiter-Lesen, sehr häufig ermöglichen sie auch die sichtbare Zunahme von Lese- und Schreibkompetenzen. In der Häufigkeit, in den Rhythmen und in der Intensität, mit der Kinder sie nutzen, entdecken wir ihre Strategien, mit der Ambivalenz zwischen Leseregression und Erfahrungshunger zurechtzukommen. Dominik ist ein Beispiel von vielen. Wie zielgerichtet sein Leseverhalten tatsächlich ist, zeigt sich erst in der kontinuierlichen Beobachtung.

Wie Kinder Vorlagen in ihre Texte integrieren

Dass Kinder Leseerfahrungen für ihr eigenes Schreiben und für ihr poetisches Wissen und Gestalten nutzen, wird in vielen ihrer Texte offensichtlich. Mit den Lesejournalen reagieren die Kinder unmittelbar schreibend auf ihre Lektüren – Distanz und Übersicht über das Gelesene finden sie – wenn überhaupt – erst beim Schreiben selber. Häufig ist ihnen die Geschichte noch so gegenwärtig, dass sie sie nicht als aussenstehende Leserinnen und Leser kommentieren, sondern sie lieber mit eigenen Imaginationen weiter- oder anders erzählen wollen. Die Kinder machen sich damit zu Mitautorinnen und Mitautoren und übernehmen häufig den Erzählduktus des Buches, das sie soeben zu Ende gelesen haben. Wenn sie mit ihrem Schreiben die Lektüre unmittelbar fortsetzen, gelingt den allermeisten ein Erzähltext, der die Dynamik und den literarischen Ton der Vorlage aufnimmt und eigenständig weiterentwickelt.

»In ihren Lesetagebuch-Geschichten sind die Kinder besser als in ihren Aufsätzen«, stellen ihre Lehrerinnen und Lehrer zunächst fest. Tatsächlich sind die Texte der Kinder nicht einfach nur länger, sie erzählen auch stringenter, zeigen mehr Syntaxvariationen, Genauigkeit und Bewusstheit bei der Wortwahl. Ihre Rechtschreibung kontrollieren die Kinder bei der spontanen Eintragung noch kaum. (Wenn sie aufgefordert werden, aus ihren Eintragungen eine gestaltete Fassung für die Lesewand im Klassenraum zu schreiben, achten sie besonders auch auf Rechtschreibung und Zeichensetzung, beraten einander und holen sich Hilfe vom Wörterbuch oder dem Lehrer / der Lehrerin.)

Das Buch wird zur Schreibvorlage, je näher es dem alltagssprachlichen Erzählen der Kinder ist, Wort- und Syntaxformen anbietet, über die Kinder grundsätzlich verfügen. Wenn Autorinnen und Autoren in »einfacher« Sprache vorzeigen, wie sich tiefe Erfahrungen in wenigen Sätzen verdichten und als Text reiche Imaginationen anregen können, vermitteln sie den Kindern Impulse zum eigenen Schreiben und hilfreiches Handwerk.

Besonders deutlich zeigt sich das in Schreiben, mit welchen Kinder auf Bücher von *Gudrun Mebs* reagiert haben. Ihr parataktisch lineares Erzählen, mit der die Autorin Innigkeit und emotionale Spannung darstellt, ihr direkter und schneller Erzählstil kommt den Grundschulkindern und ihren Schreibfähigkeiten offensichtlich entgegen und ermöglicht ihnen Texte, die ihrerseits zum Leseerlebnis werden.

> *Marie moritz*
> *Nagel & Kimche*
> *Gudrun Mebs.*
>
> ---
>
> *Eine Familie bekommt*
> *ein zweites Kind es heisst*
> *als Mädchen Marie und als*
> *Bub Moritz, der Vater*
> *möchte ein Moriz aber.*
> *Davit mochte lieber eine*
> *Marie. Er sagt es ist noch*
> *nicht sicher ob es eine Marie*
> *oder einen Moritz gibt.*
> *Darum nennen wir ihn oder*
> *sie Mariemoritz.*
>
> 95

»Mariemoritz« aus dem Lesejournal von Sibille.

Zum Beispiel Sibille (4. Schuljahr): Schreiben lernen bei Gudrun Mebs
Sibille hat »Mariemoritz« *(Gudrun Mebs)* gelesen: die Geschichte von der Ankunft eines kleinen Geschwisters, von seiner anfänglichen Winzigkeit und Unbeholfenheit, von seinem störenden Geschrei und seinem Grösserwerden, erzählt aus der Perspektive des älteren Bruders David und seinen sehr widersprüchlichen Empfindungen gegenüber dem niedlichen und nervenden Bündel. Zu diesem Buch schreibt Sibille ihre erste längere Eintragung: »*Eine Familie bekommt ein zweites Kind es heisst als Mädchen marie und als bub Moritz, der Vater möchte ein Moriz aber Davit möchte lieber eine Marie ... Etwa 2 Woche später gebar Marie. Sie ist süss sagt David. Es wirt aber bald undgemütlich, weil Marie immer in der nacht schreit ...*«

Sie übernimmt zunächst die von *Mebs* gewählte Er-Form und versucht eine Zusammenfassung, die zunehmend ins eigene Erzählen übergeht.Wenn die Nächte »sehr ungemütlich« werden, bewegt sich Sibille weiter weg von der Vorlage, gerät mitten hinein in einen eigenen Text und erzählt in der Ich-Form weiter. Dabei gelingt ihr ein Satz, der in seiner steigernden Reihung die Ambivalenz von Gereiztheit und Gelassenheit perfekt vermittelt:

»... am Tag mochte sie immer schlafen und schlafen, aber in der Nacht ist sie immer laut, sehr laut, über laut, über über laut, und ich erwache auch nicht mer so viel.«

Mit ihrem Text nach *Gudrun Mebs*, von dem kein Satz einfach kopiert ist, vermittelt uns Sibille ein Beispiel dafür, wie hilfreich und anregend kinderliterarisches Erzählen für die Schreibentwicklung sein kann und was Kinder aus dem Leseangebot für ihre eigenen Texte, für ihre Schreibmotivation und ihre Schreibsicherheit gewinnen.

Wenn die Grundschule vielseitige und attraktive Lesestoffe anbietet, wenn sie den Kindern Lese- und Schreibzeit zur Verfügung stellt, wenn Lehrerinnen und Lehrer beraten und begleiten, stehen den Kindern verschiedene Wege offen, sich mit Schrift vertraut zu machen. Sie bewegen sich und arbeiten in derselben Unterrichtsanlage und durchlaufen dabei verschiedenste, individuelle Entwicklungen. Allzu häufig bleiben uns dabei wichtige Stationen verborgen; zu viel geschieht auf einmal im Klassenraum. Mit den Lesejournalen vermitteln uns die Kinder aber häufig die Sicht, die wir zur Stütze und zur Förderung ihres Lese- und Schreibprozesses brauchen. Und spannende Lektüre sind die Journale allemal.

Literatur:
Bambach, Heide (1989): Erfundene Geschichten erzählen es richtig. Lesen und Leben in der Schule. (2. Aufl., 1993, Libelle Verlag: Lengwil).
Bertschi-Kaufmann, Andrea/Gschwend-Hauser, Ruth (1995): Mädchengeschichten – Knabengeschichten. 3 Textbände und Materialien für einen differenzierenden Literaturunterricht auf der Sekundarstufe I. sabe: Zürich.
Bertschi-Kaufmann, Andrea (1995): Schullektüre und Leseerfahrung. In: schweizer schule Heft 12/95. Friedrich Reinhardt Verlag: Basel.
Blesi, Pankraz (1995): Bedeutsame Leseerfahrungen ermöglichen. In: Schweizer Lehrerinnen- und Lehrerzeitung, November 1995.
Boueke, Dietrich et al. (1995): Wie Kinder erzählen. Untersuchungen zur Erzähltheorie und zur Entwicklung narrativer Fähigkeiten. Wilhelm Fink Verlag: München.
Eggert, Hartmut/Garbe, Christine (1995): Literarische Sozialisation. Metzler: Stuttgart.
Franzmann, Bodo u. a.(Hrsg.) (1995): Auf den Schultern von Gutenberg – Medienökologische Perspektiven in der Fernsehgesellschaft. Quintessenz: Berlin und München.
Hurrelmann, Bettina/Hammer, Michael/Niess, Ferdinand (1993/6): Leseklima in der Familie. Bertelsmann: Gütersloh.
Niemann, Heide (1995): Lesen als Teil der Schulkultur. In: Stiftung Lesen (Hrsg.), Lesen in der Schule. Verlag Bertelsmann Stiftung: Gütersloh.
Rosebrock, Cornelia (Hrsg.) (1995): Lesen im Medienzeitalter. Biographische und historische Aspekte literarischer Sozialisation. Juventa: Weinheim und München

Gabriela Will / Ute Külper

Kinder – Computer – Bücher

DER BÜCHERSCHATZ:
ein Bibliotheks-Online-Katalog für Kinder

Es wird einmal ...

Larissa und *Jan* sind Freunde, und wie so oft spielen sie in der Kinderbibliothek. Ihr Lieblingsspiel ist »Schatzsuche«. Die Spielregeln sind einfach: Der »Schatzkönig« sucht in den Regalen der Kinderbuchecke nach einem Buch, das man unbedingt lesen sollte. Diesen »Schatz« beschreibt er dem »Schatzsucher«. Dabei muß mindestens ein Teil des Titels verraten werden. Der Schatzsucher kann durch geschicktes Nachfragen Hinweise zum Buchcover, zum Zeichen auf dem Buchrücken oder zum Inhalt erhalten. Alle Fragen werden vor Beginn der Schatzsuche gestellt. Für die Suche hat der Schatzsucher so lange Zeit, wie der Schatzkönig braucht, um an allen Regalen der Bibliothek entlangzuschlendern. Dann muß er noch das Alphabet aufsagen und einen Witz aufschreiben. Findet der Schatzsucher vorher das Buch, darf er es ausleihen. Sonst nimmt der Schatzkönig das Buch mit nach Hause.

Heute ist *Jan* der Schatzsucher, der der Schatzkönigin *Larissa* den Schatz rauben will. Sie hat ihm erzählt, daß sie ein spannendes Buch über einen heimlichen Hund namens Axi gefunden hat. *Jan* fragt noch, ob ein Hund auf dem Cover abgebildet ist. Jetzt rennt er durch die Regale. So viele Bücher! Plötzlich kommt ihm eine Idee. In der Bibliothek steht ein Computer mit einem Programm extra nur für Kinder, die noch in die Grundschule gehen. Er schleicht sich an den Computer heran und beginnt die Suche nach dem Schatz ...

Zur Entstehung von BÜCHERSCHATZ

Zunehmend werden in öffentlichen Bibliotheken elektronische Kataloge für die Suche nach Medien bereitgestellt. Fast immer handelt es sich bei diesen Katalogen um textorientierte und für Erwachsene gestaltete Programme, die von Kindern nicht verstanden werden. Der Fachbegriff für diese elektronischen Publikumskataloge ist »Online Public Access Catalog« (OPAC). Gerade jüngere Kinder haben intellektuelle und motorische Probleme bei der Eingabe exakter Suchtermini über eine Tastatur (vgl. *Edmonds u.a. 1990, Hooten 1989*). Eine von *Solomon* durchgeführte Untersuchung zeigt, daß Kinder der Altersgruppe zwischen acht und zehn Jahren nach einfachen, konkreten Begriffen wie z.B. Katzen, Hunde, Dinosaurier suchen und daß die Menge der die Kinder interessierenden Themen gering ist. Die 100 am häufigsten verwendeten Begriffe decken 51 % aller Suchtermini ab (vgl. *Solomon 1993*). Eine Zusammenstellung dieser und weiterer Forschungsergebnisse findet sich in *(Schulz 1995)*.

Die Professorin *Ursula Schulz* der Fachhochschule Hamburg, Fachbereich Bibliothek und Information, die sich seit längerer Zeit mit Online-Katalogen für Laien und insbesondere für Kinder beschäftigte, rief im Herbst 1994 das Projekt »Kinder-OPAC« ins Leben. Ziel war, in interdisziplinärer Zusammenarbeit einen Bibliotheks-Online-Katalog für Kinder zu erarbeiten. Ein Team, das aus der Professorin, einem Designer, StudentInnen des FB Bibliothek und Information und den Autorinnen als Diplomandinnen des FB Informatik der Universität Hamburg bestand, entwickelte innerhalb von neun Monaten den Kinder-OPAC BÜCHERSCHATZ. Er ist ein Prototyp, der Ideen aufzeigt und sich an die Zielgruppe acht- bis zehnjährige Kinder richtet. Der Vorläufer von BÜCHERSCHATZ ist von den am Projekt Beteiligten und von Kindern einer Hamburger Grundschulklasse getestet worden. Die aus dieser Bewertung hervorgegangenen Verbesserungsvorschläge und Änderungswünsche sind in dem hier vorgestellten Prototypen eingeflossen.

Mit BÜCHERSCHATZ wird nicht das Ziel verfolgt, allen denkbaren Suchthemen gerecht zu werden. Unser Fokus ist, die Kinder als BibliotheksbenutzerInnen ernst zu nehmen und ihnen mit BÜCHERSCHATZ ein Instrument zur Buchrecherche zur Verfügung zu stellen, das die häufigsten Suchabfragen von Kindern abdeckt und ihren kognitiven Fähigkeiten entspricht. In BÜCHERSCHATZ wird auf Eingaben über die Tastatur verzichtet und ausschließlich die Maus als Eingabegerät eingesetzt. Das Angebot der Suchthemen ist begrenzt. Die Auswahl der Themen erfolgte aufgrund umfangreicher Recherchen durch StudentInnen des Fachbereiches Bibliothek und Information. Die Suchthemen sind in einer zwei- bzw. dreistufigen Suchhierarchie angeordnet. Farbenfrohe Bilder aus der Welt der Kinder unterstützen das Wiedererkennen der Hierarchiestufen. Die Grafiken sind von dem Designer gezeichnet worden. Die Benennungen der Suchthemen orientieren sich an der Sprache der Kinder. Das Entwicklungsteam von BÜCHERSCHATZ hat Befragungen von Kindern hinsichtlich der Verständlichkeit von Benennungen durchgeführt. Die zu den Suchthemen gefundenen Titel werden kindgerecht präsentiert. Es werden keine bibliothekarischen Fachausdrücke verwendet. Die StudentInnen der FHS haben ein kindgerechtes Konzept für die Erschließung von Kinderliteratur entwickelt und Bücher entsprechend dieses Konzeptes erschlossen.

Eingangsbildschirm und Sucheinstieg

Das Eingangsbild von BÜCHERSCHATZ enthält Bildelemente wie kleine Kinder, Lagerfeuer, eine Schatzkiste usw., die die Kinder neugierig machen sollen. Beim Bewegen des Mauszeigers erscheinen kurze lustige Texte, die den Entdeckungscharakter von BÜCHERSCHATZ symbolisieren.

Ein Klick mit der Maus an irgendeiner Stelle dieses Bildschirms führt zur Anzeige der ersten Hierarchiestufe.

Abbildung 1:
Die erste Hierarchiestufe: der Sucheinstieg
in BÜCHERSCHATZ

Der Aufbau der Bildschirmoberfläche in BÜCHERSCHATZ ist immer identisch. Im oberen Bildbereich befinden sich Werkzeuge, mit denen das Kind durch das System navigieren (»von vorn«, »zurück«), Hilfe anfordern oder die Gefährtin »Susi« anwählen kann. Funktionsideen für Susi sind z. B. das Starten eines Lernprogramms für BÜCHERSCHATZ, die Anbindung eines Kinderlexikons oder die Unterstützung der Buchauswahl bei überlangen Titellisten. Unterhalb der Werkzeugleiste befindet sich die Überschriftenzeile, deren Inhalt jeweils mit dem Inhalt des Arbeitsbereiches korrespondiert. Der Arbeitsbereich nimmt den größten Teil der Bildschirmoberfläche ein. In *Abbildung 1* sind im Arbeitsbereich die drei Wahlmöglichkeiten für einen Sucheinstieg dargestellt.

Unter dem Sucheinstieg »Bei der Krake ist es spannend und lustig« ist hauptsächlich belletristische, aber auch Sachliteratur zu Themen wie z. B. »Käpt'n Blaubär und andere lustige Figuren«, »Pferdebücher«, »Indianer, Detektive und Abenteurer« zu finden. »Die Möwe kennt das Leben« steht für Literatur, bei der es um Themen wie »Gefühle«, »Sex«, »Gewalt«, »Familie« usw. geht. Der Sucheinstieg »Der Pirat weiß viel« enthält hauptsächlich sachliche, aber auch belletristische Literatur zu Themen wie »Tiere«, »Bäume und Pflanzen«, »Ostern, Weihnachten und andere Feste«. Die Benennungen der Sucheinstiege erfolgte aufgrund von Ergebnissen aus der Bewertung des Prototypen durch Kinder. Die Kinder bezeichnen Bildschirmelemente entsprechend den grafischen Darstellungen. Typisch war z. B. der Ausspruch von Kindern: »Nimm mal' die Krake.«

Die Themenkärtchen in der zweiten Hierarchiestufe

Zu jedem Sucheinstieg gibt es Themenbereiche, die auf Themenkärtchen dargestellt werden. Die Themenkärtchen erscheinen, sobald der Mauszeiger bewegt wird. Sie verschwinden, wenn der Mauszeiger in den Bildhintergrund bewegt wird, d. h. beim Verlassen des Arbeitsbereiches. So kann ein Kind entweder eine schöne Grafik anschauen oder durch entsprechende Mausbewegungen die Themenkärtchen »aufblättern«. Dieses Prinzip unterstützt den Entdeckungscharakter von BÜCHERSCHATZ und ermöglicht es den Kindern, sich die Texte auf den Themenkärtchen nacheinander und in ihrem Tempo zu erschließen. Der Bildschirm ist nicht von Anfang an mit vielen zu lesenden Texten überfrachtet.

Klickt man z.B. auf den in *Abbildung 1* dargestellten Sucheinstieg »Der Pirat weiß viel«, erscheint die folgende zweite Stufe der Suchhierarchie. Das Bildelement »Pirat« ist in der Abbildung durch das Themenkärtchen »Tiere« verdeckt.

Abbildung 2:
Eine zweite Hierarchiestufe:
Das Suchbild zu »Der Pirat
weiß viel«: sechs von zehn
Themenkärtchen sind aufgedeckt

Einige der Themen auf dieser Ebene führen bei Mausklick auf ein Kärtchen direkt zur Datenanzeige. In der Regel erscheint jedoch eine dritte Hierarchiestufe, bei der wiederum zehn Themenkärtchen vorgehalten werden.
Die folgende Abbildung zeigt die dritte Stufe zum Thema »Tiere«.

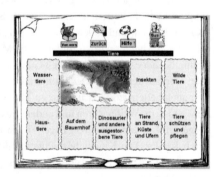

Abbildung 3:
Eine dritte Hierarchiestufe:
Das Suchbild »Tiere«: acht von zehn
Themenkärtchen sind aufgedeckt

Analog zu der hier gezeigten Verfeinerung zum Thema »Tiere« sind zu den anderen Suchthemen der ersten bzw. zweiten Hierarchiestufe jeweils maximal zehn Verfeinerungen vorhanden. In BÜCHERSCHATZ können auf diese Weise bis zu 300 Suchthemen angeboten werden.
Die Bewertung des Prototypen durch Kinder hat gezeigt, daß Kinder bei einer konkreten Aufgabenstellung wie z.B.: »Du wünschst Dir zu Weihnachten ein Meerschweinchen und möchtest schon jetzt viel über diese Tiere wissen. Suche ein Buch dazu!«, die relevanten Themenbereiche anwählen und entsprechende Literatur finden. Ohne konkrete Aufgabenstellungen durchsuchen sie die Angebote in BÜCHERSCHATZ und wählen spontan die sie aktuell interessierenden Themen. Dieses Vorgehen folgt der Idee der Schatzsuche.

Die Kinder orientieren sich bei der Suche an den Hintergrundgrafiken. Beherrschende Bildelemente wie der Pirat, die Möwe und die Krake erscheinen sowohl im Sucheinstieg als auch in den Hintergrundgrafiken der zugehörigen zweiten Hierarchiestufe. Durch dieses Prinzip können die Kinder die Suchwege unterscheiden und benennen. In der dritten Hierarchiestufe wird zur Zeit bei allen Sucheinstiegen dieselbe Grafik verwendet.

Die Datenanzeige

Wird ein Themenkärtchen der dritten Hierarchiestufe angeklickt, erfolgt die Suche entsprechender Literatur in einer Datenbank. *Abbildung 4* zeigt das Recherche-Ergebnis nach einem Mausklick auf das Themenkärtchen »Tiere schützen und pflegen«.

Abbildung 4:
Datenanzeige zum Thema
»Tiere schützen und pflegen«

Der Arbeitsbereich ist zweigeteilt. Auf der linken Seite werden die gefundenen Titel angezeigt. Das Detailblatt rechts zeigt zugehörige, das angewählte Buch beschreibende Daten. Es existieren drei Detailblatt-Ebenen, von denen die erste in *Abbildung 4* zu sehen ist. Hier werden Titel, Handlung des Buches, Buchgattung, Autor und Signatur angegeben. Bei Klick auf den Pfeil rechts unten in der Abbildung wird als zweite Detailblattebene das Buchcover dargestellt. Zusätzlich werden in Form kurzer Begriffe (wie z. B. spannend oder lustig) Aussagen zur Leseerfahrung gemacht. Als dritte Ebene wird bei Klick auf das Buchcover eine dem Buch entnommene Leseprobe angezeigt. Bei allen drei Detailblatt-Ebenen kann in der Titelliste geblättert werden, indem der Pfeil am unteren bzw. am oberen Ende der Leiter angeklickt wird.

Der durch Kinder bewertete Prototyp enthielt nur die in *Abbildung 4* angezeigte Detail-Ebene. Die Bewertung des Prototypen durch Kinder hat gezeigt, daß die Korrespondenz zwischen Titelliste und Detailblatt von Kindern verstanden wird. Sie lesen die angebotenen Texte durch. Oft haben die Kinder zu jedem Titel die Detailangaben angefordert und durchgelesen.

Insgesamt wurde der den Kindern vorgestellte Prototyp positiv bewertet. Sie hatten Spaß am Erforschen des Systems, an den schönen Grafiken und hätten manchmal auch gerne ein angezeigtes Buch sofort aus einem Regal geholt. Die Bewertung fand jedoch in einer Grundschule statt. Eine Bewertung des hier vorgestellten Prototypen BÜCHERSCHATZ durch Kinder in einer Bibliothek steht noch aus.

Abschließende Betrachtung

Eine Grundschullehrerin, der wir vom Projekt Kinder-OPAC erzählten, äußerte sich skeptisch zu diesem Vorhaben und wendete ein, daß die Kinder »doch auch lernen sollen zu fragen«. Dahinter steht die Vorstellung, daß ein OPAC für Kinder ein weiterer Schritt zu einer seelenlosen, vollautomatisierten Welt ist und den direkten Kontakt mit der Bibliothekarin verhindert. Ein EDV-System, das Benutzer zu sozialen Kontakten zwingt, weil sie es sonst nicht bedienen können, ist nach dieser Logik das »menschlichere« System, denn die Benutzer »lernen zu fragen«. Unser Ziel ist, die Autonomie der Kinder zu erhöhen. Genau wie die Regalhöhe in Kinderbibliotheken der Größe von Kindern angepaßt ist, um ihnen ein selbständiges Suchen in den Regalen zu ermöglichen, erhöht ein kindgerecht gestalteter OPAC die Autonomie und die Spielräume der Kinder. Niemand würde auf die Idee kommen, extra hohe Regale zu bauen, damit Kinder die Hilfe der Bibliothekarin benötigen, um sich ein Buch anzusehen.

Das direkte Gespräch zwischen Kind und BibliothekarIn wird durch BÜCHER-SCHATZ nicht unterbunden. Er ist eine Ergänzung zur Informations- und Beratungstätigkeit der Bibliothekarin. Unser Fokus liegt auf ihrer Entlastung, nicht in ihrer elektronischen Ersetzung, und auf der Erhöhung der Autonomie der Kinder. Kinder interessieren sich für Computer und stellen einen großen Anteil der BibliotheksbenutzerInnen. Ein spielerischer Umgang mit einem für Kinder neuen Werkzeug Computer ist ein weiterer Weg zu einem alten Medium Buch. BÜCHERSCHATZ zeigt eine Möglichkeit, wie dieser Weg gestaltet werden kann. Ein elektronischer Katalog ist dann neben dem direkten Gang zum Regal oder zur Bibliothekarin ein weiteres Hilfsmittel für die Buchrecherche.

Literatur:

Edmonds, L./Moore, P./Mehaffey Balcom, K. (1990): The Effectiveness of an Online Catalog. In: School Libary Journal, 36. Jg., H. 10, 28–32.

Hooten, P. (1989): Online Catalogs: Will They Improve Children's Access? In: Journal of Youth Services in Libraries, 2. Jg., H. 3, 267–272.

Külper, U./Will, G. (1996): Das Projekt BÜCHERSCHATZ. Interdisziplinäre und partizipative Entwicklung eines kindgerechten Bibliotheks-Online-Kataloges. Diplomarbeit. Universität Hamburg, Fachbereich Informatik.

Schulz, U. (1995): Das Projekt »Kinder-OPAC« am Fachbereich Bibliothek und Information der FH Hamburg. In: Fachbereich Bibliothek und Information (Hrsg.): Biblionota. 50 Jahre bibliothekarische Ausbildung in Hamburg. 25 Jahre Fachbereich Bibliothek und Information. Waxmann: Münster / New York, 203–224.

Solomon, P. (1993): Children's Information Retrieval Behavior: A Case Analysis of an OPAC. In: Journal of the American Society for Information Science, Jg. 44, H. 5, 245–264.

*Weitere Diplomarbeiten (*Ansprechpartnerin: Professorin Ursula Schulz, FHS Hamburg, FB Bibliothek und Information):

Hansen, B. (1996): Kindgerechte Erschließung im OPAC am Beispiel des »Bücherschatz«. Diplomarbeit. Fachhochschule Hamburg, Fachbereich Bibliothek und Information. Voraussichtlicher Fertigstellungstermin: Juli 1996.

Köhn, M. (1996): Benutzerforschung und medienpädagogische Betrachtung. Diplomarbeit. Fachhochschule Hamburg, Fachbereich Bibliothek und Information. Voraussichtlicher Fertigstellungstermin Juli 1996.

Wendt, H. (1996): Grafische Gestaltung einer Benutzungsoberfläche am Beispiel des »Bücherschatz«. Diplomarbeit. Fachhochschule Hamburg, Fachbereich Bibliothek und Information.

Peter Fuchs

Zu Musik Geschichten und Theater erfinden

I. Annäherungen an Musik über das Erzählen und Theaterspielen

Über das Erklären und Verstehen von Werken der Musik stehen sich seit Jahrhunderten zwei musikästhetische Auffassungen gegenüber. Durch die kurze Beschreibung der beiden Auffassungen werden zugleich zwei unterschiedliche musikpädagogische Grundeinstellungen beleuchtet.

1. Gegen eine Gefühlsästhetik

»Die Zeit jener ästhetischen Systeme ist vorüber, welche das Schöne nur in bezug auf die dadurch wachgerufenen ›Empfindungen‹ betrachtet haben. Der Drang nach objektiver Erkenntnis der Dinge, soweit sie menschlicher Forschung vergönnt ist, mußte eine Methode stürzen, welche von der subjektiven Empfindung ausging.« Mit diesen Sätzen beginnt *Eduard Hanslicks* Schrift »Vom Musikalisch-Schönen« aus dem Jahre 1854. Er streitet nicht ab, daß Musik mit Gefühlen zu tun hat, aber der Wirkung der Musik kann man nur beikommen, wenn man »die Gesetze ihres eigenen Organismus zu erklären« versucht. In der Beobachtung und Beurteilung von Musik geht es um Tatsachen. Vor allem die Form der Musik ist wichtig, denn Musik ist eine abstrakte Klangbewegung, ist »tönend bewegte Form«.[1] Für *Hanslick* sind es deshalb die rein musikalischen Elemente, die wichtig sind: Melodie, Rhythmus, Harmonie, Klangfarbe, Tonart, Tempo, Ornamentik, Formverlauf usw. Es ist dies die wissenschaftliche Annäherung an die Musik. Vor allem Fachmusiker befolgen diesen Weg zur Erklärung der Musik. Die Kenntnis und Anwendung der Fachsprache auf das Hörwerk ist Grundlage und Ziel allen Redens über Musik. Was ich fühle, besitzt »weder die Notwendigkeit, noch die Stetigkeit, noch endlich die Ausschließlichkeit, welche eine Erscheinung aufweisen müßte, um ein ästhetisches Prinzip zu begründen«, meint *Hanslick*. Er leugnet nicht die Wirkung der Musik auf Gefühle und Fantasie, nur sind sie nicht exakt und wissenschaftlich erklärbar.

Ausgebildete Fachlehrer für Musik favorisieren den Weg von dem »alleinigen Inhalt und Gegenstand der Musik, der tönend bewegten Form« zum contemplativen Hören, der »einzig künstlerischen Form« des Hörens.

Ihnen ist die affektiv-emotionale Annäherung an Musik suspekt. Sie lieben es nicht, wenn Außermusikalisches in der Musik gesucht wird. Selbst der Romantiker *Schumann* schreibt wie zur Entschuldigung über die poetischen Über-

---

1 *Eduard Hanslick:* Vom Musikalisch-Schönen, Wissenschaftliche Buchgesellschaft, reprografischer Nachdruck der Ausgabe von 1854, Band LXXXI der Reihe Libelli, 1965.

schriften in den Kinderszenen, sie sind »natürlich erst nach der Komposition« entstanden. Und in einer Abhandlung über die Phantastische Symphonie von *Hector Berlioz* schreibt er: »Man irrt sich gewiß, wenn man glaubt, die Komponisten legten sich Feder und Papier in der elenden Absicht zurecht, dies oder jenes auszudrücken, zu schildern und zu malen.«

2. Musik ist Ausdruck und Gefühl

Wer der anderen Musikanschauung anhängt, projiziert seine eigenen Empfindungen und Leidenschaften in die Musik, gibt sich dem Rausch der Töne hin, genießt Musik als Kunst des Gefühls. Gemütsbewegungen sind Sinn und Ziel des Komponierens, Musizierens und Hörens. Für *Liszt* – einen Antipoden *Hanslicks* im 19. Jahrhundert – ist Musik als Inkarnation des Gefühls die ästhetische Grundlage allen musikalischen Schaffens und Gestaltens, denn Musik ahmt die Natur, außermusikalische Vorgänge und auch menschliche Empfindungen und Affekte nach. Schon *Quantz* wollte als Komponist und Flötenspieler im 18. Jahrhundert »Leidenschaften erregen und wieder stillen«.

Volkstümliche Namen musikalischer Werke und Überschriften der sog. Programmusik beziehungsweise der darstellenden Musik weisen auf diesen Weg. Titel und Namen bezeichnen meist schon Sichtbares, Erlebbares oder Hörbares: Die Moldau, Die Jahreszeiten, Der Elefant, Der Esel, Aquarium, Till Eulenspiegel, Regentropfenpräludium, Die kleine Eisenbahn, In der Halle des Bergkönigs, Der Feuervogel, In der Wolfsschlucht, Die Uhr, Wassermusik, Bilder einer Ausstellung, Carneval der Tiere, Fontana di Roma, Perpetuum mobile, Auf dem Lande usw.

Manche Namen und Titel sind »offen« und legen dadurch das Hören nicht fest, andere dagegen sind »einengend« und blockieren daher die Hörfantasie. Die Überschriften geben dem Vorstellen und auch Fühlen des Hörers meist eine Richtung, doch sind sie nie eindeutig. Deshalb ist es unnötig, dem Hörer vorher zu sagen, was er zu erwarten hat. Es ist besser, man läßt ihm Raum für seine Fantasie.

Nichtfachlehrer, das sind dilettierende Liebhaber der Musik, sie unterrichten besonders in der Grundschule, favorisieren den Weg vom Erlebnis zur Theorie. Über die beim emotionalen Anhören von Musik aufkommenden und danach zur Sprache gebrachten Affekte, Empfindungen und Bilder führt der Weg zur Musik als tönend bewegter Form, d.h. zur Theorie der Musik und ihrer Fachsprache. Subjektivität und Emotionalität beim Umgang mit Musik sind Hilfen zur Überwindung der Isolationszone um Musik, die durch den zu frühen Gebrauch der Fachsprache oft aufgebaut wird und deshalb eher abschreckt.

Das unvoreingenommene Zuhören, Beobachten, Mitverfolgen und das anschließende »unbekümmerte« Fabulieren über die Wirkung der Musik, wie es sich bei Kindern und »unverbildeten« Jugendlichen und »mutigen« Erwachsenen beobachten läßt, fördert die Entwicklung des Sprechens über Musik. Daß im Unterricht dieser methodische Weg bevorzugt wird, hängt auch damit zusammen, daß Musik besonders in der Grundschule nicht als Fach, sondern als fächerübergreifende, mehrperspektivische, ästhetische Disziplin gilt. Hören ist als ein subjektiver Vorgang immer in ein vielfach abgestuftes Lebensverständnis eingebunden. Hören und Reagieren gehören immer zusammen, jedem Eindruck folgt eine Resonanz. Sich mit Hören und Gehörtwerden, mit Aktion und Reaktion, mit Fragen und Antworten, mit Kommunikation auseinanderzusetzen gehört zum Unterrichtsalltag. Es liegt daher nahe, zumindest in der Grundschule nicht vorrangig den Fachaspekt in den Vordergrund zu schieben.

Die beiden musikästhetischen Anschauungen sind also keine Gegensätze. Beide Ansätze verweisen aufeinander. Die unterschiedlichen unterrichtlichen Ansätze sind nur Gewichtsverlagerungen, methodische Entscheidungen in der Abfolge: einmal von der Theorie zum Erlebnis, das andere Mal vom Erlebnis über die Fantasie zur Theorie.

II. Pädagogischer Bericht

Im folgenden berichte ich von einem Unterricht, der beim Erleben ansetzt und zur Theorie führt. Ein Ziel des Unterrichtens war es, den einzelnen zum Sprechen über seine Empfindungen und Erlebnisse beim Musikhören zu ermutigen, um anschließend die Fachkompetenz zu erweitern.

Kinder erzählen spontan, was ihnen einfällt, wenn sie Musik hören. Die Geschichten, die sie erfinden, tragen biografische Züge, sind aber von musikalischen Eindrücken beeinflußt. Das Biografische in den folgenden Erzählungen interessiert hier weniger, wichtiger und interessanter sind die Inhalte der Geschichten und Szenen, die sich als »Analyse« der Musik« interpretieren lassen. Das Erzählen und Beschreiben der Musik, meist nach mehrmaligem Hören, muß man bei kleineren Kindern mit dem Mikrofon »mithören«, um es nachher aufschreiben zu können. Bei Älteren und Erwachsenen läßt man die Geschichten selbst schreiben.

Geschichten zur Musik

Nach dem ersten Hören eines Musikstücks hat mir ein Sechsjähriger diese Geschichte erzählt:

>»An einem schönen Herbsttag riß ein Hase von zu Hause aus, um allein durch die Wälder zu hoppeln. Hundert Meter von zu Hause entfernt, sieht er einen Jäger. Sofort dreht er um und springt über die Tannen, so schnell er kann. Der Jäger wollte ihn erschießen, traf ihn aber nicht. Abgehetzt kommt der Hase nach Hause und erzählt alles seiner Mutter. Er sagt, er will nie mehr allein in den Wald springen.«

Hätte ich die Hörerwartung vor dem Hören mit der Überschrift des Musikstückes fixiert, hätte ich diese Geschichte nicht aufschreiben können, weil die Hörfantasie auf den Inhalt eingeengt worden wäre, der durch den Titel des Musikstücks beschrieben wird.

Nun zwei Geschichten von Neunjährigen, die unter gleichen Bedingungen die Musik gehört haben:

Name ℥ Alexandra?

Kichererbse Anni

Anni die Kichererbse wohnt in den alten Konservenbüchse im Müllplatz. Ihre Verwandten sind nicht mehr sie sind von der Familie Maier verspeist worden, sie hatte Glück gehabt. Eines Tages ist Kichererbse Anni aus der Konservendose ausgebüchst. Sie spazierte in den Wald, dort war auf einmal ihr stärkster Feind Willi Floh der Hund vom Müllplatz. Er ist bestimmt auch ausgerissen ich verstecke mich lieber hinter der Blume dachte sie. Zum Glück hat Willi Floh sie nicht entdeckt, sie spazierte weiter. Jetzt war sie eben auf einem Berg sie ging langsam hinunter, daß ja sehr steil war für Kichererbse. Plötzlich stolperte sie über einen Grashalm den er im Wege lag, jetzt rollte sie den ganzen steilen Berg hinunter sie wurde immer schneller und schneller doch da lag ein Stein im Wege der sie aufhielt. Sie hatte zwar jetzt eine Beule aber es war doch sehr gut als sie nämlich hinunterschaute war da ein Buch. Sie zitterte am ganzen Körpern vor Schreck. Dieser Ausflug war ihr doch zu aufregend, deshalb beschloß sie in ihre Konservenbüchse zurückzukehren.

Ende?

Märchen

Es war einmal ein kleines Mädchen, das tanzte für sein Leben gern. Doch leider hatte es am Tage keine Zeit dafür: Es mußte in die Schule gehen, Hausaufgaben machen, einkaufen, spielen oder seine Freunde besuchen. Und so träumte es jede Nacht von einem Tanz. Der schönste Traum war dieser:
Es saß im Wald auf einer Lichtung, in deren Mitte ein Feuer brannte. Kleine braune Kobolde huschten nach und nach zwischen den Bäumen hervor und begannen, um das Feuer zu hüpfen. Am Rande saßen andere Wesen und musizierten, während die Zwerge immer schneller und wilder tanzten. Plötzlich er-

schienen wundersame Gestalten mit langen Bärten und mischten sich unter die Kobolde. Und als das Getümmel am wildesten wurde, sprang das kleine Mädchen hinzu und tanzte mit, bis mit einem lauten Schlag die Musik endete – und es in seinem Bett erwachte.

Studierende des ästhetischen Gegenstandsbereichs, die nicht Musik als Fach studierten, hörten dieselbe Musik wie der Sechsjährige und die Grundschüler – ebenfalls ohne Vorinformation. Sie erzählten bzw. schrieben nach dem Hören die folgenden Geschichten:

Im Labyrinth

Ich befinde mich mitten in einem fast stockdunklen Labyrinth, sehe nur Mauern und Wege, probiere eine Richtung aus, ende in einer Sackgasse, stoße an eine Mauer, schlage einen anderen Weg ein. Wieder eine Mauer. Neuer Versuch … usw.

Endlich entdecke ich einen unendlich langen geraden Weg und an dessen Ende einen winzigen Lichtfleck.

Endlich! Gott sei Dank! Der Ausweg! Ich versuche zu rennen, renne immer schneller. Panik erfaßt mich. Ich renne, renne. Wände sausen an mir vorbei. Immer näher kommt der Ausgang auf mich zu. Der Lichtfleck wird größer und größer. Mir wird ganz schwindelig. Geschafft! Ich taumle ins Grüne, drehe mich noch ein paarmal ruckartig um. Das grelle Tageslicht blendet mich. Ich falle erschöpft zu Boden.

Eine Nachricht verbreitet sich

»Habt ihr schon gehört, gehört: König tot! König tot!
Unser König, der ist tot, der König, der ist tot.«

Der Leibwächter berichtet es dem Hofmeister: »Habt ihr schon gehört …« Der Hofmeister berichtet es dem Pagen, der Page berichtet es der Köchin, die Köchin der Küchenmagd, die Küchenmagd dem Gärtner, der Gärtner dem … Es spricht sich in Windeseile herum. Ungläubig fragend, zögernd reagieren die Leute: »Kann es sein, was wird aus uns?«

»Habt ihr schon gehört, gehört!« Immer lauter werden die Stimmen, die Menschen laufen vor dem Schloß zusammen, drängen sich dicht aneinander. Als die Nachricht auch ins letzte Haus gedrungen ist, bricht ein Jubel aus, dem sich auch die Gefolgsleute des Königs nicht entziehen können. Sie stimmen erst zögernd, dann mächtig ein.

Aus anfänglicher Bestürzung wird Befreiungstaumel, denn der König war mehr gefürchtet als geliebt.

Bewegungsspiele zur Musik

Die Geschichte von der Nachricht, die sich verbreitet, könnte man auch als Vorlage für ein musikalisches Theater nehmen. Man verteilt Rollen: der Leibwächter, der Page, der Hofmeister, die Köchin, das Volk ... Einer sagt es dem andern, bis schließlich alle jubelnd einstimmen und sich in die Arme fallen.

Das folgende Bewegungstheater wurde bei einer Projektveranstaltung von Studierenden entwickelt. Das erste Hören geschah mit geschlossenen Augen. Beim zweiten Hören des Musikstücks konnte jeder ein Bewegungsspiel aus dem Erleben zu dieser Musik erfinden. Danach einigte sich eine Gruppe auf die nachfolgende Thematik. Mehrfach wurde die Szene mit Musik geübt, denn alle Spiel- und Bewegungsimpulse mußten auf die Musik abgestimmt werden.

Akkordarbeit am Förderband:
In zwei Reihen sitzen – knien – stehen sich Personen wie Arbeiter an einem Förderband gegenüber. Der Aufseher vor dem Band schaltet beim langen Ton des Anfangs das Band an. Im pantomimischen Spiel wird von einem Vorarbeiter ein Gegenstand aufs Band gelegt, das nun von Paar zu Paar im Rhythmus der Musik von den sitzenden zu den knienden und dann zu den stehenden Paaren nach oben befördert wird. Die Paare einigen sich auf eine gemeinsame Bewegungsabfolge. Die Transportbewegungen werden immer rascher und hektischer. Der Aufseher treibt von außen die Arbeiter an, indem er immer schneller um das Förderband herumgeht. Gegen Ende »erwischt« der Vorarbeiter aus Versehen den Aufseher und stößt ihn auf das Förderband, das dadurch ins Stottern gerät und in sich zusammenbricht.

Die Musik zu den Geschichten und zum Bewegungstheater

Wahrscheinlich haben viele Leser die Musik, um die es sich hier handelt, schon gehört und haben sie zu Hause im Plattenarchiv. Wenn nicht, sollten sie sich die Musik besorgen und anhören, um das Mitgeteilte besser zu verstehen.
Es handelt sich um einen Satz der Schauspielmusik zu *Ibsens* Schauspiel *Peer Gynt* von *Edvard Grieg* (1843–1907): In der Halle des Bergkönigs.
Auf seinen Reisen durch die Welt kommt der prahlerische, selbstsüchtige *Peer Gynt* in das Land des legendären Bergkönigs.
Dessen wilde Töchter quälen *Peer* und drohen ihm mit dem Tod, weil er eine von ihnen verführt hat. Als alle wild durcheinanderschreien, entkommt er.
Daß die mitgeteilten Geschichten und der szenische Einfall eine Analyse der Musik sind, versuche ich in der folgenden Beschreibung zu erklären. Das zeigt zugleich, daß sich über diesen Umgang mit Musikstücken auch Fachkompetenz aufbauen läßt.
– Das Stück beginnt mit einem langen Ton von 4 Hörnern. Nur bei der Akkordarbeit wird dieser Anfang beachtet: Die Maschine wird eingeschaltet.
– Wie ein roter Faden zieht sich durch alle Geschichten die Wiederholung:

Die Kichererbse spaziert in den Wald, auf den Müllplatz, auf den Berg ... – Kleine Kobolde huschen im Märchen nach und nach hervor und hüpfen herum. – Im Labyrinth werden immer wieder neue Wege gesucht. – Mit einem immer gleichen Text verbreitet sich eine Nachricht. – Immer wieder wird etwas auf das Förderband gelegt. Der Grund für diese Inhalte liegt in der 18maligen Wiederholung einer immer gleichen Melodie, die sich rhythmisch und melodisch leicht einprägt und vom Hörer innerlich mitgesungen wird. Der Text »Habt ihr schon gehört, gehört ...« paßt rhythmisch genau, so daß man ihn während des Hörens mitsingen bzw. mitsprechen kann.

– Zuerst wird die Melodie sechsmal leise (piano p) von tiefen Instrumenten gespielt: Kontrabässe und Celli im Wechsel mit tiefen Blasinstrumenten, den Fagotten. Der Wechsel der Klangfarbe betont die Wiederholung.
Daher beginnen alle Geschichten verhalten: Die Kichererbse hatte Glück. – Es war einmal ... beginnt das Märchen. – Stockdunkel ist es im Labyrith. – Einzelne Personen sagen es einander, daß der König tot ist. – Der Transport auf dem Band funktioniert.
– In den nächsten 6 Wiederholungen der Melodie spielen höhere Instrumente: die Violen und Geigen im Wechsel mit Oboen und Klarinetten. Der Gesamtklang wird höher und heller. Immer mehr Instrumente begleiten, dadurch wird das Stück immer lauter und hektischer. Ab der 13. Wiederholung spielt das gesamte Streichorchester mit dem Bogen. Die Geigen scheinen zu zittern, sie spielen jeden Ton der Melodie jetzt in derselben Zeit zweimal. Das Stück wirkt dadurch schneller.
Das spiegelt sich in den Geschichten: Die Kichererbse rollt jetzt und wird immer schneller und schneller. – Die Zwerge tanzen immer wilder, und es kommen noch Gestalten hinzu. – Panik im Labyrith, ich renne, Wände sausen an mir vorbei. Der Lichtfleck am Ende des Labyrinths wird immer größer und größer. – Immer lauter werden die Stimmen, die die Nachricht verbreiten. Die Menschen drängen sich. Die Nachricht gelangt bis ins letzte Haus, und auch die Gefolgsleute des Königs können sich nicht mehr entziehen. – Die Transportbewegungen der Maschine werden immer rascher und hektischer.
– Nach der 18. Wiederholung der Melodie kommen noch zweimal laute Orchesterschläge und jeweils anschließend der zweite Teil der Melodie. Nach einem immer lauter werdenden Paukenwirbel endet das Stück dann mit größter Lautstärke (fortissimo fff).
In den Geschichten und im Bewegungsspiel zur Musik stellt sich der Schluß folgendermaßen dar:
Die Kichererbse kehrt in die Konservendose zurück. – Das Getümmel und die Wildheit sowie der laute Schluß führen im Märchen zum Erwachen aus dem Traum. – Das grelle Tageslicht blendet den im Labyrinth beinahe Verirrten, er

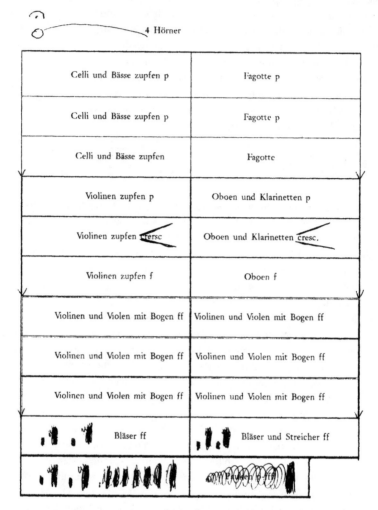

4 Hörner

Celli und Bässe zupfen p	Fagotte p
Celli und Bässe zupfen p	Fagotte p
Celli und Bässe zupfen	Fagotte
Violinen zupfen p	Oboen und Klarinetten p
Violinen zupfen cresc	Oboen und Klarinetten cresc.
Violinen zupfen f	Oboen f
Violinen und Violen mit Bogen ff	Violinen und Violen mit Bogen ff
Violinen und Violen mit Bogen ff	Violinen und Violen mit Bogen ff
Violinen und Violen mit Bogen ff	Violinen und Violen mit Bogen ff
Bläser ff	Bläser und Streicher ff

Das Stück wird immer lauter, immer schneller, immer höher.
Die Melodie wird von immer mehr Instrumenten begleitet

fällt erschöpft zu Boden. – Aus anfänglicher Bestürzung über den Tod des Königs wird Befreiungstaumel, denn der König war gefürchtet. – Der Vorarbeiter hat in der zunehmenden Hektik den Aufseher auf das Förderband gestoßen, das zu stottern beginnt und zusammenbricht.
– Für den Sechsjährigen wirkt die gewaltige Steigerung der Musik wie eine Jagd auf den von zu Hause ausgerissenen Hasen. Er rennt um sein Leben. Der Schluß wird als Erlösung empfunden: Ich will nie mehr allein in den Wald springen.

III. Abschließendes Gespräch über den Verlauf der Musik

Die Verlaufsskizze *(vorhergehende Seite)* kann besprochen und während des Hörens mitgelesen werden. Dabei kommen viele Sprachmuster vor, die als musikalische Theorie bzw. Fachsprache bezeichnet wird: Wiederholung, Lautstärkebezeichnungen, Namen von Instrumenten, Spielweisen von Instrumenten: blasen, zupfen, streichen, schlagen, Steigerung, langer Ton, Melodie, Begleitung ... Anschließend kann man die beim Gespräch und Hören gesammelten Erfahrungen und Erkenntnisse vergleichen und auch aufschreiben. Vielleicht hat jemand jetzt erst den langen Anfangston der 4 Hörner gehört. Es kann danach zu Aha-Erlebnissen kommen: Die »Machart« der Musik war es, die unsere Fantasie beflügelt hat.

Resümee

Der hier mitgeteilte Ansatz zur Hörerziehung zeigt die unterschiedlichen »Sprachen«, in denen sich Musik zu erkennen gibt: Musik als Klang, Musik als Sprache, Musik als Bewegung. Der Erkenntnisweg geht vom Erleben über die Fantasie zum Fabulieren und dann zur theoretischen Einsicht. Und damit kommen wir zu *Hanslick* zurück: »Das Gefühl besitzt weder die Notwendigkeit, noch die Stetigkeit, noch endlich die Ausschließlichkeit« – jede Geschichte ist anders. »Zu den schönsten, heilsamsten Mysterien gehört es, daß die Kunst solche Bewegungen ... hervorrufen kann.«

Nicht jedes Musikstück ist für diesen Weg geeignet, auch sollte man nicht zu oft diesen Weg gehen, aber im Bemühen, die Liebe und Lust an der Musik zu erhalten, ist das Fabulieren zu Musik geeignet, Hörbarrieren abzubauen.

Musikalische Früherziehung
Schutz vor Legasthenie

Kreis Diepholz. Neue Erkenntnisse über Zusammenhänge zwischen der Lese-Rechtschreibschwäche (Legasthenie) und der Musikalischen Früherziehung belegen eine Studie, die von der Deutschen Gesellschaft für Alternative Medizin durchgeführt wurde. Danach tritt Legasthenie bei Kindern und Jugendlichen nur halb so oft auf, wenn sie im Voschulalter die „Musikalische Früherziehung" besucht hatten.

Der Kommunikationsforscher Fred Warnke stellt in neuen Veröffentlichungen dar, daß Musikalische Früherziehung damit vielen Kindern eine unverdient schwere Schulzeit erspare und somit den Start ins Leben erleichtere.

Kinder im Alter von vier Jahren können die Musikalische Früherziehung beginnen. Die Verminderung der Lese-Rechtschreibe-Schwäche ist nur ein Nebeneffekt der umfassenden Musikalisierung im Vorschulalter. Der Weg zum Singen und Musizieren wird gebahnt.

Auskünfte können über die Kreismusikschule, Amtshof 3, 28 857 Syke, ☎ 04 242/163-183, eingeholt werden.

Aus: Kreiszeitung / Syker Zeitung, 25. 5. 96

175

Richard Bamberger

Zur Sprache der Fibeln [1]

Die bisherigen theoretischen Abhandlungen zu Fibeln beschäftigen sich fast nur mit den Methoden des Erstleseunterrichts, kaum aber jemals mit ihrer Sprache. Eine Untersuchung der Sprache der Fibeln drängte sich auch deshalb auf, weil die Einschaltung von Computerprogrammen früher unvorstellbare Möglichkeiten erschloß.

Es wurde der 1. Teil, also der »Leselehrgang«, von 24 Fibeln aus Österreich, der BRD, der DDR und der Schweiz analysiert:

I. Auf der Wortebene: Umfang des Wortschatzes, aufgegliedert nach den verschiedenen Wörtern, dem Wiederholungsgrad, nach Wortschwierigkeit, nach Silbenzahl, Konsonantenhäufung u. a. Allgemein ist zum Wortgebrauch der Fibeln zu sagen: Er ist im 1. Teil vom »Buchstabenkanon« und von Wochenthemen bestimmt. Dies führt zur Verwendung vieler Wörter, die in der Umgangssprache der Kinder, aber auch in kindertümlichen Texten der Schriftsprache, sehr selten zu finden sind. Nun kann man die sprachliche Schwierigkeit auch als Abstand zwischen der Umgangssprache und der Textsprache bezeichnen. So gesehen, handelt es sich um einen »schwierigen« Wortschatz.

Bei der Interpretation der Wortzählung ist besonders die Erfassung des Wiederholungsgrades, von dem die Wortspeicherung abhängt, sehr wichtig. Ein flüssiges Lesen ergibt sich nämlich aus einem »blitzartigen« Wiedererkennen von gespeicherten Wörtern und Wortgruppen.

Der Unterschied im Wortgebrauch der Umgangssprache und der Fibeln läßt sich z.B. aus der Zählung der Strukturwörter (früher sprach man von »Partikeln«) erkennen.

Die Untersuchung der Fibelsprache auf der Wortebene befaßte sich eigentlich mit ihren Bausteinen. Zur Sprache selbst stoßen wir auf der syntaktisch-textlichen Ebene vor. Häufig spricht man *(Brügelmann u. a.)* vom Lesenlernen als einem Weg zur Schriftsprache, also von einem Fortschreiten von der mündlichen Sprache zu ihrem schriftlich fixierten Ausdruck. Dabei wird immer wieder betont, daß es nicht nur um das Beherrschen von Sprachzeichen, sondern auch um einen Akt des Verstehens geht, der in der Schriftsprache – die für viele Kinder als erste Fremdsprache bezeichnet werden kann – besondere Schwierigkeiten bereitet. Zum Wortverständnis kommen die Sinnzusammenhänge hinzu, die

---

1 Forschungsprojekt von *Werner Mayer* und *Richard Bamberger.*

sich aus der Verbindung von Wörtern zu Sätzen und von Sätzen zu einem Text ergeben.

II. Auf der Satzebene: Die Analyse der Fibeln auf der Satzebene befaßte sich mit dem Auftreten der Sätze in der Fibelentwicklung, mit den vorherrschenden Satzkonstruktionen, den Satzlängen, der Verbindung von Sätzen zu Texten (die eigentlich keine sind) u. a. Auch hier sind die Unterschiede zur Umgangssprache der Kinder und zur ersten Kinderliteratur (die zunächst nur durch Hören aufgenommen wird!) bedeutsam. Interessant ist, daß sich nicht die »Schwierigkeit«, sondern die »Leichtigkeit« der Sprache negativ auswirkt. Aufschlußreich ist dazu ein Forschungsbericht von *Prof. Irmtraud M. Oskamp* über die Kindersprache vor Schuleintritt und nach dem ersten Schuljahr; sie geht auf die Fibelsprache ein und sieht hier einen Zusammenhang mit der »Vernichtung« des natürlichen Ausdrucks.

III. Auf der Textebene – im Verhältnis zur Kindersprache, zur Sprache der Kinderbücher, zur Kommunikationsfähigkeit u. a.
Aufschlußreich ist dabei folgende *Übersicht zur Wortzählung:*

Fibel	Land	1. Teil Tokens	Types	Gesamt Tokens	Types	öfter als 10x	
Lesen	Öst.	4550	1141	16030	3101	8,8%	275
Frohes Lernen	Öst.	3834	1014	14809	2937	8,3%	244
Wir lesen und schreiben	Öst.	3776	854	11735	2509	7,4%	188
Österreich-Fibel	Öst.	3750	870	9893	2145	7,2%	155
Unser Lesehaus 1	Öst.	3464	933	10314	2137	7,1%	152
Ich lerne lesen	Öst.	0	0	13639	2520	9,7%	245
Meine Fibel	Öst.	0	0	10926	1700	11,2%	202
H.u.H.lernen lesen	Öst.	0	0	7665	1293	19,2%	135
Ami	Öst.	0	0	2319	587	7,1%	42
Lesen mit Uli	BRD	2173	761	8804	2311	5,5%	129
Lesestart	BRD	1277	494	4061	1222	5,4%	66
Fröhliche Fibel	BRD	0	0	4986	1375	5,8%	81
Lesen Lesen Lesen	BRD	0	0	3722	1081	5,9%	64
Lesezeit	BRD	0	0	4332	1265	5,7%	73
Der Lesespiegel 1	BRD	0	0	4281	1411	4,3%	61
Meine liebe Fibel	BRD	0	0	4417	1276	5,4%	69
Lesespiegel	BRD	0	0	3917	1330	3,8%	51
Bunte Fibel	BRD	0	0	1927	516	6,2%	32
Alle lernen lesen	BRD	0	0	4342	1231	5,5%	68
A wie Anfang Regenbogen	BRD	0	0	4061	1123	7,3%	83
Lesekiste-	BRD	3283	962	Anteil verschiedene:		29,0%	53
Unsere Fibel	DDR	1650	0	9523	2152	7,6%	165
CVK-Fibel	DDR	961	517	4911	1632	4,1%	68
Einfache Fibel	DDR	0	0	4775	1222	6,5%	80
Im Buchstabenland	Schweiz	0	0	1870	645	4,6%	30

Einige Worte zur Interpretation: Der Gesamtwortschatz der 24 Fibeln liegt zwischen 1927 und 16030 Wörtern, die Anzahl der verschiedenen Wörter zwischen 587 und 3101; sie ist also höher als der Wortschatz vieler Kinder in diesem Alter. Sehr gering ist die Anzahl der Wörter, die mehr als zehnmal vorkommen: Sie liegt zwischen 30 und 275. Wie soll es da zu einem »Speicherungseffekt« des Wortschatzes kommen? Noch krasser: 55 Prozent der Wörter kommen nur einmal vor! Interessant ist auch der Vergleich des Umfangs der deutschen, österreichischen und schweizerischen Fibeln.

Die österreichischen Fibeln (mit einem rund doppelt so großen Wortschatz wie jene der Bundesrepublik und einem fast achtmal so großen wie die der Schweiz) werden vor allem wegen der lebendigen Ergänzungstexte aus der Kinderliteratur gepriesen. Für die besten Schüler können sie unter diesem Gesichtspunkt als die besten Fibeln bezeichnet werden.

Zum Verhältnis der Fibelsprache zur Kindersprache. Die meisten Fibelautoren betonen in den Lehrerheften, daß sie auf der Kindersprache aufbauen. Wenn das so wäre, dann gäbe es – in unserem Falle – 24 Kindersprachen. Der Wortschatz der Fibeln unterscheidet sich nämlich stark, er ist vor allem bestimmt von der Entwicklung des Buchstabenkanons, der zur Einführung vieler seltener und unkindlicher Wörter führt.

Der Wortschatz der Fibeln stimmt auch kaum mit jenem der Kinderbücher für das erste Lesealter überein.

Die Unnatürlichkeit des Wortschatzes der meisten Fibeln zeigt sich auch in der Wortartenverteilung: großer Überhang von Hauptwörtern, wenige Struktur- und Eigenschaftswörter, die der Sprache Lebendigkeit verleihen und die Kohäsion des Textes bewirken.

Am stärksten berücksichtigen die Fibelautoren den Steilheitsgrad des Wortschatzes, d.h. das Ansteigen der Zahl der neueingeführten Wörter. Anfangs erfolgt die Steigerung sehr allmählich, damit die Kinder die Wörter oft wiederholen können. Es fragt sich aber, ob der Effekt der Langeweile, der sich aus der mechanischen Wiederholung von Wörtern und Sätzchen ergibt, die für Dreijährige eine Unterforderung darstellen, nicht stärker ist als der Übungseffekt durch Wiederholung.

Wir haben zum Wortgebrauch der untersuchten Fibeln nur negative Feststellungen gebracht. Läßt sich nicht auch etwas Positives in dieser umfangreichen Analyse finden?
Doch! Es ist der Wortschatz, den die untersuchten Fibeln gemeinsam haben. Folgende Übersicht bringt ihn nach Wortarten aufgegliedert. Sicher ist es vorteil-

haft, daß Lehrer, die Übungsmaterialien herstellen (viele machen sich diese –
meist unbedankte – Mühe!), ihr besonderes Augenmerk auf diesen Wortschatz
legen:

Verben		Adjektive		Präpositionen
bin	soll	gut	seine	am
bitte	spielen	kleine	sich	an
darf	spielt	schnell	sie	auf
essen	stehen		uns	aus
gehen	weiß	Artikel	unsere	bei
geht	werden	das	viel	durch
gibt	will	dem	viele	für
haben	wird	den	was	im
hat	wissen	der	wer	in
holt	wollen	die	wir	mit
ist		ein		um
kann	Substantive	eine	Adverbien	vom
kannst	Auto	einen	auch	von
komm	Eis		da	vor
kommt	Esel	Pronomen	dann	zu
lachen	Frau	alle	doch	zum
lacht	Geburtstag	alles	dort	
lesen	Haus	dein	einmal	Konjunk-
machen	Kinder	dir	her	tionen
macht	Kuchen	du	heute	aber
malen	Milch	er	hier	und
malt	Mutter	es	immer	wenn
nimm	Ofen	etwas	los	
ruft	Oma	ich	nicht	Partikel
sagen	Puppe	ihn	noch	ja
sagt	Schnee	ihr	nun	nein
schau	Schule	kein	nur	
schaut	Susi	keine	schon	Interjektionen
sehen	Tisch	mein	so	au
sein	Toni	meine	warum	
sind	Vati	mich	wie	
singen	Zimmer	mir	wieder	
			wo	

Auf der Satzebene kann man von einer durchgängigen Unterforderung der Kinder sprechen. Es herrschen unlebendige Kurzsätze vor, für die *D. Pregel* den Begriff *Fibeldadaismus* prägte, der zur Verkümmerung der lebendigen Kindersprache beiträgt (da ist Udo, ist Udo da?, da ist Mimi, ist Mimi da? usw. usw.)

Von 489 aufgelisteten zwei- oder dreigliedrigen Sätzen einer Fibel bestehen 106 (22%) aus zwei Wörtern, 51 (10%) aus drei Wörtern, 289 (61%) aus vier Wörtern, 23 (5%) aus fünf Wörtern und zehn (2%) aus sechs Wörtern.

Bei Sechsjährigen sind jedoch Sätze wie: »Gestern war ich mit meiner Mutter im Zirkus« durchaus üblich. Ein Satz mit acht Wörtern und fünf Satzgliedern.

So ist es kein Wunder, daß es im deutschen Sprachraum Bewegungen gegen den Gebrauch der Fibeln gibt. Immer wieder zeigt sich aber, daß die große Mehrzahl der Lehrer doch nicht auf einen gesicherten Wegweiser im Leselehrgang verzichten will, weil sie sich dem »Gesetz des geringsten Widerstandes« unterwirft, also nicht mehr tun will, als unbedingt notwendig ist. Sonst müßte z.B. die von *Heiko Balhorn/Hans Brügelmann* u.a. herausgegebene »Regenbogen-Lesekiste« im deutschen Sprachraum weit verbreitet sein. 40 kleine Bücher – nach Schwierigkeitsgrad in fünf Stufen aufgebaut – bieten, was der Erstleseunterricht so notwendig braucht: erlebnishafte Szenen, kleine Geschichten, Möglichkeiten der Anpassung an die individuellen Unterschiede unter den Schülern. Vergnügen und tägliche Erfolge erleben die Kinder, die sich mit diesen Bändchen das Lesen auch selbst beibringen können. Natürlich geht es mit Hilfe der Lehrer besser, natürlich kann die Lesekiste auch als Ergänzung zu den eingeführten Fibeln verwendet werden. (Ich verweise auf meine Besprechung in: *Die Grundschulzeitschrift 17/1988.*)

Dieser Forschungsbericht will dazu beitragen, daß die Fibeln nicht mehr »mechanisch« als das zentrale Unterrichtsmittel im Leseunterricht verwendet werden: Neben dem systematischen Leselehrgang sollte eine Lernebene sein, die ich als »freie Wildbahn« bezeichnen möchte. Ergänzende Lesestoffe aller Art sollten in der Leseecke der Klasse aufliegen, besonders Lesespiele, leichte Bilderbücher und natürlich die nun schon reichlich erprobte »Lesekiste«.

Balhorn/Köhn/Krohner/Stuewer

Werkzeuge zum Rechtschreiben

Überlegungen zum Lernen in der Sekundarstufe

Zwei Dimensionen sind es, die uns interessieren müssen, wenn wir Lernen in der Schule denken:
Wie entwickeln Kinder Gründe und Motive für Lernen überhaupt? Und: Wie erfassen sie den Gegenstand – hier die Schriftsprache? Wie finden sie ihren Weg in sie hinein? Wie entwickeln sich ihr Können und Wissen? Was kann Unterricht tun, um sie bei ihrem Lernen zu unterstützen?

In fachdidaktischer Verengung auf die Aneignung von Schrift stellt sich die Frage nach dem Verhältnis von implizitem und explizitem Wissen oder anders: zwischen intuitivem Können und explizierbarem Wissen.

Die Erfahrung zeigt, dass Schreiber in »natürlicher« Einstellung vieles richtig schreiben können, aber auf Befragen nicht sagen können, wieso. Wir wissen, *dass* – aber können kaum sagen, *warum (to know that – to know how)*.

Wenn der eigenaktive Regelbildungsprozess, wie wir annehmen, sich weitgehend »von selbst« durch vieles Schreiben und Lesen zeugt und – sich selbst dynamisierend – entwickelt, so bleibt die Frage, was Unterricht tun kann, um diesen Prozess zu sichern, zu vergeschwindern und – bei Prozessen, die zu scheitern drohen oder gescheitert sind – stützend zu korrigieren.

Was kann und sollte Unterricht in der Sekundarstufe – also auf dem mehr oder weniger sicheren und mehr oder weniger bewussten Fundament des Könnens aus der Grundschule aufbauend – tun?

Zuallererst: Es geht nicht um das, was die Schüler können *müssten*, sondern um das, was sie *können*. Hier unklar zu sein, bedeutet, Angst zu verbreiten und Lernen zu behindern.

Es muss in den »neuen« Anfängen, den Klassenzusammensetzungen in den Jahrgängen 5 und 7, darum gehen, das Gekonnte zu sichern und das noch zu Lernende zu bestimmen. Um sich intern und in der Klasse über Orthografisches zu verständigen, um also über Orthografie nachdenken und sprechen zu können, bedarf es einer gemeinsamen Sprache.

Mit einer kleinen Zahl von zu klärenden Begriffen – in unserem Verständnis festgemacht an dem Werkzeug »Proben« – lässt sich sowohl das Gelernte als auch das, was jetzt ansteht, auf den Begriff bringen. Dabei geht es nicht nur um den Gegenstand, sondern auch um Methoden (also Aufgabentypen), Arbeitstechniken (Korrekturverfahren, vor allem Wörterbucharbeit) und Lerneinstellungen.

Über das Finden von Begriffen und das Beschreiben von Operationen ist das zur Sprache zu bringen, was praktisch schon gekonnt, aber eben noch nicht sicher genug verfügbar ist. Insofern sind eine Terminologie und Handlungsanweisungen für den kritischen Fall die Ebene, auf der sich Lehre und Lernen treffen können. Das heißt: In Phasen, in denen Orthografisches direkt zum Thema wird, in denen es darum geht, Wörtern auf den Grund zu gehen, Grenzen einer Regelgeltung zu markieren, analoge Fälle einem Musterbeispiel zuzuordnen, überhaupt Ordnungen zu erfassen, zu stiften, zu produzieren, wird implizites Können – wie vage es auch immer sein mag – Gegenstand der Reflexion und damit explizit. Dies mag zumindest tendentiell den Unterschied zum Unterricht und zum Lernen in der Grundschule ausmachen.

Ausgangspunkt, über Unterrichtsformen für die Sekundarstufe nachzudenken, war die Analyse dessen, was an Sprachbüchern und Materialien vorliegt. Das Ergebnis ist so erfreulich nicht. Für die Grundschule gibt es vieles und auch Gutes. Für die Klassen 5 und 6 gibt es weniger. Für die Klassen 7, 8 und 9 ist die Rechtschreibdidaktik offenbar ratlos und flicht trotz unbefriedigender Praxis und wider bessere Ahnung an alten Zöpfen.
Es ist wohl wahr: die Inspirationen kommen pädagogisch und fachdidaktisch aus der Grundschule.
Es muss also um den Versuch gehen, dieses fachdidaktische Wissen in die Sekundarstufe zu verlängern und zu übersetzen. Wenn wir dabei von Schreibweisen und Klassensituationen in Schule heute, z. B. »normalen« Klassen in Hamburg-Altona, ausgehen, stehen wir vor Realitäten, die Lehrplan- und Schulbuchmacher nicht wirklich wahrnehmen und wahrhaben wollen:
Die Spanne der Leistungsunterschiede der Kinder/Jugendlichen einer Klasse ist größer geworden, wird über die multilinguale Situation im Spektrum von Sonder-, Haupt-, Real-, Gesamtschule und Gymnasium so groß, dass es nun überhaupt keinen Sinn mehr macht, in der Kategorie von Jahrgangsklassen zu denken und für z. B. 8. Klassen ein bestimmtes Programm entwerfen zu wollen.
Zugespitzt: Pauschalisierender Unterricht wird immer unsinniger, immer ineffizienter, ja, er wird kontraproduktiv.

Es gelingt insbesondere dem Rechtschreibunterricht ganz offenbar nicht, den Lerngegenstand so verständlich zu machen, dass sich Schüler ihn im Sinne *expansiven Lernens* aneignen. Das hieße, dass sie ihr Lernen für sich als einen Gewinn, als Erweiterung ihrer Handlungsmöglichkeiten, sie Lesen- und Schreibenkönnen als Teil von Lebensqualität auffassten.
Rechtschreiblernen hat für Schüler aber wesentlich *defensive Natur.* (Vgl. den Beitrag von *Stuewer* in diesem Band.) Defensiv begründetes Lernen – im Sinne von *Holzkamp* (1995, 190 ff.) – *will vermeiden.*
Defensives Lernen geht nur so weit, wie sich mit ihm eine äußere Bedrohung abwenden oder hinausschieben lässt. Es geht deshalb nicht eigentlich um ein

Lernproblem, also um das Verstehen der Logik und das Können der Orthografie selbst, sondern um Begründungen wie nicht sitzenzubleiben, nicht ausgeschlossen, nicht ausgelacht werden zu wollen (in welchen Übersetzungen sich diese Befürchtungen auch immer ausdrücken mögen). Es geht vielleicht auch um Abschlüsse, um Berufschancen, aber allemal sind es sekundäre Gründe.

Worum es geht, erweist sich auch im Grenzfall: beim Schummeln, Abschreiben, Sich-Vorsagen-Lassen wird offensichtlich, dass es nicht um Lernen geht, nicht um Kompetenz im Schreiben. Es geht um das Verrechnen eines nur vorgegebenen Erfolges vor der äußeren Kontroll- und Bewertungsinstanz Schule.

Defensiv begründetes Lernen ist auf vielfältige Weise in sich zurückgenommen, gebrochen, wird unengagiert vollzogen, nicht wirklich auf den Lerngegenstand bezogen, wird in seinem Erfolg von niemandem geglaubt. Und den Erfolg dieses Lernens sehen wir, und wir sollten die Ursachen fairerweise nicht den Schülern zuschieben.

Mit der Unterscheidung zwischen expansivem und defensivem Lernen ist eine triftige Beschreibung der Situation des Rechtschreibunterrichts in der Sekundarstufe gefunden (und nicht nur dieses) und auch eine Spur gelegt, den mangelnden Erfolg zu erklären.

Die Folgerung: Unterricht ist zu differenzieren, und zwar nicht »von oben«. Das heißt: Schüler müssen ihr Lernen selbst organisieren können, es selbst in die Hand nehmen und merken, dass *sie* verantwortlich sind. Die schultypischen Motivationstechniken sind kein Weg.

Im Sinne expansiven Lernens sind es wesentlich nur zwei Begründungsstränge, über die Schüler lernen wollen können: der Gebrauchswert der Fähigkeit, akzeptabel schreiben zu können und das Interesse oder gar die Lust an Sprache.

Der pragmatische Strang, die schulische und gesellschaftliche Hochschätzung von Orthografie, ist Teil der Erfahrung von Schülern; ein gehaltvoller, systematischer und sprachspielerischer Umgang, der Interesse wecken, Lust machen, Spaß haben lässt, wohl weniger. Plausible Erfahrung für das zweite zugrunde zu legen ist eine wesentliche Funktion von Unterricht und also von Lernmaterialien für diesen.

Eine minimale »*Lust an Sprache*« und ein Wissenwollen, wie sie funktioniert, sind nicht nur hilfreiche Bedingung für Lerner, sondern auch für Lehrer. Vielleicht ist die Reform der Orthografie – wenngleich nicht als Verfahren – ein Anstoß, sich noch einmal auf die Logik und den Reichtum des Systems einzulassen und etwas Gehaltvolles über Orthografie nachzulesen (z. B. *U. Maas 1992*).

Fachdidaktische Grundlagen – Strukturen für Lerner
Die Orthografie ist durch und durch geregelt. Regeln sind den Wörtern eingeschrieben. Ausnahmen gibt es nicht. Auch da, wo alternative Schreibungen ausdrücklich zugelassen sind (und jetzt mit der Reform vermehrt zur Wahl stehen), ist dies jeweils geregelt.

Wer dies so sehen kann, hat eine Aussicht auf Unterrichtserfolg – dies gilt für Lehrer und für Lerner gleichermaßen. Wer Orthografie anders sieht – sie als unlogisches Konglomerat von Ausnahmen, die die Regeln außer Kraft setzen, missversteht – kann sie (sich) nicht methodisch und auch nicht aussichtsreich zugänglich machen.

Deshalb scheiden und kennzeichnen wir in unserem Ansatz *Merkschreibungen* und *Regelschreibweisen*. Der Grund: Uns sind *Operationen* wichtig, also das, was Lerner *tun* oder *können* müssen, um einen problematischen Fall zu entscheiden. Das *Erschließen, Überformen* und *Durchdringen* von Wörtern sind *analytische Operationen*, die ergänzt werden durch *klärende Operationen* (z.B. die Verlängerungs- und die Gegenprobe). Diesen Typ von klärenden Operationen werden wir weiter unten als *»Proben«* beschreiben.

Nur ein als geregelt verstandenes und verständlich gemachtes System, dies gilt gleichermaßen für Lehre und Lernen, kann als lehr-/lernbar verstanden werden. Deshalb ist der (hier sogenannte) *Regelbereich* im Unterricht und also auch in Arbeitsmitteln für die Sekundarstufe als dominant auszuzeichnen. Denn das Zutrauen von Lernern und Lehrern ist eng gebunden an das Wissen um die Logik, also die Durchschaubarkeit des Systems. Insofern ist die Reform, mit der die Regeln plausibler und bündiger gefasst werden, von unterrichtlicher Bedeutung.

Bedeutungsvoll ist *die Bedeutung*. Sie ist konstitutiv auch für Schreibweisen. Ein morphematischer Ansatz – und den wollen wir hier zugrunde legen – nutzt das Bedeutungswissen zur Gliederung von Wörtern. Es ist das Wechselspiel zwischen *morphematischer Erschließung* als Nutzung von Wortbildungsregeln und dem aus dem Wissen um Teilbedeutung resultierenden *Gliedernkönnen*, mit dem sich Schreiber eine Transparenz komplex gebildeter Wörter erzeugen können. In diesem Wechselspiel liegt die produktive Kraft dieses Ansatzes insbesondere für Sekundarstufenschüler.

Die Bedeutung als Kategorie hat in unserem Zusammenhang verschiedene Dimensionen:
– Wörter zu gebrauchen, zu schreiben macht nur Sinn, wenn ihre Bedeutung klar ist;
– empirisch belegt ist, dass bedeutsame und bedeutungs*volle* Wörter besser beherrscht werden (auch der schwache Rechtschreiber unter den Borussen-Fans wird »Borussia« richtig schreiben);
– Transparenz von Wortbildungen wird durch Bedeutungswissen bezogen auf die Teile gestützt;
– Geschrieben wird, wenn es als bedeutsam empfunden wird, also positive Konsequenzen zu erwarten sind, in einem engagierten Verständnis und auch eher unter dem Anspruch von Verständlichkeit/Richtigkeit.

Ein Lehrgang?

Materialien, die es für Unterricht zu erstellen gilt, müssten *Lehrgänge* sein. Doch dieser Begriff bedarf der Erläuterung: Lerngänge lassen sich nicht durch Lehrgänge vorbestimmen. Allerdings, wenn jemand z. B. Autofahren lernen will, braucht er eine klar gegliederte Vorgabe etwa der Verkehrszeichen, nach der er ökonomisch – ohne Umschweife, gradlinig das lernt, was er braucht und was in der Prüfung abverlangt wird. Er braucht keine Motivationsschläue, er braucht in klarer, angenehmer Sprache anschaulich formulierte Beispiele, Aufgaben mit Lösungen zur Selbstkontrolle. Was er schon kann, muss er überspringen können, was er gelernt hat / noch lernen will / muss, will er überprüfen können – ökonomisch.

Was Lehrgänge zur Krux macht, ist die Tatsache, dass etwas, was sich ein einzelner mit einem Lehrgang (etwa in Form eines Lernprogramms) erarbeiten oder wiederholend üben will, zum Programm für eine Klasse gemacht wird. Damit setzen Probleme ein, die unserem Lernverständnis diametral entgegenstehen. Verstehen wir einen Lehrgang als ein Set von Aufgaben, in dem sich jeder Lerner zurechtfinden kann und muss, also seinen individuellen Weg gehen kann, so entfallen die Bedenken. Wenn Lehrgang also meint, *vorhandene* Spracherfahrungen *nachgreifend* zu ordnen, Sachliches zum Thema zu machen, Fachliches zur Sprache zu bringen, verfügt der Lerner auf der Basis des von ihm selbst bestimmten Lernstandes über die Auswahl und Reihenfolge der Themen und Aufgaben.

Nicht Sachlogik ist Ausgangspunkt von Lernprozessen. Lesen und Schreiben lernt man durch Sprach*gebrauch*. Lehre ist Anleitung und Hilfe zur Reflexion. Orientierung der Lehre bleibt die Tatsache eigenaktiver »Konstruktivität«, als die wir Lernen begreifen.

Lehrgänge als ein Set von strukturierten Aufgaben und Beispielen dienen dem *reflexiven Systematisieren*, dem Durchsichtigmachen von vorhandenen, intuitiv gewonnenen, immer schon vorgeordneten Erfahrungsdaten. Es geht nicht um Instruktion, sondern um Datenverarbeitung; es geht um ein besseres, tieferes Verstehen dessen, was man schon – ungefähr – kann.

In diesem Sinne muss ein Lehrgang ermöglichen, dass jede(r) einzelne ihren/seinen weiteren Lernweg für sich gehen kann.

D. h., er soll klar, anspruchsvoll, ehrlich, nicht trixy und »motivierend«, sondern die Sache – das System der Orthografie – in der Lernerperspektive, also operational und experimentell, ohne Angst vor Fehlern, sachlich interessant, sprachspielerisch, wenn möglich mit Humor – ein Set von geordneten und ordnenden Aufgaben sein.

Proben und probieren

Mit dem Begriff »*Probe*« und dem, was wir damit meinen, glauben wir ein fruchtbares und stimmiges Instrument, ein Werkzeug für Lerner gefunden zu haben.

Eingeführt für Lehrer über *Satzproben* als *Umstell-, Ersatzproben,* trifft dieses Wort sehr genau die Haltung, um die es für Lerner gehen muss:
experimentell, Fragen haben, Fehlersensibilität, Entdecken/Erproben-Wollen – eben probieren, wie etwas (hier Orthografie) geht, ist, tickt, funktioniert.
Lernen ist nicht passive Übernahme, sondern eigen*aktive* Re-Konstruktion. Die Aktivität des Lernens besteht in der Kombination aus Neugier und Mut. Lernen besteht aus Versuchen mit (unterschiedlichen) Irrtumswahrscheinlichkeiten, aus dem *Sich-*und *Etwas-Erproben.* Und da Lerner keine Hellseher sind, *wissen* sie nicht vorab, sondern hypothetisieren, fragen – sie *probieren* eben, und genau das ist gewollt. Mehr kann Lehre eigentlich nicht tun:
Etwas sagen, zeigen, (vor)machen, und dies mit der mehr oder weniger expliziten Auf- und Anforderung: »Probier es doch auch mal!«

Die Haltung des Probierens ist eine positive, eine, aus der heraus sich jemand stellt – einer Aufgabe/Anforderung. Sie ist expansiv gegründet. Sie bedeutet Mut auch zum Fehler. Diese Haltung, die um die eigene Unsicherheit weiß und sich im Wissenwollen trägt, ist eine plausible Bestimmung von Lernen.
Und wenn es gelingt, die Haltung des Probierens für unseren schmalen Bereich lern- und sachlogisch plausibel zu differenzieren, ist das aktivierend und ermutigend: Sowohl für Lehrer, die nicht wissen, wie sie Orthografie beibringen sollen, als auch für Lerner, die eben auch nicht wissen, wie sie es lernen können.
Ist nicht die gemeinsame Frage aller derjenigen, die ein Problem haben: »*Was kann/soll ich tun?*«
»Probier doch mal dies!« ist eine angemessene Antwort.
Oder besser: »Hier hast du eine Reihe von Probiervorschlägen. Einer hilft sicher. Du wirst es herausfinden.«
Die hier gemeinte Lernhaltung des Probierens muss und kann sicher schon in der Grundschule angeregt werden. Sie wird allerdings unwahrscheinlich, wenn wir den Schrifterwerb weiterhin im Sinne einer Fehlervermeidungsdidaktik denken. Die produktive Kraft des Fehlermachen-Könnens wird jedoch dort entwertet, wo der Anspruch der Norm, richtig schreiben zu *wollen,* nicht gestärkt wird. In der Praxis lässt sich eine Polarisierung feststellen. Neben dem Dogma: »Richtigschreiben von Anfang an« findet sich eine Gleichgültigkeit gegenüber dem Wie des Schreibens. Beide Weisen laufen auf Entmutigung der Lerner hinaus.

Übersichtlichkeit schaffen

Natürlich muss es in der Sekundarstufe, wenn es etwa um einen gemeinsam zu verfassenden Lernplan für das kommende Jahr (oder mehr) geht, um die wiederholende Bestimmung und Klärung des Gelernten und noch zu Lernenden gehen. Gerade neu zusammengesetzte Lerngruppen bieten die Chance, die Unterschiedlichkeit von Lernformen, die Themen, Bereiche, Phänomene und auch Lernstände wahrzunehmen und Konsequenzen aus der Analyse zu ziehen. Dabei legt sich nahe, eine gemeinsame Terminologie zu entwickeln: Nomen/Substantiv; statt Dehnung und Schärfung, besser: Länge- und Kürzebezeichnung usw.

Als produktiv hat sich auch erwiesen, zu Beginn etwa der Klasse 7, aus der nachgreifenden Sicherung des Gelernten ein Forschungsprojekt zu entwickeln: Wie funktioniert die Rechtschreibung? Solche Frage ist nur konkret anzugehen; etwa am Beispiel des Langvokals a:

Wo kommt er vor? (fast nur im Wortstamm)

Wie kommt er vor? (unbezeichnet, mit Längezeichen h und als aa)

In welchem (Zahlen-)*Verhältnis* stehen bezeichnete Länge (ah und aa) zu unbezeichneter Länge?

Gibt es *Hinweise/Begründungen* auf und für das eine oder andere? (bedeutungsunterscheidend: Wal/Wahl; Wagen/Waagen; Saal/Säle.

Ist das bei anderen Vokalen gleich oder anders (e, i, o, u)?

Das Verfahren solcher Forschungsvorhaben ist die *empirische Rekonstruktion* des Systems (in bestimmten Teilen). Der Ausgangspunkt sind die individuellen Lexika in den Köpfen der Kinder. Sie bewegen und rekapitulieren jeweils ihren eigenen Wortschatz und mustern ihn in orthografischem Interesse durch.

Ergebnisse solcher Forschungsfragen sind Listen von Wörtern, die etwas Regelmäßiges enthalten. Sie entstehen als kooperative Sammlungen (ergänzt durch Wörterbücher) und legen jeweils neue Fragen – und Antworten (hypothetische, die empirisch zu prüfen sind) – nahe. Damit sind auch wir Lehrer gefragt. Es geht um Ordnung, Erklärung, Lern- und Merkstrategien – um die Logik des Systems und Werkzeuge, mit denen es zu erschließen oder zu behandeln ist.

Eine weitere Quelle für gehaltvolle Fragen ist der Sprachvergleich. Der Reichtum an Wissen aus verschiedenen Muttersprachen macht es möglich, die verschiedenen »Konstruktionen« zu erfassen, zu vergleichen und ihre Äquivalenz zu verstehen (vgl. die Beiträge von *I. Büchner* und *I. Oomen-Welke* in diesem Band).

Das Schreiben von vorab unbestimmten Wörtern ist ein unendlich anmutender Lernstoff. Um ihn übersichtlich, also aussichtsreich lernbar zu machen, bietet sich die einfache Gliederung an:

Ist eine Schreibweise für sich (also wörtlich) zu klären oder ist sie durch den Kontext (den Satz) bestimmt?

Die Schreibweise eines Wortes verdankt sich ja einem *doppelten Zusammenhang,* in dem es steht: erstens dem *Zusammenhang seiner Wortfamilie,* aus der es stammt, und zweitens dem *Zusammenhang des Satzes* (der Äußerung), in dem es jeweils verwendet wird.

Das Verb in *»Fährst du nach ...?«* wird so geschrieben, weil es einerseits aus dem Familienzusammenhang *»fahren«* stammt und andererseits – in diesem Satzzusammenhang in der zweiten Person Singular – so zu flektieren ist.

Die *Wortfamilie* gibt über das Prinzip der Konstanz (*»Wörter bleiben sich treu.«*) die Grundschreibweise des Stamm-Morphems vor, »definiert« es auf der orthografischen Ebene. Das Morphem hält sich als kleinster gemeinsamer Nenner durch alle Wörter einer Familie durch. Für Komposita gelten zudem Wortbildungsregeln (z.B. das Fugen-**s** in Vor*fahrt*sschild).

Der *Satz* gibt über die Regeln der Syntax die Form eines Wortes (Grund-, Flexionsform) vor.
Die Auszeichnung durch Großschreibung, die Frage, was ein Wort sei (Zusammenschreibung von Zusammensetzungen), Numerus-, Genus- und Kasuskennzeichen, eben Flexionen und Satzzeichen, sind durch den Satz bestimmt, also (eigentlich) grammatische Phänome. (**I**ch weiß, da**ss** wir **I**hnen nichts **N**eues sagen.)

Dieser Unterscheidung entsprechen unterschiedliche Operationen: *Wort-* bzw. *Satzproben.*
Proben sind als (linguistische) Operationen Schlüssel zu den die Morpheme bzw. die Wörter konstituierenden Prinzipien und Regeln.
Sie sind im Folgenden geordnet, wie sie aus der Lernerperspektive Entscheidungshilfen bieten.

Die drei Bereiche, die sich durch unterschiedliche Zugriffe und Proben unterscheiden lassen, handeln
– von Geminaten, Umlauten und dem verlorenen Ton,
– von Merk- und Denkmalen, Eselsbrücken und dem besonderen Fall und
– von Substanzen, Großbuchstaben und der Probe mit dem Artikel.

1. Von Geminaten, Umlauten und dem verlorenen Ton
Probleme, die wortbezogen sicher über Operationen/Proben
zu entscheiden sind (Regelschreibungen)
Dieser erste von drei Bereichen umfasst die Fälle der Orthografie, die im engen Sinn des Wortes *geregelt* sind. Entsprechendes Sprachwissen und Können vorausgesetzt (bzw. auf diese operationale Weise erzeugt und gestützt), lassen sich kritische Fälle durch Operationen auf der Morphem-/Wortebene sicher entscheiden.
Dies sind Kürzezeichen (Geminaten), Umlaute und Auslautverhärtungen (mit Stimmtonverlust). Sie gehören alle drei zum Routineinventar phänomenorientierter Lehrgänge in Sprachbüchern und Rechtschreibmaterialien. Sie sind schon in der Grundschule Thema und – was die Um- und Auslautung betrifft – durch eine fast allen Schreibern bekannte *Verlängerungsprobe* zu entscheiden: har**t** - här**t**er, Sta**b** – Stä**be**, Gla**s** – Glä**s**er. In Wörtern, die in ihrer Bedeutung bekannt und in ihrer Bildung transparent sind, sind solche Schreibungen für Sekundarschüler kein Problem, wenn ihnen das entsprechende Lösungswort der Probe

nahe genug liegt und wenn ihnen eine Lautabweichung als mögliche aufgefallen ist. Allerdings sind Bezüge bei Wörtern wie Verk<u>äu</u>fer zu k<u>au</u>fen, L<u>ä</u>rm zu Al<u>a</u>rm, K<u>ä</u>se zu C<u>a</u>seus nicht gleichermaßen naheliegend.

Auch viele Fälle der Auslautverhärtung sind nicht einfach durch eine Probe zu entscheiden, wenn die kritische Stelle in einer komplexen Wortbildung untergeht: Hu<u>b</u>schrauber – he<u>b</u>en, Schu<u>b</u>lade – schie<u>b</u>en, Flu<u>g</u>platz – fliegen (und nicht flu<u>ch</u>en), Schie<u>d</u>srichter – schei<u>d</u>en, Sin<u>g</u>schwan – sin<u>g</u>en (und nicht sin<u>k</u>en).

Kontrastiv zu Englisch »He had a hat« (lautliche Differenzierung) und zu Türkisch »kitap – kitabı, dolap – dolabı«. Es ist also insbesondere im Sekundarbereich nicht die Frage, ob Schreiber die Probe des Verlängerns oder der Rückführung auf die Grundform kennen oder nicht, sondern ob sie die kritischen Stellen fraglich finden, also sie gezielt zweifeln, und ob sie genügend Sprach- oder genauer Bedeutungswissen besitzen, um ein Wortgebilde zu durchdringen und aufschließen zu können. Es ist die *Erkenntnis der Bedeutung der Bedeutung*, die die Rechtschreibdidaktik hinzugewonnen hat, mit der die zu schlichte Phänomenorientierung zu überwinden ist. Rechtschreibung erfordert wörtliches Bedeutungswissen, und zwar nicht nur des Wortes als Ganzes, sondern gegebenenfalls auch seiner Teile: Das *Endgeld ist nicht der letzte Groschen, sondern kommt von en<u>t</u>gel<u>t</u>en, und die Lottozahlen kommen ohne Gewähr und Gewehre.

Es sind deshalb auch nicht phänomenbezogen Wörter zu üben, sondern *Umgangsformen mit Wörtern*, die sie durchdringen, erschließen, bedeutungsbezogen erfüllen, und das heißt – wie immer – morphematisch gliedern. Mit dem bedeutsamen Stamm ist erst die Einheit zu finden, an der die Operation vollzogen werden kann, um dann die Frage der Um- und Auslautung und auch die der Kürzebezeichnung stellen und entscheiden zu können.

Auch die *Kürzebezeichnung* ist als Phänomen für Sekundarschüler kein Problem. Schon Viertklässler verwenden sie in deutlich mehr als 50% der Fälle regelgerecht, haben also das Prinzip gelernt. Fehler tauchen überwiegend in den Schreibern nicht transparenten Wortbildungen auf. Und das heißt wiederum, wenn sie die Grundeinheit des Morphems nicht greifen konnten.

Die Logik des Systems der Kürzebezeichnung (bei flektierbaren Wörtern) lässt sich aus aktuellem Anlass am besten an der s-Gemination vorstellen. Mit der Reform, also der Korrektur dieses »Systemfehlers«, ist die s-Schreibung nach Kurzvokal wie bei anderen Konsonanten geregelt:

> *küssen – küsst – küsste – geküsst*
> *essen – isst – aß – gegessen (iss!)*
> *gießen – gießt – goss – gegossen*
> *beißen – beißt – biss – gebissen*
> *Viertklässler – wässrig*

Das Doppel-s steht nach (betontem) Kurzvokal. Die Sonderregel »nie am Wort- und Morphemende vor Konsonant« ist gestrichen. Das ist konsequent. Schüler haben uns diese Konsequenz in ihren »Fehlern« schon immer gezeigt. Den »Bruch« der Morphemkonstanz, also den Wechsel in der Vokalquantität mit der Folge des Entfallens der Verdoppelung kennen wir aus Wortfamilien, wie *kommen – kam; nehmen – genommen.* Insofern ist der Übergang vom ß nach Langvokal oder Diphtong (gießen, beißen) zum ss nach Kurzvokal (goss, biss) innerhalb einer Wortfamilie in Ordnung. Der Vokalwechsel ist in starken Verben systematisch. (Die Schweizer Lösung, die auch auf die einwertige Funktion des ß (nach Langvokal) verzichtet, verschenkt damit Unterscheidungen wie zwischen *Maße* und *Masse, Buße* und *Busse* und entsprechende Lesehilfen.) Von der Reformerentscheidung, die Konjunktion *daß* als *dass* zu spezifizieren, sei hier geschwiegen.

Für die Kürzebezeichnung gilt, der Konsonant wird verdoppelt, sofern kein weiterer im Wortstamm auf den Kurzvokal folgt. Nichtflektierbare Wörter wie *das, der, des, ab* und *bis* sind lexikalisch selten, lassen sich aber wegen ihrer großen Texthäufigkeit gut merken.

Ein grundlegendes Problem, das Voraussetzung der bewussten Verwendung von Kürzezeichen ist, ist die Fähigkeit, Kurz- und Langvokale zu unterscheiden. Ein Bewusstsein für diese – mundartlich nicht immer klare – Differenz zu stärken ist Aufgabe auch noch in der Sekundarstufe.

Einen Zugang bietet die *Silbenprobe*: Hat das Wort zwei Silben und endet die erste auf einen Vokal, dann ist dieser lang: *ge-ben, tra-gen, Na-me, neh-men, zie-len.* Die *e-Probe* hilft (fast immer) beim *h*: Beginnt die zweite Silbe eines Wortes mit /e/, dann schreibe den langen Vokal mit *h*: stehen, gehen, ziehen, Höhe, Ruhe, frohe und auch deren Verwandte. (»säen« ist als Sonderfall zu merken.) Jenseits des Problems der Terminologie: langer/kurzer Vokal; offene/geschlossene Tonsilbe, ist die *Gegenprobe* ein probates Mittel, das Bewusstsein für die Differenz und die Entscheidung im kritischen Fall zu sichern: Scha:l oder Schall; Metall oder *Meta:l?

Hier liegen die Aufgaben für Sekundarstufenschüler: Es geht um Umgangsformen mit komplex gebildeten Wörtern, die deren Bauweise bedeutungsbezogen, also morphematisch aufschließen helfen, um die Grundeinheit, das Morphem, zu erschließen, in dem Vokalkürze und auch Um- und Auslautung bewusst zu kennzeichnen sind. Dies schließt ein, morphematisch bestimmte Schreibweisen an den Morphemgrenzen wie bei *Handtuch, Motorrad, Stillleben, Brennnessel* und *Sauerstoffflasche* nicht als Spitzfindigkeiten abzuwerten, sondern als interessante Beispiele des konsequent geregelten Systems zu verstehen.

Im Folgenden Beispielwörter – die auch JahrbuchleserInnen interessieren können –, die das Verhältnis von implizitem und ergründbarem Wissen zeigen. Zugleich macht diese Aufgabe deutlich, dass es einer reichen (mehrsprachigen) Spracherfahrung bedarf, bestimmte Wortbildungen bedeutungsbezogen erschließen zu können.

Übersetzen Sie wortwörtlich:

Cowboy:	*Kuhjunge*
Casanova:	
Lokomotive:	
Leonhard:	
Television:	
Video:	
Audi:	
Telefon:	
Pullunder/Pullover:	
Automobil:	

Hätten Sie gewusst, dass Sie das gewusst haben?

2. Von Merk- und Denkmalen, Eselsbrücken und dem besonderen Fall
Probleme, die es zu bemerken und deren Schreibweise
es sich zu merken gilt (Merkschreibungen)

Dass es beim Erlernen von Schreibweisen ganz allgemein immer auch um das Merken bestimmter Details geht, ist mit der Sprache vermacht. Wörter wie *Haupt, Mittag, täuschen, Haar/Härchen, Säule, Wal/Wahl, Hai, Fuchs, Vater* sind in synchroner Perspektive nicht zu ergründen. Ihre Schreibweise ist in gewisser Weise gesetzt, wörtlich so geregelt. Ermutigend für Lerner ist die Tatsache, dass diese wörtlichen Regelungen zugleich für alle Formen eines Lexems, also für die ganze Wortfamilie gelten: »Wörter bleiben sich treu.«

Die Grenzen der Morphemkonstanz sind die »schwarzen Schafe« einer Familie: *Geschäft/schaffen, gesamt/zusammen, hatte/hat, Traktor/Trecker.* – Ist *Gespräch* verwandter mit *Sprache* oder *sprechen*? Solche »Schafe« können Ausgangspunkt von Fragen sein, zu deren Antworten man allerdings gute linguistische bzw. etymologische Wörterbücher braucht. Ziel eines Sprachunterrichts auch im Hinblick auf Orthographie muss es sein, Bedeutung und Bildung von Wörtern in die Perspektive von Lernern zu bringen: Wörter sind gebildet. Es ist das Interesse und mit ihm eine Bereicherung und Sicherung des Sprachgefühls, das ein Erspüren von Bedeutungszusammenhängen von Wörtern eines Ursprungs ermöglicht: *hören, gehören, hörig, Hörige, horchen, gehorchen, Gehorsam.*

Proben in diesem besonderen Bereich der Merkschreibungen sind nicht gleichermaßen möglich, was sich an der Längebezeichnung und bei Fremdwörtern zeigen lässt. Die Regeln der Längebezeichnung sind anderer »Natur« als die der konsequenten Kürzebezeichnung. Am Beispiel des »langen a«: Auf der Basis von 2300 Wortstämmen finden sich 45 mit ah, 163 mit a (ohne Längezeichen), 8 mit aa und 103 mit au/äu, die als lang gelten. Fragen nach dieserart Zahlenverhältnissen sind als Forschungsaufgaben sinnvolle Sammelaufträge. Auf diese Weise werden Aspekte der Struktur der Schriftsprache entdeckt und – auf dem

Wege des Sammelns – ist immer wieder die Entscheidung »lang oder kurz« zu treffen. Es entstehen geordnete Listen, denen – über die untersuchten Relationen hinaus – implizite Regeln entnommen werden können wie: h steht nicht immer, aber nur vor l, n, r.

Beim »langen i« verkehrt sich das Verhältnis: Das lange /i/ schreibt man in heimischen Wörtern mit *ie*, in Fremdwörtern *i*.

Merkwörter (heimisch): *wir, dir, mir, Tiger, Bibel, Igel, Kino, Liter;* (Fremdwörter): *Hierarchie, Hieroglyphen, Industrie, Energie, Chemie, Papier, Klavier;* Wörter auf *-ieren.*

Das Sammeln von Wörtern ist produktiv, sowohl vom Ergebnis her betrachtet als auch als Prozess. Ergebnis ist etwa eine Liste der Wörter mit V/v. Sie mag durch ihre Absehbarkeit einen gewissen Gebrauchswert haben. Das Finden der Wörter allerdings setzt eine Reihe von Techniken in Gang, die bedeutsam sind: Lerner gehen ihren eigenen Wortschatz durch, rekapitulieren Wortmengen im orthografischen Fokus, sie ziehen ein Wörterbuch zu Rate, realisieren z. B. die Lautdifferenz zwischen *brav* und *bravo,* nehmen Wörter hinzu, die andere gefunden haben. Auch spielerische Sammelaufgaben erfüllen einen ähnlichen Zweck: Suchen Schüler etwa Komposita mit zwei Doppelkonsonanten (Besserwisser) oder mit einem richtigen und einem falschen Kürzezeichen (Motorroller), so bewegen sie eine Vielzahl von Wörtern in ihrem Kopf, viel mehr, als es übliche Übungsformen verlangen, und realisieren dabei jeweils die Frage der Länge oder Kürze, finden Passendes, verwerfen Unpassendes und kommen zu Ergebnissen, die in eine gemeinsame Liste aufgenommen werden. Eine andere Idee sind Geschichten um Wortverwandtschaften: Wer los*fährt*, sich auf den Weg macht, sammelt Er*fahr*ungen; kann aber auch an Wegelagerer und damit in Ge*fahr* geraten. Und wer eine Auskunft mit »unge*fähr*« schmückt, begibt sich nicht in Ge*fahr*, zur Rechenschaft gezogen zu werden.

3. Von Substanzen, Großbuchstaben und der Probe mit dem Artikel
Probleme, die im Satzzusammenhang entstehen
und nur aus ihm zu entscheiden sind (Kontextschreibungen)

Diese Kategorie umfasst Phänomene an Wörtern, die sich aus dem Zusammenhang des Satzes (oder des Textes) ergeben, also syntaktische und damit grammatische Probleme sind: die Großschreibung, die Zusammenschreibung[1], die

---

1 Was ist schon ein Wort? Aus welchen Gründen sind in Schreibung Grenzen zu setzen, die im Sprachfluss nicht bestehen und in Bezug auf die Bedeutungszusammenhänge fließend sind? Im Bereich der Zusammen- und Getrenntschreibung muss aus einem semantischen Sowohl-als-auch ein Ja-oder-nein werden.
Auf seinem neuen Turbodreirad kann das Kind die Oma sowohl umfahren als auch umfahren. – Fährt das Kind die Oma nun um, oder umfährt es sie geschickterweise? – Bei diesem Beispiel scheint es nicht notwendig zu sein, den Bedeutungsunterschied von *úmfahren / umfáhren* auch in der Schreibung sichtbar werden zu lassen. In der flektierten Form gehen wir mit den Wortgrenzen von *úmfahren* jedoch anders um als mit den Wortgrenzen von *umfáhren: úmfahren* ist eine unfeste Verbindung.

Zeichensetzung im Wort (Bindestrich, Apostroph) und im Satz (Satzschlusszeichen, Redezeichen, Kommata). Wenn man so will, lassen sich hierunter auch Probleme der grammatischen Kongruenz von Kasus, Numerus und Genus bei der Deklination von Artikelwörtern, Adjektiven und Substantiven im Satz fassen, ebenso wie die Konjunktion *dass*.

Entscheidungen durch Proben stellen in diesem Bereich sehr unterschiedliche Anforderungen an das sprachliche Können und Wissen der Schreiber. Umstell-, Ersatz- und Verschiebeproben führen – wählt man entsprechend verzwickte Beispiele – in eine hohe Komplexität von immer weiteren und manchmal sehr spezifischen Bedingungen der Geltung.

Hier gilt es für den Unterricht »Werteentscheidungen« zu setzen. Dies heißt nicht, dass bestimmte – wie auch immer festgelegte – Bereiche etwa der Zusammenschreibung ausgenommen werden sollten. (Dies setzte ja paradoxerweise deren Thematisierung durch Schüler voraus.) Es käme vielmehr darauf an, sich im Unterricht pragmatisch auf solche Bereiche zu konzentrieren, die hinreichend transparent sind. Transparenz meint hier: ein Durchschauenkönnen der syntaktischen Struktur eines Satzes durch Operationen, die »aufgehen«, und nicht das Verlieren in Fällen, die zwar gleichermaßen vorkommen können, die zur sicheren Entscheidung aber Anforderungen an verfügbares Wissen stellen, das sich – mit Verlaub – auch bei vielen Studenten und Lehrern nicht findet. Dieses Eingeständnis, mit Schülern nicht alles klären zu wollen, bzw. um Bereiche zu wissen, die *offen* bleiben, ändert *praktisch* nichts, denn für den Großteil der Schüler der Sekundarstufe bleiben solcherart Fälle sowieso gleichgültig. Zudem: Wenn wir eine Rechtschreibintuition unterstellen, die sich durch ermutigende Schriftspracherfahrungen fortschreitend versichert, sind solcherlei Fälle – die ohnehin zu 50% zufällig, also bedenkenlos richtig geschrieben werden – wahrscheinlicher richtig als falsch und treffen auf Leser, die dies auch nicht genau wissen. Sie zu thematisieren, hätte also nicht unbedingt zur Folge, dass ein durchschnittliches Rechtschreibniveau angehoben würde – wahrscheinlicher ist, dass unser ›gebildeter‹ Perfektionsanspruch eher zu verunsichernder Erfahrung führt. (Vgl. zu Problemen grammatischer Kategorisierungen und der Komplexität grammatischer Operationen die interessanten Beiträge von *Boettcher, Bremerich-Vos* und *Ossner* in »Grundschule«, 1/96; vgl. auch *Naumann 1991:* Das, was er »didaktische Approximation« nennt, meint eine Konzentration auf das Machbare in Verbindung mit einer Nachsicht ohne Purismus und Vollständigkeitsphantasien.)

Im Kern muss es darum gehen, den Begriff, den Schülerinnen und Schüler etwa vom Substantiv haben, auf einer intuitiven Ebene auszubauen, orthografisch im Hinblick auf die Großschreibung. Großschreibung überhaupt als Problem wahrzunehmen ist eine Frage der Einstellung.

Welches der folgenden Wörter kann nur ein Substantiv sein (und nicht gleichzeitig auch noch ein Wort einer anderen Wortart)?

SOG, HALT, MIETE, SCHWARZ, SCHNELLER, PACKUNG, LAUF,

ERDE, DUNKELHEIT, LIEGE, SITZ, LAKRITZ, FÜLLEN,
BLINKER, REIFEN.

Wer diese Aufgabe lösen will, wird vermutlich zweierlei tun: Sie oder er wird
den ihr oder ihm zur Verfügung stehenden Wortschatz durchforsten, ob es dort
zu dem vorgegebenen Wort (Substantiv) auch noch einen Eintrag für ein gleich
klingendes Verb oder Adjektiv gibt. Dann wird man das Ergebnis zur Sicherheit
im Kontext eines Satzes überprüfen wollen: *Der Sog des Strudels riss ihn in die
Tiefe. – Er sog gierig an seinem Strohhalm.* Bei SCHNELLER gerät man vielleicht ins Stutzen und schaltet den zweiten Schritt vor: In welchem Kontext kann
SCHNELLER überhaupt ein Substantiv sein? Sicherlich macht sich der eine oder
die andere auch noch Gedanken darüber, ob es an Wörtern bestimmte Merkmale gibt, die sie als Substantive unzweifelhaft kennzeichnen. Die Endungen bei
PACK**UNG** und DUNKEL**HEIT** sind sicherlich klar, aber wie ist es mit BLIN-
K**ER** im Vergleich zu SCHNELL**ER**? Gibt es vielleicht noch mehr Wörter, die
wie ERDE auch Verben sein können? *Ich LAKRITZel' dich an!* funktioniert jedenfalls nicht so ganz.

Schüler bilden ihren Substantivbegriff – wie jeden anderen auch – in sich aus.
Die Hilfskonstruktion, Substantive seien 'Hauptwörter' und 'anfassbar', müssen sie erweitern; sie können die *Artikelprobe* hinzugewinnen. Ein unbezwei-
felbares Merkmal von Substantiven ist ihre Artikel*fähigkeit*. Und Artikel sind in
dieser Fragehaltung nicht nur *der, die, das* und die unbestimmten Artikel, sondern auch *kein, etwas, jeder* (u. a. Indefinitpronomen); *mein, dein, sein, unser*
(u. a. Possessivpronomen).

Die *Artikelprobe* funktioniert jedoch nur, wenn Schülerinnen und Schüler (an
sich) den Anspruch stellen, den Zusammenhang von Artikel und fraglichem
Substantiv erfassen zu wollen. Und diese Fragehaltung, in der sie sich um die
semantischen und grammatischen Bezüge innerhalb des Satzes bemühen, ist
nicht nur in diesem Zusammenhang produktiv.

Vielleicht versuchen Sie einmal zu begründen, warum sich die Artikel in den folgenden Beispielen auf die durch Großschreibung gekennzeichneten Substantive beziehen *müssen.*

Der arme, bleiche Waisenjunge Matthias ...
Der schöne, laue Frühlingsmorgen im Mai ...

Immerhin gibt es Varianten, die mehr oder weniger denkbar, mehr oder weniger
richtig sind.

Der Arme bleiche weise junge Matthias ...
Der arme bleiche weisen Junge Matthias ...
Der arme bleiche waise junge Matthias ...

Ein solcher Anspruch dem Kontext gegenüber führt dezidiert über die Arbeits-
weise der Grundschule hinaus und muss – sicherlich unterschiedlich ausgebildet – die angestrebte Arbeitshaltung in der Sekundarstufe werden. Denn nicht

nur für die Großschreibung, sondern auch für die weiteren Bereiche der Kontextkategorie ist das Bemühen, die Beziehungen der einzelnen Wörter untereinander zu klären, eine wesentliche Fundierung des Rechtschreiblernprozesses und also auch des Rechtschreibverständnisses (»Context is FUNdamental!«). Ein Beispiel mag dies veranschaulichen:

SIE BEZIEHEN SICH AUFEINANDER
STRASSE STEHENDES SCHILD.

Die folgenden Beispiele zur Großschreibung stammen aus einer Werbe-Wurfsendung eines Supermarktes und von Karl Valentin.

»damen frottee nacht hemd mit spitze, diverse modelle und farben, hoher an teil baum wolle, größen: 36–56«

Wie ist zu entscheiden, welche dieser Wörter groß und welche zusammengeschrieben werden? Das Beispiel ist nicht leicht; Werbeannoncen schlittern in ihrer abgehackten Kürze am Rande der Verständlichkeit vorbei, wollen eben auch anderes als nur verstanden sein.
Wir bieten Ihnen nun gewissermaßen als Experiment den Inhalt der Annonce in einer Form dar, die zumindest Ihren syntaktischen Erwartungen nicht widersprechen dürfte. Unterstreichen Sie doch einfach die Wörter, die Sie intuitiv groß schreiben würden.

»Nuser fauksauh tiebet maden nösche tachndemhen. Eis ebhesten sua cheiwem troffe dnu sua neiem chohen naleit na maublowwe. Rer graken sti tim neifer zispe ebzest. Ni nuserem torsiment dinfen eis idserve lodemme ni ren revdieschensten barfen. Se hesten nihen rie srögen 36–56 uzer sualahw.«[2]

Bei der Lösung dieses Rätsels wird Ihnen geholfen haben, dass Substantive in bestimmten Feldern stehen, die Sie und auch Schülerinnen und Schüler intuitiv erahnen können. In diesen Feldern können folgende Wörter vorkommen: Präpositionen, Artikelwörter, Adjektivattribute und (hinter dem Substantiv) Genitivattribute. Sie alle treten auf ihre Weise zum Substantiv in Beziehung, in grammatische und semantische und zeichnen es dadurch aus.
Versuchen Sie bei dem Werbetext von Karl Valentin, vollständige Sätze zu bilden und dabei Präpositionen, Artikelwörter, weitere Adjektivattribute und Genitivattribute um die Substantive herum zu gruppieren. Sie werden sehen! Die Substantive werden Ihnen auffallen wie ein Magnet im Nadelhaufen …

---

2 Damit Sie überprüfen können, dass wir nicht gemogelt haben, geben wir Ihnen hier den zugrundeliegenden Text. Die Transformation hatte übrigens System (mit zwei Ausnahmen)! Erkennen Sie es?
Unser Kaufhaus bietet Damen schöne Nachthemden. Sie bestehen aus weichem Frottee und aus einem hohen Anteil an Baumwolle. Der Kragen ist mit feiner Spitze besetzt. In unserem Sortiment finden Sie diverse Modelle in den verschiedensten Farben. Es stehen Ihnen die Größen 36–56 zur Auswahl.

»Opel-Limousine, fast neu, nur einmal an einen Baum gefahren, wegen Geistes-
aufgabe des Besitzers billig zu verkaufen. *Frau N. Pech, Autobesitzerswitwe*«.

Damit sei beispielhaft für den Bereich der Großschreibung eine methodische
Verarbeitung skizziert, die auch auf die übrigen Bereiche der Kontextkategorie
übertragbar erscheint. In Bezug auf die Kontextkategorie geht es darum, Komplexität pragmatisch zu reduzieren und Schülern – aufbauend auf Fertigkeiten,
die sie aus der Grundschule mitbringen – eine Arbeitshaltung nahezulegen, aus
der sie sich an Zweifelsfälle fragend herantrauen.

Schlussbemerkungen

Das entscheidende Problem des Orthografieunterrichts der Sekundarstufe ist
kein fachdidaktisches im engen Sinne. Es geht um die Frage: Wie können wir
Unterricht aus dem Dilemma defensiv begründeten Lernens in Richtung auf ein
expansives Lernen verändern helfen?
Antworten werden zu finden sein, wenn wir von der Vorstellung Abstand nehmen, dass wir Rechtschreibung im Sinne von »Lernen-Machen« lehren und dass
wir Jugendliche zum Lernen motivieren könnten. Die Leistungsstreuung einer
»normalen« 7. Hauptschulklasse (gemessen mit der HSP 5–9) zwischen einem
und siebzig Fehlern machen klar: Wir müssen unseren Lehr-Lernbegriff überdenken.
Das Wahrnehmen dieser tatsächlichen, unübersehbar gewordenen Spracherfah-
rungsdifferenzen hilft, einen scheiternden Ansatz von Unterricht zu verstehen.
Anstelle eines Förderkonzepts zunehmender Elementarisierung der Stoffe gilt
es, Anforderungen aus plausiblen Handlungszusammenhängen verständlich
werden zu lassen, so dass Begründungen für ein Lernen-Wollen tragfähig werden können. Nicht in einer immer feiner differenzierenden Didaktisierung von
Lernstoffen sehen wir die Chance, Schülern verständlich zu machen, dass es in
der Schule um sie, um ihr Lernen, um ihr Interesse geht. Didaktisierungen laufen immer Gefahr, zu verwöhnen, Verantwortlichkeit zu verundeutlichen, zu
wenig anspruchsvoll zu sein. Allemal in der Sekundarstufe muss es um Zumu-
tungen gehen, um Anforderungen und Herausforderungen. Das Gegenteil
versucht eine Disco-Didaktik, so wie sie Verlage im Konkurrenzkampf auf der
»interschul« und »didakta« immer bunter – bis hin zu blinkender Leuchtrekla-
me – verkaufen möchte: Lernen mache Spaß, Lust und Laune. Das ist unlauter,
zielt ausdrücklich nicht auf expansive Lernbegründungen.
Ein fachdidaktischer Beitrag könnte darin bestehen, Materialien zu entwickeln,
die als Angebote innerhalb eines umfassenden Lernkonzeptes (vgl. *Brügelmann*
in diesem Band und *Reichens* Überlegungen zum Werkstattunterricht) zur Verfügung stehen und Schüler unterstützen: Wörterbücher, verständliche Orientie-
rungshilfen in der Systematik der Orthografie (etwa ein Fundamentum im Sinne
von *Augst/Schaeder)* und Lehrgänge, wie oben beschrieben.
Es sollten Werkzeuge für die Hand und den Kopf des Schülers sein, mit denen

sie für sich Fragen beantworten bzw. Probleme lösen können. Das Modell solcher »didaktischen« Materialien könnte das Handbuch eines Computerprogramms sein.

Es geht aus von dem, was jemand kann und wissen will. Es stellt Aufgaben, gibt Hilfen und Informationen. Der Benutzer tut etwas und erfährt, ob er es verstanden hat.

Literatur:
Boettcher, W. (1996): Stationen bei der Analyse von Satzgliedern. In: Grundschule, 28. Jg., Heft 1, 19–22.
Bremerich-Vos, A. (1996): Kontroversen um die Namenwörter. In: Grundschule, 28. Jg., Heft 1, 14–18.
Holzkamp, O. (1995): Lernen. Subjektwissenschaftliche Grundlegung. Campus: Frankfurt/New York.
Maas, U. (1992): Grundzüge der deutschen Orthographie. Tübingen.
Ossner, J. (1996): Der Schatz der Wörter. In: Grundschule, 28. Jg., Heft 1, 23–27.

Michael Stuewer

Die andere Seite des Lernens – die scheinbar unvermeidliche Tradition der Angst

Zweifeln lernen – nicht verzweifeln

Sichere Schreiber sind sich sicher, sie entscheiden souverän und schnell. Sie könnten Anregungen brauchen, aber bedürfen nicht der Hilfe. Unsichere Schreiber sind unsicher in sich, sie wissen zwar um die Sicherheit anderer, doch diese Sicherheit im anderen ist nicht nachzuvollziehen, sie ist unsichtbar, un(be)greiflich, sie mutet an wie Magie, ist weder verfügbar noch nachahmbar – sie ist und bleibt die Sicherheit des anderen. Diese Sicherheit teilt sich erst per Korrektur in greifbarer Form mit, und zwar meist verbunden mit einer wertenden Äußerung, die die Unsicherheit bestätigt.

Wer unsicher ist und auf dem Gebiet der Unsicherheit handeln muss und um die möglichen Konsequenzen weiß, hat Angst. Wer Angst hat, drückt sich um das Feld der Unsicherheit (z.B. Auto zu fahren oder zu schreiben), er weicht aus, flieht. Oder er wagt es doch und handelt mit der Angst als höchster Instanz. Dabei entstehen Ergebnisse, die nach dem Unfall von den anderen und dem Verursacher selbst nicht mehr nachvollzogen werden können.

Nach dem unsicheren Schreiben und der Kennzeichnung der Fehler kann/soll theoretisch gelehrt und gelernt werden. Doch Lehrer und Lerner sitzen eher fassungslos/ohnmächtig vor dem roten Gewitter der Fehlermarkierungen. Der Ohnmächtige ist ohne Macht, also Opfer einer größeren Macht, und folglich hat er keine Möglichkeiten und keine Verantwortung.

Man behilft sich mit der Zeremonie des Verbesserns, z.B. des Dreimal-richtig-Schreibens des fehlerhaft notierten Wortes. Dies wird auch möglichst schnell erledigt. So hat man vorerst einmal – müde und erschöpft – Absolution und Ruhe erlangt, ist sich aber weiterhin unsicher und ein auf Buße gefasster Wiederholungstäter.

Wie können Lehrer und Lerner Sicherheit gewinnen und geben?

Aus der Perspektive des sicheren Könners sind die Felder seines Könnens gut und klar geregelt – der Straßenverkehr ebenso wie die Orthographie. Aus der Perspektive des Unsicheren ist Richtiges und Falsches beliebig verteilt – das Falsche kann sich jederzeit unbemerkt einschleichen oder über einen hereinbrechen. Oder krasser: Ich bin außerhalb der Regelungen – ich bin der Falsche. Die Idee kennenzulernen und sich zu eigen zu machen, dass die Orthographie klar strukturiert und verständlich geregelt ist, ist nötig, um genau dieses bei erneuter Betrachtung der Orthographie erkennen zu können und um die aussichtsreiche Ahnung der Erlernbarkeit und der Lehrbarkeit zu eröffnen – einhergehend mit der Idee, nicht ohnmächtig zu sein, sondern Verantwortung wagen zu können. Diese Haltung ermöglicht es erst und ist zugleich schon der Beginn, die Perspektive zu wechseln und sich eine klärende Struktur anzueignen, mit der man operieren, proben und in die man weiteres Wissen einordnen kann. Dieses bedeutet Werkzeug nutzbar zu machen, welches die Möglichkeit gibt – zunehmend effektiv und souverän –, die eigenen Kompetenzen zu erweitern.[1]

• Zeit lassen und Ruhe geben zum Formulieren und Formen der Wörter erhöhenChancen des Lernens, denn wer unter Zeitdruck hetzt oder getrieben wird, soll in dieser Situation nicht lernen, sondern sehen, dass er scheitert, er soll unter Zeitdruck Fehler machen, die anschließend gejagt und gesühnt werden. Wenn es das höhere Ziel sein soll, zu qualifizieren und nicht zu selektieren, müssen Formen der Qualifikation gesucht werden und Zeremonien des Scheiterns unterbleiben.

• Die Verfügung über ein Wörterbuch ist eine Chance zum Lernen, weil der Lerner so die Möglichkeit hat aufzumerken, seine Unsicherheit zu bemerken, Fragen zu entdecken und Antworten zu finden und sich diese zu merken. So kann der Lerner zu seinem eigenen Lehrer werden.

Das Wörterbuch bietet die Möglichkeit, Sicherheit und Wissen verfügbar zu machen, denn Orthographie zu erlernen ist ein sich Kompetenzaneignender Akt – also nehmende Tätigkeit. Es anderen recht zu machen, um Anerkennung zu erfahren, ist dagegen gebende Tätigkeit, ein Gerichtetsein auf den anderen, nicht auf sich selbst – eine Haltung, in der man sich nichts aneignen kann.[2]

Man könnte sich auch Plus-Punkte zu den nachgeschlagenen Wörtern geben, erstens als Geste der Anerkennung der Arbeit und zweitens als Eigenkontrolle bei wiederholtem Nachschlagen eines Wortes.

Und wenn auch mal der Lehrer sich traut, unter Beobachtung nachzuschlagen, zeigt auch er sich als Lehrer und Lerner in einer Person, entspannt die Situation, und erhöht die Chance, dass auch der Schüler dies als mögliches Persönlichkeitskonzept begreift.

Es geht hier darum, ein unsichtbares Kunststück zu vollbringen, Mut und Zutrauen zu fassen, neue respektvollere Haltungen zu gewinnen.

Es ist unsere (Schul-)Erfahrung, aber es ist nicht logisch und zwingend gegeben, dass es ein ausgewogenes Zahlenverhältnis von Gewinnern und Verlierern geben muss. Es ist unsere Erfahrung, dass wir als machtlose Opfer Zuwendung

---

1 Siehe hierzu auch unseren Beitrag »Werkzeuge zum Rechtschreiben« in diesem Band.
2 Die »scheinbare Gedächtnisschwäche (…) ist also häufig nur ein Anzeichen für ihre Resignation, für ihre tiefe Überzeugung, daß es ihnen doch nicht glücken würde, von etwas (hier Orthographie) Besitz zu ergreifen.« *Fritz Riemann:* Grundformen der Angst, 1961, 1982, 66.

erfahren, aber dies ist nicht die einzige und auch nicht die komfortabelste Möglichkeit. Mutlosigkeit und Hochmut sind uns vertrauter als Demut und Mut, dies gilt es umzudrehen, denn das ist produktiver, ökonomischer und auch liebevoller.

Das Kunststück für den Schüler ist: im Schreiben aufzumerken, seine Unsicherheit zu bemerken, sie nicht zu vertuschen, sich nicht auf Korrektur und Buße zu verlassen, sondern zu lernen. Dazu braucht er Raum.

Das Kunststück für Lehrer und Schüler ist, aus dem Schreiben-Lernen-Sollen ein Schreiben-Lernen-Wollen und -Können zu kreieren. Denn nur so kann der Schüler in der Situation des Sich-unsicher-Seins mutig aufmerken, für ihn Schwieriges bemerken, proben, untersuchen, basteln, wagen, entscheiden, nachschlagen, sich Richtiges merken, lernen.

Anders ausgedrückt: Der Schüler will/soll erwachsen werden, und er will / soll schreiben wie Erwachsene, da muss er auch das Handwerkszeug dafür bekommen, er muss mehr und mehr Verantwortung übernehmen, also braucht er auch immer mehr Kompetenz und Macht. Erwachsen zu werden ist kein abzuwartender Zeitpunk,t sondern ein gegenwärtig laufender Prozess. Dies gewahr zu werden bedeutet, Respekt zu haben vor den Möglichkeiten des Schülers bzw. seine Fähigkeiten zu eröffnen, zu fordern und zu fördern.

Ziel dieser skizzierten Beobachtungen und Überlegungen ist nicht anzuklagen, Schuld neu zu verteilen oder Rezepte für guten Unterricht zu geben, denn das wäre nur der Misere zweiter Teil. Es geht mir um den Anstoß – wider die Resignation – zum Aufmerken und Bemerken einer alltäglichen, bescheiden schweigenden, als selbstverständlich hingenommenen und doch – wenn man sie entdeckt – exotisch-fremd anmutenden Welt.

Karl Holle

»Ohne Satzzeichen ist das Wörterschreiben so langweilig!«

Zeichen-Setzung in historischen Texten und Schülertexten[1]

»Zeichensetzung ist doof, weil man da in Diktaten viele Fehler mit machen kann. Satzzeichen sind aber auch gut. Ohne sie ist das Wörterschreiben so langweilig: Nach vielen Wörtern freut man sich, wenn man endlich ein schönes Ausrufezeichen malen kann – aber das darf man ja nicht immer. Außerdem kann man immer gleich sehen, wer gerade spricht, und beim Lesen und Zuhören rattert das nicht so durch.« (Friederike, 10 Jahre)

Interpunktion und Alphabetschrift

In alphabetischen Schriftsystemen treffen mehrere Codierungsebenen zusammen, denen sowohl unterschiedliche als auch gleichartige Funktionen (Spezifizität bei gleichzeitiger Redundanz) dafür zukommen, daß mit Hilfe eines Textes ein Kommunikat *(Schmidt 1991)* realisiert werden kann. Diese Ebenen wurden im Verlauf der historischen Perioden auf sehr verschiedene Weise ausgeführt und verweisen auf unterschiedlichste Auffassungen von Schrift und Schriftlichkeit: von der Auffassung der Schrift als »Zeichen der gesprochenen Rede« *(Aristoteles)* und dem lauten Vor-Lesen als die antike Leseform bis hin zur Charakterisierung der Schrift als ein zwar im Mündlichen fundiertes *(Maas 1992)*, doch relativ eigenständiges Zeichensystem, dem für den mündlichen Sprachgebrauch auch eine prägende Funktion zukommt *(Nerius 1978)*, und dem stillen, »einsamen« Lesen als die heute verbreitetste Leseform. Dieser Beitrag stellt einige Aspekte und historische Positionen dieser Entwicklung vor und verknüpft sie in lockerer Form mit Beispielen aus Schülertexten.

Phonemisierung

Der in der *Abb. 1 (Kapr 1983, 32)* auszumachende Schriftduktus läßt sich in der Frühzeit fast aller alphabetischen Schriften beobachten: Die Konzentration auf den phonographischen Aspekt führte zu einer Vernachlässigung in der Darstellung von semantischen und syntaktischen Bezügen. Er verdeutlicht zudem die Spezifik der »alphabetischen Revolution« *(Havelock 1990).*

---

[1] Dieser Beitrag ist die stark gekürzte Fassung eines Aufsatzes, der 1995 in der Reihe »Didaktik Diskurse« der Universität Lüneburg erschien.

ILLEVOLATSIMVLARVATVGASIMV
HICVELADELEIMETASETMAXIMAC
SVDABITSPATIALISPVMASAGETC
BELGICAVELMOLLIMELIVSFERAII
TVMDEMVMCRASSAMAGNVMEA
CRESCEREIAMDOMITISSINITON
INGENTISTOLLENTANIMOSPREI
VERBERALENTAPATIETDVRISPAI
SEDNONVELAMAGISVIRESINDV
QVAMVENIREIMEICAECISTIMVL
SIVEBOVMSIVEESTCVIGRATIOR
ATQ·IDEOTAVROSPROCVLATQ·IN
PASCVAPOSTMONTEMOPPOSITV
AVTINTVSCLAVSOSSATVRAADPR
CARPITENIMVIRESPAVLATIMVR
TEMINANECNEMORVMPATIIVRA
DVLCIBIILAQVIDEMINLICEBRIS
CORNIBINTERSESYBIGITDECER
PASCITVRINMAGNASILVATORM
ILLAALTERNANTESMVLTAVIPROI

Abbildung 1: Vergils »Georgica«, 3.–4. Jhd.

Eine Alphabetschrift bezieht sich auf die abstrakte Ebene der Phoneme, und damit wird es möglich und notwendig, über Schrift und Sprache »theoretische Sätze« zu formulieren, die ihre Präzision eben wegen ihrer Entfernung vom »Augenschein« erhalten: So, wie die Tangente den Kreis nur in einem (gedachten) Punkt berührt und die augenscheinliche Fläche zwischen Wagenrad und Besenstiel nicht den »wahren« Sachverhalt wiedergibt (vgl. zur Protagoraspolemik gegenüber den »idealen« Gegenständen der Geometrie *Mittelstrass 1974,* 41), so stellen die Buchstaben einer alphabetischen Schrift nicht die Laute in ihrer konkreten, kontinuierlichen Artikulation und Koartikulation dar, sondern die »theoretisch« analysierbaren, diskreten Elemente eines Phonemsystems. Der so gewonnene Abstraktionsgrad ist gegenüber logographischen Schriften ein doppelter: a) Die einzelnen Zeichen beziehen sich nur auf die bedeutungs*differenzierenden* Elemente des Sprachsystems einer Einzelsprache. b) Die bedeutungstragenden Einheiten stellen zu den jeweiligen Sachverhalten keine ikonische Beziehung her.

Diese doppelte Abstraktion wirft für den Produktions- und Rezeptionsprozeß Probleme auf, die es in logographischen Schriftsystemen in dieser Form nicht gibt: Der Appell in dem Text der *Abbildung 2* ist leicht zu erkennen: »Laß das Pfeiferauchen sein, Papa. Ich werde sonst krank, muß husten und eklige Medizin einnehmen!«

Die sinnstiftende Aufgabe des Rezipienten besteht für solche Texte darin, die Einzelzeichen zu entschlüsseln, die Beziehungen zwischen den Zeichen zu rekonstruieren und das Ergebnis dieses Prozesses zu versprachlichen.

Logographische und piktographische Systeme sind in einem doppelten Sinne von einer Einzelsprache unabhängig: a) Sie transzendieren Einzelsprachen, indem auch Sprecher anderer Sprachen einen solchen Text verstehen können. Die Grenze dieses Verständnisses bildet der gemeinsame kulturelle Hintergrund. b) Die einzelnen Zeichen sind nicht an linguistische Einheiten in der Weise gekoppelt, daß damit eine bestimmte mündliche Realisierung auch formal festgelegt ist. Man wird eine große Bandbreite semantisch auch divergierender Verbalisierungen erwarten können. Die Grenze dieser Variationen bildet die

Abbildung 2: Appell (Schülerin 1. Schuljahr)

Belastbarkeit der semantischen Bezüge, die durch den situativen Kontext kontrolliert wird.

Eine Sprachtheorie auf der Basis solcher Schriftsysteme wird sich vor allem auf semantische und pragmatische Differenzierungen beziehen, die weit über wirtschaftliche oder verwaltungstechnische Angelegenheiten *(Schenkel 1983)* hinausgehen können, ist doch die Möglichkeit eröffnet, hinter der einen Welt eine zweite, mythologische, auszugestalten und zu tradieren *(Anders/Jansen 1988)*. Damit wurde eine Theorie der Sprache möglich, die »diese in eine Folge bildhafter Vorstellungen zerlegte und diese Vorstellungen dadurch darzustellen suchte, daß man sie als Bilder zeichnete« *(Miller 1993, 62)*.

Anders ist der Weg bei den alphabetischen Schriftsystemen der *Abbildung 1*. Schrift und Schreiben erscheinen nun als formale, sekundäre Prozesse, die den Blick auf die »bedeutungslosen« Elementaria lenken, aus denen durch Kombination die unendliche Menge der bedeutungstragenden Einheiten entsteht. Hierdurch ändern sich Gegenstand und Methodik nicht nur sprachanalytischer Theorien. Es ist kein Zufall, daß in der Frühzeit der griechischen Schrifttradition die Philosophie als prima philosophia auftrat, die die ersten Ursachen, die Elemente, zu bestimmen versuchte und dabei den mythologischen Erklärungsansätzen das Diktat der ratio entgegensetzte.

Daß eine solche Schrifttheorie mehr umfaßt als eine Repräsentation des jeweiligen Lautsystems, läßt sich an nicht-linearen Alphabetschriften aufzeigen wie z. B. der birmanischen oder der balinesischen Schrift. In der ersteren wird ein Lautsymbol in die Mitte gesetzt, und die anderen Laute eines Wortes werden darumgruppiert. Im Balinesischen wird dieses Prinzip zu einem Textprinzip der Abbildung von Wissensstrukturen, deren »Anordnung eine Gedächtnisstütze für alles Lernen von Generation zu Generation (war), eine Metapher, die die Welt zusammenhält, so wie die lineare, aneinandergereihte Schrift eine Metapher für die Vorstellung von Kausalität und historischer Bedingtheit in der westlichen Welt darstellt« *(Miller 1993,* 57/58).

Mit der Technik der einfachen Laut-Buchstaben-Zuordnung ist eine Basis erreicht, die Schrift als Modell von Sprache überhaupt aufzufassen und metalinguistische Bewußtheit zu etablieren. Der Orthographie kommt hierbei die Funktion einer systematisierenden und normierenden Instanz zu. Das hat ambivalente Auswirkungen, weil die Normierung eines Schriftduktus eine theoretisch kohärente Beschreibung des Sprachgebrauchs benötigt, die wiederum als eine auf Geschlossenheit angelegte Theorie auf den Sprachgebrauch selbst normierend einwirkt, was im Ergebnis zu manchmal problematischen sozialpsychologischen Folgen führen kann, wobei wütende Proteste gegen orthographische Reformen noch die geringsten sind. Diese verweisen aber auf eine tieferliegende Problematik.

Die ersten systematischen Analysen des Wort- und Flexionsbestandes, wie sie die stoische Grammatiktradition durchführte, kategorisierte die nicht zu systematisierenden Einheiten des damaligen Sprachgebrauchs unter dem bezeichnenden Terminus »Barbarismus« *(Baratin 1991,* 197 ff.). Ähnliches läßt sich in fast allen literalen Sprachgemeinschaften beobachten und findet seinen Niederschlag in der Durchsetzung von Stilebenen und deren gesellschaftlicher Bewertung. Unterschiede zwischen verschiedenen Gesellschaften ergeben sich daraus, wie die Spannungen zwischen den Polen »Konsolidierung« vs. »Konfusion« sowie »Abgrenzung« vs. »Ausweitung« die Diskurse gesellschaftlicher

Abbildung 3: Textprobe Schüler 1. Schuljahr

Felder bestimmen, allgemein: welcher Status Abweichungen zugestanden wird. Der ungegliederte und phonetische, an die Wahrnehmung und Analyse der eigenen Sprechlaute gebundene Schriftduktus beruht auf einer Auffassung von Schrift, die diese als abhängig von der gesprochenen Sprache betrachtet. Diese Theorie der Schrift liegt zum einen so auf der Hand, daß sie zunächst auch das Schreiben von Schreibanfängern prägt, wenn man sie läßt *(Abbildung 3)*. Zum anderen ist sie so stark gewesen, daß sich in Antike und Spätantike der phonemische Schriftduktus zumindest der Handschriften nicht wesentlich verändert hat, obwohl die Ausdifferenzierung der grammatischen Theorie z. B. in den *partes orationis* und den ersten syntaktischen Analysen *(Fuhrmann 1994,* 81 ff.) Anlaß zu seiner Veränderung geboten hätte; sie ist darüber hinaus so kräftig gewesen, daß nicht nur die didaktische Aufarbeitung der Orthographie bis heute behaupten konnte, daß die Maxime »Schreibe, wie du sprichst!« den Gegebenheiten unseres Schriftsystems entsprechen würde (zur Geschichte dieser Maxime vgl. *Müller 1990).*

Interpunktion als Teilsystem einer Semantisierung des Schriftbildes
Das Aufgeben des rein phonographischen Schriftduktus durch das Einbeziehen zusätzlicher graphischer Elemente reichert das Schriftsystem mit zusätzlichen, zunächst vor allem semantisch motivierten Codierungsebenen an, welche die alphabetischen Schriften wieder näher an logographische heranführen.

GEHEILIGTWERDENAMEDEIN • ESKOMMEKÖNIG
REICHDEIN • ESWERDEWILLE
DEIN • WIEIMHIMMELAUCHAUF
ERDEN • BROTUNSERDIESESTÄG
LICHEGIBUNSANDIESEMTAGE • UND
ERLASSUNSWASSCHULDIGWIR
SEIEN • SOWIESAUCHWIRERLASSENDEN
SCHULDIGENUNSEREN • AUCHNICHTBRIN
GEUNSINVERSUCHUNG • SONDERNERLÖ
SEUNSVONDEMÜBEL • DENN
DEINISTDIEHERRSCHAFT • UNDMACHT
UNDHERRLICHKEITINEWIGKEIT • AMEN •
DENNWENNIHRERLASSTDENMENSCHEN
MISSETATENIHRE • ERLÄSSTAUCH
EUCHVATEREURERDERÜBERDENHIMMELN •
ABERWENNNICHTIHRERLASSTDENMENSCHENMIS
SETATENIHRE • NICHTDANNVATEREU
RERERLÄSSTMISSETATENEU
RE : ABERWENNIHRFASTETNICHTWER
DETWIEDIEHEUCHLERBETRÜBTE •

Abbildung 4: Gotisches Vaterunser (Übertragung K. H.)

Für die alphabetischen Schriftsysteme stellt sich das Problem der Semantik als eines der formalen Gliederung: sowohl der Einheiten des Schriftsystems als auch der Sprache überhaupt. Dies zeigte sich im historischen Kontext besonders dort, wo in einem kontrastiven Verfahren Schrifttexte aus der einen Sprache in eine andere »übersetzt« wurden.

Die Abbildung 4 zeigt für diesen Sachverhalt einen Ausschnitt aus der Bibelübersetzung des *Bischofs Wulfila* ins Gotische *(Agricola 1969, 98)*. Der gotische Text weist zwei Interpunktionszeichen (• :) auf, die Einheiten unterschiedlicher Länge und syntaktischer Struktur zusammenfassen. Eine genauere Analyse dieses Ausschnittes zeigt, daß diese Einheiten weder durch ein syntaktisches noch durch ein intonatorisches Gliederungsprinzip befriedigend zu erklären sind. Der Text bringt vielmehr eine semantisch fundierte Ebene zum Ausdruck, die linguistisch durch die Ausschöpfung der zugehörigen (lateinischen) Verbvalenzen erklärbar ist: er konstituiert eine Interpunktionsstrategie, bei der die Semantik die Syntax dominiert.

Diese Strategie läßt sich im übrigen auch als zusätzliche Erklärung für bestimmte Orthographie- und Zeichensetzungsfehler in Schülertexten heranziehen, wenn z. B. bei Objektsätzen das einleitende »daß« nicht als Konjunktion erkannt und kein Komma gesetzt wird: Objektsätze gehören in der Regel zu den notwendigen Ergänzungen des regierenden Verbs und stehen mit ihm deswegen in einem engeren semantischen Verhältnis als beispielsweise Temporalsätze.

Dieses Motiv der Semantisierung des Schriftbildes läßt sich im frühen Mittelalter auch an der Isolierung von Einheiten auf Wortebene beobachten, die in die ersten Wörterbücher Eingang gefunden haben. Der Abrogans listet eine Reihe von Einzelwörtern auf wie *Abba – faterlih, Abnuere – pauhan* (ein Zeichen geben), *aber auch Ausdrücke wie Absquefedere – uzzenamootscaffi* (ohnezu-

---

Sankt paulus prophezeite denen, die zuseinen zeiten erwarteten des sühneta ges. dass er eher nichtkäme. ehe romanum imperium zerginge. und antichristus (zu)herrschen begänne. Wer zweifelt ronmanos einst gewesen (sind) al ler reiche herren und ihre macht kam zumende der welt. so dann viele leute jenseits derdonau ansässige her über zu ziehen kamen. und inallen diesen reichen gewaltig wider ro manis saßen. da in stunden ihre sachen schliefen. und zudem unter gang kamen. den wir nun sehen. Daher geschah zu des kaisers zeiten zenonis. dass zwei könige nördlich gekommen. einer ihm den stuhl zurom raubte. und ganz italiam. (der)andere da nach ihm grecia nahm. und die länder. die vonda aus biszur donau sind. Jener hieß inunserer weise otoacher. dieser hieß theode rich. Da ward dass dem kaiser beliebte. dass er theoderich freund lich zuhofe bat. dorthin zudem berühmten constantinopoli ...

Abbildung 5: Trost der Philosophie (Übertragung K. H.)

neigung) oder *absq;amicitiae – uzzenafriundscaffi* (ohnefreundschaft) *(Agricola 1969,* 49). Der kategoriale Gesichtspunkt ist also auch auf dieser lexikalischen Ebene ein semantischer und keine formale Wortartensystematik, wie aus der Behandlung der Präpositionen ersichtlich.

Der Textausschnitt der *Abb. 5,* die Übersetzung von *Boethius »De consolatione philosophiae«* ins Althochdeutsche durch Notger III. von St. Gallen *(Agricola 1969,* 146), zeigt demgegenüber eine Verfeinerung der graphischen Gestaltung des Schriftbildes, die im wesentlichen – wenn auch zum Teil mit anderen Mitteln – im Schriftduktus heutiger Texte auszumachen ist und deren Funktionen man wie folgt interpretieren kann:

Zwei prosodische Zeichen (Akut und Zirkumflex im Original) spezialisieren die Schrift nach einem phonemischen Gesichtspunkt; sie erlauben eine genauere artikulatorische Abstufung zwischen einzelnen Vokalen. Die anderen Zeichen gliedern den Text nach semantischen Kritierien: Das Spatium kennzeichnet »Wörter«, allerdings nicht im Sinne heutiger Systematik (vgl. dazu Ausdrücke wie zuseinen, nichtkäme, zumende, derdonau, zurom usw.); der Punkt schließt semantisch Zusammengehöriges ab, das durch die jeweilige Verbvalenz bestimmt wird; die Majuskeln zeigen den Beginn eines neuen Gedankengangs an, in gewisser Weise vergleichbar den Absätzen in heutigen Texten, in denen die Leerzeile diese Funktion übernommen hat.

Damit ist ein Funktionswandel der Schrift initiiert, der sie zu einem Zeichensystem eigener Qualität macht: »Bestimmte sprachliche Einheiten oder Kategorien, semantisch relevante Zusammenhänge und Unterschiede werden nun in der geschriebenen Sprache direkt verdeutlicht, und zwar ohne Berücksichtigung daraus erwachsender Diskrepanzen zur gesprochenen Sprache« *(Nerius 1974,* 207; *zit. in: Thomé 1992,* 212).

Interpunktion als Formalisierung syntaktisch-semantischer Einheiten

In der einschlägigen Literatur zur Charakterisierung historischer Stationen der Interpunktion findet man häufig die Einschätzung, daß das Hauptprinzip der Interpunktion von einem auf den mündlichen Vortrag bezogenen rhythmisch-intonatorischen zu einem syntaktisch-semantischen Prinzip sich gewandelt habe. Dieses letzte »Prinzip« gelte heute durchgängig und sei die Leistung vor allem der Grammatiker des 18. und 19. Jahrhunderts *(Baudusch 1989).* Da der DUDEN sich noch auf beide Prinzipien bezieht, wenn er konstatiert, daß sie in einem gewissen Widerstreit lägen, was eine eindeutige Regelung aller Fälle unmöglich mache (DUDEN *Rechtschreibung 19, 1986,* 38), stellt sich die Frage, was damit gemeint ist, daß ein »rhythmisch-intonatorisches Prinzip« einem »grammatisch-syntaktischen« entgegenstünde.

Eine Anweisung zur Zeichensetzung, die sich auf die Intonation verlegte, könnte z. B. fordern: »Setze nach einer größeren Sprechpause einen Punkt und nach einer kleineren ein Komma; ist diese Entscheidung zweifelhaft, setze ein Semikolon.«

Der Schreiber, der einer solchen Anweisung folgen möchte, hat etwas Ähnliches zu leisten wie der *Bischof Wulfila* bei seiner Bibelübersetzung: Er muß in dem zu interpungierenden Text selbständige Aussageeinheiten finden und diese miteinander vergleichen, um ihre jeweilige Mächtigkeit für ein Satzzeichen festzusetzen. Der Schreiber wendet somit kein intonatorisches Prinzip an, sondern ein semantisches, gerade auch, wenn er sein implizites Wissen aktiviert, eine »angemessene« Intonation zu finden: die zu interpungierenden Einheiten müssen als »sinnvolle« Einheiten zusammenpassen. Es widerstreitet also nicht die Intonation mit der Grammatik, sondern eine explizite formal-grammatische Lösung mit einer impliziten kasuistisch-semantischen (zur weiteren Kritik der DUDEN-Regelungen vgl. z. B. *Maas 1993, Mentrup 1993).*

Diese Art der »intonatorischen« Gliederung eines geschriebenen Textes wird häufig auf die antike Lehre von den distinctiones per cola et commata zurückgeführt *(Baudusch 1989,* 9), die wiederum als Teil der lectio, der Kunst des Vorlesens, einen Aspekt der antiken und mittelalterlichen Grammatik ausmachte. Man unterschied neben einigen Betonungszeichen in der Hauptsache drei Pausen *(Kemp 1991,* 304) und kennzeichnete sie durch Punkte in unterschiedlicher Höhe: a) die *distinctio* (°) – später *periodus* – als Kennzeichnung einer vollen Sinnpause (Satz oder Absatz) und Gelegenheit zum vollen Durchatmen, b) die *media distinctio* (•) – später *comma* – als kleinerer Teil einer Periode für ein schnelles Luftholen und c) die *subdistinctio* (.) – später *colon* – als Teil einer Periode oder auch Verses, dessen »Sinn« noch unvollständig ist, mit leichtem, schwebendem Anhalten der Stimme.

Die Zeichen erfüllen also vor allem eine rezitatorische Funktion: Sie sind nicht Produkte eines Schreibvorgangs, sondern Ergebnisse sekundärer Bearbeitung eines Textes. Damit stehen sie nicht unter der Kontrolle eines »Autors«, der bestimmte Maßnahmen zur »Abschattierung seiner Gedanken« (DUDEN *Rechtschreibung 14, 1958,* 17) vornimmt, sondern sie sind mnemotechnische Hilfen für einen Rezitator. Eine solche, insbesondere der Textinterpretation verpflichtete Gliederung gelangt zu prinzipiell anderen Einheiten als eine Gliederung auf der Basis einer semantisch-syntaktischen Analyse.

Beachtenswert ist in diesem Zusammenhang, daß es im Frühmittelalter durch

Distinctiones	Punctus der Neumen	melodische Formel
media d.	p. circumflexus	
subdistinctio	p. elevatus	
distinctio	p. versus	
	p. interrogativus	

Abbildung 6: »Distinctiones« und »punctus«

den »zunehmend musikalischen Charakter der liturgischen Lektionen in Messe und Offizium« zu einer Übernahme und vor allem Konventionalisierung der *distinctiones* in der Musiktheorie gekommen ist, indem sie durch Neumen ergänzt wurden, »welche das Heben und Senken der Stimme bei der jeweiligen Distinktion andeuteten« *(Gurlitt 1967, 758)*. Den einzelnen distinctiones wurden im Laufe der Zeit feste melodische Formeln zugewiesen *(Abbildung 6)*.

Auch wenn dies eine relativ spezielle Konventionalisierung war, die die damalige Interpunktionspraxis kaum beeinflußte (Frage- und Ausrufezeichen nach heutigem Verständnis gibt es erst seit dem 15./16. Jahrhundert), so wird doch eine wichtige Basis der späteren Auffassung der Satzzeichen als »Tonzeichen« und die Ausrichtung auf das »intonatorische Prinzip« deutlich. Die melodischen Formeln befördern eine Typisierung und damit auch Idealisierung bestimmter syntaktischer Einheiten. Sie veranschaulichen den Prozeß der Formalisierung semantischer und pragmatischer Einheiten durch syntaktische Prototypen wie die »Frage«, den »Aussagesatz« usw., nach denen konkrete Äußerungen zum einen isoliert und kategorisiert werden können und deren Prototypik sie angeglichen werden müssen, sollen sie als schriftsprachliche Äußerungen gegenüber mündlichen akzeptiert werden.
Die operative Spezifik derartiger Prototypen erweist sich im Einzelfall als äußerst variabel. Welche linguistischen Einheiten wie bestimmt sind, ist sowohl in strukturell ähnlichen Sprachen als auch in den historischen Stationen von Einzelsprachen sehr unterschiedlich definiert worden. Daß Schreibanfänger auch hier eigene Wege einschlagen, wird aus dem Textbeispiel der *Abbildung 7* und *Abbildung 8* deutlich (folgende Seite).

Der Text stellt »Fritschens« Einkauf in einem Supermarkt dar, und zwar vor allem mit den Mitteln des Dialogs und des inneren Monologs, die im zweiten Teil ohne weiteren Erzählkommentar das Geschehen vorstellen. Besonders aufschlußreich ist in diesem Text der Einsatz des Punktes und der Majuskeln, und es scheinen für die Schülerin andere metalinguistische Konzepte wichtig zu sein als die den Schreiberfahrenen sofort ins Auge springenden wie »Frage« und »Antwort«.
Der Punkt ist das häufigste Satzzeichen und schließt v. a. »semantisch eigenständige Aussagen« sehr unterschiedlicher syntaktischer Struktur ab. Dies könnte den Schluß nahelegen, das metasprachliche Konzept der Schülerin konvergiere mit dem allgemeinen Begriff des »Satzes« als linguistische Einheit: Aussagesätze werden durch einen Punkt abgeschlossen.
Darüber hinaus verfolgt sie aber noch eine andere Systematik. Der Punkt schließt auch Einheiten der jeweiligen Dialog- bzw. Monologsituation insgesamt ab (Frühstück Ja Mama komme. – Wo ist die Gemüsebahr hinten Danke sehr O gut Saft. – Loß zur Kasse 5 DM bitte hier bitte Danke.), wobei die Binnendifferenzierung häufig durch den Einsatz von Majuskeln geleistet wird.

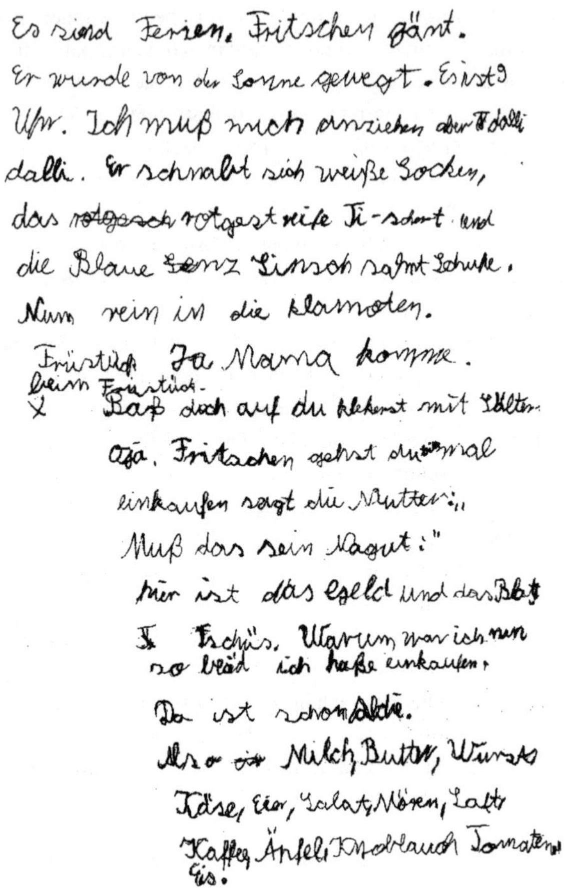

Abbildung 7: Textprobe Schülerin 2. Schuljahr

Der Einsatz des Punktes erfolgt also nicht nach einem formalen Kriterium, das unabhängig vom darzustellenden Sachverhalt die Bestimmung schriftsprachlicher »Invarianten« ausmacht, sondern orientiert sich an dem Verlauf der erzählten Situation selbst. Das analytische Problem für den Außenstehenden besteht darin zu erkennen, daß auch die der Interpunktionsnorm kongruenten Fälle diesem allgemeineren Kriterium verpflichtet sind. Diese unmerkliche Differenz zwischen dem individuellen und dem präskriptiven Bezugssystem kann zu Beeinträchtigungen der Lernentwicklung führen, wenn das individuelle Bezugssystem nicht durch eine produktive Aufarbeitung seiner Prämissen problematisiert wird: der Schreibanfänger wird nämlich auch seine »richtigen« Schreibungen im Sinne seiner in der Regel allgemeineren »Schrifttheorie« als konsistent interpretieren. Damit gerät er in ein Dilemma, das vergleichbar ist dem Anfänger im Schachspielen, der zwar den »richtigen« Zug in einer bestimmten Stellung findet, aber aufgrund einer falschen Einschätzung der Gege-

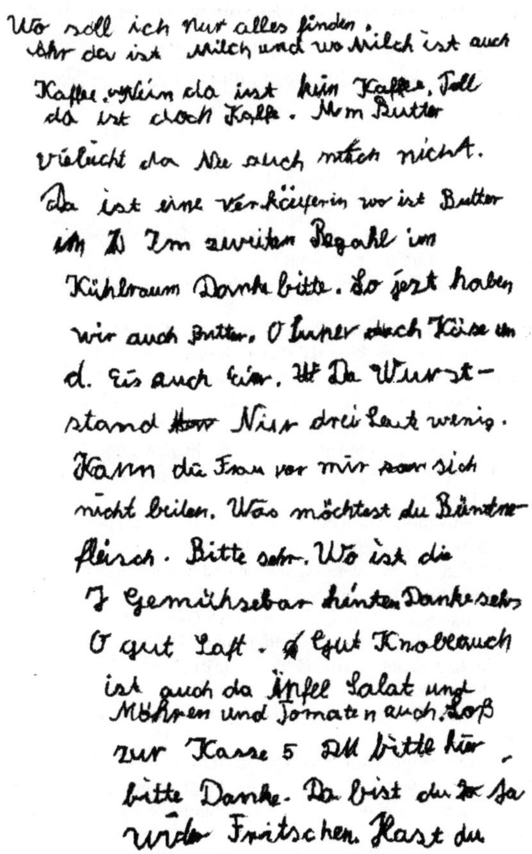

Abbildung 8: Textprobe Schülerin 2. Schuljahr

benheiten die Partie trotzdem verliert: er hat den »richtigen« Zug nach der »falschen« Theorie gespielt.

Schlußbemerkung

Linguistische Einheiten sind variable Konstruktionen, abstrakte Gebilde, die aus der Reflexion über das eigene Sprechen und Schreiben entstehen. Sie rekurrieren auf metalinguistisches Wissen, das – wie anderes Wissen auch - sich der »erfolgreichen Organisation der Erfahrung des Schülers durch diesen selbst« verdankt *(v. Glasersfeld 1992, 281)*.

Ein solches Wissen läßt sich nicht unabhängig vom erkennenden Subjekt definieren, sondern verweist auf den konstruktiven Charakter des Lernens, durch das der Lernende Sinn in seine Welt bringt: Hinter der vermeintlichen Unordnung in Schülertexten verbirgt sich meistens eine sinnvolle Ordnung, die – und das ist der springende didaktische Punkt – als Ausgangspunkt genutzt werden muß, Wissensstrukturen zu differenzieren. Die in diesem Beitrag vorgestellten historischen Positionen – Phonemisierung, Semantisierung und Formalisierung von Schriftdukta – könnten weitere Ansatzpunkte darstellen, Auffassungen von Schreibanfängern zur Funktion schriftsprachlicher »Zeichen-Setzungen« besser verstehen zu lernen.

Literatur:

Agricola, E., Fleischer, W., Protze, H. (Hrsg) (1969): Die deutsche Sprache. Kleine Enzyklopädie. Leipzig: VEB Bibliographisches Institut.

Anders, F./Jansen, M.(1988): Schrift und Buch im alten Mexiko. Graz: Akademische Druck- und Verlagsanstalt.

Baratin, M. (1991): Aperçu de la linguistique stoïcienne. In: Schmitter 1991, 193–216

Baudusch, R. (1989): Punkt, Punkt, Komma, Strich. Regeln und Zweifelsfälle der deutschen Zeichensetzung. Leipzig: VEB Bibliographisches Institut.

Fuhrmann, M. (1994): Rom in der Spätantike. Portrait einer Epoche. München, Zürich: Artemis und Winkler.

Gurlitt, W. (Hrsg.) (1967): Riemann Musik Lexikon. Sachteil. Mainz: Schott's Söhne.

Havelock, E. A. (1990): Schriftlichkeit. Das griechische Alphabet als kulturelle Revolution. Weinheim: VCH, Acta Humanoira.

Holle, K. (1989): Lesemotivationen und Lesehandlungen bei Schülern. Theoretische Grundlegung und empirische Befunde. Frankfurt/M, Bern, New York, Paris: Lang.

Kapr, A. (1983): Schriftkunst. Geschichte, Anatomie und Schönheit der lateinischen Buchstaben. München, New York, London, Paris: Saur.

Kemp, A. (1991): The Emergence of Autonomous Greek Grammar. In: Schmitter 1991

Maas, U. (1992): Grundzüge der deutschen Orthographie. Tübingen: Niemeyer.

Mentrup, W. (1993): Wo liegt eigentlich der Fehler? Zur Rechtschreibreform und zu ihren Hintergründen. Stuttgart, Düsseldorf, Berlin, Leipzig: Klett.

Miller, G. A. (1993): Wörter. Streifzüge durch die Psycholinguistik. Heidelberg, Berlin, New York: Spektrum Akad. Verlag.

Mittelstrass, J. (1974): Die Möglichkeit von Wissenschaft. Frankfurt/M: Suhrkamp.

Müller, K. (1990): »Schreibe, wie du sprichst!« Eine Maxime im Spannungsfeld von Mündlichkeit und Schriftlichkeit. Eine historische und systematische Untersuchung. Frankfurt/M., Bern, New York, Paris: Lang.

Nerius, D. (1978): Zur Bestimmung und Differenzierung der Prinzipien der Orthographie. In: Die deutsche rechtschreibung und ihre reform. Hrsg.: B. Garbe. Tübingen: Niemeyer 1978, 205–211.

Schenkel, W. (1983): Wozu die Ägypter die Schrift brauchten. In: Assmann, A., Assmann, J., Hardmeier, Chr. (Hrsg.): Schrift und Gedächtnis. Beiträge zur Archäologie der literarischen Kommunikation. München: Fink.

Schmidt, H. J. (1991): Grundriß der empirischen Literaturwissenschaft. Frankfurt/M: Suhrkamp.

Schmitter, K. (1991): Geschichte der Sprachtheorie. Bd.2 Antike und Spätantike. Tübingen: Niemeyer.

Thomé, G. (1992): Alphabetschrift und Schriftsystem. Über die Prinzipien der Orthographie aus schrifthistorischer Sicht. In: Zeitschrift für germanistische Linguistik 2, 1992, 210–226

v. Glasersfeld, E. (1992): Wissen, Sprache und Wirklichkeit. Arbeiten zum radikalen Konstruktivismus. Braunschweig, Wiesbaden: Vieweg & Sohn Verlagsgesellschaft.

Carl Ludwig Naumann

allegro dialektissimo

Schreiben, wie man
(Kind/Niedersachse/Lehrer/Schauspieler/Bayer/...)
spricht

In den Fehlern, die Kinder machen, finden sich – besonders in den ersten Jahren – deutliche Hinweise, daß sie die Maxime »Schreib, wie du sprichst!« gewissermaßen überziehen. Die Maxime muß nämlich ausdifferenziert werden als »Schreibe, wie du schreibnützlich sprichst!« Erst in ihrer differenzierten Form ist die Maxime hilfreich beim Rechtschreiberwerb. Viele Fehler können nämlich auf die Vielfalt in der tatsächlich gesprochenen Sprache zurückgeführt werden, und in dieser Vielfalt finden sich Ansätze zum schreibnützlichen Sprechen. Ich stütze mich auf Untersuchungen der 70er und 80er Jahre *(Eichler, z. B. 1983, Dehn 1988, Ketteniß/Naumann 1987, Naumann 1987, 1988, 1989)*. Wichtig sind aber auch neuere Arbeiten zur Dialektdidaktik *(Rosenberg 1993* allgemein, leider gerade wenig zur Rechtschreibung[1]) und zum Problem des sogenannten Substandards *(Mattheier, z. B. 1990)*. Unter »Substandard« lassen sich – im Rahmen der Varietätenforschung – die bekannteren Dialekt-Probleme mit den weniger bekannten Auswirkungen sogenannter Verschleifungen beim flüssigen, lockeren Sprechen zusammenführen.

Neben dem Lautprinzip, wie die Maxime im folgenden kurz heißen soll, müssen vor allem zwei weitere Verfahren berücksichtigt werden, das morphematische Prinzip »Schreibe gleiche Morpheme als möglichst gleiche Buchstabenfolge!« und das syntaktische Prinzip »Verschrifte Satz-Eigenschaften!«
Schreibgeübte Erwachsene bevorzugen ein weiteres Verfahren, nämlich Wörter als ganze hinzuschreiben. Die drei anderen Verfahren benutzen sie vielleicht auch bei der Kontrolle eigener Texte, im unmittelbaren Schreiben aber nur, wenn sie unsicher sind; sie erschreiben sich das Wort nach hochautomatisierten, kaum bewußten Regeln und prüfen dann das Produkt, ob es bekannt/schön/richtig aussieht. (Die Probe auf dem Löschblatt.) Es ist klar, daß Kinder, weil sie oft unsicher sind, bei den meisten Wörtern die drei ersten Verfahren benötigen. Denn sie schreiben, wenn man sie läßt, eben auch ungeübte und sogar vermutlich ungesehene Wörter überwiegend mit Erfolg! Laut vorgelesen ist sehr schnell fast alles verständlich; in der Grundschulzeit *bald zunehmend,* klingen sogar im allgemeinen fast alle Schreibungen richtig.

---

1 *Rosenberg* verallgemeinert *Siebers* Kritik an der einseitig kontrastiven Betrachtungsweise *(Sieber 1990). Sieber* meint allerdings ausdrücklich den Unterricht im Mündlichen; für den Rechtschreiberwerb ist die kontrastive Betrachtung zwar nicht hinreichend, aber notwendig.

Aber mancher kann auch weit nach dem dritten Schuljahr oder gar als Erwachsener noch nicht dem differenzierten Lautprinzip ausreichend folgen. Jedenfalls habe ich unter den vielleicht 100 extrem schlechten Rechtschreibern – Kinder (z. T. als Legastheniker bezeichnet) und Erwachsene (Analphabeten) –, deren Schreibungen ich mir in den vergangenen Jahren genau angesehen habe, einen bedeutenden Anteil zu simpler Lautverschriftungen gefunden.

Vielfalt: scheinbar unendlich ...

Durchschnittliche erwachsene Sprecher des Deutschen variieren ihre Sprache bemerkenswert stark: *Lautstärke, Tonhöhe* und *Sprechtempo* unterliegen großen Schwankungen, sowohl von Sprecher zu Sprecher wie auch beim gleichen Sprecher in verschiedenen Situationen. Ähnlich schwankt (und hängt damit teilweise zusammen) die Genauigkeit der Aussprache. Sie kann von ausgeprägter, teilweise schriftgleicher Explizitaussprache, sogenannter lento-Artikulation, bis hin zu extremer Verschleifung, zum Auslassen von Lauten und ganzen Silben gehen, zu sogenannter allegro-Artikulation. (Daß für die Genauigkeitsstufen so viele Bezeichnungen zu finden sind, liegt wohl an der geringen Verbreitung dieses Phänomens selbst unter Linguisten.[2])

Ferner gibt es Bewegungen auf einer Stufenleiter zwischen ausgeprägtem kleinräumigem Ortsdialekt über großlandschaftliche Dialekte und regional gefärbte Umgangssprachen bis hin zur völlig dialektfreien Standardlautung. Anders als man zunächst vielleicht meinen könnte, sind die Genauigkeits-Skala und die Dialektalitäts-Skala nicht gekoppelt, sondern unabhängig voneinander. Es gibt also durchaus auch sorgfältig artikulierte Dialektaussprache und ungenaue dialektfreie Aussprache.

Dies (und mehr, etwa Wortschatzbesonderheiten) nennt man die innere Vielfalt einer Sprache im Gegensatz zur äußeren Vielfalt der Sprachen. Wer die innere Vielfalt wahrzunehmen beginnt, wird sich die Frage stellen, warum man im allgemeinen davon so wenig bemerkt.

– Ich glaube, daß sich erstens hierin die Ausrichtung auf Rechtschreibung spiegelt, die ja sozusagen extrem variantenarm ist und der alle erwachsenen Sprecher des Deutschen unterzogen waren, mit welchem Erfolg in der Sache auch immer. Unterstützt würde eine solche Selbsttäuschung durch die Schwierigkeit, die enorm schnelle Artikulation – durchschnittlich 5 Silben in der Sekunde – wahrzunehmen. Beim normalen schreibfähigen Erwachsenen hat sich außerdem ein Amalgam von Sprechen und Schreiben ausgeformt: Er hält die gesprochene Form eines Wortes für so etwas wie seine vorgelesene Schreibung und verwechselt Laute mit Buchstaben.

– Und zweitens nehme ich als sicher an, daß die kollektive Täuschung, Sprache sei einheitlich, zunächst einmal zum Mut beiträgt, mit anderen kommunizieren zu wollen, weil man leichter an die Möglichkeit zur Verständigung glau-

---

2 Eine grobe Information bieten die Dudengrammatik in der vorigen oder der derzeitigen Auflage oder die Einleitungen der Aussprachewörterbücher, *Krech u. a. 1982, Mangold 1990.*

ben kann. Diese »naive Homogenitäts-Annahme«, wie die kollektive Täuschung passender benannt sein könnte, hilft aber nicht, Verstehens- und Verständigungsprobleme zu erklären. Ein aufklärender Sprachunterricht muß das Sprachdifferenzbewußtsein fördern, die Einsicht, daß innere Vielfalt eben heißt: Es gibt innerhalb einer Sprache Gemeinsamkeiten und Unterschiede.

Die Strenge oder Variantenarmut der Orthographie hat übrigens wohl ebenso ihren Sinn wie der Variantenreichtum im Sprechen: Die Orthographie sichert vor allem Lesebequemlichkeit und ein möglichst hohes Lesetempo. (Weitergehende Zweckannahmen werden oft vermutet, sind aber kaum zu begründen.) Die Sprechvariation erlaubt einerseits eine gemeinsame Optimierung des Sprech- und Höraufwandes: Der Hörer signalisiert Probleme durch Anschauen, Ohr-zum-Sprecher-Drehen, Hochziehen der Brauen, gibt Bestätigungsgeräusche etc.; der Sprecher verfolgt diese Signale und reagiert – meist unbewußt –, indem er im gegebenen situativen Rahmen seinen Artikulationsaufwand allenfalls soweit verringert, daß der Hörer noch bequem folgen kann. Andererseits bewältigen und definieren Sprecher und Hörer die physische und soziale Situation mit Hilfe der Sprechvariation.

Wer die Varianz im Sprechen überhaupt bemerkt, wird sie zunächst an der Wortwahl festmachen, also wenn ihm dialektale Wendungen auffallen. Ohne weiteres registriert man auch persönliche Lautstärke und Tonhöhe sowie extremes Sprechtempo, die dauerhaft wahrnehmbaren Besonderheiten. Wechsel in der Lautstärke werden – zusammen mit anderen Veränderungen – vor allem als Verständnis-Hilfen verarbeitet. Einige Melodiefiguren wirken vor allem als Textgliederung und Mittel zur Steuerung der Sprecherabfolge im Gespräch, ohne daß man sie in ihren materiellen Eigenschaften wahrnähme. Noch schwerer lassen sich gewöhnlich Einschätzungen des Sprechens präzisieren, auch wenn man es ohne weiteres als nuschlig oder überzogen, als typisch bairisch, norddeutsch oder bühnenreif einzuordnen vermag. Wie jeder schon erlebt hat, sind diese Einordnungen oft aber nicht konsensfähig.

Bevor ich für die Beschreibungsprobleme und die Subjektivität der Urteile den Versuch einer Erklärung anbiete, muß ich noch auf einen zusätzlichen Aspekt bei der Variation von Deutlichkeit hinweisen, gewissermaßen eine äußerungs-bzw. textinterne Vielfalt. Sprecher nutzen die Abstufungen der Artikulationsgenauigkeit – im Rahmen persönlicher Gewohnheiten – nämlich nicht nur zur Situationsunterscheidung, sondern auch zur Hervorhebung wichtiger Wörter im Satz. Daß man zum Betonen im Satz (genauer: in der Äußerungs-Einheit, die länger oder kürzer als ein Satz sein kann) ein Wort (genauer: die betonungsfähige Silbe im Wort) lauter spricht, ist vielen bekannt; manche wissen auch, daß diese Silbe zugleich gedehnt und meist im Ton erhöht wird. (Daneben gibt es andere Melodiefiguren und auch plötzliches Leisersprechen als Aufmerksamkeitssteuerer.) Selbst unter Linguisten ist aber wenig bekannt, daß gleichzeitig auf der fraglichen Silbe – und oft ihren Umgebungssilben – die Genauigkeit verstärkt wird. Ganz egal, welches Genauigkeits-Grundniveau gewählt wurde, die aussagewichtige Silbe und ihre Umgebung erhalten lokale zusätzliche Genauigkeit.

Die textinterne Genauigkeits-Variation ist wohl deshalb besonders schlecht wahrzunehmen, weil sie bei gerichteter Aufmerksamkeit verschwindet – ein linguistisches Beobachtungsparadox: Wer beim Sprechen das eigene Artikulieren beobachtet, artikuliert genauer als sonst, vielleicht übergenau. Sogar Personen, die wissen, daß ihre Artikulation beobachtet wird, unterliegen diesem Druck. (Man kann ja auch nicht auf Aufforderung hin spontan sein.)

... aber konkret begrenzt

Sowohl die Beschreibungsprobleme auf der klanglichen und lautlichen Ebene als auch die Subjektivität der Urteile werden erklärlich, wenn man sich auf eine Sichtweise einläßt, die in der Varietätenlinguistik vertreten wird und grob so lautet: Sprecher und Hörer erwarten, daß zwei Situationsklassen beim Sprechen beachtet werden,

– eine öffentliche, amtliche, förmlichere

– und eine intime, private, formlosere Situationsklasse.

Alle Benennungen für die beiden Varianten sind zugleich nützlich und problematisch, wie leicht zu sehen ist: Standard und Substandard, high- und low-Variante, formelles und informelles Sprechen, ganz zu schweigen von elaboriertem und restringiertem Kode. Neutral, aber nun etwas blaß, spricht man auch von Sprech-Registern.

Mit welchem sprachlichem Material im einzelnen die Unterscheidung »gemacht« wird, ist dabei unerheblich, und es muß für Sprecher und Hörer nicht klar sein, auch wenn sie sich selbst und einander verbessern, Mißbehagen empfinden und es vielleicht äußern bei Fehlern in der Wahl oder Ausführung des Registers. *Daß* umgeschaltet wird, ist wichtig, weil beide Seiten es erwarten, nicht wie.

Ich lasse eine Reihe von Feinheiten aus, wie mehr als zwei Situationsklassen, Sprachstörungen (von denen man grundsätzlich weiß, daß sie sich im Schreiben zeigen, jedoch noch nicht genau, wie im Einzelnen) oder bewußte Durchbrechung der Situationsdefinition. Wichtig ist es aber, zu betonen: Die Rolle der Dialekte, seien sie klein- oder großräumig aufgefaßt, hat sich gewandelt.

– Dialekte werden von weniger Personen beherrscht und sogar von diesen seltener gesprochen; in einigen Regionen sind sie fast ganz verschwunden.

– Dialekte sind nicht mehr die eigentliche Muttersprache der meisten, sondern eine der möglichen »Zweitsprachen«, ein Substandard, wie erläutert.

– Kleinräumige Ausprägungen sind zurückgegangen; großregionale Umgangssprachen herrschen vor. Und von der anderen Seite her gibt es einen Standardabbau; Regionalismen (und Verschleifungen) werden selbst bei anspruchsvollem Sprechen toleriert. Dialekte und Umgangssprache nähern sich also einander.

Diese historischen Entwicklungen sind in verschiedenen Gegenden verschieden abgelaufen, sie zeigen eine Regionalität der höheren Stufe; das scheint das Gesamtbild noch mehr zu verwirren. Dennoch: Die Sprachteilhaber finden Wege, Situationen sprachlich zu unterscheiden. Dem Beobachter mag also die Vielfalt der lautlichen Formen fast unendlich vorkommen; im Handeln der erwachsenen Sprachteilhaber ist sie das keineswegs. Weil für sie nicht wirklich interessant ist, mit welchen Mitteln sie ihre Register unterscheiden, sondern nur, daß es ihnen überhaupt gelingt, genügt ihnen eine grobe Unterscheidung.

Ob auch Kinder bereits auf eine situationsabgestimmte Weise zwischen den Registern umschalten, wie die Erwachsenen, ist unklar, weil dazu bislang nur beiläufige Beobachtungen vorliegen. Möglicherweise bewegen sie sich eher zufällig im Varietätenraum. Aber mit ziemlicher Sicherheit ist dieser Raum selbst dann begrenzt: Die Kinder kommen ja nur mit den dialektalen Stufen ihres Ortes bzw. ihrer Region in Kontakt, und wahrscheinlich auch nicht mit vielen Stufen, sondern nur mit den wenigen, die in ihrem Umfeld benutzt werden. Die Verschleifungen unterliegen einigen überschaubaren Regeln. – Aus der Kinderperspektive ist übrigens der Begriff »Verschleifung« (wie der Fachausdruck Koartikulation) problematisch: Zumindest zum Teil kennen Kinder die Wörter zuerst in der »Verschleifungs«-Form bzw. unterscheiden noch nicht sicher zwischen ihr und der genau artikulierten.

Hören lernen

Daß auch Erwachsene im allgemeinen nicht auf Details der Artikulation achten, auch wenn sie ihre Register gekonnt differenzieren, hat für den Hausgebrauch seinen guten Grund, wie gezeigt; für die Schule ist es tückisch:
Wer nicht weiß, daß die Kinder sich durchaus an der ihnen vertrauten Aussprache eines Wortes orientieren, wundert sich z. B. über die Schreibung <einklich>, denn man hört doch /aigentliç/! Der Verführung zur sorgfältigen, der lento-Aussprache, entgeht man eben nur, wenn man *eigentlich* in eine unbetonte Stelle im Satz einbaut, und »nur so nebenbei hinhört«: /ainkliç/, evtl. sogar mit einem schwachen e anstelle des ersten i oder statt dem k mit einem merkwürdigen kleinen Sprenglaut an der Zungenseite bzw. in den Nasenraum hinein. Weniger schwer fällt es sicher, Schreibungen wie <fümf> mit der gesprochenen Form in Verbindung zu bringen, ähnlich in verschiedenen deutschen Gegenden <Torm>, <Tuam> oder <Toam> statt <Turm>.[3]

Die oft an Kinder gerichtete Aufforderung »Hör' genau hin!«, mit der die Kinder auf das Lautprinzip hingewiesen werden sollen, muß also die Lehrerin zuallererst an sich selbst richten, um zu erfahren, wie die Kinder wirklich sprechen. Nichts ist dem Studium der tatsächlichen Aussprache nützlicher, als Bus oder Straßenbahn zu fahren! Denn Kinder und Erwachsene um einen herum unterhalten sich dort im lockeren, privateren, formloseren Register. Für die Beobachtung von Allegro-Formen ist das private Gespräch gerade richtig, ebenso für die Entdeckung regionaler Varianten.

---

3 Zu Einzelheiten vgl. Dehn 1988, Ketteniß/Naumann 1987; Naumann 1988, 1989, die Reihe Dialekt/Hochsprache kontrastiv von Besch/Löffler/Reich sowie Rosenberg 1986.

Dieser Rat ist nicht nur gut für Lehrerinnen, die den Dialekt oder die regionale Umgangssprache einer Gegend erst kennenlernen wollen. Denn auch wer in seiner näheren oder weiteren Heimat unterrichtet, kennt zwar meist einige Merkmale, die als typisch gelten. Und das ist nützlich: In der Literatur wird übereinstimmend berichtet, daß gerade Eigentümlichkeiten, die jeder beachtet, sich nicht lange als Fehlerquelle im Schreiberwerb auswirken. Andere regionale Eigentümlichkeiten zeigen sich länger, selbst wenn – oder gerade weil – man nicht auf sie zu achten gewohnt ist.

Die beiden ersten Gruppen machen zusammen in ersten Klassen wichtige Fehleranteile aus, verschwinden aber weitgehend bis zum Ende der Grundschulzeit. Allerdings gibt es noch eine dritte Gruppe von regional-umgangssprachlichen Fehlerquellen, die sich – nicht bei allen Kindern – besonders lange halten, auch wenn sie im Prinzip Lehrerinnen und Schülern bekannt sind:

– In Süddeutschland die Unterscheidung zwischen den beiden s-Lauten /s/ und /z/, phonetisch als stimmlos und stimmhaft unterschieden. Im Unterricht sind sie besser als scharf und weich zu bezeichnen.

– In Mitteldeutschland (dialektologisch gesehen, also in einem breiten Streifen von den mittelrheinischen Gebieten bis nach Sachsen) die Unterscheidung von /ʃ/ und /ç/, wie in Feuerlöscher und Feuerlöcher oder Gischt und Gicht.

– In Norddeutschland der Unterschied von /ɛː/ und /eː/, dem langen ä und dem langen e; z.B. Gewähr und Gewehr, läsen und lesen. (Die beiden kurzen Vokale werden gemäß den Regeln der Standardlautung sowieso nicht unterschieden.)

Diese drei Fehlerquellen sprudeln deswegen so nachhaltig, weil sie großregionalen Aussprache-Gewohnheiten entsprechen. D. h., selbst sehr sprachlich orientierte Erwachsene unterscheiden dort die Lautpaare im normalen Sprechen nicht, z.T. können sie das auch bei Anstrengung nicht sicher, so daß Hyperkorrekturen vorkommen, im Sprechen wie im Schreiben: Disku/z/ion, Ti/ç/, beg/ɛː/ren – <Diskusion, Tich, begähren>.

Hyperkorrekturen entstehen auch sonst, wenn – im Bewußtsein eines häufigen Fehlers – sozusagen der Gegenfehler gemacht wird. Das geschieht z.B. leicht beim Umgang mit den regional verbreiteten Umwandlungen des Zäpfchen-r in einen Vokal, besonders nach einem a; Schüler schreiben <Arbendbrot>, <schmarl>. Vermutlich haben sie eine (überzogene) Regel gefolgert, als sie lernten, <ahm> ist falsch, es heißt <arm>; <waten> ist (hier) falsch, es heißt <warten> – »Lang klingendes a ist in Wirklichkeit ein ar.«

Was folgt?

Mit diesen vier Lautunterscheidungsproblemen muß man eventuell unterrichtlich anders umgehen als mit den anderen. Bei Lautunterscheidungsproblemen handelt es sich nämlich in der Mehrzahl nicht um eine völlige Unfähigkeit, zwei Laute zu unterscheiden. Man sieht das daran, daß Wörter, bei denen mit Schwierigkeiten zu rechnen wäre, zu unterschiedlichen Anteilen richtig, also gemäß der

Standardlautung, geschrieben werden, und nicht bloß die häufigen, vertrauten Wörter, wie man meinen könnte. Die Kinder sind also nicht im Dialekt etc. gefangen, sondern bloß durch die Variation irritiert. Ein Teil ihrer Reaktion darauf sind die Hyperkorrekturen; deswegen sollten Lehrerinnen die darin steckende erste Einsicht positiv bewerten. Vor allem aber können Lehrerinnen die Irritation mildern, indem sie zeigen, wo die Plätze der Varianten sind (ihre Domänen, wie die Varietätenforschung sagt), daß also zu Hause und mit anderen Kindern eher Dialekt oder sehr viel lockerer gesprochen wird, aber mit Fremden oder im Fernsehen weniger. So akzeptieren und unterstützen sie die Variation und lehren, sie sogar fürs Rechtschreiben zu nutzen.

Im übrigen bietet ja auch gerade die Schrift selbst eine doppelte Lernhilfe beim Festigen der Registerunterschiede und -eigenschaften:

– Erstens als Unterstützung des Unterscheiden-Lernens im Hörprozeß (der allerdings mit dem Aussprechen verknüpft gelernt bzw. gefestigt werden muß). Denn das Hören allein unterliegt der Flüchtigkeit alles Akustischen. Die Verknüpfung mit der visuellen Wahrnehmung ist daher sinnvoll, weil sie sich auf dauerhaftere Eindrücke stützt und so einen festeren Halt bietet. So kann die vorhandene, aber vielleicht unsichere Lautunterscheidung im Sprechen gestärkt werden, und dies wirkt auf das Rechtschreiben zurück.

– Zweitens aber auch zur wirklich optischen Einprägung von Schriftbildern, genauer: von kritischen Teilen der Wörter. Das gilt für einzelne »Verschleifungs«-Phänomene wie <fümf>, <Semf> und generell für die hartnäckigen, großregionalen Probleme, wenn man den Eindruck hat, die Kinder können einen Lautunterschied nicht lernen, weil er in ihrer Umgebung nicht vorkommt. – Die erste Lernhilfe ist ökonomischer, weil sie die Kinder selbständiger im Schreiben macht, denn sie können damit auf ihr vorhandenes mündliches Sprachvermögen aufbauen.

Erwähnenswert ist nach allem noch: Manche Schreibprobleme für die Mehrheit der deutschsprachigen Kinder sind für Dialektsprecher sogar leichter zu lösen. Z.B. gibt es im Alemannischen gesprochene doppelte Konsonanten und keine Auslautverhärtung, also einen Erhalt von b, d, g auch am Stamm- und Wortende, im Bairischen die alte Aussprache des ie als echter Diphthong, in einigen norddeutschen Gebieten die alte Aussprache von st und sp, wie in der Schrift. Größeren Schülern kann die Lehrerin an einem Teil solcher Übereinstimmungen klarmachen, daß die Schrift nicht nur Gedanken und Gefühle konserviert, sondern in manchem geradezu ein Museum der Sprache ist.

Literatur:
Werner Besch, Heinrich Löffler, Hans H. Reich (Hrsg): Dialekt/Hochsprache – kontrastiv. Sprachhefte für den Deutschunterricht. Düsseldorf: Schwann:
Heft 1: Joachim Hasselberg, Klaus-Peter Wegera: Hessisch, 1976.
Heft 2: Ludwig G. Zehetner: Bairisch, 1977.
Heft 3: Werner Besch, Heinrich Löffler: Alemannisch, 1977.
Heft 4: Ulrich Ammon, Uwe Loewer: Schwäbisch, 1977.
Heft 5: Hermann Niebaum: Westfälisch, 1977.

Heft 6: *Eva Klein, Klaus J. Mattheier, Heinz Mickartz:* Rheinisch, 1978.

Heft 7: *Beate Henn (-Memmesheimer):* Pfälzisch, 1980.

Heft 8: *Dieter Stellmacher:* Niedersächsisch, 1981.

Mechthild Dehn, (1988): Zeit für die Schrift. Bochum: Kamp (2. Aufl. 1994).

Eichler, Wolfgang (1983): Kreative Schreibirrtümer. Zur Auseinandersetzung des Schülers mit dem Verhältnis Laut – Schrift und mit den Rechtschreibregeln. In: Diskussion Deutsch 74, 629–640.

Ketteniß, Ute/Carl Ludwig Naumann (1987): Rechtschreibfehler verstehen. In: Die Grundschule, Heft 11/1987, 24–27.

Krech, Eva-Maria u. a. (1982): Großes Wörterbuch der deutschen Aussprache. Bilbliographisches Institut: Leipzig.

Mangold, Max (1990): Duden Aussprachewörterbuch. Mannheim/Wien/Zürich 3. Aufl.

Mattheier, Klaus J. (1990): Überlegungen zum Substandard im Zwischenbereich von Dialekt und Standardsprache. In: Günter Holtus und Edgar Radke (Hrsg.): Sprachlicher Substandard, 1–16. Niemeyer: Tübingen.

Naumann, Carl Ludwig (1987): Zur Schulung der Hördiskrimination. Eine Untersuchung über dialektbedingte Rechtschreibschwierigkeiten rheinischer Schüler. In: Germanistische Linguistik 91–92/1987, 207–246.

Naumann, Carl Ludwig (1988): Übungsblätter zur Lautunterscheidung. Eine Hilfe für den Rechtschreibunterricht im 3.–7. Schuljahr. In: Praxis Deutsch »Hören – Zuhören« 88/1988, 40–50.

Naumann, Carl Ludwig (1989): Gesprochenes Deutsch und Orthographie. Linguistische und didaktische Studien zur Rolle der gesprochenen Sprache in System und Erwerb der Rechtschreibung. In: Theorie und Vermittlung der Sprache, hrsg. von Gerhard Augst und Rudolf Beier, Band 8. Peter Lang: Frankfurt, Bern et. al.

Rosenberg, Peter (1986): Der Berliner Dialekt – und seine Folgen für die Schüler. Niemeyer Tübingen.

Rosenberg, Peter (1993): Dialekt und Schule: Bilanz und Aufgaben eines Forschungsgebiets. In: Klotz, Peter, und Peter Sieber (Hrsg.) (1993, 12–58): Vielerlei Deutsch. Umgang mit Sprachvarietäten in der Schule. Klett: Stuttgart.

Sieber, Peter (1990): Perspektiven einer Deutschdidaktik für die deutsche Schweiz. Sauerländer: Aarau/Frankfurt a.M./Salzburg

Buchstaben er-stempeln

Kinder lernen auch Buchstaben nicht, indem sie sich ihre Form einprägen. Buchstaben müssen in ihrer Bauweise verstanden werden. Eine verstandene Konstruktion kann man systematisch drehen. Dies tun Kinder manchmal, wenn sie von rechts nach links schreiben. Unverstandenes kann man nicht drehen. Ein linkes offenes E ist eine Vorform, eben kein gedrehtes E: Seine Raumlage ist noch unbestimmt, und sie ist ein bestimmtes Merkmal.

Ähnlich wie sich in Kinderzeichnungen von Personen Hände mit 3, 6 oder 7 Fingern finden lassen, finden sich auch beim großen E manchmal 4 oder gar 5 Querstriche an einer Senkrechten. Auch das sind Vorformen, denen noch ein Stück definierendes Verständnis fehlt.

Ein Werkzeug, das das Verstehen der Konstruktion der Buchstaben unterstützt, sind die Buchstabenelemente von *Sauer-Philipek:* Ein großer und ein kleiner Bogen, ein langer und ein kurzer Strich. Das ist alles, was man braucht, um alle großen Buchstaben zu erzeugen. Für die Umlaute gibt's noch einen Punkt. Mit diesen fünf Elementen aus Gummi – auf durchsichtige Stempelhalter geklebt, damit man gut plazieren kann – können Kinder stempeln: Bilder, Buchstaben, Wörter.

Das Zusammenfügen von Elementen, die Frage der Überschneidungen, die Entscheidung der Richtung, der Größe, dies alles setzt Bewusstheit

nicht voraus, wohl aber in Gang. Und zudem: Die Aufgabe, die Buchstaben zu lernen, erscheint absehbar. »Nur fünf Dinger – und das soll alles sein?«

Vorgestellt haben *Brinkmann* und *Brügelmann* diese Elemente in ihrer »Ideenkiste Schrift-Sprache«. Jetzt sind sie, zusammen mit anderen Ideen materialisiert im »Klasse(n)paket« zu haben (verlag für pädagogische medien, Unnastraße 19, D-20253 Hamburg). *H.B.*

Norbert Mai, Christian Marquardt
Irmina Quenzel

Wie kann die Flüssigkeit von Schreibbewegungen gefördert werden?

Einleitung

Die Flüssigkeit einer Handschrift gehört neben der Lesbarkeit zu den unumstrittenen pädagogischen Fernzielen des Schreibunterrichts. Umstritten sind dagegen die Wege, wie diese Ziele erreicht werden sollen, was z.B. durch die erstaunliche Vielfalt der Regelungen zur Ausgangsschrift in den Bundesländern unterstrichen wird. Die 1953 durch einen Beschluß der Kultusministerkonferenz eingeführte Lateinische Ausgangsschrift (LA) konkurriert inzwischen mit der Vereinfachten Ausgangsschrift (VA) aus dem Jahre 1973 und der Schulausgangsschrift (SAS), die 1968 in der ehemaligen DDR vorgeschrieben wurde. Aus der qualitativen Analyse der Buchstabenformen und der unterschiedlichen Vorschriften zur Verbindung der Buchstaben können zwar einige Folgerungen für den Bewegungsablauf und dessen Erlernbarkeit abgeleitet werden *(Krichbaum 1994)*, aber bisher haben die Argumente offenbar noch keinen Konsens über die Wahl der »besten« Ausgangsschrift ermöglicht. Die Förderung flüssiger Schreibbewegungen kann aber kaum auf die Wahl der geeignetsten Ausgangsschrift reduziert werden. Mit dem Begriff »Ausgangsschrift« soll gerade betont werden, daß es sich nicht um eine Ziel- oder Normschrift handelt, sondern um eine (mehr oder weniger brauchbare) Grundlage zur Entwicklung einer individuellen Handschrift. Wie aus der jeweiligen Ausgangsschrift eine individuelle und »bewegungsgünstige« Handschrift entwickelt werden soll, verschweigen die meisten Texte zur Grundschuldidaktik. Meist werden mit fortschreitenden Schuljahren nur einige Vorschriften (z.B. die Zahl der Begrenzungslinien) vereinfacht, bis schließlich die Schrift (in der Regel in der 5. Klasse) »freigegeben« wird. Es hat den Anschein, als bliebe die Entwicklung einer individuellen, flüssigen Schrift jedem einzelnen Schulkind überlassen, wobei lediglich eine ungenügende Lesbarkeit pädagogische Konsequenzen hat. Fest steht nur, daß kaum ein Erwachsener, der viel schreibt, die Ausgangsschrift beibehält. Was aber charakterisiert die Schreibbewegungen routinierter Schreiber? Der naheliegende Vorschlag (z.B. *Grünewald 1970*), aus der Analyse routinierter Schriften auch Anregungen für den Erstschreibunterricht abzuleiten, wurde jedenfalls bis heute nicht systematisch verfolgt. Inzwischen verfügbare Verfahren zur direkten Registrierung von Schreibbewegungen eröffnen neue Chancen, alte Streitfragen zur Gestaltung des Schreibunterrichts auf empirischer Grundlage beizulegen.

Bei der Untersuchung von Patienten mit zerebral bedingten motorischen Schreibstörungen hat die Registrierung der Schreibbewegungen zu unerwarteten Entdeckungen geführt. Manche Patienten mit gravierenden Schreibstörungen nach einem Schädel-Hirn-Trauma oder einem Schlaganfall waren in der Lage, völlig ungestörte, flüssige (automatisierte) Bewegungen auszuführen, wenn die Untersuchungsbedingungen oft nur geringfügig geändert wurden. Die bei diesen Patienten beobachtete Schreibstörung kann damit nicht auf eine Beeinträchtigung der motorischen Steuerung zurückgeführt werden, sondern sind wahrscheinlicher die Konsequenz sekundärer Kompensationsmechanismen.

Können bei einem Patienten erhaltene Leistungen identifiziert werden, hat dies unmittelbare Konsequenzen für die Therapie. Ein naheliegender Ansatz ist der Versuch, schrittweise die Bedingungen auszuweiten, unter denen ungestörte Schreibbewegungen möglich sind. Aus den Erfahrungen mit dem von uns entwickelten Schreibtraining *(Mai/Marquardt 1995a)* können wir inzwischen zahlreiche Faktoren benennen, die flüssige Schreibbewegungen fördern oder auch behindern. Dies hat uns zu der Frage geführt, ob nicht ähnliche Faktoren im Erstschreibunterricht berücksichtigt werden müßten. Zumindest einige kritische Fragen zu den tradierten Methoden des Schreibunterrichts in der Schule scheinen unausweichlich.

Was kennzeichnet routinierte Schreibbewegungen?

Die folgenden Analysen basieren auf der Registrierung von Schreibbewegungen mit Hilfe eines graphischen Tabletts (Digitizer) und einem speziell entwickelten Programmsystem CS *(Mai/Marquardt 1992)*. Die Schreibsituation unterscheidet sich dabei kaum von den gewohnten Bedingungen. Geschrieben wird mit einem speziellen Kugelschreiber, und der Schreiber sieht die erzeugte Schriftspur. Registriert wird die Position der Spitze des Schreibstifts mit einer zeitlichen Auflösung von 200 Hz (alle 5 ms wird die Position bestimmt) und einer räumlichen Auflösung von ca. 0,05 mm. Zusätzlich wird der ausgeübte Druck des Schreibstifts auf die Unterlage fortlaufend gemessen. Aus den Positionsdaten können kinematische Aspekte der Schreibbewegung wie Geschwindigkeit und Beschleunigung berechnet werden *(Marquardt/Mai 1994)*. Diese Technik ermöglicht – vergleichbar mit einem Mikroskop – Einblicke in die Struktur der Schreibbewegung. Es kann z. B. genau beschrieben werden, wie lange ein Schreiber den Stift bei einem einzelnen Aufstrich beschleunigt, wann die Bremsphase beginnt oder wann die maximale Geschwindigkeit erreicht wird.

Die Vielfalt individueller Handschriften läßt die Suche nach gemeinsamen Eigenschaften zunächst wenig aussichtsreich erscheinen. Die Größe der Schrift, ihre Lage, das Schreibtempo oder die Form der Buchstaben und die Lesbarkeit können nicht nur bei verschiedenen Schreibern, sondern auch bei demselben

Schreiber in verschiedenen Situationen extrem unterschiedlich ausfallen. Trotz dieser Vielfalt zeigt die kinematische Analyse der Schreibbewegungen überraschende Gleichförmigkeiten bei verschiedenen routinierten Schreibern. Betrachtet man als kleinste Analyseeinheit, einen einzelnen Auf- oder Abstrich, hat die zugehörige Geschwindigkeitskurve bei routinierten Schreibern eine charakteristische Form. Die Geschwindigkeitskurve ist glatt, annähernd symmetrisch und hat nur ein einziges Maximum. Die zugehörige Beschleunigungskurve ist ebenfalls glatt und weist genau ein Maximum vor (Beschleunigungsphase) und ein Minimum (Bremsphase) nach dem Geschwindigkeitsmaximum auf. Diese kinematische Charakteristik hat große Ähnlichkeiten zur Bewegung eines Pendels, die als ein Beispiel für eine besonders effektive Bewegung gelten kann (*Mai/Marquardt 1995b*).

Routiniertes Schreiben kann als eine rasche Abfolge von Auf- und Abstrichen charakterisiert werden, wobei jeder Strich durch ein eingipfliges Geschwindigkeitsprofil gekennzeichnet ist. Werden Buchstaben von einem routinierten Schreiber wiederholt geschrieben, weisen die Geschwindigkeits- und Beschleunigungskurven eine erstaunliche Übereinstimmung auf. Die beobachtete Ähnlichkeit der Geschwindigkeits- und Beschleunigungskurven bei wiederholten Bewegungen legt die Vermutung nahe, daß dabei immer dasselbe (hoch über-

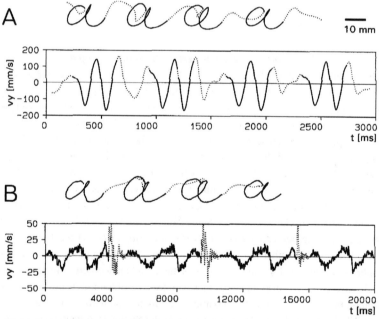

Abbildung 1: Unterschied zwischen (A) automatisierten und (B) kontrollierten Schreibbewegungen. Bei den kontrollierten Bewegungen sollten die zuvor normal geschriebenen Buchstaben nachgezogen werden. Anstelle des glatten Geschwindigkeitsverlaufs in (A) ist das Nachzeichnen durch zahlreiche, unregelmäßige Richtungswechsel der Geschwindigkeitskurve gekennzeichnet. Zu beachten ist die unterschiedliche Skalierung in (A) und (B).

lernte) »Bewegungsprogramm« ausgeführt wird. Solche Bewegungen bezeichnen wir als »automatisiert«. Eine völlig andere kinematische Charakteristik zeigen dagegen Bewegungen, die »kontrolliert« ausgeführt werden. Kontrollierte Bewegungen sind z. B. beim genauen Nachzeichnen einer vorgegebenen Figur erforderlich. Die *Abbildung 1* demonstriert den kinematischen Unterschied zwischen automatisierten und kontrollierten Bewegungen. Zunächst sollte der Buchstabe »a« von einem routinierten Schreiber mehrmals in seinem gewohnten Schreibtempo geschrieben und unmittelbar anschließend sollte die gerade erzeugte Schriftspur von demselben Schreiber nachgezogen werden. Wie zu erwarten, waren unter normalen Schreibbedingungen die einzelnen Auf- und Abstriche mit glatten, eingipfligen Geschwindigkeitsprofilen verknüpft *(Abbildung 1A)*. Beim Nachzeichnen waren dagegen die Geschwindigkeitskurven durch zahlreiche, unregelmäßige Richtungswechsel gekennzeichnet, die durch einen ständigen Wechsel zwischen Abbremsen und Beschleunigung bedingt sind *(Abbildung 1B)*. Ein genaues Nachzeichnen verlangt einen ständigen visuellen Abgleich zwischen Soll- und Istwert, wofür etwa die zehnfache Zeit im Vergleich zum normalen (automatisierten) Schreiben benötigt wurde.

Die Aufforderung, eine Linie genau nachzuzeichnen, führt offenbar zu einem sofortigen Wechsel von automatisierten zu kontrollierten Bewegungen. Aber schon die Ausrichtung der Aufmerksamkeit auf ein Detail der Bewegung reicht, um die automatisierte Ausführung zu stören.

Auswirkung von Instruktionen

Fordert man routinierte Schreiber auf, ein Wort mit geschlossenen Augen zu schreiben, zeigen die Geschwindigkeitskurven erstaunlich wenig Änderungen im Vergleich zum gewohnten Schreiben mit offenen Augen. Dies spricht dafür, daß automatisierte Schreibbewegungen unabhängig von der visuellen Rückmeldung ausgeführt werden können *(Abbildung 2A)*. Bittet man dagegen einen Schreiber, darauf zu achten, daß er die Stiftspitze beim Schreiben scharf sieht, steigt die benötigte Zeit an, und die Geschwindigkeitskurven sind deutlich verändert. Zahlreiche und unregelmäßige Richtungswechsel innerhalb einzelner Auf- und Abstriche zeigen an, daß die Schreibbewegungen unter dieser Instruktion nicht mehr automatisiert ausgeführt werden *(Abbildung 2B)*. Eine mögliche Erklärung ist, daß die Augen einen bewegten Reiz nur bis zu einer Geschwindigkeit von ca. 1,5 Hz verfolgen können *(Leist et al. 1987)*. Die typische Geschwindigkeit bei routinierten Schreibbewegungen liegt aber bei 4–6 Hz. Die Aufforderung, die Stiftspitze genau zu verfolgen, kann nur erfüllt werden, wenn die Geschwindigkeit der Bewegungen entsprechend verlangsamt wird.

Einen sehr ähnlichen Effekt hatte die Instruktion, die Schreibbewegung »mental« zu verfolgen. Dabei wurden routinierte Schreiber aufgefordert, mit geschlossenen Augen zu schreiben, aber darauf zu achten, wann sie die höchste Position in einem Buchstaben (z. B. den oberen Umkehrpunkt beim »l«) errei-

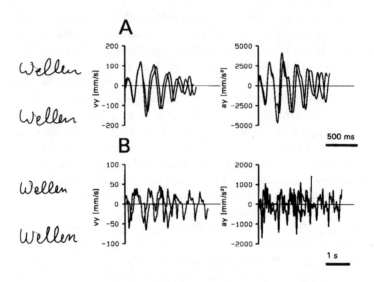

Abbildung 2: Geschwindigkeits- und Beschleunigungskurven für die Buchstabenfolge »ellen« aus dem Wort »Wellen«, das unter 4 Bedingungen geschrieben wurde. (A) Übereinandergezeichnete Geschwindigkeitskurven für normales Schreiben und Schreiben ohne visuelle Kontrolle. Die Gleichförmigkeit der Kurven läßt den Schluß zu, daß unter beiden Bedingungen die gleiche Bewegung ausgeführt wird. (B) Unter der Instruktion, den Stift visuell oder mental zu verfolgen, werden die Schreibbewegungen nicht mehr automatisiert ausgeführt. Zu beachten ist die unterschiedliche Skalierung in (A) und (B).

chen. Auch diese Instruktion reicht offenbar aus, um automatisierte Schreibbewegungen zu blockieren *(Marquardt et al. 1996)*.

Die im Erstschreibunterricht geforderte Beachtung von Begrenzungslinien provoziert konsistent selbst bei routinierten Schreibern einen Wechsel von automatisierten zu kontrollierten Bewegungen *(Quenzel 1994)*. Dies gilt nicht nur für das Schreiben von Wörtern, sondern kann schon bei elementaren Schreibbewegungen, wie der Produktion von isolierten Strichen demonstriert werden *(Abbildung 3)*.

Schon lange ist bekannt, daß der Schreibdruck und die Griffkraft, mit der ein Schreibstift gehalten wird, drastisch mit der Länge der Schriftspur anwachsen *(Denier van der Gon/Thuring 1965)*. Routinierte Schreiber lösen dieses Problem dadurch, daß sie selten mehr als 2–3 Buchstaben miteinander verbinden, ansonsten aber den Stift zwischen benachbarten Buchstaben abheben. Diese Luftsprünge dauern 200 ms und länger und reichen vermutlich aus, um die beim Schreiben aktivierten Muskeln zu entlasten. Die Analyse routinierter Schreibbewegungen hat gezeigt, daß bevorzugt Buchstaben zusammengeschrieben werden, die verbunden schneller als getrennt geschrieben werden können (z. B. »le«, »au«, »ei« oder »ch«). Im Unterschied dazu setzen die meisten Schreiber vor Linksovalen den Stift ab. Messungen haben gezeigt, daß solche Buchstabenkombinationen (z. B. »lo«, »nd«, »ig«, »la« oder »ec«) getrennt schneller als verbunden geschrieben werden *(Mai 1991)*.

226

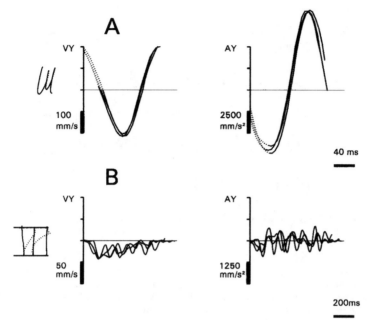

Abbildung 3: Kinematische Analyse einfacher Striche, die von einem routinierten Schreiber (A) frei oder (B) unter der Instruktion, Begrenzungslinien genau zu beachten, produziert wurden. Für jeweils 3 Abstriche wurden die zugehörigen Geschwindigkeits- (VY) und Beschleunigungskurven (AY) übereinandergezeichnet.

Fragen an den Schreibunterricht

Für einen außenstehenden Betrachter ist es nur schwer verständlich, warum Analysen der Schreibbewegungen und die umfangreiche Forschung zum motorischen Lernen bisher bei der Diskussion des Schreibunterrichts nicht berücksichtigt wurden. Die Technik zur Registrierung und kinematischen Analyse von Schreibbewegungen steht immerhin seit mehr als 15 Jahren zur Verfügung *(Teulings/Thomassen 1979)*. Eine eigene empirische Methodenforschung ist für den Schreibunterricht bis heute nicht entwickelt worden, aber bereits die publizierten Befunde zur Kontrolle von Schreibbewegungen reichen aus, einige tradierte Anweisungen im Schreibunterricht in Frage zu stellen.

Ein gutes Beispiel ist die Vorschrift der Lateinischen Ausgangsschrift, möglichst viele Buchstaben miteinander zu verbinden. Wie empirisch gezeigt wurde, erhöhen sich mit der Länge der verbundenen Schriftzüge der Schreibdruck und die Griffkraft. Kinder, die Schreiben lernen, wenden in aller Regel ohnehin zuviel Muskelkraft auf, der Stift wird mit großer Kraft gehalten, und der Schreibdruck ist meist unnötig groß. Der Einsatz zu hoher Muskelanspannungen ist eine typische Beobachtung in Situationen, in denen neue motorische Aktivitäten gelernt werden sollen. Die beteiligten Gelenke werden durch gleichzeitige Anspannung antagonistischer Muskeln (Kokontraktion) stabilisiert. Im Verlauf des

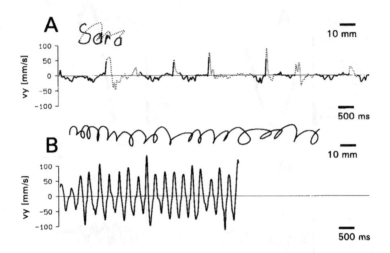

Abbildung 4: Schriftproben einer 7jährigen Schülerin, die seit 4 Monaten die erste Schulklasse besucht. Die Bewegungen bei der Produktion von Buchstaben (A) sind (noch) nicht automatisiert, aber dieses Kind hat eindeutig die Kompetenz, automatisierte Bewegungen z. B. beim Kritzeln (B) auszuführen. Die Frage ist, wie diese offensichtliche Kompetenz im Schreibunterricht genutzt werden kann.

Lernfortschritts wird diese Muskelaktivität deutlich reduziert, die Muskeln werden effektiver eingesetzt. Ein angemessener Schreibunterricht müßte versuchen, die übermäßige Anspannung der Muskulatur zu reduzieren, um die Geschwindigkeit und die Ausdauer zu fördern. Statt dessen werden Kinder – ohne Notwendigkeit – mit der Anweisung konfrontiert, möglichst viele Buchstaben zusammenzuschreiben, wodurch zusätzliche Muskelverspannungen provoziert werden.

Bislang fehlen systematische Untersuchungen darüber, über welche motorischen Kompetenzen Kinder bereits verfügen, wenn die Schreibschrift eingeführt wird. Können Kinder schreibähnliche Bewegungen (z. B. beim Kritzeln) automatisiert ausführen, oder wird diese Kompetenz erst nach langen Schreibübungen erworben? *Abbildung 4* zeigt den Vergleich der Bewegungen, die eine 7jährige Schulanfängerin bei der Produktion von Druckbuchstaben und beim Kritzeln einsetzte.

Die glatten Geschwindigkeitskurven für aufeinanderfolgende Auf- und Abstriche beim Kritzeln belegen, daß diese Bewegungen automatisiert ausgeführt wurden. Bei Patienten mit motorischen Schreibstörungen würden wir solche glatten Geschwindigkeitskurven beim Kritzeln als Nachweis erhaltener motorischer Kompetenzen ansehen und zum Ausgangspunkt des Trainings machen *(Mai/Marquardt 1994; 1995a)*. Sollte sich herausstellen, daß viele Kinder bereits vor dem Schreibenlernen automatisierte schreibähnliche Bewegungen beherrschen, wäre es ein verlockender Ansatz, im Schreibunterricht diese Kompetenzen systematisch zu fördern. Dies würde aber die Entwicklung alternativer Unterrichtsmethoden erfordern, denn die derzeit übliche Betonung von Formtreue und der genauen Beachtung von Begrenzungslinien provoziert kontrollierte und verhindert automatisierte Schreibbewegungen.

Das von uns entwickelte Schreibtraining für Patienten mit motorischen Schreibstörungen orientiert sich an den Schreibtechniken routinierter Schreiber. Aus den Analysen der Schreibbewegungen wurden Instruktionen abgeleitet, die im Training systematisch eingesetzt werden. Ein Beispiel ist die Instruktion, die Muskeln bewußt zu entspannen, wenn der Stift abgehoben wird. Dabei können diese Pausen zunächst verlängert werden, um die Entspannung sicherzustellen *(Mai & Marquardt 1995a,* 54 f.). In der Schule gehört entsprechende Hilfestellung zur Entwicklung einer flüssigen Handschrift offenbar nicht zum Methodeninventar, auch dann nicht, wenn die strenge Orientierung an der Ausgangsschrift abgemildert und die Entwicklung einer individuellen Schrift zugelassen wird. Die Vernachlässigung der motorischen Komponenten des Schreibens kann kaum mit der relativ späten Entwicklung technischer Verfahren zur Registrierung und kinematischen Analyse der Schreibbewegungen begründet werden. Allein die Inspektion routinierter Schriften gibt viele Anregungen zur Verbesserung wenig flüssiger Schülerschriften. Statt »Schönschrift« zu üben, könnte z.B. die Entwicklung bewegungsökonomischer (und trotzdem gut lesbarer) Buchstaben und effektiver Bindungen erarbeitet werden.

Unter der unzureichenden Förderung der Schreibmotorik haben vor allem die Kinder zu leiden, die Probleme beim Schreiben entwickeln. Zu den häufigsten Problemen gehört ein ungenügendes Schreibtempo, mangelnde Ausdauer und Klagen über Schmerzen im Handgelenk und in den Fingern. Solche Probleme können eine schulische Laufbahn unnötig limitieren. Ausgehend von den positiven Erfahrungen mit dem Training bei Schreibstörungen in der neurologischen Rehabilitation würden wir voraussagen, daß die meisten Schreibstörungen bei (gesunden) Kindern mit relativ wenigen Mitteln deutlich reduziert werden können.

Anregungen zur Veränderung des Schreibunterrichts ergeben sich nicht nur aus den Erfahrungen mit Schreibstörungen bei neurologischen Patienten. Generell hat die Entwicklung technischer Verfahren zur Registrierung und Analyse von Schreibbewegungen zu einer fast explosionsartigen Zunahme experimenteller Arbeiten zur Schreibmotorik geführt (vgl. *Wann et al. 1991; Faure et al. 1994).* Für die pädagogische Forschung bleibt die Herausforderung, dieses Wissen für den Schreibunterricht umzusetzen und zu erweitern.

Literatur:
Denier van der Gon, J. J. / Thuring, J.P. (1965): The guiding of human writing movements. Kybernetik 2:145–148.
Faure, C./Keuss, P./Lorette, G./Vinter, A. (eds.) (1994): Advances in handwriting and drawing: a multidisciplinary approach. Paris: Europia.
Grünewald, H. (1970): Schrift als Bewegung. Weinheim: Beltz.

Krichbaum, G. (1994): Schreibenlernen in der vereinfachten Ausgangsschrift (VA). In: Haarman D. (Hrsg.) Handbuch Grundschule, Weinheim: Beltz, 100–117.

Leist, A./Freund, H.-J./Cohen, B. (1987): Comparative characteristics of predictive eye-hand tracking. Human Neurobiology 6, 1926.

Mai, N. (1991): Warum wird Kindern das Schreiben schwer gemacht? Zur Analyse der Schreibbewegungen. Psychologische Rundschau 42,12–18.

Mai, N./Marquardt, C. (1992): CS Computerunterstützte Analyse der Bewegungsabläufe beim Schreiben. Bedienungsanleitung. München.

Mai, N./Marquardt, C. (1994): Treatment of writer's cramp. Kinematic measures as an assessment tool for planing and evaluating training procedures. In: Faure, C./Keuss, P./Lorette, G./Vinter, A. (eds.): Advances in handwriting and drawing: a multidisciplinary approach. Paris: Europia, 445–461.

Mai, N./Marquardt, C. (1995a): Schreibtraining in der neurologischen Rehabilitation. In: Mai, N./Ziegler, W./Kerkhoff, G./Troppmann, N. (Hrsg.): EKN-Materialien für die Rehabilitation. Dortmund: borgman publishing.

Mai, N./Marquardt, C. (1995b): Analyse und Therapie motorischer Schreibstörungen. Psychologische Beiträge 37,538–582.

Marquardt, C./Mai, N. (1994): A computational procedure for movement analysis in handwriting. Journal of Neuroscience Methods 52,39–45.

Marquardt, C./Gentz, W./Mai, N. (1996): On the role of vision in skilled handwriting (submitted).

Quenzel, I. (1994): Kinematische Analysen einfacher Schreibbewegungen bei Kindern und Erwachsenen. Unveröffentl. Diplomarbeit, Fachbereich Psychologie, Universität Frankfurt.

Teulings, H. L./Thomassen, A. J. W. M. (1979): Computer-aided analysis of handwriting movements. Visible Language 13, 218–231.

Wann, J./Wing, A. M./Sovik, N. (eds) (1991): Development of graphic skills. Research perspectives and educational implications. London: Academic Press.

Nachtrag von Heiko Balhorn

Dieser Blick auf Schrift, der vom Können ausgeht und nicht Defizite verrechnet, hat inzwischen Furore gemacht. Die Autoren treffen auf Tagungen mit LehrerInnen und DidaktikerInnen auf staunende Zustimmung. Immer wieder stellt sich die Empfindung »es fällt einem wie Schuppen von den Augen« ein. Die Plausibilität des Gedankens, aus »ausgeschriebenen Handschriften« die Prinzipien der Konstruktion einer verbundenen Schrift zu gewinnen, ist so groß, dass man sich fragt, welche Kraft es denn sein mag, die die Realisation bisher verhindert hat.

Nun ist es zu erwarten, dass der Ansatz von *Mai u.a.* zu einer Besinnung in der Schriftenfrage führt. Ob daraus allerdings folgen muss, wiederum eine normierende Schriftvorgabe zu entwickeln, die die bisherigen ersetzt, soll hier offen bleiben. Außerhalb Deutschlands gibt es viele eloquente Schreiber, die Druckschrift verwenden. Sie schreiben nicht langsamer, in der Regel besser lesbar. Erfreulicherweise wird in fast allen Lehrplänen inzwischen die Druckschrift als Ausgangsschrift verbindlich gemacht bzw. empfohlen. Und auch der Übergang zu einer verbundenen Schrift wird nicht mehr als ein Gleichschritt für alle Kinder gleichzeitig verstanden: Zu groß sind die Unterschiede der Schreibentwicklung in einer Klasse. Zu groß ist der Rückschritt für viele, wenn sie ihre sich entwickelnde Schrift durch eine auferlegte andere unvermittelt ersetzen müssen.

Eine Tendenz allerdings läuft dieser Entwicklung zuwider.

Es ist das Angebot von Software-Firmen, das einerseits ein Spiel mit neuen technischen Möglichkeiten ist, andererseits aber – wohl zu Recht – mit Marktchancen rechnen kann: Sie bieten in nahezu jeder Ausgabe der Zeitschriften für die Grundschule die drei Schulausgangsschriften (L.A., V.a. und S.A.S.) als Computerprogramme an. Durch diese Verführung zum Spiel mit Schriften könnten die »Ausgangsschriften« (die keine mehr sind) einen sachlich gänzlich unbegründeten Aufwind erhalten.

Mit diesem Software-Angebot sind wir in der Lage, Arbeitsblätter in technisch hoher Qualität selbst zu erstellen. (Arbeitsblätter, die wir bedachtsam für eine bestimmte Situation oder gar für bestimmte Kinder machen, sind in vieler Hinsicht gut und wichtig. Hier geht es ausschließlich um die Frage der Schrift.)

Und da zeigt sich ein Problem: Alle Welt weiß, dass verbundene Schriften schwerer lesbar sind als Druckschriften. Dies kann man durch Kurzpräsentationen exakt nachweisen und Formulare, die ausdrücklich Druckschrift fordern, entsprechen diesem Wissen.

Und dennoch gibt es Kinderbücher und sogar ein Wörterbuch für die Grundschule, die verbundene Schriften bieten. Das ist ein »didaktischer Kunstfehler«. Schreibschriften sind eine Leseerschwernis, die das Durchgliedern der Wörter hemmt, dies insbesondere beim suchend überfliegenden Lesen. Dies trifft zudem die Anfänger, also die langsamen Leser, die ohnehin »gegen das Vergessen« lesen: Lesen ist wie Rad fahren – je langsamer, desto schwieriger.

Schreibschriften verbieten sich also für Lesestoffe, insbesondere für Kinder »auf dem Weg zur Schrift«. Dies gilt auch – ebenso nachdrücklich – wenn es um Vorgaben zur Rechtschreibung geht. Dort ist es wichtig, die Struktur von Wörtern zu erschließen, um Problemstellen erkennen und verstehen zu können. Deshalb sollten Vorgaben, die der Rechtschreibübung dienen, in einer klar gegliederten Schrift, also in Druckschrift geboten werden.

Nun wäre da noch die Modellfunktion. Kinder brauchen – so ließe sich denken – Modelle, die ihnen vorschreiben, wie Buchstaben aussehen und wie sie verbunden werden sollen. Es war *Oskar Lockowandt,* der vorherige Herausgeber der DGLS-Publikationen, der gezeigt hat, wie sich Kinder aus der Druckschrift heraus ihre verbundene Schrift erschreiben. Sein Ansatz ist in der Schreibdidaktik aufgegangen. Dort, wo LehrerInnen diesen entwickelnden Ansatz stützen, zeigen sich gute Erfolge. *Erika Brinkmann* formuliert kritische Fragen zu verbundenen Schriften und sieht möglichen Sinn nur in einer kurzen Lernphase. In ihrem Beitrag: »Bitte ohne Schreibschrift ...« wünscht sie sich deshalb, dass Lehrerinnen und Lehrer, »sich an die Tafel stellen und laut kommentierend in verbundener Schrift vor den Augen der Kinder schreiben, um immer wieder bestimmte Bewegungsabläufe vorzuführen und auf Schwierigkeiten aufmerksam zu machen« *(Deutsche Lehrerzeitung, Juli 1996).*

Nichts spricht gegen ein Modell als Alphabet und Text, wo man etwas Bestimmtes nachschauen kann. Es sollte – etwa als Plakat – allen Kindern zugänglich sein. So, wie ein Wörterbuch, in dem man Schreibweisen nachschlagen kann. Dann dient es der Information, der Lösung eines bestimmten Problems.

Wie Kinder Vorgaben benutzen und was sie schreibend tun, zeigen sie uns, wenn wir sie bitten, einen Text auf die Rückseite einer Vorgabe »abzuschreiben«. Sie machen dabei weniger Fehler als im Diktat des gleichen Textes, aber sie machen die gleichen, für sie typischen Fehler. Das bedeutet, sie lösen sich weitgehend von der Vorgabe und erschreiben sich Wörter und den Text »neu«. Gute Lesbarkeit, Bedeutung und Verstehbarkeit des Textes sind positive Bedingungen solchen Schreibens. Die Handschrift des Kindes wird aber durch die Art der Schriftvorgabe nicht vorbestimmt. Eine exakte Schreibschriftvorgabe führt mitnichten zu einer »schöneren Schrift« als ein gedruckter Text.

Dass es beim Schreiben um Bewegungsabläufe geht, die von innen gesteuert ihre immer präzisere Form auf dem Papier finden und eben deshalb nicht von außen vorbestimmt werden dürfen, haben *Mai u.a.* überzeugend nachgewiesen.

Vor dem Hintergrund dieses Wissens mutet es schon grotesk an, wenn Computerprogramme nicht nur Schulausgangsschriften als Strich, punktiert und als Umrissschriften bieten, die in ihrer leblosen Präzision unerreichbare Norm und ein Gegenteil der angezielten persönlichen Handschrift sind – nein, auch die »Schwungübungen« werden programmiert angeboten. Dies ein Musterbeispiel dafür, wohin Didaktisierungen führen können: Das, was ausdrücklich aus dem Schwung entstehen soll, wird durch die Vor-Schrift kanalisiert, gebremst, vergattert. Es ist unmöglich, schwungvoll computerpräzisen Vorgaben zu folgen, entmutigend, das eigene Produkt mit solcher Vorgabe zu vergleichend, und – zuallererst – gegen die Idee des Schwunges und der Bewegung des Schreibens, dies überhaupt zu verlangen.

Also lassen wir das mit den Computer-Schreibschriften (die Druckschriften in Größe und Type zu variieren eröffnet tolle Möglichkeiten); bieten wir Kindern eher spät und nach ihrem Bedarf Hilfen zur Entwicklung ihrer Handschrift, die auch verbunden sein kann, und zeigen wir ihnen, dass Schreiben ein Ausdruck ihrer selbst ist, ein Ausdruck, der von innen kommt, in dem sich Buchstaben, Wörter und Gedanken *form*ulieren.

Die Probe: Zeichnen Sie eine schöne Ellipse auf Papier. – Und nun versuchen Sie, diese Linie *genau* nachzuspuren.

Vom Rhein
Von der großen Völkermühle
VON DER KELTER EUROPAS

Und jetzt stellen Sie sich doch mal Ihre Ahnenreihe vor —
seit Christi Geburt. Da war ein römischer Feldhauptmann, ein schwarzer
Kerl, braun wie ne reife Olive, der hat einem blonden Mädchen Latein bei-
gebracht. Und dann kam ein jüdischer Gewürzhändler in die Familie, das
war ein ernster Mensch, der ist noch vor der Heirat Christ geworden
und hat die katholische Haustradition begründet. — Und dann
kam ein griechischer Arzt dazu, oder ein keltischer Legionär, ein
Graubündner Landsknecht, ein schwedischer Reiter, ein Soldat
Napoleons, ein desertierter Kosak, ein Schwarzwälder Flözer,
ein wandernder Müllerbursch vom Elsaß, ein dicker Schiffer
aus Holland, ein Magyar, ein Pandur, ein Offizier aus Wien,
ein französischer Schauspieler, ein böhmischer Musikant —

das hat alles am Rhein
gelebt, gerauft, gesoffen und
gesungen und Kinder gezeugt
— und der Goethe, der kam
aus demselben Topf, und der
Beethoven, und der Gutenberg,
und der Matthias Grünewald und
— ach was, schau im Lexikon nach.
Es waren die Besten, mein Lieber!

DIE BESTEN DER WELT! UND WARUM?
WEIL SICH DIE VÖLKER DORT VERMISCHT HABEN.

Vermischt, wie die Wasser aus Quellen und Bächen und Flüssen,
damit sie zu einem großen, lebendigen Strom zusammenrinnen.

Vom Rhein — das heißt: vom Abendland.
Das ist natürlicher Adel. Das ist Rasse.
Seien Sie stolz darauf...

Carl Zuckmayer
Des Teufels General

Handpressendruck der Officina Ludi, Großhansdorf
bei Hamburg, in einer Auflage von 100 Exemplaren
zum Jahreswechsel 1992/3 auf Dilit-Werkdruckpapier
(100 g p. qm). Handsatz aus verschiedenen Graden der
Clarendon und der Goethe-Fraktur. Der Text ist dem
Schauspiel „Des Teufels General" von Carl Zuckmayer
aus dem Jahr 1946 entnommen. Der Abdruck erfolgt
mit freundlicher Genehmigung des S. Fischer Verlags
Frankfurt am Main, Copyright (c) Carl Zuckmayer 1966.

67/100

IV. Teil

Didaktisches Hintertreffen: Mehrsprachigkeit ist die Realität

Ingelore Oomen-Welke

Deutschland – Land vieler Sprachen

An was für Sprachen, an welche Sprachen
haben Sie beim Lesen dieses Titels gedacht?

Es ist verblüffend, wenn man sich fragt, wie viele Sprachen in Deutschland gesprochen werden. Wir wissen es nicht. Wir wissen ja nicht einmal genau, wie
viele Sprachen es auf der Welt gibt; die Schätzungen bewegen sich zwischen
3000 und 10000 Sprachen. Genau ist das nicht zu sagen, weil man damit rechnen muß, in wenig erforschten Gegenden Neuguineas oder des Amazonas-
beckens immer noch neue Sprachen zu entdecken, während andere Sprachen
aussterben. Außerdem ist es nicht ganz unproblematisch, zwischen Sprachen
und Dialekten zu unterscheiden. Diese Faktoren machen uns die Schätzung der
Sprachenzahl schwer.
Wir wissen aber ganz gut, welche Sprachen in Deutschland von der Mehrheit
und welche von Minderheiten gesprochen werden. Sehr kleine Minderheiten,
z. B. die Spaniolen mit »Judenspanisch«,[1] lassen wir hier unerwähnt; es muß der
Hinweis genügen, daß sich für manche der kleinen Minderheiten Probleme verschärfen.

Zunächst einmal spricht man Deutsch in verschiedenen Varietäten, es stellt die
Mehrheitssprache dar. Außerdem gibt es Albanisch, Arabisch, Dänisch, Englisch, Französisch, Friesisch, Griechisch, Italienisch, Japanisch, Jiddisch, Polnisch, Portugiesisch, Romani, Rumänisch, Russisch, Serbokroatisch, Sorbisch,
Spanisch, Türkisch, Ukrainisch, Ungarisch, Vietnamesisch, Yoruba und anderes mehr, manches davon ebenfalls in Varietäten.

Die fremden Sprachen

Wenn wir die Namen der Sprachen hören, dann fallen uns auch einige zugehörige Sprechergruppen ein. Die altansässigen Sprecher nichtdeutscher Sprache bilden keineswegs die größten Gruppen. Friesen an der Nordseeküste mit
etwa 460300 Sprechern und Sorben im südlichen Grenzgebiet zu Polen mit
60000 Sprechern sind nämlich an Zahl weit geringer als die größten Einwan-
derergruppen: Vor den Friesen liegen etwa die Sprecher des Türkischen mit über
1,6 Millionen Personen, des Serbokroatischen mit 610000, des Italienischen mit

---

1 »Spaniolen« nennt *Elias Canetti* in seiner Jugendbiographie »Die gerettete Zunge« die
spanisch sprechenden Juden in Bulgarien; er selbst lebte später in Österreich, Deutschland,
England, der Schweiz. Ihre Gruppe wird heute auf 9000 Sprecher in Europa geschätzt. Vgl.
Harald Haarmann 1993, 55.

520000 Personen.[?] Vor den Sorben liegen noch die Griechen (290000), Spanier (125000), Portugiesen (75000) und Marokkaner (62000); sie machen zusammen 70 Prozent der Arbeitsimmigranten aus. Die Zahl der Arbeitsimmigranten insgesamt beträgt etwa fünf Millionen, im Verhältnis zur Wohnbevölkerung in Deutschland sind das über sechs Prozent.

Andere der genannten Sprachen verweisen uns auf Flüchtlinge, etwa das Arabische, das nicht nur von marokkanischen Arbeiterfamilien, sondern auch von libanesischen Flüchtlingsfamilien gesprochen wird. Ähnliches gilt für Polnisch, das außerdem noch die Sprache von Aussiedlerfamilien aus Polen ist. Yoruba sprechen neben nigerianischen Studenten und Ärzten auch Flüchtlinge aus Nigeria. Vietnamesisch sprechen die etwa 40000 ehemaligen Vertragsarbeiter aus Vietnam, die zu DDR-Zeiten dort gearbeitet haben, danach in Deutschland geblieben und jetzt von Abschiebung bedroht sind. Japanisch dagegen ist die Sprache der Geschäftsleute und MusikstudentInnen, die jedoch insgesamt einen verschwindenden Teil ausmachen.

Wie viele verschiedene Sprachgruppen sich gleichzeitig an einem Ort befinden, zeigt für Freiburg, eine Universitätsstadt mit 180000 Einwohnern und ohne bedeutende Industrie, ein Ausschnitt aus der Badischen Zeitung vom 5. 3. 1996:

Noch nie gab es so viele Ausländer

Freiburg • Ende 1995 wurde die bisher höchste Zahl an Ausländern in Freiburg registriert: Insgesamt waren es 21 876. Die Ausländerbehörde stellte fest, daß in Freiburg Nicht-Deutsche aus 148 Ländern leben. 75,6 Prozent kommen aus europäischen Ländern, vor allem aus Italien, dem ehemaligen Jugoslawien, aus Frankreich und Portugal; 13,7 Prozent aus Asien, 5,4 Prozent aus Amerika, 4 Prozent aus Afrika, 0,3 Prozent aus Australien und Neuseeland. Der Anteil der ausländischen Wohnbevölkerung liegt bei elf Prozent.

Nicht-Deutsche aus 148 Ländern, das bedeutet wohl über 100 verschiedene Sprachen, die – außer Deutsch – in der Stadt gesprochen werden, denn die meisten haben ihre Herkunftssprache mit der Übersiedlung nach Deutschland keineswegs aufgegeben. Selbst nach mehreren Generationen leben bei vielen die Herkunftssprachen noch fort. Wie langlebig sie sein können, haben Untersuchungen an den sog. Ruhrpolen gezeigt, die seit den letzten Jahrzehnten des

2 Zahlen nach *Haarmann 1993*, 53 f. und nach *»Daten und Fakten« 1990*, 10.

19. Jahrhunderts als Fremdarbeiter ins Deutsche Reich eingewandert waren und dort zum Teil bis nach dem zweiten Weltkrieg ihre Herkunftssprache erhielten, obwohl sie (nur nach außen hin?) assimiliert waren, oft sogar einen deutschen Namen angenommen hatten und deutsch sprachen.[3]

Die deutschen Sprachen

Auch innerhalb dessen, was sich auf den ersten Blick als die deutsche Sprache darstellt, gibt es offensichtlich Vielfalt.[4] Die früher sogenannte Hochsprache, die Schriftsprache, die Standardsprache sind besondere Ausprägungen des Deutschen, sog. Varietäten. Daneben kennen wir als weitere Varietäten Alltagssprache, Umgangssprache, Fach- und Sondersprachen, eventuell Frauen- und Männersprache, Kindersprache, Werbesprache sowie auch Soziolekte und Dialekte.[5] Diese Sprachen unterscheiden sich nach verschiedenen Gesichtspunkten, etwa danach, wie hoch die Sprecher sie bewerten und wie genau sie dabei kodifizierte Normen beachten, wann, wie und wo sie verwendet wird, wer sie verwendet und wozu. Die Abgrenzungen fallen nicht immer ganz leicht, und mit der Zeit können Umwertungen damit verbunden sein. So spricht man zum Beispiel heute eher von Standardsprache als von Hochsprache.

Als Beispiel für die Schwierigkeiten der Abgrenzung seien Standardsprache und Dialekt gewählt: Was unterscheidet einen Dialekt von einer Sprache? Eindeutige linguistische Unterscheidungsmerkmale gibt es nicht, hinzu treten immer geographische und politische Kriterien. Dialekte des Deutschen sind regional ausgeprägte Varietäten. Innerhalb des geschlossenen deutschen Sprachgebiets[6] bilden die Dialekte ein Kontinuum. In Gebieten des Kontakts überschneiden sie sich, sie gehen quasi wie ein Band ineinander über oder greifen wie die Glieder einer Kette ineinander (Beispiel Nordniedersächsisch – Westfälisch – Mittelfränkisch – Moselfränkisch – Rheinfränkisch…). In solchen Überschneidungsgebieten und ein Stück darüber hinaus ist auch Verständigung der Sprecher benachbarter Dialekte gegeben. Die Verständigung besteht jedoch nicht zwischen den Endgliedern der Kette, etwa Mecklenburgisch und Alemannisch. Mobilität innerhalb des deutschen Sprachgebiets ist deshalb für Dialektsprecher mit Verständigungsschwierigkeiten verbunden, daher auch die Notwendigkeit einer Standardsprache mit großer kommunikativer Reichweite.

Am geschlossenen deutschen Sprachgebiet können wir sehen, daß es politische Grenzen überschreitet. In Österreich und Südtirol wird Deutsch und bairisch-österreichischer Dialekt gesprochen, in der Schweiz Deutsch und Schwyzer-

---

3 Vgl. z. B. *Maas 1984*; *Hansen 1992*.
4 *Klotz/Sieber 1993* mit dem Titel »Vielerlei Deutsch«. Vgl. auch in dieser Reihe *Balhorn/Brügelmann 1989* mit dem Titel »Jeder spricht anders – Normen und Vieltfalt in Sprache und Schrift«.
5 Vgl. orientierend dazu *Braun 1979c, 1989*; *Glück/Sauer 1990*; *Stedtje 1989b, 1994*; *Wolff 1990*; *Volmert 1995*.
6 dazu *Keller 1978b, 1995,* 462 ff.

dütsch, im Elsaß Elsässisch als Dialekt. Das alles sind Varietäten des Deutschen. Bei der Rechtschreibreformdiskussion der vergangenen Jahre haben die »deutschsprachigen Länder« (beide) Deutschland(s), Österreich und die Schweiz zusammengearbeitet, um eine gemeinsame Orthographie der Standardsprache zu erhalten (mit minimalen Unterschieden wie ss/ß für die Schweiz).

In den Niederlanden dagegen spricht man Niederländisch, international als »Dutch« bezeichnet, und auch die belgischen Flamen nennen ihre flämische Sprache im Kontakt mit Deutschen meist »Dutch«. Die Verbreitung des Niederländischen überschreitet eine Grenze, die zu Belgien. Niederländisch ist eine historisch von einer als Dialekt einzustufenden Varietät, dem Niederfränkischen, zu einer eigenen Sprache geworden, für die dann auch eine eigene Orthographie entstand. Es ist politischer Wille und historische Entwicklung, daß das Niederländische vom Deutschen abgegrenzt wurde und sich weiterentwickelt hat. Trotzdem bleibt natürlich Verständigung mit Sprechern des Niederdeutschen möglich.

Weitere Sprachketten seien genannt: Das skandinavische Kontinuum, das das Norwegische, Schwedische und Dänische miteinander verbindet; das westromanische Kontinuum, das ländliche Dialekte des Portugiesischen, Spanischen, Katalanischen, Französischen und Italienischen umfaßt; das nordslawische Kontinuum mit Slowakisch, Tschechisch, Ukrainisch, Polnisch und Russisch.[7] Außerhalb des geschlossenen deutschen Sprachgebiets gibt es deutsche Sprachinseln, vor allem in Osteuropa.[8] Hier haben sich die bei der Wanderung mitgebrachten Dialekte erhalten, sie geraten gleichzeitig in Kontakt mit den Sprachen der Umgebung: mit Ungarisch, Slowakisch, Polnisch ... und wandeln sich.[9] Die Sprecher selbst sind meist zweisprachig, wenn kein politischer Druck zum Aufgeben des Dialekts auf sie ausgeübt wurde. Ihr deutscher Dialekt kann ihnen den Erwerb des Standarddeutschen sowohl erleichtern als auch erschweren.[10]

Die vielen Sprachen im Sprachunterricht

Die Sprachen, die in der Gesellschaft gesprochen werden, treffen wir in der Schule wieder an, bzw. wir treffen sie größtenteils nicht an, obwohl sie vorhanden sind. Was soll das heißen?

Die Dialekte, die bereits zum Sterben verurteilt waren, sind aufgelebt und werden weiter und sogar mit mehr Selbstbewußtsein gesprochen. – Bei den fremden Sprachen kann man davon ausgehen, daß mindestens 15 Prozent der heutigen SchülerInnen latent oder manifest zweisprachig sind. Hier sind zunächst die Begriffe »latente und manifeste Zweisprachigkeit« zu klären. Unter »zweisprachig« versteht man heute nicht mehr nur die den Einsprachigen vergleichbare Beherrschung beider Sprachen – welche Einsprachige nähme man als Maßstab,

---

7 Vgl. *Crystal 1987 / dt. 1993*, 24 ff.
8 Dazu Karte S. 230/31 im dtv-Atlas zur deutschen Sprache 1978/1991.
9 Vgl. als neuere Buchpublikationen *Földes 1993* und *Földes/Hécz 1995*.
10 *Földes 1995*.

Hochgebildete, durchschnittliche Sprecher oder jeweils soziale Peers? –, vielmehr werden die passive Beherrschung, die Beherrschung der anderen Sprache auf niedrigerem Niveau und auch deren partielle Beherrschung einbezogen, sofern sie durch soziale Lebenskontexte sowie -ziele und nicht nur durch ein Schulfach/einen Kurs angestrebt wird. Manifest zweisprachig sind Menschen, die ihre jeweils andere Sprache selbstverständlich gebrauchen, selbst wenn diese nicht auf dem Niveau der ersten Sprache gesprochen wird. Latent zweisprachig sind Menschen, die ihre andere Sprache eher nicht gebrauchen, die ihre andere Sprache zwar verstehen, aber nicht ungehemmt sprechen können, die ihre andere Sprache als weniger wertvoll empfinden.

Zweisprachigkeit nimmt zu. Typen von Ursachen in den mobilen und/oder migranten Gesellschaften dafür sind folgende:

- Entweder kommen die Eltern aus verschiedenen Sprachen (deutsch-englische oder deutsch-nigerianische Familie oder auch vietnamesisch-arabische Familie in Deutschland, vgl. nächstes Asterix) und haben sich zu einer zweisprachigen Erziehung ihrer Kinder entschlossen, oder
- eine einsprachige Familie lebt in einer anderssprachigen Umgebung (türkische oder chilenische Familie in Deutschland, rumänischsprachige Aussiedlerfamilie siedelt nach Deutschland über), oder
- (selten) ein Sprecher der Mehrheitssprache lernt eine Minderheitensprache durch Kontakt (ein deutsches Kind lernt von einer portugiesischen Tagesmutter), oder
- eine zweite Sprache wird intensiv gelehrt (französisch-deutsche Grundschule in Freiburg, griechische Gymnasien in Deutschland, zweisprachige Gymnasien, Europaschulen, deutsche Auslandsschulen, mehrmonatige Auslandsaufenthalte während der Schulzeit).

Es können auch mehrere Ursachen zusammentreffen:

Wenn man die Doglossie in erweiterndem Sinne zur Zweisprachigkeit dazurechnet, spricht besonders in Süddeutschland eine überwiegende Zahl von Kindern eine andere Sprache als das Standarddeutsch der Schule, nämlich Dialekt verschieden starker Ausprägung. Ein Teil der Kinder spricht außerdem annähernd Standarddeutsch. Bei einer Befragung schwäbischer GrundschülerInnen haben wir festgestellt, daß sehr viele von ihnen den eigenen Dialekt für Deutsch/Hochdeutsch halten. Kinder anderer Erstsprache, die gut in die Altersgruppe integriert sind, erkennt man oft daran, daß sie ebenfalls Dialekt oder lokalen Jargon sprechen.

In der deutschen Regelschule werden die drei ersten Typen und der Dialekt häufig als defizitär behandelt oder ignoriert. Das trifft vor allem Landkinder und Kinder von Arbeitsimmigranten, Flüchtlingen und Aussiedlern. Natürliche

Zweisprachigkeit wird selbst in zweisprachigen Gymnasien (letzter Typ) vielfach nicht gewürdigt.[11] Ein Grund für all das ist eine gewisse Verunsicherung der LehrerInnen durch zweisprachige SchülerInnen, ein anderer die subjektiven Theorien vieler LehrerInnen, mehr Sprachen überforderten die SchülerInnen. Empirische Untersuchungen zum mehrsprachigen Lernen besagen das Gegenteil: Die Förderung der jeweils anderen Sprache wirkt sich positiv auf die neu zu lernende Sprache aus. Zurückdrängen der anderen Sprache heißt Reflexionen unterdrücken und diese Sprache niedrig bewerten. Damit sinken Selbstwertgefühl und Sprachlernmotivation allgemein. Gerade für Grundschulen in Europa ist das Lernen anderer Sprachen ein innovatives Moment, weil durch fremde Sprachen neue Horizonte eröffnet werden können. In allen europäischen Ländern sind damit Hoffnungen auf Verständigung und Kontakt verbunden.

Das Nachbarsprachenkonzept (etwa Deutsch–Niederländisch in Nordwestdeutschland, Deutsch–Französisch in Südwestdeutschland) ist ein Beispiel für die Öffnung zu anderen Sprachen und Erfahrungen. Statt daß dieses Konzept übertragen würde auf Nachbarn und ihre Sprachen im eigenen Ort und in derselben Klasse (Türkisch, Kurdisch, Koreanisch, Arabisch... in Deutschland), also statt einer Bewußtwerdung für Sprachen überhaupt und für deren Sprechergruppen, wird es gegenwärtig leider oft umgedeutet zu einem curricularen Fremdsprachenunterricht. Auch dies ist ein gesamteuropäisches Phänomen: Englisch als wichtigste Schulfremdsprache soll früher anfangen, in der Sekundarstufe I fortgesetzt werden und zu besseren Ergebnissen führen. Gegenüber der Verschulung des frühen Fremdsprachenunterrichts ist allerdings Vorsicht geraten, wie Modelle z.B. in Südamerika zeigen; sie führt in der Breite vielleicht eher zu Schul- und Sprachmüdigkeit als zu Lernerfolgen.[12] Das bedeutet, daß selbst dann die frühe Sprachsensibilisierung nicht zu eng kanalisiert werden sollte, wenn man letztendlich die bessere Beherrschung einer Weltsprache anstrebt. Meine Argumentation zielt jedoch nicht dahin, sondern sie will Offenheit für Sprachen und Sprachliches begründen und den Minderheitensprachen und ihren Sprechern das angemessene Prestige zuerkennen, damit sprachliches Lernen insgesamt gefördert wird.

In diesem Kontext kommt dem Deutschunterricht schon ab der Grundschule besondere Bedeutung zu. Er könnte weitere Horizonte öffnen. Deutschunterricht in Deutschland ist Unterricht in der Mehrheitssprache Deutsch der Standardform, ihn besuchen auch die zweisprachigen und die Dialekt sprechenden Kinder. Gewöhnlich wird ihre andere Sprache und sogar der Dialekt im Deutschunterricht zurückgedrängt oder gar verboten; dafür haben wir zahlreiche Belege.[13]

---

11 Zu der Behandlung in Regelschulen vgl. *Linke/Oomen-Welke 1995*, 66 ff. Nicht selten werden zweisprachige SchülerInnen oder GastschülerInnen der Zielsprache als störend empfunden, vgl. das Beispiel aus *Canetti* in *Linke/Oomen-Welke 1995*, 292 ff.
12 Hier will ich nicht mehr behaupten, als ich belegen kann. Die Bemerkung stützt sich auf Praktikumsberichte aus zweisprachigen Schulen in südamerikanischen Ländern und auf die mündliche Bestätigung durch KollegInnen.
13 Vgl. Linke/Oomen-Welke 1995, 58 ff.

Viele Lernchancen der zweisprachigen Kinder sowie auch der mehrheits-sprachigen monolingualen Kinder werden dadurch verpaßt. Hier gilt es ein anderes Konzept zu entwickeln, das sowohl den verschiedenen Sprachen als auch der Vielfalt des Deutschen Rechnung trägt.

Ein solches Konzept wird geleitet von der Frage nach Aufmerksamkeit, die sonst eher unentdeckt bleibt, nach der eigenen und den anderen Sprachen. Es kann aus den folgenden vier Komponenten bestehen:[14]

* Zulassen, daß die Kinder auch ihre andere Sprache gebrauchen. Unterrichts-analysen zeigen, daß der Deutschunterricht weder entgleist noch seine Ziele verfehlt, wenn die Kinder manchmal Beiträge aus anderen Sprachen beisteuern. Natürlich ist das Deutsche als Verkehrssprache trotzdem dominant.
* Sich auf die anderen Sprachen und Fremdes einlassen. Dazu gibt es bereits zahlreiche Vorschläge in der Grundschuldidaktik, von mehrsprachigen Beschriftungen über Begrüßungen und Lieder bis zu fremden Texten. Diese Komponente kann erweitert werden.
  Hier ist das ganze Umfeld gemeint, u. a. auch der frühe Fremdsprachenunterricht. Allerdings ist bislang der Kern des DU nicht tangiert, so z. B. das Verfassen von Texten. Es ist höchste Zeit, über andere Texttraditionen aufzuklären und den Texten und Textformen der Schülerinnen und Schüler aus anderen kulturellen Traditionen Sinn zu unterstellen.
* Andere Sprachen herbeiholen. Vor allem im Sprachunterricht ergibt sich in diesem Kontext der Vergleich mit den zweiten Sprachen der Kinder. Zu fast allen Grammatikkapiteln bereichert er den Unterricht methodisch, und die Kinder als Beobachter und Experten nehmen ihn wacher wahr. Einzelne Beispiele dafür liegen schon vor,[15] weitere sind auszuarbeiten.
* Systematischere Sprach- und Textvergleiche.

Ganz energisch möchte ich dafür plädieren, andere Sprachen nicht zu ignorieren oder zu verbieten, sondern zu nutzen. Die Befürchtung, man könne das nur tun, wenn man sie wirklich beherrsche, kann ausgeräumt werden. Wir wollen die Sprachen ja nicht lehren, sondern sie zur Kenntnis nehmen und aus ihnen Erkenntnisse gewinnen. Das ist Sprachreflexion. Selbst wenn die Kinder anderer Sprache mal etwas Falsches beitragen würden, würde das den Reflexionsprozeß nicht stören.

Trotzdem stellt das Konzept Anforderungen an LehrerInnen. LehrerInnen brauchen eine solide Sprachausbildung, um die Sprachaufmerksamkeit der SchülerInnen zu erkennen und nützlich zu machen. Hier ist noch viel zu tun in der Aus- und Fortbildung.

---

14 Vgl. einen ersten Vorschlag in *Linke/Oomen-Welke 1995*, 292 ff., ausführlicher in: *Oomen-Welke 1996*. Die weitere Ausarbeitung folgt.
15 *Oomen-Welke 1995*.

Zur Zweisprachigkeit ermuntern!

Zwei- und Mehrsprachigkeit sind in Deutschland heute nicht mehr den Bildungsschichten vorbehalten. Weltweit dürften die Zwei- und Mehrsprachigen ohnehin die Mehrheit bilden. Das ist allerdings im Bewußtsein vieler Deutschsprachiger (noch) nicht präsent. Immer noch halten sich auch inzwischen widerlegte (Vor-)Urteile. Eines ist die subjektive Theorie, ein Zweisprachiger werde nie das Sprachniveau eines Einsprachigen erreichen. Wenn man dem nachgeht, findet man zwar keine Unterschiede, aber mehr Metakognition und Selbstkritik bei den zweisprachigen peers, die solche Vermutungen äußern. – Ein anderes, von führenden Germanisten der sechziger Jahre geäußertes und inzwischen kompetent bezweifeltes (Vor-)Urteil ist die Meinung, Zweisprachigkeit verhindere die Ausbildung des nationalen Charakters. Zum Glück haben wir inzwischen das interkulturelle Konzept, das gerade der Sichtung des Nationalen und Überkommenen und den innovativen Impulsen durch das jeweils andere Rechnung trägt.[16] – Aus europäischer und globaler Sicht kann es in der mehrsprachigen Gesellschaft allerdings gar nicht genug Zwei- und Mehrsprachige geben.

LehrerInnen sollten es als ihr erklärtes Ziel betrachten, zur Zweisprachigkeit zu ermuntern. Als Experten für Erziehungsfragen werden sie von Bekannten oder von SchülerInneneltern oft gefragt, ob es ratsam sei, Kinder zweisprachig zu erziehen. Hier einige kurze Hinweise:

* Zweisprachige Eltern sollten schon vor der Geburt mit der zweisprachigen Erziehung beginnen. Die Beratung sollte einige Prinzipien nennen, zum Beispiel, daß jeweils eine Bezugsperson (Vater, Mutter, …) eine Sprache konsequent spricht, daß die Eltern sich über eine Familiensprache einigen, daß sie mit anderen Familien mit gleichen Sprachen Kontakt haben usw. Daß Kinder aus zweisprachiger Umgebung häufig später zu sprechen anfangen als Einsprachige, ist normal und sollte kein Anlaß zur Sorge sein oder gar dazu verführen, die Zweisprachigkeit aufzugeben.
* Familien mit anderer Familiensprache als Deutsch sollten die Familiensprache weiter pflegen und entwickeln, sie sollten nicht vorschnell zu Deutsch wechseln. Sie sollten ihre Kinder jedoch zum Deutschlernen ermuntern.
* Die Zweisprachigkeit der Kinder sollte von beiden Seiten anerkannt und gewürdigt werden. Bei Schwierigkeiten brauchen die Kinder moralische Unterstützung. Sie brauchen aber auch fachliche Unterstützung und sollten deshalb am anderssprachigen Unterricht teilnehmen, soweit er angeboten wird. Die Förderung der anderen Sprache dient auch dem Deutschen, weil die sprachliche Entwicklung zu einem Gesamtplan gehört.
* In vielen Fällen kommt eine Phase, in der die Kinder die andere Sprache (meist die Nicht-Mehrheitssprache) aufgeben wollen. Es ist schwierig und

---

16 Die interkulturelle Sicht ist nicht so neu. Der Internationale Germanistentag in Tokyo hat in verschiedenen Vorträgen schon die Klassik in diesem Sinne herausgestellt. Vgl. Oomen-Welke 1992, Mommsen 1991.

vielleicht nicht einmal gut, sie zur aktiven Zweisprachigkeit zu zwingen. Eltern können den Sprachwechsel nicht aufhalten. Sie können aber selbst ihre Sprache weiter sprechen, so daß die passive Sprachkenntnis erhalten bleibt (»Ich spreche zwar Polnisch mit meiner Tochter, aber sie antwortet auf deutsch.«). Damit sichern sie die Basis für einen späteren Wiedereinstieg der Kinder.

- Es ist normal, daß Zweisprachige eine dominante und eine schwache Sprache ausbilden. Mit dem Wechsel der Sprachumgebung kann auch die Sprachbeherrschung wechseln, die schwache Sprache wird dominant. Es ist auch möglich, daß die beiden Sprachen auf verschiedenen Gebieten dominant sind, etwa wenn türkische Kinder den mathematischen Bereich besser deutsch versprachlichen können. In jedem Falle kann ein Bereich mit geringer Mühe aufgebessert werden.

- Vorteile der Zweisprachigkeit, wenn sie gut funktioniert, sind zunächst die Kommunikationsfähigkeit in zwei Sprachen, dann die früh entwickelten metasprachlichen Fähigkeiten, das Zurechtfinden in verschiedenen Sprach- und Lebenswelten,[17] Flexibilität, Empathiefähigkeit, Rollendistanz und Ambiguitätstoleranz. Die ständige Auseinandersetzung mit zwei Sprachwelten dient auch sozialen und interkulturellen Zielen der Persönlichkeit.

---

17 obwohl die Migrationsliteratur das Leben zwischen zwei Sprachen oft beklagt. Immerhin kann sie das in zwei Sprachen.

Literatur:
Balhorn, Heiko/Brügelmann, Hans (Hrsg.) (1989): Jeder spricht anders. Normen und Vielfalt in Sprache und Schrift. Libelle wissenschaft – Lesen und Schreiben 3. Faude: Konstanz (vergriffen) – siehe auch: Balhorn, Heiko/Brügelmann, Hans (Hrsg.) (1995): Rätsel des Schriftspracherwerbs. Neue Sichtweisen aus der Forschung. Libelle wissenschaft – Lesen und Schreiben »Best-of-Theorie«. Libelle: Lengwil.
Baur, Rupprecht S./Meder, Gregor/Previsic, Vlatko (Hrsg.) (1992): Interkulturelle Erziehung und Zweisprachigkeit. Interkulturelle Erziehung in Praxis und Theorie Bd. 15. Schneider: Baltmannsweiler.

Braun, Peter (1979): Tendenzen in der deutschen Gegenwartssprache: Sprachvarietäten. Urban TB 31993: Stuttgart.

Canetti, Elias (1977): Die gerettete Zunge. Geschichte einer Jugend. Fischer TB: Frankfurt 1979.

Crystal, David (1987): Die Cambridge Enzyklopädie der Sprache. Campus: Frankfurt, dt. 1993.

Daten und Fakten zur Ausländersituation 1990. Mitteilungen der Beauftragten der Bundesregierung für die Integration der ausländischen Arbeitnehmer und ihrer Familienangehörigen. Bonn.

Deutsch-Französisches Jugendwerk (1995): Fremdsprache – Partnersprache. Sprache und interkulturelles Lernen in Deutschland, Frankreich und Europa. Nomos: Baden-Baden.

Földes, Csaba (1995): Chancen der dialektophonen Methode in der Spracherziehung zwischen Deutsch als Mutter- und Zweitsprache. In: Zielsprache Deutsch 3, 156–164.

Földes, Csaba (Hrsg.) (1993): Germanistik und Deutschlehrerausbildung. Edition Praesens: Szeged und Wien.

Földes, Csaba/Hécz, Andrea (1995): Deutsche Rundfunksprache in mehrsprachiger Umwelt. Am Beispiel der Verwendung von Phraseologismen. Edition Praesens: Wien.

Glück, Helmut/Sauer, Wolfgang Werner (1990): Gegenwartsdeutsch. Metzler: Stuttgart.

Gogolin, Ingrid (1988): Erziehungsziel Zweisprachigkeit. Konturen eines sprachpädagogischen Konzepts für die multikulturelle Schule. Forschung Pädagogik Bd. 1. Bergmann und Helbig: Hamburg.

Haarmann, Harald (1993): Die Sprachenwelt Europas. Geschichte und Zukunft der Sprachnationen zwischen Atlantik und Ural. Wiss. Buchgesellschaft Darmstadt.

Hansen, Georg (1992): Polnische Einwanderer im Ruhrgebiet: Ein Modell für Integration? In: Baur/Meder/Previsic, 168–187.

Iwasaki, E./Shichiji, Y. (Hrsg.) (1991): Begegnung mit dem »Fremden«. Grenzen – Traditionen – Vergleiche. Akten des VIII. Internationalen Germanistenkongresses Tokyo 1990. Bd I. Judicium: München.

Keller, Rudolf E. (1978): Die deutsche Sprache und ihre historische Entwicklung. Buske: Hamburg.

Kielhöfer, Bernd/Jonekeit, Sylvie (1983): Zweisprachige Kindererziehung. Stauffenberg: Tübingen.

Klein, Wolfgang (1984): Zweitspracherwerb. Athenäum: Königstein i. Ts.

Klotz, Peter/Sieber, Peter (Hrsg.) (1993): Vielerlei Deutsch. Umgang mit Sprachvarietäten in der Schule. Klett: Stuttgart.

Kodron, Christoph/Oomen-Welke, Ingelore (Hrsg.) (1995): Enseigner l'Europe dans nos sociétés multiculturelles – Teaching Europe in multicultural society. Fillibach: Freiburg i. Br.

König, Werner (1978): dtv-Atlas zur deutschen Sprache. Tafeln und Texte. Mit Mundart-Karten. dtv 81991: München.

Linke, Angelika/Oomen-Welke, Ingelore (1995): Herkunft, Geschlecht und Deutschunterricht. Fillibach: Freiburg i. Br.

Maas, Utz (1984): Versuch einer kulturanalytischen Bestimmung ausländerpädagogischer Aufgaben. In: Deutsch lernen 1, 3–24.

Meyer, Edeltraut/Kodron, Christoph (Hrsg.) (1993): Fremdsprachenunterricht in den Primarschulen Europas. Jahrbuch 93 des Fördervereins für frühes Fremdsprachenlernen. Klett: Stuttgart.

Mommsen, Katharina (1991): »nur aus dem fernsten her kommt die erneuerung«. In: Iwasaki/Shichiji, 23–43.

Oomen-Welke, Ingelore (1991): Sprachenvielfalt im Klassenzimmer. In: Kodron/Oomen-Welke, 258–268.

Oomen-Welke, Ingelore (1992): Interkulturelle Aspekte als neue Anstöße für den Sprachunterricht. In: Interkulturell 3/4, 42–63.

Oomen-Welke, Ingelore (1996): Von der Nützlichkeit der vielen Sprachen, auch im Deutschunterricht. In: Peyer/Portmann, 279–301.

Peyer, Ann/Portmann, Paul R. (Hrsg.) (1996): Norm, Moral und Didaktik. Die Linguistik und ihre Schmuddelkinder. Niemeyer: Tübingen.

Stedje, Astrid (1989): Deutsche Sprache gestern und heute. UTB 21994: München.

Volmert, Johannes (Hrsg. 1995): Grundkurs Sprachwissenschaft. Eine Einführung in die Sprachwissenschaft für Lehramtsstudiengänge. UTB: München.

Wolff, Gerhart (1990): Deutsche Sprachgeschichte. Ein Studienbuch. UTB: Tübingen, 2. Aufl.

Lese- und Schreibfähigkeiten Erwachsener im internationalen Vergleich

Viel wird darüber gestritten, wie es um das schriftsprachliche Können steht: heute im Vergleich mit früher; in Deutschland im Vergleich mit anderen Ländern.

Nun liegen die Auswertungen einer internationalen Vergleichsstudie auf dem Tisch, die die Befunde aus den Schulstudien der International Association for the Evaluation of Educational Achievement (IEA) in 3. und 8. Klassen (vgl. DGLS-Jahrbuch lesen und schreiben 5 »Bedeutungen erfinden ...«, S. 86–89, 160–173) in bedeutsamer Weise erweitert:

OECD (ed.) (1995): Language, economy, and literacy. Results of the First International Adult Literacy Survey. Organization of Economic Co-operation and Development: Paris/Statistics Canada: Ottawa. 200 A4-S., 60 DM.

Einige Ergebnisse:

• Im Vergleich zu Canada, den Niederlanden, Polen, der Schweiz und den USA sind besonders schwache LeserInnen unter den deutschen Erwachsenen seltener, im Vergleich zu Schweden etwas häufiger (S. 56–57).

• Im Vergleich zu der Schweiz und vor allem Polen sind besonders gute LeserInnen in Deutschland stärker vertreten, im Vergleich zu Canada, den USA und vor allem Schweden dagegen schwächer (S. 56–57).

• Frauen schneiden in den meisten Ländern bei Erzählungen besser ab als Männer, diese aber sind den Frauen generell überlegen bei Texten, in denen es auch um Zahlen und Rechnungen geht (in Deutschland auch bei Alltagsdokumenten) (S. 83-84).

Vergleiche innerhalb der deutschen Stichprobe:

• Die 16–25jährigen lesen besser als die älteren Jahrgänge; kein Indiz also für einen »Verfall« der Schriftkultur (S. 80–83).

• Deutsche LeserInnen schneiden bei Texten, in denen es auch um Zahlen und Rechnungen geht, besser ab als beim Verstehen von Alltagsdokumenten, bei deren Lektüre wiederum besser als beim Lesen von Erzählungen (die in der Regel im Leseunterricht und bei Tests/Noten dominieren). In anderen Ländern ist die Rangfolge oft anders (S. 57).

Der Reiz der Auswertungen liegt nun darin, dass nicht nur Leistungen erhoben werden, sondern auch der alltägliche Umgang mit Schrift im Beruf und zu Hause (S. 87 ff.) und Selbsteinschätzungen, ob die eigenen schriftsprachlichen Fähigkeiten ausreichen, um diesen Anforderungen gerecht zu werden (S. 101 ff.), untersucht wurden. Damit lassen sich vielfältige Vergleiche anstellen, da die Daten nach verschiedenen Untergruppen berichtet werden.

Endlich eine empirische Grundlage für differenziertere Urteile, als wir sie aus dem monatlichen Gejammer der Industrie-, Handels-, Handwerkskammern und abendländischen KulturkritikerInnen gewohnt sind.

Hans Brügelmann

Evangelia Karagiannakis
Ingelore Oomen-Welke
Sprachbewußtheit im Unterricht

Ein Einblick

Wie die Bevölkerung Deutschlands, so ist auch die heutige »typisch deutsche« Schulklasse multikulturell, also auch multilingual. Dies gilt sowohl in bezug auf Varietäten des Deutschen als auch und vor allem in bezug auf andere (Mutter-) Sprachen außer Deutsch. Es sollte daher selbstverständlich sein, daß auch die »anderen« Sprachen einer Klasse in der Schule ihren Platz haben, daß sie fester Bestandteil des Unterrichts werden. In Ansätzen wird dies – besonders im Bereich der Grundschule – bereits praktiziert. So werden beispielsweise Lieder, Gedichte oder feste Wendungen wie etwa Begrüßungs- und Glückwunschformeln in den verschiedenen Sprachen der Kinder genannt und gelernt; an vielen Grundschulen besteht die Möglichkeit, in entsprechenden AGs Englisch oder Französisch zu lernen. Diese Ansätze müssen jedoch noch weiter ausgebaut werden. Es gilt, ein Umfeld zu schaffen, in dem Mehrsprachigkeit einen normalen, alltäglichen Zustand darstellt. Hierzu sind verschiedene Schritte gleichermaßen sinnvoll und notwendig.[1]

Zunächst einmal müssen die anderen Sprachen einer Klasse überhaupt zugelassen werden, was bisher keineswegs selbstverständlich ist. Wissen die Kinder, daß ihre Sprachen im Unterricht nicht »verboten« sind, sondern daß sie diese vielmehr ganz unbefangen benutzen dürfen, daß sie gar erwünscht sind, dann ereignen sich beispielsweise Situationen wie die folgende:[2]

Im Sachunterricht bemerkt ein türkisches Mädchen, nachdem mehrfach das Wort Zahnpasta gefallen ist: »Im Türkischen heißt *pasta* Kuchen.« Ein griechischer Mitschüler bestätigt diese Bedeutung auch für seine Muttersprache. Und im Italienischen, so stellt ein Schüler fest, bezeichne man damit vor allem Nudelgerichte. Dies tue man in England auch, fügt ein englisches Mädchen hinzu, aber es gebe auch *pastry*, und Zahnpasta hieße im übrigen *toothpaste*. Wieder beim eigentlichen Unterrichtsthema angelangt, bemerkt der griechische Mitschüler, *odondopasta* (Zahnpasta) könne man im Griechischen zwar auch sagen, meistens sage man jedoch *odondokrema* (Zahncreme). Damit löst er eine zweite Lawine von Sprachvergleichen aus, bei der schließlich die Wörter crema (italienisch), crème (französisch), cream (englisch) sowie krema und krem (türkisch) für Süßspeise respektive Hautcreme zusammengetragen werden.

---

1 Vgl. auch das Vier-Komponenten-Modell von *Ingelore Oomen-Welke* in diesem Band.
2 Alle Beispiele stammen aus der Sammlung des Forschungsprojekts »Sprachaufmerksamkeit – Sprachbewußtheit im Deutschunterricht der Primar- und Sekundarstufe«, Pädagogische Hochschule Freiburg, Projektleiterin: *Ingelore Oomen-Welke*.

In diesem kurz referierten Beispiel steckt eine Menge an Sprachwissen und sprachreflektorischem Potential, das sofort oder später aufgegriffen werden könnte:

Das Wort *pasta* existiert offensichtlich in mehreren Sprachen, bedeutet dort teilweise Ähnliches, teilweise Unterschiedliches. Wo genau sind die Gemeinsamkeiten und wo die Unterschiede, wäre eine mögliche Frage, der man gemeinsam nachgehen könnte.

Pasta, pastry und *paste* scheinen den Kindern ebenfalls verwandt. Auch hier könnte man Gemeinsamkeiten und Unterschiede, sowohl im semantischen als auch im grammatischen Bereich, herausarbeiten.

Das gleiche gilt für die Liste *crema, crème, cream* etc.

Schließlich könnten auch die Bedeutungen der Wortlisten *pasta* und *crema* miteinander verglichen werden.

Diese kurze Analyse zeigt einerseits, daß mehrsprachige Kinder offenbar über ein hohes Maß an Sprachaufmerksamkeit und Sprachbewußtheit verfügen und sehr wohl in der Lage sind, ihr Wissen spontan zum Ausdruck zu bringen, wenn man sie nur läßt. Sie zeigt aber andererseits auch: Ein weiterer wichtiger Schritt, um Sprachbewußtheit im Unterricht zu etablieren, ist es, die eigene Aufmerksamkeit für solche Gelegenheiten zu schulen, damit diese nicht zu verpaßten Gelegenheiten werden. Nicht immer wird das Sprachwissen der Kinder so deutlich offengelegt, oft sind es nur kurze Nebenbemerkungen oder gar versteckte, indirekte Hinweise auf Sprachbewußtheit, die es zu erkennen gilt. Hierzu einige Beispiele:

SS: Nee, wir gehn mit'm Zug. – Fahren. Fahren also, okay.

L: Mich juckt's da. – S: Gell, das kitzelt.

L: Was kommt denn nach einer Frage?

S1: Fragezeichen. – S2: Antwort. – S3: Rechnung.

SS: Das ist Schaf und da ist Schäfer. – Der Schäfer! – Die Schäfe, Schäflein, die Schafen, die Schärfe, Schäfern.

SS: Moschee ohne Artikel. – Mit Artikel, bei Deutsche mit Artikel. – Aber auf türkisch Moschee schreibt man ohne Artikel.

Selbstverständlich muß man nicht nur auf solche spontanen Äußerungen der Kinder warten, sondern kann die anderen Sprachen auch bewußt herbeiholen, um sie dann zu vergleichen. Eine sehr einfache Möglichkeit hierfür stellen beispielsweise die eingangs erwähnten Glückwunschformeln dar. Betrachtet man sie nicht nur als ganze Einheit, sondern analysiert ihre Einzelteile, so erfährt man interessante Einzelheiten über das, was man sich in den verschiedenen Ländern wünscht: In der Türkei z. B. heißt es »*Yas günün kutlu olsun*«, was in etwa bedeutet »Es soll ein glücklicher/gesegneter Tag des Lebensjahres sein«. In Griechenland wünscht man sich χρονια πολλα (griech.), meint wörtlich »Jahre, viele«; im Französischen und im Englischen wünscht man sich einen guten/glücklichen Geburtstag (Bon anniversaire – Happy birthday).

Ebenso können ganze Sätze von den jeweiligen Kindern in ihre Muttersprachen übersetzt werden, anschließend vergleicht die ganze Klasse die Struktur der Sätze. Dies kann dann beispielsweise so aussehen:

Dieses Tier ist ein Frosch. – Bu hayvan kurbagadir (türkisch) – Toto zvire je zába (tschechisch) – Αυτο το ζωο ειναι (ενασ) βατραχοσ (griechisch).

Im Griechischen steht nach dem Demonstrativpronomen noch der bestimmte Artikel, der unbestimmte Artikel ist fakultativ. Im Türkischen ...

Sind solche und ähnliche sprachreflektorische Einheiten erst einmal fester Bestandteil des Unterrichts, ist es für die SchülerInnen »normal« und »selbstverständlich«, daß ihr Sprachwissen in der Schule anerkannt wird, auch wenn es nicht die deutsche Standardsprache betrifft, dann sind auch umfangreichere sprachvergleichende Unterrichtseinheiten für alle Beteiligten nicht nur nützlich, sondern auch spannend und interessant.

Einige Beispiele für systematische Sprach- und Textvergleiche liegen bereits vor. So zeigen *Ernst/Ernst,* wie ausgehend von Sprichwörtern der Kulturen einer Klasse Themen wie etwa Interpretation und Verständnis von Metaphern, übertragen von abstrakten Vorstellungen in konkrete Bilder, kontextuelle Verwendung von Sprichwörtern, kritische Auseinandersetzung mit diskriminierenden Sprichwörtern und nicht zuletzt Fragen zu Orthographie und Grammatik behandelt werden können.[3] *Rösch* beschreibt ausführlich eine Unterrichtseinheit, in der anhand eines türkischen Gedichtes mit deutscher Übersetzung ein sehr detaillierter türkisch-deutscher Sprachvergleich erarbeitet werden konnte.[4]

Sind LehrerInnen und SchülerInnen erst für Sprachbewußtheit sensibilisiert, eröffnet sich ein weites Handlungsfeld, in dem sowohl spontaner als auch gesteuerter Sprachvergleich ihren Platz finden.

Schließlich und endlich leistet ein so gestalteter Unterricht auch einen Beitrag zum Abbau von Fremdenfeindlichkeit.

---

3 *Ernst/Ernst 1994.*
4 *Rösch 1995.*

Literatur:
Ernst, Ulrike/Ernst, Christian (1989): Das Sprichwort als Gegenstand integrativen Arbeitens und Lernens. In: Praxis Deutsch, 93. S. 40–44. In: Oomen-Welke, Ingelore (Hrsg.) (1994): Brückenschlag. Deutsch im Gespräch. Stuttgart. S. 158–168.
Rösch, Heidi (1995): Begegnung mit Minderheitensprachen in der DeutschlehrerInnenausbildung. In: Linke, Angelika/Oomen-Welke, Ingelore (Hrsg.): Herkunft, Geschlecht und Deutschunterricht. S. 299–315.

Inge Büchner

Babylonisches Sprachengewirr oder: »Der eigentliche Lernprozeß liegt in der Herstellung der Materialien«

Den vielen Artikeln zur Zweisprachigkeit soll hier nicht ein weiterer hinzugefügt werden, nur um aufzuzeigen, wie wichtig es ist, die Situation der Kinder mit anderen Erstsprachen an den Schulen zu beleuchten. Dies wäre sicher reizvoll, doch kann ich wohl nichts Neues dem hinzufügen, was in den Jahrbüchern bereits geschrieben wurde.

Ich möchte im ersten Teil Fragen und Positionen zur Diskussion stellen und im zweiten Beispiele aus der Arbeit mit Studenten zeigen.

Wie fraglich ist die »doppelte Halbsprachigkeit«?

Uns allen ist mehr oder weniger bewusst, dass Unterschiede in sprachlicher Hinsicht nicht erst mit Zunahme der Begegnungssprachen in den Schulen auftreten. Hier von Homogenität auszugehen oder sie erreichen zu wollen ist so unsinnig wie in jedem anderen Bereich von Schule und Gesellschaft. Dennoch gehen Bestrebungen dahin, Kinder zumindest sprachlich homogen zu machen, indem versucht wird, ihnen möglichst schnell die deutsche Sprache »beizubringen«. Von notwendiger Integration ist die Rede, von Chancengleichheit bei der späteren Berufswahl, die mit der Kenntnis der deutschen Sprache in einen engen Zusammenhang gebracht wird.

Wir kennen Theorien, die eine »zweiseitige Halbsprachigkeit« beschreiben. Menschen, die in beiden Sprachen »nicht ganz zu Hause sind«, die beide »nicht richtig können« usw. Diese Auffassungen haben sich nach meinen Beobachtungen in der Schule festgesetzt. Zu dem Defizitgedanken, den wir in allen Bereichen des schulischen Lehrens antreffen, kommt dieser hinzu.

In einer Diskussion mit Studenten, die erlebten, wie eine Kommilitonin den vier gehörlosen Studenten unter uns in ihrer (Gebärden-)Sprache die Teilnahme an der Diskussion ermöglichte, kam niemand auf die Idee zu sagen, wie angebracht es wäre, diese Sprache zu lernen, um sich verständigen zu können. Alle wunderten sich, dass die Studenten nicht von den Lippen ablesen würden, dass sie nicht die eingeschränkten Möglichkeiten nutzten, die sie sprechend hätten. Das wäre doch »normal« gewesen. Anpassung der einen an die anderen, nicht umgekehrt.

248

In meinem Seminar »Erarbeitung mehrsprachiger Materialien« waren neun verschiedene Erstsprachen vertreten. Studentinnen, die z.T. dreisprachig, mindestens aber zweisprachig aufgewachsen waren. Sie wechselten ihre Sprachen, je nach Bedarf und Notwendigkeit. Letzteres möchte ich nicht beleuchten, das erste interessiert mich: der Wechsel nach Bedarf. Als einsprachig Aufgewachsene, mit drei Fremdsprachen, die nur unvollkommen beherrscht werden, habe ich es schwer, mich in die Lage von Menschen zu versetzen, die in verschiedenen Sprachen leben, die nicht sagen können, welches ihre Erstsprache ist, weil auch dies wechselt. Zu sehr bin auch ich befangen in dem Glauben, es handele sich um Defizite, wo Sprecher zwischen den Sprachen hin und her pendeln. Sieht man genauer hin, zeigt sich, wie der Sprachbesitz aus beiden (oder mehr) Sprachen gespeist wird. Im übrigen vergessen wir oft ganz, dass auch »unser Deutsch« nicht nur in der Jugendsprache durchzogen ist von fremden Wörtern: *abdancen*, z.B.

> *Future-Look im Cyberspace-Zeitalter: Stretch, Transparenz,*
> *Silber und neue »Plastics« – High-Tech-Materialien in High-*
> *Tech-Verarbeitung. High-Performance-Design für einen*
> *neuen Look. Die Zukunft in verlockender Form.*
> *(Aus: »marie-claire«, Heft 2/96.)*

Meine Studentinnen berichteten immer wieder, wie sie in Sprachnot geraten und diese produktiv wenden, sie also als »Motor des Formulierens« nutzen, um treffender das aussprechen zu können, was sie sagen wollen. Dabei mischen sie die ihnen zur Verfügung stehenden Sprachen.

Sehen wir uns Beispiele an: Der Studentin, die mit Spanisch-Deutsch aufgewachsen ist, fällt es schwer, ein passendes Wort im Spanischen für unsere Art der Bewerbung zu finden. Wenn sie ihren Bekannten in Nikaragua mitteilen will, was sie in Deutschland gerade tut, dann schreibt sie: Yo me bewerbeo. Oder sie benutzt Verben, in denen entweder der Stamm oder die Endung aus der jeweils »geborgten« anderen Sprache kommt: anmeldearse oder molestieren (stören). Halbsprachigkeit oder Einsatz der Potenzen beider Sprachen?

Wie türkische Kinder auf dem Pausenhof einer Schule ihre Sprachkompetenz nutzen, hat *I. Dirim* beschrieben *(Lange/Dirim 1995)*. Sie flechten in ihre deutschen Gespräche türkische Begriffe, die für den Moment treffender sind. Ihre Eltern benutzen deutsche Wörter für Dinge, die sie aus der Türkei nicht kennen, wie z.B. den Krankenschein.

An diesen wenigen Beispielen wird deutlich, wie unterschiedlich die Anlässe sein können, zwischen den Sprachen zu »switchen«. Gerade dies aber gilt in der Schule als Defizit.

Welche förderdiagnostischen Möglichkeiten haben wir?

Es soll kein Zweifel aufkommen: Auch ich möchte, dass Kinder, die unsere Schule besuchen, auch die deutsche Sprache erlernen. Nur nicht auf Kosten der (oft) vorhandenen anderen Erstsprache.

In besonders scharfer Weise zeigt sich das Problem, wenn der »Sprachstand« getestet wird. Nicht genug, dass Kinder mit unterschiedlichen Sprachen in einer Klasse arbeiten, in der Deutsch gelernt wird, so als ob es die anderen Sprachen nicht gäbe. *I. Gogolin (1993)* hat den monolingualen Habitus unserer »deutschen Schule« des öfteren beschrieben. In unserem (bisherigen) Selbstverständnis von Schule kamen wir nicht auf die Idee, anderes zuzulassen als das, was wir können und wissen. So fallen auch die Tests aus. Die Maßstäbe sind für alle die gleichen. Kinder anderer Erstsprachen machen häufig die gleichen Fehler wie deutsch-einsprachig aufwachsende. Dies zur Legitimation und Beruhigung! Interferenzfehler werden überbewertet. Viel Kraft wird verbraucht, um »gutes Deutsch« zu lehren (!). Wer das Deutsch-Lernen dabei nicht schafft (und zwar in unserem Unterricht, der monolingual ausgerichtet ist), wird auf die Sonderschule geschickt.

Was aber *können* diese Kinder? *Was* haben sie uns Einsprachigen voraus? Wie sind *ihre* Sprachkompetenzen zu erfassen? Und welche Hilfen brauchen sie tatsächlich? Lieber möchte ich fragen: Welche Ansätze gibt es für uns, die Potenzen zu nutzen – auch für Einsprachige?

Ist unser Deutsch-Unterricht noch zeitgemäß?

Spätestens hier mögen Sie sich fragen: Was hat das alles mit mir zu tun? Ich habe keine »Ausländer« in meiner Klasse. Oder: Mein Kind aus … hat so schnell Deutsch gelernt. Da gibt es keine Probleme. Oder: Was soll ich denn noch alles leisten? Oder: Meine Kinder wollen so schnell wie möglich Deutsch lernen. Sie wollen nicht ewig Außenseiter bleiben.

Dass es sensible Phasen für das (Sprachen-)Lernen gibt, wissen wir. Dass Kinder Sprachen am besten in jungen Jahren lernen, ist allgemein akzeptiert.

Eine Konsequenz aus diesen Erkenntnissen ist die Einführung des frühen Fremdsprachenlernens in der Grundschule. Nicht überall stieß diese Maßnahme auf Gegenliebe. »Die Kinder sollen erst mal richtig Deutsch lernen«, hieß es. – Ich lasse Sie an dieser Stelle mit dieser Provokation allein.

Mich interessiert die Frage, ob die Fokussierung auf eine Sprache (in unserem Fall Deutsch) den Erfolg bringen kann, den wir uns wünschen. Lernen nicht Kinder Lesen heute auch durch Schreiben? Erwirbt man Sprache auch (!) durch Vergleich mit anderen? Gelingt dies besonders gut in einem Rahmen, der von Interesse an Sprachen erfüllt ist? Vielleicht Binsenweisheiten. Nur leider nicht Wirklichkeit in der Schule.

Ingelore Oomen-Welke stellt ein Design neuen Sprachunterrichts vor. Darin heißt ein Punkt: Sprachen zulassen (vgl. *Oomen-Welke 1995*, 293). *I. Jäger (1995*, 183 ff.) hat im letzten Jahrbuch über die Hinterbühne des Unterrichts Interessantes geschrieben. Sie zeigt, wie erhellend Gespräche in der Erstsprache der Kinder »am Rande des Geschehens« für die Bearbeitung des Lerngegenstandes sein können.

Es wäre eine Hoffnung nicht nur für Kinder anderer Erstsprachen, wenn wir den

Gebrauch dieser Chancen nicht dem Zufall überließen, wenn durch Kombinieren, Konstruieren, Kontrastieren eine Konturierung der Sprachen ermöglicht würde. Ein Unterricht, der die Sprachen nutzt, die in der Klasse vorhanden sind und darüber hinaus andere zu Rate zieht.

Wie nah sind wir uns eigentlich in unseren Ideen? Oder: Wie weit sind wir entfernt in unseren didaktisch-methodischen Auffassungen?
Ist Mehrsprachigkeit ein Lernziel? Wie wäre es zu erreichen?
Ist Deutsch-Lernen das Ziel? Mit Unterstützung anderer Sprachen?
Wird in der »deutschen Schule« die Muttersprache Deutsch gelernt?
Fragen, die nicht nur auf der Ebene von Schule zu stellen sind. Solange aber Uneinigkeit darin besteht, werden an vielen Schulen und Universitäten Leute daran arbeiten, den Horizont zu erweitern. Ganz im Sinne von Goethe: *Wer fremde Sprachen nicht kennt, weiß nichts von seiner eigenen.*

Beispiele für mehrsprachige Materialien

Wir sind es gewohnt, Materialien für den Sprachunterricht unter einsprachigen Gesichtspunkten auszuwählen. Wenn gelegentlich ein Hinweis auf andere Sprachen erfolgt, dann fühlen wir uns bestätigt in unserem multinationalen Denken und Handeln. Doch für die künftige Arbeit in den mehrsprachigen Klassen wird dies nicht reichen. Deshalb waren wir im Seminar auf der Suche nach bereits vorhandenen Alternativen. Wir lasen in Zeitschriften Berichte über Schulen, in denen multikulturelles Leben kein Schlagwort ist, nahmen Äußerungen in Bildungsplänen zum Anlass, über Traum und Wirklichkeit zu reflektieren, stöberten in Materialien, die es bereits gibt.
Ein neues sei hier vorgestellt:
Es sind der Buchstabenautomat und das Klasse(n)paket *(Brinkmann/Brügelmann 1996)*, die für den Schriftspracherwerb das nötige Handwerkszeug liefern. Was es für uns so wertvoll machte, sind die vielen Möglichkeiten, die es für den Umgang mit anderen Sprachen bietet.

Mit den Tierstempeln konnten Anlauttabellen für andere Sprachen auf der Basis einer vorhandenen hergestellt werden. Allerdings war der B(ÄR) dann ein A(YI) oder ein O(SO). Aber das machte ja gerade den Reiz aus.
Das Klasse(n)paket enthält neben Spielen, die alle leere Karten für Ergänzungen durch Klassenwörter oder Übersetzungen enthalten, Schablonen für Schreibanreize. In dem dazugehörenden Wörterbuch gibt es Raum für Eintragungen in Schreibschrift oder auch für Übersetzungen. Diese wiederum sind für Lehrerinnen und Lehrer bereits gemacht (weil wir ja doch auch unterstützen wollen).
Haben die Kinder dann Wörter in verschiedenen Sprachen geschrieben, sind Sprachvergleiche eine gute Möglichkeit, metasprachliches Wissen weiterzuentwickeln und sprachliches Können zu vervollkommnen.

Die Wörter in verschiedenen Muttersprachen
(Kopiervorlage zu MALEN UND SCHREIBEN)

	Türkisch	Französisch	Spanisch	Albanisch	Kroatisch
♥	KALP	COEUR	CORAZÓN	ZEMRA	SRCE
🐱	KEDİ	CHAT	GATO	MACË	MAČKA

Für die Studentinnen und Studenten waren es vor allem die Auseinandersetzung mit den Sprachen während der Herstellung von Materialien, die den Lernprozess vorantrieben. *M. Ogiolda,* die u. a. ein gezinktes mehrsprachiges Memory hergestellt hat, schreibt in ihrer Semesterarbeit: »Der eigentliche Lernprozeß liegt in der Herstellung:

– Welche Begriffe wählen wir aus?

– Wie kommt es, dass es für einen Gegenstand manchmal mehrere Wörter gibt, und welches nehmen wir dann?

– Wie können wir kontrollieren, ob sie richtig sind? …«

👁	глаза	göz	oko
📖	zeszyt	тетрадь	defter
🧤	pantalon	spodnie	брюки
🚦	lamba	ампель	lampa signaliza-cyjna
☀	słońce	güneş	солнце
🏠	дом	dom	e v
🍴	çatal	widelec	вилка
🐦	птица	kuş	ptak

Das folgende Beispiel soll verdeutlichen, mit welchen »einfachen Mitteln« aus einsprachigen Materialien mehrsprachige werden können. Bewusst wird aufwendige Anfertigung vermieden, um auch Anregungen zu geben, derartige Materialien von Kindern herstellen zu lassen. (»Der eigentliche Lernprozeß …«) Experten sitzen in jeder Klasse!

»Wer bekommt das Bild?« (Die *Grundschulzeitschrift 57/1992)* ist ursprünglich einsprachig deutsch. So abgewandelt, bietet es verschiedene Möglichkeiten des Einsatzes: als Bingo, Memory, Schnipp-Schnapp u. ä.

Das Material bietet auch die Chance, über »falsche Freunde« zu sprechen. Dieses Phänomen gibt es in allen Sprachen, man merkt es bei irrigen Übersetzungen (vgl. *Gutknecht 1995*). Wie schnell ist man doch geneigt, für Ampel an der Kreuzung auch im Polnischen das Wort ampla auszuwählen. Doch: ein falscher Freund; denn diese Ampel heißt *lampa signalizacyjna. Ampla* jedoch ist die Blumenampel.

Teekesselwörter sind allgemein bekannt. Mit älteren Kindern könnten Sprachspiele gemacht werden, indem Begriffe aus zwei Sprachen zusammengenommen werden und daraus ein neues Wort gebildet wird:

Den deutsch-türkischen Warenaustausch kann man sich so vorstellen:

Ein Produkt geht von der deutschen HAND in die türkische EL. Was dabei herauskommt, ist bilateraler HANDEL. Erst auf den zweiten Blick wird der »Schwindel« deutlich. Beim näheren Hinsehen findet man das Teekesselchen: EL heißt im Türkischen auch das Land.

Allgemein bekannt sind auch die Wörter-Bilder, in denen ein Begriff versteckt ist (der Wurm im Apfel, das Haar in der Suppe …). Im folgenden hat sich ein Riese im Haus versteckt. Finden Sie ihn?

EV

EVEV

EVEVEV   EV

EVEVEVEVEV EV

EVEVEVEVEVEVEV

EVEVEVEVEVEVEVEVEV

EVEVEVEVEVEVDEVEVEVEV

EVEVEVEVEVEVEV

EVEVEVEVEVEVEV

EVEVEVEVEVEVEV

EVEVEVEVEVEVEV

EVEVEVEVEVEVEV

EVEVEVEVEVEVEV

Wenn Kinder dazu auch noch Hilfen bekommen (falls sie überhaupt nötig sind), dann kann man ihnen z.B. die Anlauttiere aus einer türkischen Anlauttabelle (die fast fertig ist) dazu geben. Riese heißt im Türkischen: *(siehe folgendeBilder)*

Zunächst bietet sich an, Wörter wie DEV und DEVEKUŞU zu untersuchen. Was

_d_evekuşu   _e_şek   _va_şak

haben die miteinander zu tun? Wir finden: DEV – der Riese, KUŞ – der VOGEL. Alles klar. Wenn Experten unter uns dann noch ins Spiel bringen, dass Kamel im Türkischen DEVE heißt, wird die Suche sicher weitergehen. Wir treffen auf Bedeutungswandel (EV – DEV) und auf Stämme einer Wortfamilie (DEV – DEVEKUŞU). Den Begriff Riesenvogel gibt es auch im Deutschen; Zeit und Gelegenheit, über die Möglichkeiten nachzudenken, wie zusammengesetzte Nomen gebildet werden. Im Türkischen finden wir die Vokalharmonie, im Deutschen das Fugen-*s* – bzw. hier das *n*. Wir finden aber auch Wörter wie Hofhund, ie keine Verbindung brauchen, und entdecken, dass es im Spanischen so überhaupt nicht geht, sondern fast alle Zusammensetzungen über die Präposition »de« (von) gebildet werden, z. B.: *casa de pisos* (das Mietshaus). Wie ist es im …?

Eine andere Möglichkeit, den Gedanken der Stammbewahrung aufzugreifen, ist die Suche nach »Stammhaltern«.

»Riesen«-Bausteine in unseren Sprachen:

D	der	Riese
		riesig
TR		dev
		devasa
PL		olbrzym
		olbrzymi
GB	the	giant
		giant auch: gigantic
RUSS		великан
		великий

Fragen über Fragen: Werden alle Adjektive so gebildet? Wie wird in anderen Sprachen das Geschlecht bestimmt? Und wie verändern sich dann die Endungen der Adjektive? Gibt es Steigerungen in den anderen Sprachen? Wie sehen die aus? …

Sprachspielerisch lässt sich so manches machen, was eigentlich nicht geht, z. B.: die Werbung für die Ausstattung im Büro: HIGH-LEITZ. Sammelaufgaben wie: »Sucht mehr von derartiger Reklame« machen aufmerksam auf Sprachwitz in der Umwelt, der in diesem Fall Unterschiede und Gemeinsamkeiten in geschriebener und gesprochener Sprache nutzt. Oder diese Verfremdung einer Wendung, die vertraut ist: SHOP AND GO. Zu Weihnachten wurde sie in der Innenstadt als Service der Kaufhäuser angeboten. Wer kein Beispiel findet, erfindet eins.

Wer Sandwiches mag, hat vielleicht Spaß an einem Text, der nur gemeinsam entschlüsselt werden kann. Es sei denn, man kennt alle Sprachen. Hier ein Beispiel:

Friends – Freunde – Üç arkadas – Gueti Fründ ...

Every morning, when Charlie Rooster strutted into the barn
to wake the other animals, Johnny Mouse and fat Percy went
with him to help.
Richtige Freunde helfen einander.
Sonra samanlikta duran bisikletlerini kaptıkları gibi dışarı
firlar, sabahin içine dalarlardı.
Kei Wäg isch ne z steinig gsi, kei Abhang z stotzig, kei Kurve
z scharf und kei Glungge z tief.   Helme Heine

Eine Idee von *Heiko Balhorn* aufgreifend, haben wir uns im Seminar mit BLISS beschäftigt. Dabei ging es um die Möglichkeit, eine Sprache, von der wir alle »gleich weit entfernt« sind, als semantisches Bindeglied zu nutzen, die Bedeutung also aus den Zeichen zu entnehmen, die sowohl für spanisch sprechende, für polnisch- oder anderssprachige Kinder in unseren Schulen gleichermaßen unbekannt, aber erschließbar sind, wenn erst einmal der Schlüssel gefunden worden ist.

Nicht das Deutsche steht also im Mittelpunkt. Und nicht nur durch ein Zeichensystem (die alphabetische Schrift) wird die kognitive Verarbeitung ermöglicht. Nach der dualen Kodetheorie, die *Gangkofer* beschreibt, sind Lerneffekte auch bei Zweisprachigen größer, wenn auf beide Kodes, den nichtsprachlichen (meist visuellen) und auf den sprachlichen, zurückgegriffen wird (vgl. *Gangkofer 1993*, 175).

Wie kann es praktisch gehen? Wir haben einige Begriffe aus dem BLISS-Wörterbuch ausgewählt und in unsere verschiedenen Erstsprachen übertragen:

	BLISS	engl.	span.	russ.	griech.	alban.	frz.
Frau	ᐃ	woman	mujer	женщина	γυναίκα	grua	femme
Mann	ᐱ	man	hombre	мужчина	άντρας	buri	homme
Mädchen	ᐓ	girl	niña	девочка	κορίτσι	vojzë	fille
Junge	ᐖ	boy	chico	мальчик	αγόρι	djal	garçon

	BLISS	schwed.	span.	russ.	alb.	griech.	engl	frz.
ich	⌊₁	jag	yo	я	unë	εγώ	I	je
du	⌊₂	du	tú	ты	ty	εσύ	you	tu
er	ᐃ₃	han	él	он	ai	αυτός	he	lui
sie	ᐃ₃	hon	ella	она	ajo	αυτή	she	elle

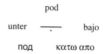

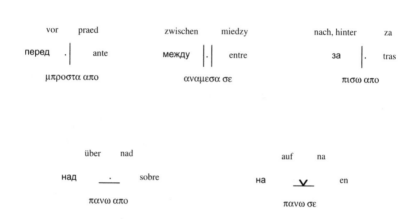

Resümee

Wir könnten uns in unserem neu zu durchdenkenden Sprachunterricht auf unterschiedliche Weise der Morphologie und Syntax nähern, könnten durch Reflexion über Sprache(n), durch Sammeln von Beispielen aus den verschiedensten Sprachen und Schriftsystemen (u. a. auch BLISS) neue Wege des Verstehens eröffnen.

Mit den folgenden Überlegungen zu mehrsprachigen Materialien verbinde ich die Hoffnung nach einem Austausch über weitere Entwicklungswege unserer Schule:

- Materialien, die für den Deutschunterricht vorliegen, können – übertragen in andere Sprachen – von allen Kindern genutzt werden.
- Das Vorhandensein gleicher Materialien in verschiedenen Sprachen ermöglicht den Sprachenvergleich in besonderer Weise.
- Aufgaben, in denen verschiedene Sprachen vorkommen, sind ein Anreiz, sich miteinander zu verständigen, Experten (innerhalb und außerhalb der Klasse) zu befragen, in Büchern nachzuschlagen.
- Mit entsprechenden Hilfsmitteln (Anlauttabelle, Wörterbuch) kann jede Sprache, die im Material vorkommt, auch von Kindern bearbeitet werden, die diese (noch) nicht erworben haben.

- Mit der Kunstsprache BLISS steht für alle Sprachteilnehmer ein Medium zur Verfügung, von dem sie gleichermaßen entfernt sind. Keine Sprache hat den (Heim-)Vorteil. Haben Kinder die Funktionsweise durchschaut, nutzen sie ihre dominante Sprache und benennen die Zeichen.
- Lehrerinnen und Lehrer stehen nicht unter dem Anspruch, alle Aufgaben lösen, geschweige denn korrigieren zu müssen.

Literatur:

Brinkmann, E./Brügelmann, H. (1996): Materialien zur Ideen-Kiste. verlag für pädagogische medien: Hamburg.

Gangkofer, M. (1993): BLISS und Schriftsprache. Libelle: Bottighofen/Lengwil.

Gogolin,I. (1993): Der monolinguale Habitus der multilingualen Schule. Waxmann: Münster.

Gutknecht, Ch. (1995): Lauter böhmische Dörfer. Beck: Nördlingen.

Jäger, I. (1995): Die »Hinterbühne« des Unterrichts – ein Raum für Mehrsprachigkeit. In: Brügelmann/Balhorn/Füssenich (1995, 183–189).

Lange, S./Dirim, I. (1995): Außerschulische und außerfamiliäre Sprachpraxis mehrsprachiger Grundschulkinder (Manuskript).

Linke, A./Oomen-Welke, I. (Hrsg.)(1995): Herkunft, Geschlecht und Deutschunterricht. Fillibach: Freiburg.

Ursula Neumann

Man schreibt, wie man spricht, wie man schreibt

Im Zusammenhang eines Forschungsprojekts zeichneten wir Unterricht in einer Grundschulklasse auf, in der mehrsprachige und einsprachig-deutsche Kinder von einer deutschen Lehrerin unterrichtet wurden: also in einer normalen Grundschulklasse. Im Verlaufe einer Stunde, in der es um das Schreiben von Texten ging, ereigneten sich mehrere Zwischenfälle, die mit der Vermittlung von Rechtschreibwissen zusammenhängen.[1] Sie wurden einer »Incidentanalyse« unterzogen. In diesem Konzept steht ein Ereignis, beispielsweise im Unterricht, stellvertretend für ein verborgenes Strukturmerkmal des Gesamtgeschehens. Es liefert den Schlüssel für das Verständnis eines Zusammenhangs, der »tief in der pädagogischen Tradition und den kulturellen Konzepten des jeweiligen Landes(teils) verwurzelt« ist *(Herrlitz 1994,* 13).[2] Die Analyse von vier solcher »Incidents« im Verlaufe einer Stunde führte zu folgendem Ergebnis.

»›Schreib so, wie du sprichst‹ ist eine alte didaktische Maxime, die ihre historischen Verdienste hat«, schreibt *Giese (1986,* 193) und verweist auf die Funktion, die das Bewußtmachen der Beziehung zwischen Aussprache und Verschriftlichung für die Vereinheitlichung der Aussprache und Herausbildung der Standardsprache im deutschen Sprachgebiet im 19. Jahrhundert gehabt hat. Die »Incidents« zeigen, daß sich dieser Vereinheitlichungsprozeß im Sprachunterricht der Grundschule in gewissem Sinne noch einmal vollzieht. Sie gleichen Momentaufnahmen dieses Prozesses, in dem zwar Erfahrungen mit Multilingualität gemacht werden, aber – von der Lehrerin – mit monolingualem Selbstverständnis wahrgenommen bzw. in Richtung darauf aufgenommen werden.

Im Unterricht der Klasse sind mehrere Mittel eingeführt, wie die Kinder (und die Lehrerinnen) zur richtigen Schreibung von Wörtern gelangen können. Die

---

1 Das Projekt wurde von der DFG gefördert und zusammen mit *Ingrid Gogolin* an der Universität Hamburg, Fachbereich Erziehungswissenschaft durchgeführt. Die Ergebnisse des Projekts werden u. a. 1996 veröffentlicht in: *Ingrid Gogolin / Ursula Neumann (Hrsg.):* Großstadt-Grundschule. Eine Fallstudie über sprachliche und kulturelle Pluralität als Bedingung der Grundschularbeit. Münster (Waxmann). Die hier veröffentlichte Analyse erscheint in ausführlicher Fassung 1996 in dem von *Ingrid Gogolin* und *Sjaak Kroon* herausgegebenen Buch »Du mußt es länger machen« – oder: »Man schreibt, wie man spricht«. Ergebnisse einer international vergleichenden Studie über Unterricht in vielsprachigen Klassen. Münster (Waxmann). Dort sind auch die Transkripte der vier Incidents »Namen«, »Gutes Deutsch«, »Kescher« und »Zornig« nachzulesen.
2 Ein anderes Bild ist das des Eisbergs, das *Wolfgang Herrlitz (1994)* verwendet. Seine Spitze stellt der »Incident« dar, der auf das darunterliegende Problem verweist.

erste und einfachste ist das Nachfragen bei der Lehrerin und Diktieren durch die Lehrerin: »mit Doppel-m« oder »mit tz«. Die zweite, das Vorschreiben von Wörtern, die die Kinder wissen wollen bzw. »nicht schreiben können« auf kleine Zettel, ist eine praktische und leise Form der Hilfe. Sie lenkt die Kinder wenig von ihrer Hauptaufgabe, der Textproduktion, ab, erfordert keine Gespräche und Erklärungen von Regeln und liefert relativ eindeutige Ergebnisse.[3]

Es scheint, daß Lehrerin und Kinder davon überzeugt sind, daß es immer eine richtige Schreibung für ein Wort gebe. Diese müsse man wissen, nachfragen oder im Wörterbuch nachschlagen, was nur im Incident »Kescher« praktiziert wird, allerdings nicht zum Erfolg führt, weil die Lehrerin es vergeblich als »Fremdwort« [catcher] zu identifizieren versucht.

Getragen wird der Unterricht von der Grundüberzeugung, die Schreibung der Wörter richte sich nach ihrer Aussprache. So im Incident »Namen«, wo die Kinder die Lehrerin um die Schreibung von einigen Vornamen bitten und sie hilflos mehrfach die Kinder auffordert, ihr diese vorzusprechen. Bei einer zweiten Gelegenheit, wo ein Junge etwas niedergeschrieben haben möchte, was er wie [tsoniks] ausspricht, scheitert die Strategie des »genauen Hinhörens« ebenfalls. Wenn die Faustregel »Man schreibt, wie man spricht« angewendet wird, stoßen die Kinder notgedrungen an deren Grenzen. Dies scheint der Lehrerin in der Regel nicht aufzufallen; sie reagiert auf Rückfragen, indem sie ein Graphem spricht, das durchaus nicht ausgesprochen wird, wie im folgenden Beispiel: *Maryn* hat offensichtlich das Wort Fernsehen ohne <h> geschrieben. Falls er dabei der Regel »Man schreibt, wie man spricht« gefolgt ist, hat er das Wort richtig geschrieben, denn in der deutschen Sprache gibt es keinen Unterschied zwischen der Aussprache von <sehen> und <Seen>. Das <h> ist in <sehen> aufgrund des morphematischen Prinzips der deutschen Rechtschreibung enthalten und ist in der gesprochenen Sprache nicht hörbar. Bei ihrer Korrektur artikuliert die Lehrerin das <h>. Damit kehrt sie die Regel um und spricht, wie man schreibt. Es ist wohl so, daß die Lehrerin an dieser Stelle nur kommunizierbar machen will, was *Maryn* beim Schreiben ausgelassen hatte.[4]

---

3 Vielleicht liegt diesem Vorgehen die Vorstellung des Einprägens »richtiger Wortbilder« zugrunde. Die Wortbildtheorie geht nach *Scheerer-Neumann (1986)* auf *Bormann (1840)* zurück und besagt, daß die Wörter »Physiognomien« besäßen, die sich die Kinder scharf und sicher einzuprägen hätten. Konsequenterweise sei es deshalb unbedingt zu vermeiden, daß sie ein falsch geschriebenes Wort sehen. Praktische Konsequenz hatte diese Theorie im Alphabetisierungsansatz der »Ganzheitsmethode« in den 60er Jahren und bis heute, wenn Kinder als Diktatberichtigung die falsch geschriebenen Wörter dreimal richtig schreiben müssen und Falschschreibungen nicht an der Tafel stehenbleiben dürfen. *Balhorn (1986, 112)* sieht diese Theorie als empirisch widerlegt an.
4 *Heiko Balhorn* bezeichnet das, was Kinder und Erwachsene als Modelle des zu schreibenden Wortes entwerfen, als »koartikulierte Lautgebilde«. Er sieht in ihnen Ausdrucksformen kognitiver Prozesse: »Insofern dieses lautgebilde gesprochener hochsprache ähnlich ist – realisiert es das fonemische prinzip unserer ortografie; und insofern es ihm unähnlich ist – und diese unähnlichkeit gilt es im bewußtsein zu halten – realisiert es das morfemische prinzip. Diese beiden antagonistischen prinzipien bestimmen als regeln der regeln unsere ortografie; alle weiteren sind vergleichsweise marginale spezifikationen« *(1986,* 115 f.).

Die darüber hinausgehende Interpretation, daß sie tatsächlich von einer eindeutigen Graphem-Phonem-Korrespondenz überzeugt zu sein scheint, legt die dann folgende Diskussion zwischen *Maryn* und ihr nahe: *Maryn* hat beim Schreiben die Endsilben der Possessivpronomen weggelassen und »bei mein Oma und mein Opa« geschrieben. Er ist damit der Regel gefolgt, Wörter so zu schreiben, wie sie ausgesprochen werden, denn im Hamburger Dialekt ist es richtig und üblich, diese Endsilben wegzulassen. Auch die Lehrerin hat diese Eigenart in ihrer mündlichen Sprache. Diesmal jedoch paßt die Lehrerin ihre Aussprache der Norm schriftlicher Sprache an und spricht die Endsilben aus. Der Schüler akzeptiert dies nicht, er verteidigt sein Wissen und insistiert darauf, daß seine Aussprache ebenso richtig sei wie die Aussprache der Lehrerin: »... geht das doch auch!« Doch die Lehrerin lehnt diese Auffassung ab. Der lokale Dialekt ist in ihren Augen »kein gutes Deutsch«. Sie erklärt zu gutem Deutsch die Variante des Deutschen, die in der Aussprache der Schriftform folgt.[5] In der Konsequenz bedeutet das, daß ihre Schülerinnen und Schüler die Schreibweise eines Wortes bereits wissen müssen, wenn sie es richtig aussprechen und (anschließend) richtig schreiben wollen. Die Regel »Man schreibt, wie man spricht« wird zum Zirkel: »Man schreibt, wie man spricht, wie man schreibt«.Während *Maryn* der Meinung ist, »mein« stelle eine gleichberechtigte Variante zu »meiner« oder »meinem« dar, qualifiziert die Lehrerin diesen Sprachgebrauch als »schlechtes Deutsch«, als eine Variante des Deutschen, die minderwertig ist, womöglich auch den Benutzer dieser Variante sozial herabsetzt. In der Perspektive unserer Fragestellung kann dies als Hinweis darauf gelten, daß die Lehrerin ihre pädagogischen Bemühungen auf eine sprachliche Kompetenz der Kinder ausrichtet, die an der Schriftsprache orientiert ist. Ursache mag die Ambiguität des Deutschunterrichts sein, in dem stets eine doppelte Zielsetzung verfolgt werden muß: Deutschunterricht hat einerseits die Aufgabe der Standardisierung der Aussprache, was durch Orientierung an der Schriftsprache zu leisten versucht wird. Andererseits kann diese Schriftsprache bei den Kindern nicht vorausgesetzt werden; sie muß für den aktiven Sprachgebrauch erst vermittelt werden, schriftlich genauso wie mündlich. Da orthographisch richtiges Schreiben grammatisches Wissen voraussetzt, besteht die didaktische Notwendigkeit, solches Wissen auch zu vermitteln bzw. vorhandenes Wissen zu strukturieren und zu erweitern.[6]

---

5 *Mechthild Dehn* beschreibt es als ein Problem der Aneignung des phonematischen Prinzips der Orthographie, daß es auf das Phonemsystem der Hochsprache bezogen ist, das »phonematische Gehör« des Lernenden jedoch auf das Phonemsystem seiner Umgangssprache bzw. seines Dialekts. Diese Interferenz gelte es kognitiv zu bewältigen. Sie stellt in ihren empirischen Untersuchungen fest, daß »die Aneignung des phonematischen Prinzips [...] *nicht als* Verschriften hochsprachlicher Artikulation [erfolgt]« (*1986*, 100).
6 *Hans Barkowski (1994)* zeigt ein paralleles Beispiel. Im dargestellten Unterrichtsversuch sollen die Kinder lernen, die Personalendungen des Verbs, z.B. »ich brauche« an Stelle von »ich brauch«, zu sprechen und zu schreiben, obwohl ihnen der Berliner Dialekt dieses anders vorgibt. Es stellt sich aber heraus, daß die Kinder des dritten Schuljahrs sowohl die Endungen bilden können als auch »die Regeln für die morphologische Markierung der Personalreferenz am Verb ermitteln« (S. 215) können: »Bei >ich< muß >e< sein«, sagt ein Schüler (S. 218).

Mit der zirkulären Anweisung: »Man schreibt, wie man spricht, wie man schreibt« macht die Lehrerin aber die Verwirrung für die Kinder vollkommen, denn die Anwendung der »Regel« gelingt nur, wenn man die Orthographie bereits beherrscht. Wir gehen nicht davon aus, daß es die Absicht der Lehrerin ist, die Kinder ins Unrecht zu setzen. Ganz im Gegenteil will sie offenbar das Vertrauen der Kinder zu ihren eigenen Wissensbeständen und Kenntnissen festigen und ihnen möglichst klare Strategien zur Überwindung von Rechtschreibproblemen vermitteln. Ihr entgehen dabei jedoch wichtige Zusammenhänge, die vor allem in bezug auf zweisprachige Schüler ihre Wirkung entfalten. Unterstellt man einmal, daß es einen direkten und eindeutigen Zusammenhang zwischen Aussprache und Schreibweise von Wörtern gibt, so würde dies stets nur für das System einer Sprache Geltung haben.

Das wichtigere Moment besteht jedoch darin, daß Kinder, zumal Kinder in einem mehrsprachigen Klassenzimmer, die Erfahrung gemacht haben, daß Sprache eine große Zahl von Varianten und Ausdrucksweisen kennt. Sprachliche Vielfalt ist ihnen vertraut, und sie gehen auch aktiv damit um. Zum einen besitzen die mehrsprachigen Kinder andere Spracherfahrungen als die einsprachige Lehrerin, zum anderen wird die Begegnung mit sprachlicher Vielfalt, die ein Merkmal dieser »Incidents« ist, von der Lehrerin und den Schülern anscheinend verschieden wahrgenommen. Das Wissen der Kinder um Varianten und ihre Fähigkeit, zwischen diesen zu wechseln und mit Sprache zu spielen, wird im Unterricht nicht aufgegriffen und zur Basis von weiteren, systematisierenden Lernprozessen gemacht. Es provoziert vielmehr eher das Gegenteil: Bemühungen, diese Komplexität zu reduzieren, simple Zusammenhänge zu konstruieren und Vereinheitlichung auf dem Niveau der Standardsprache in orthographisch korrekter Form zu erreichen. Nachdenken über Sprache, die planvolle Auseinandersetzung mit Sprachvarianten bzw. Sprachverschiedenheit oder mit dem Zusammenhang zwischen Sprechen und Schreiben ist normalerweise nicht Unterrichtsthema, die Ausbildung von Varianten und die bewußte Verwendung dieser Varianten nicht das Lernziel. Der Gebrauch anderer Sprachen im Unterricht zum Zweck des Lernens würde die angenommene Einheit von Sprachunterricht (Förderung des Schreibens durch Sprechen und umgekehrt) stören, dem didaktischen Prinzip entgegenstehen.

Literatur:

Balhorn, Heiko (1986): »Jetzt schreib' ich die Wörtersprache…«. In: Brügelmann, H. (Hrsg.) (1986): ABC und Schriftsprache: Rätsel für Kinder, Lehrer und Forscher, 112–123. Faude. Konstanz (vergriffen).

Barkowski, Hans (1993): »Ich und -e, das gehört zusammen…«. Ein unterrichtspraktischer Beitrag zum interkulturellen Lernen in der Grundschule. In: Deutsch lernen, Heft 3/93, 211–221.

Dehn, Mechthild (1986): Über die Aneignung des phonematischen Prinzips der Orthographie beim Schriftspracherwerb. In: Brügelmann, Hans (Hrsg.) (1986): ABC und Schriftsprache: Rätsel für Kinder, Lehrer und Forscher, 97–111. Faude. Konstanz (vergriffen).

Giese, Heinz W. (1986): Hat lesen und schreiben etwas mit hören und sprechen zu tun? In: Brügelmann, Hans (Hrsg.) (1986): ABC und Schriftsprache: Rätsel für Kinder, Lehrer und Forscher, 193–199. Faude. Konstanz (vergriffen).

Herrlitz, Wolfgang (1994): Die Spitzen der Eisberge. OBST 48, 13–52.

Maas, Utz (1992): Grundzüge der deutschen Orthographie. Max Niemeyer Verlag. Tübingen.

Müller, Karin (1990): »Schreibe, wie du sprichst!« Eine Maxime im Spannungsfeld von Mündlichkeit und Schriftlichkeit. Lang. Frankfurt a. M.

Scheerer-Neumann, Gerheid (1986): Wortspezifisch: Ja – Wortbild: Nein. In: Brügelmann, Hans (Hrsg.) (1986): ABC und Schriftsprache: Rätsel für Kinder, Lehrer und Forscher, 171–185. Faude. Konstanz (vergriffen). Neu in: Balhorn/Brügelmann (Hrsg.) (1995): Rätsel des Schriftspracherwerbs. Neue Sichtweisen aus der Forschung, 230–244. Libelle. Lengwil.

Anne Berkemeier

Zweitschrifterwerb

1. Situationsbeschreibung

Obwohl das Phänomen Mehrschriftigkeit u. a. aufgrund der weltweit zunehmenden Migrationsbewegungen für viele Menschen zur alltäglichen Realität
gehört, wurde es bisher kaum wissenschaftlich thematisiert (vgl. *Glück 1994).*
In der Schulpraxis geht man unterschiedlich mit dem Phänomen um. Ich nenne
einige empirische Beispiele:

– Man ignoriert, daß ein nicht geringer Teil von LernerInnen mit Mehrschriftigkeit umzugehen lernt bzw. lernen müßte, da das Leben dieser LernerInnen
durch mehr als eine Sprache geprägt ist. Oft wird die zweite Schrift aufgrund
von Eigeninitiative außerhalb der Institution Schule erworben, wobei manche
LehrerInnen bilingual Erziehenden aber davon abraten, weil sie den Umgang
mit zwei Schriften für eine Überforderung halten, und damit bei den Erziehenden Verunsicherungen hervorrufen *(Thessaloniki).*
- LernerInnen, die bereits in einer anderen Schrift alphabetisiert wurden, werden nicht selten unzureichend im Deutschen alphabetisiert (vor allem, wenn
es sich bei der Erstschrift um eine mit lateinischem Zeicheninventar handelt).
Im 6. Schuljahr einer sogenannten Lernbehindertenschule begegnete mir ein
Junge, dem man »vergessen« hatte, das Graphem <W, w> beizubringen: Da
er im Französischen bereits alphabetisiert war und Unterschiede zwischen beiden Schriftsystemen nicht beachtet wurden, ging man davon aus, er beherrsche das lateinische Alphabet *(Dortmund).*
– Der Zweitschrifterwerbsprozeß wird dem des Erstschrifterwerbs gleichge-
setzt, obwohl je nach typologischer und genetischer Nähe zweier Schriften bestimmte Kenntnisse und Fähigkeiten bereits erworben wurden *(Athen).*
– Einzelne LehrerInnen bemühen sich um die Entwicklung von Konzepten, die
es ermöglichen, die Alphabetisierung im Deutschunterricht im muttersprach-
lichen Ergänzungsunterricht zu berücksichtigen. Wechselt aber die Fibel oder
das verwendete Material im Deutschunterricht, so wird das entwickelte Konzept für den Muttersprachenunterricht unbrauchbar *(Dortmund).*
– Vereinzelt werden von Arbeitsgruppen Projekte durchgeführt, die aber z. T. mit
Gegenwind von politischer und linguistischer Seite zu kämpfen haben. Dies-
bezügliche Kontroversen beziehen sich nicht selten auf unzulässig verkürzte
Fragen, wie z. B. »Fördert die Alphabetisierung in der Muttersprache den
Zweitsprachenerwerb?« *(Berlin, vgl. OBST 47).*

Die Leidtragenden sind in allen Fällen die Betroffenen: mehrsprachig aufwachsende Kinder und/oder ihre LehrerInnen, die sich nach der herrschenden Schulpolitik um die Lösung der in der Praxis entstehenden Aufgaben bemühen. Die Bearbeitung der anstehenden Fragen ist aber m. E. nur durch eine enge Verknüpfung der Bereiche Unterrichtspraxis, Sprachdidaktik und Linguistik möglich, also durch die Entwicklung einer linguistisch fundierten, empirischen Sprachdidaktik.

2. Beschreibung des durchgeführten Forschungsprojekts zum Zweitschrifterwerb

Um herauszufinden, welche kognitiven Prozesse beim Erwerb einer zweiten Schrift stattfinden und wie ein diesbezügliches Unterrichtskonzept aussehen kann, wurde aufgrund von Hypothesen über den vermutlichen Kenntnisstand im Neugriechischen alphabetisierter Kinder ein Unterrichtskonzept entwickelt und in zwei Alphabetisierungskursen für bilinguale griechisch-deutsche Kinder in Griechenland (in Nordgriechenland leben u. a. ca. 10 000 deutschsprachige mit Griechen verheiratete Frauen und sehr viele RemigrantInnen) angewendet, überprüft und überarbeitet.

Die KursteilnehmerInnen besuchten die 1. bis 3. Klasse der griechischen Grundschule. Aus organisatorischen Gründen war nur eine »nachgezogene« Zweitalphabetisierung möglich. Bedingungen für die Teilnahme waren daher die in Grundzügen abgeschlossene Erstalphabetisierung (in Griechenland in der Regel bereits nach dem ersten Vierteljahr!) sowie für den Unterricht ausreichende Deutschkenntnisse, um den Zweitschrift- vom Zweitspracherwerb getrennt untersuchen zu können. Der Unterricht wurde mit einem Vergleich der beiden Schriften anhand der Namen der TeilnehmerInnen in beiden Schriften begonnen. Daran schloß sich ein Text aus den Druckschriftgraphemen <A, E, I, O, K, M, N, T> an, die in beiden Schriftsystemen sowohl optisch als auch in ihrer Phonem-Zuordnung übereinstimmen. Diesen Text konnten natürlich alle Kinder lesen, allerdings merkte nur der jüngste Teilnehmer (damals 6 Jahre) an, daß dies kein Kunststück sei. Die Minuskelgrapheme <a, e, i, o, k, m, n, t> wurden mittels eines gezinkten Memories *(Brügelmann u.a., 1986)* eingeführt. Danach konnte der Unterricht mit der Fibel »Alle lernen lesen« *(Urbanek/Groll, 1980, 12 ff.)*, die auf mehrsprachige Lerngruppen abgestimmt ist, fortgesetzt werden. Die Unterrichtsgespräche wurden aufgezeichnet und verschriftlicht. Ferner wurden Schrifterzeugnisse der LernerInnen gesammelt und bilingual erziehende Eltern durch Fragebögen interviewt.

3. Skizzierung der Untersuchungsergebnisse

Die unter Berücksichtigung des Schriftkontrastes Neugriechisch/Deutsch vermuteten Kenntnisse und Fähigkeiten der LernerInnen, auf die sich der Zweitschrifterwerb stützen kann, wurden durch die Untersuchungsergebnisse bestätigt und lassen sich präzisieren.

Sehr ergiebig für die Feststellung von Sprach- und Schriftbewußtheit zeigten sich Nebenbemerkungen der Kinder während des Unterrichts. Oft handelt es sich dabei um witzige, z. T. ironisierende Kommentare oder Spielereien mit Sprache. Durch viele dieser Äußerungen wird deutlich, daß sich die bisher entwickelte Sprachbewußtheit nicht auf die Sprache des Erstschrifterwerbs beschränkt. Sprachsegmentierungsfähigkeiten in die Einheiten Wort, Silbe, Morphem und Phonem wurden von den LernerInnen selbständig auf die Sprache der Zweitalphabetisierung übertragen. So merkt beispielsweise eine Lernerin bereits in der ersten Stunde in bezug auf die Rekodierung von <Otto> durch [o:to:] an: »[o:to:] ist nur in Foto drin.« Welche Segmentierungsfähigkeiten durch den Erstschrifterwerb und welche durch die Zweisprachigkeit erworben wurden, kann allerdings aufgrund der vorliegenden Daten nur vermutet werden.

Auch der Grad der entwickelten Schriftbewußtheit erwies sich als weitaus höher als bei Erstlese-/ErstschreibanfängerInnen. Die Kinder haben bereits genaue Vorstellungen über einige Funktionen von Schrift entwickelt, übertragen ihre Graphem-Phonem-Zuordnungsfähigkeiten auf die zweite Alphabetschrift, lesen sinnentnehmend und sogar sinngestaltend, achten auf die Form von Schriftzeichen, vergleichen die Zeichen und Zuordnungen beider Schriftsysteme und kennen das Phänomen Orthographie. Beispielsweise wurde bereits in der ersten Unterrichtseinheit bezüglich der Wörter »kennen« und »kommen« geäußert: »Ich versteh' das nicht. Warum mach' ma immer zwei n, zwei m?« Orthographische Besonderheiten fallen auf, und dieses Kind fragte von sich aus nach dem Zweck dieser orthographischen Norm. Ferner wurde deutlich, daß diese Kinder ihre Fähigkeiten im Umgang mit der zweiten Schrift ausgesprochen gut einschätzen können. Einerseits beschweren sie sich, wenn ihnen gestellte Aufgaben zu leicht sind (»Ah, Baby-Schule«), andererseits stellen sie fest, wenn ihr Wissen nicht ausreicht (»Kann ich nich´ lesen, das Wort.«).

Für die Praxis folgt aus diesen Ergebnissen:

– Was bereits beherrscht wird, sollte nicht noch einmal zum Lerngegenstand gemacht werden. Z. B. sollten bei Bilingualen Analyse und Synthese sprachlicher Strukturen nur dann bei der Zweitschriftvermittlung thematisiert werden, wenn in diesem Feld auch bezüglich der Erstschrift noch Probleme bestehen. Man sollte die Kinder und ihr vorhandenes Wissen ernst nehmen.

– Es lohnt sich, auf Nebenbemerkungen von LernerInnen zu achten. Sie lassen mitunter interessante Rückschlüsse auf Lernprozesse zu.

Weiterhin zeigte sich, daß die Forschungsergebnisse der Erstlese-/Erstschreibdidaktik sowie die daraus abgeleiteten unterrichtspraktischen Empfehlungen hinsichtlich der Zweitalphabetisierung zu spezifizieren sind:

– Aufgrund des Umgangs mit der Erstschrift ist es nicht mehr notwendig, die Kinder an Funktionen von Schrift und Funktionsweisen einer Alphabetschrift, sofern es sich auch bei der Erstschrift um eine solche handelt, heranzuführen.

– Für die Zweitalphabetisierung ist in besonderem Maße der Druckschriftbeginn zu fordern. Bei Erstschriften mit lateinischem Alphabetinventar wurde oft bereits eine Kurrentschrift angeeignet. Hier ist im Sinne dieser LernerInnen für Toleranz gegenüber der Vielfalt von Schreibschriften innerhalb einer Klasse zu plädieren. Bei Schriften mit nicht-lateinischem Zeicheninventar müssen ohnehin schon Groß- und Kleinbuchstaben des zweiten Schriftsystems neu erworben werden. Es hält sehr stark auf, wenn gleichzeitig zusätzlich die entsprechenden Schreibschriftvarianten gelernt und geübt werden müssen. Darüber hinaus kommt es z. B. beim Kontrast Russisch/Deutsch bei den Schreibschriften zu zusätzlichen Verwechslungsgefahren: Während sich die Druckschriftzeichen, die mit dem Phonem /t/ korrespondieren, stark ähneln, stimmt das entsprechende russische Schreibschriftzeichen mit dem deutschen Schreibschriftzeichen für /m/ überein.

– Es zeigte sich deutlich, daß ganzheitliche Leselehrmethoden bezüglich einzelner Wörter kontraproduktiv wirken: Ganzheitlich eingeführte Wörter wurden in sehr starkem Maße erraten oder miteinander verwechselt. Das hängt vermutlich damit zusammen, daß LernerInnen mit Kenntnissen einer Schrift genaue Merkmalsanalyse bereits gewohnt sind. Verlangt man von ihnen, sich Wörter »irgendwie« zu merken, bedeutet dies einen Rückschritt und führt dazu, daß auch die bereits bekannten Merkmale eines ganzheitlich eingeführten Wortes nicht mehr analysiert werden.

– Da die Zweitschriftvermittlung im Deutschen im Ausland und in der Sekundarstufe I in Sonderschulen oft von Lehrkräften ohne Primarstufenausbildung im Fach Deutsch durchgeführt wird, hat die Verwendung einer für die Zielgruppe geeigneten Fibel aufgrund des darin enthaltenen Know-hows Vorteile gegenüber freieren Materialien.

Der Fehleranalyse (mit »Fehler« ist nicht Defizit, sondern »Realisierungsform« gemeint) kommt in einem relativ unerforschten Bereich besondere Bedeutung zu, um Einblicke in die Lernprozesse zu gewinnen. Beim Zweitschrifterwerb sind sprach- und schriftbedingte Fehlerursachen unbedingt auseinanderzuhalten. Zu den ersteren gehören phonologisch, morphologisch und syntaktisch bedingte Fehlerursachen unter Berücksichtigung des Sprachkontrastes, zu letzteren unter Berücksichtigung des Schriftkontrastes grapho-phonologische (GPK), orthographische sowie eine bisher kaum beachtete Fehlerbedingtheit: die graphematische. Es zeigte sich nämlich, daß die LernerInnen Buchstabenteile (Elementarformen) aus beiden Schriften beim Schreiben miteinander vermischen bzw. ihre Wahrnehmung von Buchstabenteilen beim Lesen unzutreffend interpretierten (z. B. wurde statt <n> <h> gelesen und /i/ statt /n/ zugeordnet). Für die Bearbeitung solcher Schwierigkeiten erwies es sich als hilfreich, auch während des Zweitschrifterwerbs bei der Einführung und beim Schreiben von Buchstaben ein Vierliniensystem zu benutzen. Ferner kann man ein »Elementarformen-Puzzle« einsetzen.

Die sprachstrukturell bedingten Schwierigkeiten hängen von den Kenntnissen in der Sprache der Zweitalphabetisierung ab. Morphologisch und syntaktisch bedingte Fehler treten allerdings in größerem Umfang logischerweise erst bei zunehmender selbständiger Textproduktion auf. Hinsichtlich (nicht ausschließlich) phonologisch bedingter Schwierigkeiten ist ein bemerkenswertes Phänomen festzustellen: Silbenstrukturen des Neugriechischen werden beim lauten Lesen auf das Segmentieren deutscher Wörter übertragen (z. B. <Do-ktor>). Anders als bei Sproßvokalen türkisch-sprechender LernerInnen kommt dieses Phänomen bei diesen Kindern ausschließlich beim Vorlesen, nicht aber beim Sprechen vor. Es handelt sich hier also um die Übertragung von selbst entwickelten oder schulisch vermittelten sprachstrukturell bedingten Segmentierungsstrategien zur Rekodierung der neugriechischen Schrift, die für die Erstschrift sinnvoll sind, nicht jedoch für die Zweitschrift Deutsch. Aufgrund der relativ guten Sprachkenntnisse der Kinder führte dies aber nur selten zu ernsthafter Einschränkung der Sinnentnahme, weshalb ein Silbentraining für diese Zielgruppe nicht für notwendig erachtet wurde.

Bei der Querschnittbetrachtung der Daten wurde deutlich, daß die Einflußfaktoren auf den Zweitschrifterwerbsprozeß ebenso wie auf den Zweitspracherwerbsprozeß *(Röhr-Sendlmeier, 1985)* vielfältig sind. Es zeigte sich, daß die Einflußfaktoren Alter, Dauer der bisherigen Schrifterfahrung und Sprachkenntnisse im Deutschen weniger stark auf den Erwerbsprozeß einwirkten, als man zunächst vermutet hatte, sich dagegen aber allgemeine Konzentrationsfähigkeit, intrinsischer Motivationsgrad, der Umgang mit der deutschen Schrift außerhalb des Unterrichts sowie der Internalisierungsgrad des alphabetischen Prinzips stark auswirkten.

4. Einige Konsequenzen

Aufgrund der derzeitigen Migrationsentwicklungen sollte der Erwerb von Grundwissen über Sprach- und Schriftkontraste fester Bestandteil der LehrerInnenaus- und -fortbildung werden. Will man mehrsprachigen/mehrschriftigen Kindern gerecht werden, ist der Erwerb von »Handwerkszeug« für eine linguistisch fundierte, exakte Fehler- bzw. Lernprozeßanalyse unerläßlich. Natürlich kann sich nicht jede Lehrperson in den verschiedensten Sprachen und Schriften auskennen. Die Beschäftigung mit einzelnen Strukturen kann aber soweit sensibilisieren, daß bestimmte Fehlerursachen zumindest vermutet werden können. Der Einbezug der Lernenden z. B. durch die Frage »Kann es sein, daß es so etwas in deiner anderen Sprache/Schrift (nicht) gibt?« kann dann durchaus weiterhelfen und nimmt die Kinder ernst.

Literatur:
Berkemeier, A. (erscheint vermutlich 1996): Kognitive Prozesse beim Zweitschrifterwerb. Zweitalphabetisierung griechisch-deutsch-bilingualer Kinder im Deutschen.
Brügelmann, H., u. a. (1986/2): Die Schrift entdecken. Faude.

Goethe-Institut (Hrsg.) (1994): Alphabetisierung in der zweiten Schrift. Materialien zur Vermittlung der deutschen Schrift im Anschluß an die Erstalphabetisierung in nicht-lateinischen Schriften. (Primarschulmaterialien/Erprobungsfassung. Best.-Nr. 419429 B).

Glück, H. (1994): Schriften im Kontrast. In: Günther, H./Ludwig, O. (Hrsg.): Schrift und Schriftlichkeit. Ein interdisziplinäres Handbuch internationaler Forschung. Bd. 1. Berlin u. a. 745–766.

Keskin, A. (1988): Alphabetisierung in der Muttersprache. In: Deutsch lernen. 13. 18–45.

Luelsdorff, P. A. (1986): Constraints on error variables in grammar: bilingual misspelling orthographies. Amsterdam u. a.

Nehr, M., u. a. (1988): In zwei Sprachen lesen lernen – geht denn das? Erfahrungsbericht über die zweisprachig koordinierte Alphabetisierung. Basel.

Reich, H. H. (1977): Individuelle Interferenzen bei deutschlernenden griechischen Kindern. In: Kolb, H./Lauffer, H. (Hrsg.): Sprachliche Interferenz. Tübingen. 119–125.

Rösch, H. Dittmar, N. Steinmüller U. u. a. (1993): »Das Glück der Tüchtigen oder: Der Konflikt um die zweisprachige Alphabetisierung und Erziehung türkischer Schulkinder.« Dokumentation mit Stellungnahmen in: OBST 47. 187–248.

Röhr-Sendlmeier, U.-M. (1985): Zweitsprachenerwerb und Sozialisationsbedingungen. Frankfurt.

Urbanek, R./Groll, A. (1980): Alle lernen lesen. Leselehrwerk. Kamp.

Brigit Eriksson

Lesen im Französischunterricht

Im Forschungsprojekt »Deutsch – Französisch, Zweisprachiges Lernen auf der Sekundarstufe I«[1] entwickelt und evaluiert das Forschungsteam in Zusammenarbeit mit Lehrkräften der Sekundarstufe I die theoretischen und didaktischen Grundlagen eines zweisprachigen Unterrichts. Wenn Französisch in Sachfächern Fuss fassen soll, muss der Einsatz der grundlegenden Sprachtätigkeiten, wie z. B. das Lesen oder das Schreiben, neu gestaltet werden. Der folgende Beitrag skizziert diese Neuorientierung für das »Lesen«.

Auf welchen Leseerfahrungen aus der Erstsprache (L1[2]) kann aufgebaut werden?

Beim Leseprozess werden verschiedene Informationsverarbeitungsebenen unterschieden: die Zuordnung von Lauten (Phonemen) zu Zeichen (Graphemen), das Verbinden von Zeichen-/Lautgruppen zu Wörtern, das Erkennen der syntaktischen Struktur, die Bedeutungsentnahme, das Einordnen der Bedeutung in den Kontext und das eigene Weltwissen etc. In der Prozesshierarchie spricht man bei der Phonem-Graphem-Zuordnung von einer unteren Verarbeitungsebene, bei der Aktivierung von Weltwissen von einer höheren Verarbeitungsebene. Solange beim Lesen die Tätigkeiten auf den tieferen Verarbeitungsebenen nicht automatisiert sind, verläuft die Verarbeitung sehr stark von unteren zu oberen Ebenen (bottom-up); sind die tieferen Prozesse weitgehend automatisiert, werden obere Ebenen vermehrt leitend (top-down).

SekundarschülerInnen bringen aus der Primarschule in der Regel eine gut entwickelte Lesekompetenz in der L1 mit. Das bedeutet, dass sie beim Lesen sprachliche Zeichen sehr schnell und automatisch verarbeiten können und die Bedeutungsentnahme durch ein gutes Text- und Weltwissen erleichtert wird. Da die SchülerInnen selten auf untere Verarbeitungsebenen absinken, d. h., beispielsweise Wörter erlesen müssen (Bottom-up-Strategien), kommen vor allem erworbene Top-down-Strategien unter Einsatz des Vorwissens zum Zug wie z. B. das Bilden von Hypothesen über den Fortgang der Geschichte oder das Einordnen von Einzelheiten in den Kontext. Lesen erfolgt also bei guten LeserInnen hochautomatisiert und ohne bewussten Einsatz von Bottom-up-Strategien.

---

1 Forschungsprojekt im Rahmen des Nationalen Forschungsprogramms 33: Die Wirksamkeit unserer Bildungssysteme. Leitung: *Otto Stern,* Seminar für Pädagogische Grundausbildung, Zürich.
2 L1 = Language 1, L2 = Zweitsprache, Language 2.

Worin unterscheidet sich das Lesen in der L2 vom Lesen in der L1?

Die erreichte Lesekompetenz in der L1 kann sich beim Lesen in der L2 anfänglich nicht entfalten, weil die automatisierten Bottom-up-Strategien in der L2 nicht zum Ziel führen. Man könnte sagen, die SekundarschülerInnen beginnen teilweise im L2-Leseprozess wieder von vorne:

Zwar wären oben erwähnte Top-down-Strategien durchaus ins Lesen der L2 transferierbar, können aber mangels der zu Beginn noch nicht oder ungenügend entwickelten Bottom-up-Strategien nicht eingesetzt werden. Die SchülerInnen werden in der L2 zu schwachen LeserInnen. Es fehlt ihnen vor allem an L2-Sprachkenntnissen und damit an einer genügenden Automatisierung des perzeptuellen Erkennens. So müssen L2-LeserInnen u. a.:

- neue Grapheme erwerben *(z. B. ç, é, è, à usw.)*,
- neue Graphem-Phonem-Beziehungen trainieren, d. h. neue Lautwerte bekannten Buchstaben zuordnen *(z. B. ch = [ʃ], ge = [ʒ])*,
- Unterschiede zwischen gesprochenen und geschriebenen Wortformen machen, z. B. stumme Endungen im gesprochenen Französisch (ils mangent = *[il- mã ʒ]*
- neue Buchstabenkombinationen und ihren Lautwert kennen *(z. B. eau, que, ou)*,
- die Bedeutungen neuer Wörter im kontextuellen Zusammenhang erkennen, neue Satzmuster, Flexionsmorpheme und Funktionswörter erwerben.

Die fehlende L2-Sprachkenntnis und die ungenügende Automatisierung, die für eine rasche Sinnentnahme nötig wären, führen zu einem verlangsamten Leseverständnis. Dadurch wird die Gedächtniskapazität so stark belastet, dass für das Herstellen des Textzusammenhangs und für die Bedeutungsentnahme kaum Platz bleibt. Viele Lernende fallen in dieser Situation auf ein Wort-für-Wort-Lesen zurück, das dann auch das Bedürfnis nach Übersetzung jedes einzelnen Worts entstehen lässt. Die Top-down-Strategien werden völlig ausgeschaltet. Zur effizienten Sinnentnahme sind jedoch Raten und Tolerieren eines ungenauen Verstehens unumgänglich: kontextuelles Verstehen wäre gefragt.

Der *gängige Fremdsprachenunterricht* zieht daraus die Konsequenz, L2-Texte erst dann zu lesen, wenn die nötigen Sprachkenntnisse erworben sind. Die Lesetexte, die den L2-LernerInnen im Lauf ihres L2-Erwerbs begegnen, sind so aufbereitet, dass sie den Lernstand nicht überschreiten. Es kommen also vor allem Strukturen und Wörter vor, die im Unterricht bereits behandelt worden sind. Solche Texte entsprechen kaum der Wirklichkeit authentischer Texte und bieten weder inhaltliche noch sprachliche Leseanreize.

Die *neuere L2-Leseforschung* hingegen betont, dass das Lesen authentischer Texte im Fremdsprachenunterricht den L2-Erwerb in hohem Masse fördert. Authentische Texte garantieren durch interessante Inhalte eine starke Lesemotivation und damit eine hohe Verarbeitungstiefe. Dadurch wird nicht nur viel passives sprachliches Wissen aufgenommen, sondern das Lesen potenziert den Spracherwerb insgesamt. Die auditive Sprachaufnahme wird ergänzt und erweitert. Die beim Lesen, aber auch beim Schreiben erfolgende zusätzliche visuelle Speicherung graphemischer Wortformen und syntaktischer Zusammenhänge sind für die Speicherung von Wortschatz und Grammatik förderlich. Visuell aufgenommene Merkmale sind erheblich vergessensresistenter als auditiv aufgenommene.

Damit L2-Lesen effektiv gestaltet werden kann, brauchen LeserInnen vor allem zu Beginn des L2-Erwerbs Unterstützung einerseits in der Entwicklung ungewohnter, eher für schlechte L1-LeserInnen üblicher Lesestrategien wie z.B. Raten aus dem Kontext, Tolerieren eines vorläufigen Verstehens. Sie müssen andererseits häufig und zeitlich ausgedehnt die Gelegenheit erhalten, an geeigneten Texten mit einer guten Vor- oder Nachbereitung (Schlüsselwörter, Parallelwörter) den Erwerb von Verarbeitungsstrategien auf unteren Prozessebenen voranzutreiben. Ein bewusstes Kontrastieren der L1 mit der L2 ist dabei hilfreich.

Die im Projekt mitarbeitenden Lehrerinnen und Lehrer sind jetzt daran, zu diesem Lesekonzept didaktische Unterrichtsmodelle zu entwickeln und zu erproben, um diese zu einem späteren Zeitpunkt einem weiteren Kreis von Interessierten zugänglich zu machen.[3]

---

3 Siehe beispielsweise den folgenden Beitrag von *Christine Le Pape:* »Reziprokes Lehren – eine Lesemethode«.

Literatur:
Carrell, P./Devine, J./Eskey, D. (Hrsg.) (1988): Interactive Approaches to Second Language Reading. Cambridge: University Press.
Lutjeharms, M. (1992): Lesen im Fremdsprachenunterricht. In: Udo O.H. Jung (Hrsg.): Praktische Handreichung für Fremdsprachenlehrer. Bern: Peter Lang, 289–296.

Christine Le Pape

Reziprokes Lehren – eine Lesemethode

Vor ungefähr 15 Jahren haben *A. L. Brown* und *A. S. Palincsar,* zwei Forscherinnen aus den USA, begonnen, eine Lesemethode zu entwickeln, die das sinnentnehmende Lesen fördern soll. Theoretische Impulse gab vor allem der russische Entwicklungspsychologe *Wygotski.* Mittlerweile haben viele Untersuchungen dessen Erfolg im Lesen verschiedener muttersprachlicher Textsorten belegt.[1]

Ziel der Methode ist, mittels Übernahme von Verantwortung (Hauptschwerpunkt der Methode) durch die Lernenden sowohl das Verstehen wie das Nichtverstehen gegenseitig und somit schülernäher zu formulieren.

Die Methode ist einfach: Ein Text wird in Gruppen von vier bis sechs SchülerInnen gelesen. Jeder Abschnitt gilt als eine Einheit, in der jeweils ein Schüler oder eine Schülerin die Lehrerrolle übernimmt. Die Lehrerrolle (Diskussionsleitung) muss übernommen werden, zu weiteren Handlungen darf niemand »gezwungen« werden. Die Person in der Lehrerrolle leitet das Lesen des Abschnitts nach bestimmten Vorgaben. Zuerst wird der Abschnitt still gelesen oder vorgelesen. Anschliessend werden in vier Phasen vier Strategien angewendet, deren Reihenfolge nicht stur eingehalten werden muss. Die Person in der Lehrerrolle stellt der Reihe nach je eine Karte vor sich hin, die anzeigt, welche Phase gerade bearbeitet wird. Die vier Phasen sind:

1. *Fragen stellen*, die aus dem Text heraus beantwortbar sind, z. B. nach den Kernaussagen, wobei die Person in der Lehrerrolle beginnen kann, sie muss aber nicht.

2. *Zusammenfassen des Abschnitts:* Zusammenfassen heisst nicht nacherzählen. Es können verschiedene Varianten vorgestellt werden. Dabei wird nicht gesagt, etwas sei falsch, sondern man kann ergänzen, vervollständigen, vorschlagen, so lange, bis ein Konsens entsteht. Diese Phase dient der Selbstdiagnose: Die Lernenden merken, ob sie den Text zusammenfassen können oder nicht.

3. *Klären:* Beim Zusammenfassen auftauchende Unklarheiten können in dieser Phase noch geklärt werden. Spezielle Schwierigkeiten müssen isoliert und formuliert werden.

4. *Vorhersagen:* In der letzten Phase sollen Hypothesen gebildet und formuliert werden. Die Auseinandersetzung erhöht die Erwartung und somit die Spannung.

---

1 Siehe Literaturliste.

Am Ende des Abschnitts werden die Karten der nächsten Person weitergegeben, die die Lehrerrolle zu spielen hat.

Dieses Verfahren ermöglicht den Lernenden, das Tempo und den Inhalt der Gespräche selbst zu bestimmen. Das Fragenstellen erhält auch einen Wert und führt relativ leicht zu sozialer Anerkennung, was wiederum die Motivation erhöht. Die Angst vor dem Fehler wird auf ein Minimum reduziert.

Es werden echte Fragen gestellt, und der Sprechanteil der Schülerinnen und Schüler ist wesentlich höher als in traditionellen Lesestunden. Das gründliche Verständnis des Textes, d.h. Einsicht in Zusammenhänge zwischen den Textteilen, Erklären von Begriffen, Einbettung des neuen Wissens in das Vorwissen usw., wird gemeinsam konstruiert (daher der Begriff ›reziprokes Lehren‹). Durch das vermehrte Aussprechen der Gedanken aller Lernenden (Externalisierung) erhalten auch schwächere Schüler und Schülerinnen viele Anregungen und Einblick in die Lernschritte und Strategien anderer.

Das einmal aus Texten erschlossene Wissen sollte festgehalten werden. Dies geschieht am ehesten, wenn aus diesem Wissen wieder etwas gemacht werden muss (Transfer), d.h., wenn das Lesen in einem grösseren Lernzusammenhang steht.

Welches sind die Tätigkeiten der Lehrkräfte? Anfänglich können sie in den Gruppen wie Lernende mitmachen und den Prozess unterstützen. Mit der Zeit werden sie sich zurückziehen, eine Beobachterrolle einnehmen, um z.B. formativ zu evaluieren.

Untersuchungen haben nicht nur ein rasches Ansteigen des Leseverstehens ergeben, sondern auch ein verbessertes soziales Klima in den Klassen und signifikante Fortschritte im Schreiben von Texten.

Weiterentwicklung der Methode für den Fremdsprachenunterricht

Im Nationalfondsprojekt Deutsch – Französisch, Zweisprachiges Lernen auf der Sekundarstufe 1,[2] versuche ich seit Januar 1995 in Zusammenarbeit mit den Lehrkräften der sieben Pilotklassen, die Methode auf das Lesen von authentischen französischen Texten zu übertragen. Bei der Entwicklung erhalte ich Unterstützung durch das Pädagogische Institut der Universität Zürich (Prof. K. Reusser).

Die Lernenden wenden diese Methode mehrheitlich sehr gerne an. Die Gespräche werden dabei auf Deutsch geführt.

Es ist erstaunlich, wie intensiv und ausdauernd die Gruppen an einem Text arbeiten. Gross und sichtbar ist die Freude, wenn der Text dann »geknackt« werden konnte.

In der Entwicklung der Methode in der Fremdsprache müssen verschiedene Probleme gelöst werden: z.B.

---

2 Projekt im Rahmen des Nationalen Forschungsprogramms 33: Die Wirksamkeit unserer Bildungssysteme, Laufzeit 93–97, Leitung Dr. O. Stern, Seminar für Pädagogische Grundausbildung, Zürich.

- das Finden oder Schreiben von adäquaten, authentischen Texten (Geschichten oder Sachtexten);
- die Verbesserung der Aussprache, weil die Lernenden die Texte gerne laut vorlesen.
- Es müssen verschiedene Strategien zum Erschliessen von Inhalten vermittelt werden, die in üblichen Lehrmitteln nicht vorkommen.
- In der ersten Klasse der Oberstufe haben die Lernenden noch zuwenig Grundlagen, um z. B. Verben im Wörterbuch zu finden. Es muss eine Einführung in das Nachschlagen in Wörterbüchern geben.

Obwohl die Entwicklung der Methode in der Fremdsprache erst am Anfang steht, sind die bisherigen Erfahrungen vielversprechend. Es ist vorgesehen, in nächster Zeit eine Anleitung für Lehrkräfte zu schreiben.

Literatur:

Gasser, P. (1989). Eine neue Lernkultur. *(1992):* Didaktische Impulse zu den erweiterten Lernformen und zu einer Neuen Lernkultur.

Aeschbacher, U. (1989): »Reziprokes Lehren«. Eine amerikanische Unterrichtsmethode zur Verbesserung des Textverstehens. Beiträge zur Lehrerbildung, 7, 194–204.

Krapf, B. (1992): Aufbruch zu einer neuen Lernkultur: Erhebungen, Experimente, Analysen und Berichte zu pädagogischen Denkfiguren. Bern: Haupt.

Reusser, K./Pauli, Ch./Stebler, R. (1994): »Interaktive Lehr-Lernumgebungen: Didaktische Arrangements im Dienste gründlichen Verstehens«. In: Reusser, K./Reusser-Weyeneth, M. (Hrsg.): Verstehen, psychologischer Prozess und didaktische Aufgabe, 227–259.

Christa Röber-Siekmeyer

Die Bedeutung der Schrift
für die unterrichtliche Spracharbeit
mit Kindern nicht-deutscher Muttersprache

1. Die politische und soziale Ausgangslage und pädagogische Reaktion
Spätestens seit Ende der 60er Jahre ist Deutschland faktisch ein Einwande-
rungsland geworden. War diese Entwicklung zunächst Folge der Arbeitsimmi-
gration aufgrund der Anwerbung aus den Mittelmeerländern, so hatte sie in den
vergangenen 10–15 Jahren ihre Ursachen in dem Zuzug sog. Deutschstämmi-
ger aus osteuropäischen Staaten aufgrund der Liberalisierungen der Ausreise-
beschränkungen dort und in der Zunahme der weltweiten Fluchtbewegungen mit
dem Ziel Westeuropa. Trotz der Beendigung der Anwerbung, trotz der Veränderungen in der Asylgesetzgebung und trotz der Kontingentierung des Zuzugs
der sog. Volksdeutschen aus dem Osten wird sich die Zahl der Einwanderer in
den nächsten Jahrzehnten wohl kaum wesentlich verringern.
Am stärksten sind die Schulen von dieser Entwicklung betroffen. EG-Richtli-
nien aus den 60er und 70er Jahren haben erwirkt, daß den Kindern der Arbeitsimmigranten die Teilhabe an den Chancen der hiesigen Gesellschaft durch ad-
äquate Ausbildung zu erleichtern sei. Die daraus abgeleiteten Erlasse fanden
später auch Anwendung auf die Gruppe der Asylbewerber und in ausgeweiteter
Form auf die Gruppe der Aussiedler. Die Pädagogik sowie die Didaktik des
Deutschen reagierten darauf in den 70er und 80er Jahren entsprechend ihren allgemeinen Schwerpunktsetzungen in dieser Zeit: kommunikativ und lebens-
weltlich orientiert. Schulische Spracharbeit wurde vor allem im Rahmen sog. in-
terkultureller Konzepte als Einführung in den mündlichen Sprachgebrauch des
Deutschen verstanden. Im Zentrum der inhaltlichen Bestimmungen gemäß dem
dominanten Verständnis von Kindorientierung stand die sprachliche und tradi-
tionsorientiert-folkloristische Kultur der Migranten, so wie sie von Pädagogen
definiert wurde (vgl. *Oomen-Welke 1994*, zur Kritik *Dittrich/Radtke 1990*).

Jüngste statistische Angaben über die berufliche Ausbildungssituation junger
Ausländer in der Bundesrepublik, die die Ausländerbeauftragte der Bundesregierung veröffentlicht hat, machen alarmierend deutlich, daß die bisherigen
pädagogischen Maßnahmen noch zu keiner gravierenden Verbesserung ihrer Situation beigetragen haben: 17% von ihnen verließen 1994 die Schule ohne Ab-
schluß, 44% machten einen Hauptschulabschluß und nur 8% das Abitur,
während bei den deutschsprachigen Schulabgängern 28% das Abitur erlangten.

Über 16% von ihnen waren arbeitslos (im Vergleich die Arbeitslosigkeit der Gesamtbevölkerung: 9%), und knapp 80% dieser Gruppe war ohne abgeschlossene Berufsausbildung (vgl. Bericht der Ausländerbeauftragten, *taz vom 24.11.95*). Auch wenn es sehr kurz gegriffen wäre, für diese sozialpolitisch bedeutsame Situation vorwiegend pädagogische Konstellationen verantwortlich zu machen, ohne die politischen und wirtschaftlichen Veränderungen der vergangenen Jahre mit in den Blick zu nehmen, so kann sie Anlaß geben, bestehende didaktische Positionen zu überdenken. Das soll im folgenden geschehen: Es geht hier um den empirisch begründeten Vorschlag einer Ausweitung interkulturell motivierter Spracharbeit mit dem Ziel, Schülern anderer Muttersprache mit formalen Mitteln den systematischen Erwerb der deutschen Phonetik zu ermöglichen, um damit zweierlei zu erreichen:

– ihnen über die Betrachtung der Schreibungen im Deutschen phonetische Besonderheiten der Sprache systematisch zu verdeutlichen und ihnen damit Hilfen für den Erwerb einer möglichst akzentfreien mündlichen Sprache zu geben,
– ihnen gleichzeitig ein geeignetes Potential für ihre Schreibungen zur Verfügung zu stellen, die die unterschiedlichen lautlichen Bedingungen des Mündlichen graphisch fassen: Die korrekte Aussprache des Deutschen ist der Schlüssel zu einer guten Rechtschreibung.

Beide Ziele lassen sich vor allem pragmatisch begründen: Untersuchungen haben immer wieder nachgewiesen, daß die Akzeptanz von Ausländern vor allem in Situationen, in denen sie von entscheidender Bedeutung ist, wie z.B. in Bewerbungssituationen, dann zunimmt, wenn sie nicht nur grammatisch, sondern auch phonetisch korrekt sprechen. Besteht über das Lernziel Phonetik im Fremdsprachenunterricht nicht der geringste Zweifel, so hat es im Bereich »Deutsch für Kinder anderer Muttersprache« nur eine Randstellung. Die phonetische Schulung ist dann – wie gesagt – zusätzlich eng mit dem zweiten Ziel, dem Erwerb der deutschen Orthographie verbunden, das wohl keiner ausführlichen Legitimierung bedarf: Das Erreichen qualifizierter Schulabschlüsse in deutschen Schulen ist von befriedigenden Rechtschreibkenntnissen abhängig.

2. Umriß eines erweiterten Konzeptes für die Spracharbeit mit Kindern aus Zuwandererfamilien

So berechtigt die Bemühungen um die Spracharbeit im Rahmen eines interkulturellen Konzeptes sind – sie bedürfen einer Ergänzung im Formalen, die den Lernenden elementare Sicherheiten im Umgang mit dem für sie sprachlich Fremden, Ungewohnten, Undurchschaubaren geben muß und kann. Im Mittelpunkt dieser Sprachbetrachtung muß die Schrift stehen. Denn sie gibt Lesern/ Sprechern Hinweise auf die Besonderheiten der Artikulation der Wörter. In welcher Weise Schrift Auskunft über die Artikulation von Wörtern, damit über lautliche Bedingungen der Sprache gibt, läßt sich beispielhaft an der Schreibung von Kurz- und Langvokalen, die im Deutschen bedeutungsunterscheidend sind, aufzeigen. So weisen die zwei <t> von <Hütte>, die als ein Laut gesprochen werden [<hüte>] (s. Legende im Anhang) und lediglich als Buchstaben, also in der Schreibung, gedoppelt sind, darauf hin, daß das <ü> kurz zu sprechen ist. Andererseits weiß jeder, der der deutschen Schriftsprache kundig ist, daß das Wort <Hüte>, das keinerlei Markierung hat, mit einem Langvokal gesprochen werden muß. Entsprechend kann jeder die Kunstwörter <flerre> und <flere> richtig lesen und sprechen und weiß, daß <flehrre> kein deutsches Wort sein kann, weil es eine für das Deutsche paradoxe Schreibung enthält: Dehnungs- und Schärfungsmarkierung zugleich. Aufgrund dieser eindeutigen Beziehungen zwischen graphischen Mustern und mündlicher Sprache läßt sich die Aussage nachvollziehen, daß Schrift und ihre orthographischen Regeln für Leser da sind (vgl. *Maas 1992*) – und, wie hier aus didaktischen Gründen zu ergänzen wäre: für Sprachlerner. Schrift läßt sich nutzen, um die phonetischen Besonderheiten der Sprache sichtbar zu machen – eine didaktische Möglichkeit gerade denjenigen gegenüber, die die lautlichen Bedingungen erst erwerben müssen.

Die Nutzung der Schrift in diesem Sinne setzt deren formale Beschreibung in Relation zu der Lautung voraus. Ich stelle sie hier in zweifacher Weise vor:

– als theoretisches Strukturmodell, so wie es in der Sprachwissenschaft in den 90er Jahren erarbeitet und vorgestellt wurde (vgl. *Maas 1994; Eisenberg 1995),*

– dann als didaktisches Modell, das ich genutzt habe, um mit ihm Kindern anderer Muttersprache phonetische und orthographische Strukturen des Deutschen zu zeigen und für sie erwerbbar und nutzbar zu machen.

Im folgenden berichte ich über Spracharbeit mit Kindern russischer Muttersprache. Die Schlüsse, die aus diesen Untersuchungen zu ziehen sind, betreffen unter unterschiedlichen Vorzeichen, die sich durch die jeweiligen phonetischen Bedingungen der einzelnen Herkunftssprachen ergeben, auch Deutschlernende anderer Muttersprachen.

3. Die empirische Grundlage

3.1 Ausgangssituation

Bei der Analyse von Schreibungen aus einer 3. Klasse, in der einige Schüler Russisch als Muttersprache hatten, war mir aufgefallen, daß diese Kinder nur ganz selten Dehnungs- und Schärfungsmarkierungen vornahmen. Daraufhin bat ich die Kinder einzeln, eine Bildergeschichte nachzuerzählen und sie anschließend aufzuschreiben. Bei diesen Schreibungen bestätigte sich das Bild: Nur bei ihnen auch schriftlich bekannten Wörtern wie <Sonne> und <Männer> markierten sie die Schärfung. Ein zweiter gezielt konzipierter Test mit Einzelwörtern ergab einen erneuten Beweis ihrer Schwierigkeiten. (s. *Abb. 1a–1c).* Die phonetische Analyse ihrer mündlichen Texte, die ich aufgenommen hatte, machte deutlich, daß ihre Fehler nicht allein in mangelndem Regelwissen, sondern in der Weise,

in der sie die deutschen Wörter artikulierten, begründet lagen: Sie differenzierten Vokalquantitäten und
-qualitäten anders als im Deutschen:
Bei dem Wort <Schlitten> sprachen
sie keinen Kurzvokal wie in <Kind>
[kint], sondern einen Vokal mit der
Qualität eines Langvokals wie in
<Dieb> [dip], allerdings ohne Länge.
Genauso artikulierten sie andere Wörter mit Kurzvokalen. Bei Wörtern mit
Langvokalen wählten sie zwar die
richtige Qualität der Vokale, gaben
ihnen jedoch ebenfalls keine Länge.
Es war offensichtlich: Sie kennen in
ihrer Muttersprache keine sinntragen-
de Differenzierung von Lang- und
Kurzvokalen (<Hüte / Hütte>), können
sie deshalb auch im Deutschen weder
hören noch wiedergeben. (Gleiches

Abbildung 1a

trifft auch auf Sprecher türkischer und einiger romanischer Muttersprachen zu.
Auch sie kennen diese Unterscheidung nicht, und an der Weise, in der sie deutsche Wörter artikulieren, erkennen wir ihren russischen oder türkischen »Ak-
zent«.)

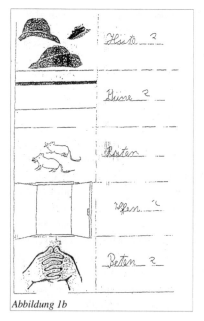

Abbildung 1b

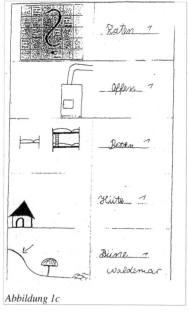

Abbildung 1c

3.2 Der Unterricht und seine
sprachwissenschaftliche Grundlage

Im folgenden erarbeitete ich mit ihnen in kleinen Gruppen in spielerischer Form die phonetische Struktur von deutschen Wörtern und ihre graphische Repräsentation mit besonderer Berücksichtigung der Vokale. Zur Veranschaulichung der Strukturen für die Kinder wählte ich das Bild von Häusern, das sich an der theoriegeleiteten Segmentierung von Wörtern im Deutschen in Silben und deren unterschiedlichen Binnengliederung orientiert. Dieses Modell fixiert und systematisiert die phonetischen Bedingungen von Wörtern in der deutschen Sprache (vgl. *Maas 1994).*

Um mit Kindern an dem Silbenstrukturmodell arbeiten zu können, wählte ich zur Veranschaulichung das Modell eines Hauses (s. *Abb. 2).* Der Unterscheidung betonte/unbetonte Silbe dient die Einteilung in »Haus« und »Garage«, die Dreiteilung der betonten Silbe wird mit den drei Zimmern wiedergegeben. Der Konsonant des Anfangsrands kommt immer in das linke Zimmer, der Vokal als Kurzvokal ausschließlich in das mittlere, der Langvokal in das mittlere und das rechte Zimmer. Ein kleiner Kreis im mittleren Zimmer um den Kurzvokal und ein großer in den beiden rechten Zimmern um den Langvokal deuten die unterschiedlichen Quantitäten an.

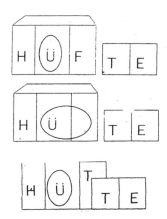

Abbildung 2

Bei der Arbeit mit den Kindern stellte ich vor allem die unterschiedliche Qualität der Vokale heraus, weil sie – das hatten meine Arbeiten mit zahlreichen Erst- und Zweitkläßlern gezeigt – für Kinder dieses Alters eher wahrnehmbar sind als die Quantität, also die Länge und Kürze der Vokale. Die Quantität spielt im Häuserschema durch die alternative Anordnung der Vokale im mittleren oder im mittleren *und* im linken Zimmer zwar eine Rolle – für die Kinder eher als Unterscheidungsmerkmal erkennbar ist jedoch – wie gesagt – die Qualität.
Die Differenzierungen sind für die Kinder körperlich wahrnehmbar, denn sie ergeben sich durch die Positionierung der Zunge im Mundraum, die dadurch bedingte Öffnung des Mundes und die unterschiedliche Rundung der Lippen (vgl.

Duden 1995, S. 28–29). Von Bedeutung für didaktische Überlegungen ist diese genaue Betrachtung der Positionen der Vokale deshalb, weil sie in Verbindung mit der Quantität die Differenzen in der Lautung sowie ihre Konsequenzen für die Schreibung deutlich macht. Lernziel für die Kinder mit russischer Muttersprache ist es, sich anhand der Schrift ein Wissen darüber zu verschaffen, daß ein Vokal einmal offen, einmal geschlossen zu artikulieren ist, obwohl es für beide nur einen Buchstaben gibt, und zu erkennen, unter welchen Bedingungen welche Variante zu wählen ist. Um sie hier die regelhaften Beziehungen entdecken zu lassen, nannte ich ihnen zunächst Minimalpaare mit den Vokalzeichen < e, o, ö >. Die Wörter unterscheiden sich in dem Merkmal offene / geschlossene Silbe:

<Feder / Felder>,
<rote / Roste>,
<König / Kölner>.

Sie ordneten sie in die entsprechenden Häuser ein. Die Kinder erkannten sehr schnell: Wenn das 3. Zimmer im Haus besetzt ist (d. h., wenn die Silbe geschlossen ist), ist die offenere Variante der zwei Laute zu wählen: <Felder>, <Roste>, <Kölner>. Sie ist gleichzeitig kürzer zu sprechen als die geschlossenere – der Vokal hat nur einen »Raum« im Haus zur Verfügung.
Bei den Wörtern mit <a> (<Vater / Falter>) ist der Unterschied schwieriger feststellbar, weil es sich bei ihnen um die Unterscheidung vorne/hinten handelt. Hier ist die Quantität für die Unterscheidung von größerer Bedeutung.
Einer besonderen Analyse bedurften Wörter mit der Unterscheidung der Vokalpaare [u / u, i / i, ü / ü]: <Bude / bunte>, <Bibel / Bilder, Hüte / Hüfte>. Die Problematik dieser Gruppe liegt darin, daß die offene Variante in ihrer Lautung näher zu einem Laut liegt, der mit einem anderen Buchstaben belegt wird: Wie aus dem Vokaltrapez abzulesen ist, liegt das kurze [u] näher zum langen [o] als zum [u], das kurze [i] näher zum langen [e] als zum [i], das kurze [ü] näher zum [ö] als zum [ü].
Die Verwirrung in der Laut-Buchstaben-Zuordnung aufgrund einer anderen Erwartung wird darin sichtbar, daß nach meinen Untersuchungen über 50% der Erstkläßler und noch 30% der Zweitkläßler (in Norddeutschland, im süddeutschen Sprachraum waren es nur noch 10% der Zweitkläßler) das kurze [u] mit einem <o>, das kurze [i] mit einem <e>, das kurze [ü] mit einem <ö> wiedergeben (s. *Abb. 3*). Abgesehen davon, daß diese drei Kurzvokale nicht wie die Langvokale, mit deren Buchstaben sie repräsentiert werden([u, i, ü]), sondern wie andere mit anderem Buchstaben ([o, e, ö]) klingen, kommt bei den Erstkläßlern noch hinzu, daß sie die Wörter beim Sprechen dehnen und dann [o, e, ö] lautieren: [ho:nt] / <Hund>, [ke:nt] / <Kind>, [stö:k] / <Stück>. Sie müssen also lernen, daß das Wort mit Kurzvokal zu sprechen ist (sonst wird es ein anderes Wort) und daß die Vokale dann, wenn das dritte Zimmer im Haus besetzt ist, anders zu schreiben sind, als ihre Lautung und ihre Annahme der Schreibung es erwarten lassen: Das [o], das sie bei <Hund> hören, ist als <u> zu schreiben, weil

Abbildung 3

im dritten Zimmer [nt] zu hören ist, usw. Die Veranschaulichung durch die Häuser half ihnen hierbei sehr: Die Kinder erkannten, daß der Vokal dann, wenn im letzten Zimmer ein Buchstabe ist, von diesem »gequetscht« wird, wie sie es nannten, also keine Länge und eine eigene Lautung hat.

Die Aufgabe für die Kinder mit russischer Muttersprache, die die deutsche Phonetik erwerben müssen, ist andersherum aufgezäumt: Ihr Ausgang ist die Schrift, und sie müssen lernen, den Buchstaben unter bestimmten Bedingungen des Reims, nämlich bei »Quetschung«, eine andere Lautung zu geben, als sie es nach ihrer alphabetischen Erwartung annehmen: Das <u> von Hund muß nach ihrer Beschreibung »nicht wie ein richtiges <u>«, sondern wie ein »halbes <o>« klin-

gen, das <i> »wie ein halbes <e>« und das <ü> »wie ein halbes <ö>«, wenn das
dritte Zimmer besetzt ist. Sie schrieben zur Erinnerung »Hilfsbuchstaben« in die
Dächer der entsprechenden Häuser, die wie ein »halbes <e>« usw. aussehen.
Nachdem sie diese Laut-Buchstaben-Beziehung mit Hilfe meiner Artikulation in Relation zu den Darstellungen der Hausmodelle erkannt hatten, diktierte ich ihnen mehrere Wörter dieser Kategorien: mit Langvokal in offener
(z. B. <Bude>) und Kurzvokal in geschlossener Silbe (z. B. <bunte>). Zur
Kennzeichnung der Unterscheidung zeichneten einige als Überschrift die
beiden Haustypen mit ihren »Hilfsbuchstaben« oder nur die »Hilfsbuchstaben«, das »halbe o« (<Hund>), das »halbe e« (<Kind>) und das »halbe ö«
(<Sünde>) (s. *Abb. 4*). Beim Einordnen sprachen fast alle Kinder die beiden
möglichen Alternativlautungen des Wortes, einmal mit Kurzvokal, einmal mit
Langvokal, leise vor sich hin, bevor sie entschieden, welcher Rubrik es zuzuordnen ist.

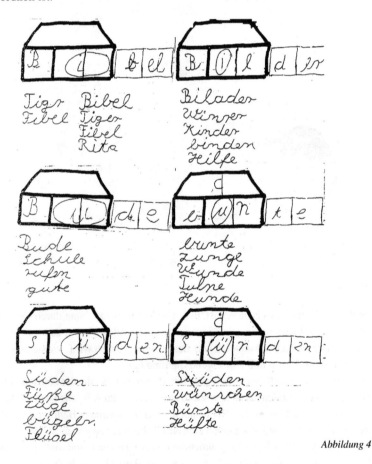

Abbildung 4

282

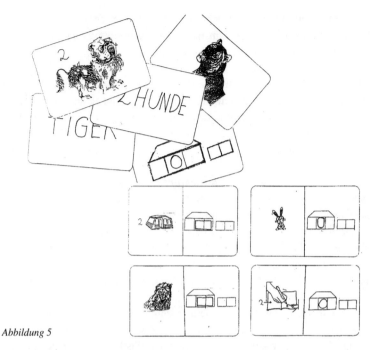

Abbildung 5

In den folgenden Stunden wandten die Kinder das Gelernte in Domino- und Memoryspielen an, in denen sie Bilder, Wortschreibungen und Hauszeichnungen zusammenbringen mußten (s. *Abb. 5*). Auch diejenigen, die in der relativ abstrakten Erarbeitung der phonetischen und graphischen Strukturen nur zögerlich mitarbeiteten, waren in den sozialen Situationen der Spiele hoch motiviert, sich mit den Bedingungen für das Spielenkönnen, dem sprachlichen Wissen, operativ auseinanderzusetzen. Abschließende schriftliche Tests zeigten, daß es den Kindern jetzt gelang, die Vokalunterschiede in diktierten Wörtern wahrzunehmen und richtig graphisch umzusetzen. Darüber hinaus ließen die Tonbandaufnahmen erkennen, daß es ihnen auch möglich war, die Artikulation der Vokale zumindest qualitativ zu differenzieren, also ein angenähert phonetisch korrektes Deutsch zu sprechen. In den folgenden gezielten Übungen achteten die Kinder darauf, daß sie auch die Quantitäten berücksichtigten.

In einem zweiten Schritt folgte die Arbeit mit Kurz- und Langvokalen in offenen Silben als Hilfe für die Rechtschreibung, die Schärfungsschreibung. Bei der Gegenüberstellung von Minimalpaaren wie <Hüte/Hütte>, <Miete/Mitte>, <Rose/Rosse> erkannten sie sehr schnell, daß die betonte Silbe einmal einen Lang-, dann einen Kurzvokal hat. Häuser mit mobiler Garage, einem Pappstreifen, auf den die Garage gezeichnet war, die dann je nach Länge des Vokals außerhalb des Hauses oder in seinem 3. Zimmer sein mußte, veranschaulichten ihnen die »Quetschung« in diesem Haus: Sie wird von dem

Konsonanten im Anfangsrand der zweiten Silbe vorgenommen. Ich sagte ihnen, daß dieser phonetische Umstand in der Schreibung durch die Dopplung des Konsonantenzeichens repräsentiert wird.

Auch dieses Wissen stabilisierten die Kinder in vielen Spielen nach ähnlicher Methode wie vorher, hier eben mit anderen Wörtern und anderen Haustypen. Der Abschlußtest zeigte erstaunliche Ergebnisse. Sie geben wohl die Sicherheit wieder, die die Kinder mit diesen systematischen, verläßlichen Darstellungen erworben haben.

4. Didaktische Schlußfolgerungen

Welche Schlüsse lassen sich aus diesen Befunden für die Spracharbeit mit Lernenden nicht-deutscher Muttersprache ziehen?

1. Das Eintauchen in das kommunikative »Sprachbad« ist für Lernende anderer Muttersprachen häufig nicht ausreichend, um sich die phonetischen Bedingungen des Deutschen anzueignen. Sie brauchen detaillierte, systematische Hilfen, um die phonetischen Differenzierungen zu erkennen und in sprachliches Wissen und Können umzusetzen.

Dieses Wissen kann die Basis für die notwendige phonetische Selbstkontrolle beim Erwerb der Fremdsprache sein. *Elzbieta Zawadska (1986)* weist in ihrem Aufsatz »Psycholinguistische Probleme der Selbstkontrolle in der Fremdsprache« darauf hin, welche große Bedeutung die Selbstkontrolle für fremdsprachliches Lernen hat. Gleichzeitig macht sie deutlich, daß die Selbstkontrolle aufgrund der physiologisch-akustischen Bedingtheit der phonetischen Selbstwahrnehmung ohne Anleitung nur begrenzt durchführbar ist: Der Vergleich der eigenen Aussprache mit den sprachlichen Vorbildern der gesellschaftlichen Umgebung kann eben von vielen Lernenden erst nach gezieltem Unterricht geleistet werden. Die korrekte Aussprache ist dann wiederum die Voraussetzung für den Orthographieerwerb.

2. Die Ergebnisse bestätigen die Resultate sowohl der Schriftsprach- als auch der sprachwissenschaftlichen Zweitspracherwerbsforschung, die beide den kognitiven Zugang der Kinder zu den einzelnen Teilzielen nachgewiesen haben.

3. In der Unterrichtung der Lernenden kommt der Schrift als fixierte Sprache eine zentrale Rolle zu. Da sie die mündliche Sprache nach einem festen Regelsystem repräsentiert, ermöglicht sie nicht nur deren Darstellung, sondern auch deren Analyse. Sie bietet somit das Material für die kognitive Arbeit der Lernenden.

4. Diese ist allerdings nur dann erfolgreich zu leisten, wenn die Lernenden an bereits vorhandenes Wissen anschließen können. Jüngere psycholinguistische Untersuchungen bestätigen, daß gerade bei Kindern die Silbe die Gliederungseinheit ist, mit der sie Sprache segmentieren (vgl. *Eisenberg 1992*). Meine Arbeiten mit Kindern kurz vor und nach der Einschulung zeigen das auch. Das rechtfertigt die Hervorhebung der Silbe in den unterrichtlichen Prozessen.

5. Ausblick

Welche Konsequenzen haben diese Befunde für die Konzipierung von Unterricht mit Lernenden nicht-deutscher Muttersprache? Es wäre sicher illusorisch anzunehmen, eine Lehrerin könne es schaffen, die phonetischen Bedingungen der einzelnen Muttersprachen, die in ihrer Klasse gesprochen werden, zu eruieren und für den Unterricht eigenständig zu berücksichtigen. Das unterrichtliche Umgehen mit der Heterogenität der Welt im Kleinen innerhalb des Klassenzimmers spiegelt die Probleme wider, die das Fach »Deutsch als Zweitsprache« in seiner globalen Ausrichtung antrifft. Über die Lage der hier Unterrichtenden schreibt *Konrad Ehlich (1994)*, sie käme »leicht der Situation von Pionieren« gleich, was die konkreten Frage- und Problemstellungen des Unterrichts betrifft. Zur Verbesserung der Situation sowohl in der Lehrerausbildung als auch im Unterricht sind also pragmatische Diagnose- und Arbeitsmittel nötig.

Die hier dargestellte Nutzung eines Modells, das die sprachlichen Strukturen des Deutschen veranschaulicht, für spezifischen Unterricht, der sich durch die jeweiligen phonetischen Bedingungen der Muttersprachen der Zuwanderer ergibt, kann ein Weg dahin sein. Daß diese Arbeiten durchaus kindgemäß sind, zeigt der Spaß, den die Kinder an diesen Aufgaben haben. Ihre Motivation dokumentiert zweierlei: die Freude an dem Gelingen der Spiele, gewürzt mit etwas Spannung, sowie an der Zunahme der sprachlichen Sicherheit, die sich mit dem Erwerb der verläßlichen Regeln aufbaut. Alle, die den Kindern beim Spielen zuschauten, Lehrerinnen, Studentinnen und auch ich, waren erstaunt über den Eifer und die Ausdauer, mit denen die Kinder bei der Sache waren. Formale Spracharbeit kann offensichtlich durchaus mit Freude und Spaß verbunden sein, wenn sie Erfolg vermittelt.

Legende:

< >	i - Fibel	*i* - Kinder	ö - Töne	*ö* - Köln
für geschriebene Wörter	ü - Bücher	*ü* -Küste	o - Bote	*o* - Posten
[ ]	u - Kuchen	*u* - Hunde	a - Vater	*a* - Kasten
für gesprochene Wörter	e - Hefe	*e* - Hefte	e̲ - Schul̲e̲	e̲r̲ - Roll̲e̲r̲

Literatur:

Dittrich, E. / Radtke, F.-O. (Hrsg.) (1990): Ethnizität, Wissenschaft und Minderheiten. Westdeutscher Verlag: Opladen.

Ehlich, K. (1994): Deutsch als Fremdsprache – Profilstrukturen einer neuen Disziplin. In: Info DaF, 3–24.

Eisenberg, P. u. a. (Hrsg.) (1992): Silbenphonologie des Deutschen. Niemeyer: Tübingen.

Eisenberg, P. (1995): Der Laut und die Lautstruktur des Wortes. In: Duden – Die Grammatik. Mannheim.

Maas, U. (1994): Abriß einer funktionalen Phonetik (Phonologie) des Deutschen, Universität Osnabrück.

Maas, U. (1992): Grundzüge der deutschen Orthographie. Niemeyer: Tübingen.

Oomen-Welke, I. (Hrsg.) (1994): Brückenschlag. Klett: Stuttgart.

Zawadska, E. (1986): Psycholinguistische Probleme der Selbstkontrolle in der Fremdsprache. In: Zielsprache Deutsch, 24–32.

AutorInnen

Balhorn, Heiko, FB Erziehungswissenschaft, Universität Hamburg,
Unnastr. 19, D–20253 Hamburg

Bamberger Richard, Institut für Schulbuchforschung,
Strozzigasse 2, A–1080 Wien

Berkemeier, Angelika, Engelbertstr. 4, D–44379 Dortmund

Bertschi-Kaufmann, Andrea, Höhere Pädagogische Lehranstalt Zofingen,
Titlisstr. 28, CH–4313 Möhlin

Börner, Anne, Haspelstr. 23, D–35037 Marburg

Brügelmann, Hans, Universität-Gesamthochschule Siegen,
Beim Rumpsmoore 35, D–28844 Weyhe-Leeste

Büchner, Inge, Institut für Lehrerbildung,
Jean-Paul-Weg 32, D–22303 Hamburg

Dreßler, Wilhelm, FB Erziehungswissenschaft, Universität Hamburg,
Alsterdorfer Str. 107, D–22299 Hamburg

Eriksson, Birgit, Seminar für Pädagogische Grundausbildung,
Rämistr. 58, CH–8032 Zürich

Feneberg, Sabine, Edelweißweg 41, D–87439 Kempten

Fuchs, Peter, Kantstr. 1, D–76448 Durmersheim

Gibson, Howard, 5 St. Margaret's Villas,
Bradford-On-Avon, Wilttshire, BA 15 1DU, England

Günther, Hartmut, Universität Köln, Gronewaldstr. 2, D–50931 Köln

Hanke, Petra, Universität Köln, Am Schulberg 13a, D–50858 Köln

Holle, Karl, Universität Lüneburg,
Eugen-Naumann-Str. 10, D–21391 Reppenstedt

Jaumann-Graumann, Olga, Universität München,
Deciusstr. 41, D–33611 Bielefeld

Juna, Johanna, Pädagogisches Institut Wien, Burggasse 14–16, A–1040 Wien

Köhn, Wiebke, Studienseminar Hamburg,
Schenefelder Landstr. 104, D–22589 Hamburg

Karagiannakis, Evangela, Pädagogische Hochschule, Kunzenweg 21,
D–79117 Freiburg

Kroner, Meinolf, Universität Hamburg, Stufkamp 4, D–22081 Hamburg

Krotky, Alice, Internationales Institut für Jugendliteratur und Jugendforschung,
Mayerhofgasse 6, A–1041 Wien

Külper, Ute, Universität Hamburg, Benittstr. 22, D–21129 Hamburg

Mai, Norbert, Klinikum Großhadern, Neurologie,
Marchioninistr. 15, D–81377 München

Marquardt, Christian, Klinikum Großhadern, Neurologie,
Marchioninistr. 15, D–81377 München

Matras, Yaron, Department of Linguistics, University of Manchester,
Manchester M 13 9 pL, England

Naumann, Carl Ludwig, FB Erziehungswissenschaften, Universität H.,
Meranerstr. 4, D–30519 Hannover

Neumann, Ulla, FB Erziehungswissenschaft, Universität Hamburg,
Ludolfstr. 60, D–20249 Hamburg

Niemann, Heide, Niedersächsisches Landesinstitut für Lehrerfortbildung,
Auf dem Amtshof 29, D–30938 Burgwedel

Oomen-Welke, Ingelore, Pädagogische Hochschule Freiburg,
Fillibachstr. 16, D–79104 Freiburg

Quenzel, Irmina, Klinikum Großhadern, Neurologie,
Marchioninistr. 15, D–81377 München

Röber-Siekmeier, Christa, Katharinenstr. 53, D–49078 Osnabrück

Scheerer-Neumann, Gerheid, Universität Potsdam,
Am Gottesberg 59, D–33619 Bielefeld

Schön, Erich, Fachgruppe Literaturwissenschaft, Universität Konstanz,
Jacob-Burckhardt-Str. 26, 78464 Konstanz

Stuewer, Michael, Overn Barg 45, D–22337 Hamburg

Will, Gabriele, Universität Hamburg, Midestieg 6, D–22307 Hamburg

Vom Alfabet auf Schmetterlingsflügeln ...

... zu den Büchern im Zickzackflug
der Libelle

»Haltbar bis ins nächste Jahrtausend...«
... unsere »Best-of-Bücher« aus den Jahrbüchern 1–5

Hans Brügelmann / Heiko Balhorn (Hrsg.)
Schriftwelten im Klassenzimmer
Ideen und Erfahrungen aus der Praxis
256 S., kt., ill., mit mehr als 120 Abbildungen, 3-909081-15-0

Heiko Balhorn / Hans Brügelmann (Hrsg.)
Rätsel des Schriftspracherwerbs
Neue Sichtweisen aus der Forschung
272 S., kt., ill., mit zahlreichen Abbildungen, 3-909081-23-1

»›Spracherfahrungsansatz‹ ist die etwas umständliche Bezeichnung für einen wissenschaftlichen wie praktischen Zugriff auf einen Deutschunterricht, der ›von den Kindern und Jugendlichen ausgeht‹ von ihren Erfahrungen, ihrer Sprache und ihren Texten. In den 80er Jahren begannen die Wegbereiter dieses Ansatzes, Hans Brügelmann und Heiko Balhorn, die Herausgabe ihrer Jahrbücher ›lesen und schreiben‹ im kleinen (aber feinen) Libelle Verlag. Die wichtigsten und meistzitierten Beiträge haben sie jetzt in zwei kompakten Sammelbänden zusammengefasst: ›Haltbar bis ins nächste Jahrtausend‹... ›Schriftwelten im Klassenzimmer‹ enthält Beiträge, die aus dem Unterricht entstanden oder unmittelbar auf unterrichtspraktische Probleme bezogen sind, ›Rätsel des Schriftspracherwerbs‹ enthält spannende, lesbar geschriebene Sichtweisen und Resultate aus der Forschung... Die beiden Sammelbände sind ein vorzüglicher Einstieg in bzw. Anschluß an die laufende Diskussion, sie machen Mut und Lust auf eigene praktische Versuche.«
Ulrich Hecker in der Deutschen Lehrerzeitung

Brügelmann / Balhorn / Füssenich (Hrsg.)
Am Rande der Schrift
Zwischen Sprachenvielfalt und Analphabetismus

392 S., kt., ill., 3-909081-70-3 • Das 6. Jahrbuch »lesen und schreiben« in Zusammenarbeit mit der Deutschen Gesellschaft Lesen und Schreiben (DGLS)

Hans Brügelmann
Kinder auf dem Weg zur Schrift
Eine Fibel für Lehrer und Laien

5. Auflage, 280 S., kt., ill., 3-909081-36-3 • »Es erspart die Lektüre einer kleinen Bibliothek. Vor allem, es ist aufregend zu lesen...« *Hartmut von Hentig*
»Das Buch ist ein Glücksfall.« *Jörg Ramseger, DIE ZEIT*

Hans Brügelmann / Sigrun Richter (Hrsg.)
Wie wir recht schreiben lernen
10 Jahre Kinder auf dem Weg zur Schrift

2. Aufl., 304 S., kt., ill., 3-909081-64-9 • Vom Start weg ein Erfolg: Die lesbare und kompetente Zusammenschau derzeitiger Erkenntnisse aus der Rechtschreibdidaktik. »Ein Buch ›für alle Fälle‹ mit Anregungen für die Gestaltung des Unterrichts und das Nachdenken darüber, auch für den Disput mit Eltern... Hartmut von Hentigs Lob für jene erste Veröffentlichung (Kinder auf dem Weg zur Schrift [s. o.], die Setzerin) gilt auch für dieses Buch...« *Hartmut Küttel, Deutschunterricht, Berlin*

Ermutigungen für die Welt der Schrift

Heide Bambach
Ermutigungen. Nicht Zensuren.
Ein Plädoyer in Beispielen

2. Auflage, 260 S., schöne Klappenbroschur mit ermutigend blauen Innenklappen 3-909081-68-1 • »Seit Makarenko und Maria Montessori, seit Janusz Korczak und Helen Pankhurst hat es das nicht mehr gegeben – Schulreports so voller Zärtlichkeit und Präzision, voller Ermutigung und liebevoller Kritik, voller persönlicher Zuwendung und objektiver Erkenntnisse. Deshalb wage ich die Prognose: Diese Kinderportraits werden ganze Bibliotheken schwadronierender Fachliteratur ›überleben‹ und eines Tages zu den Klassikern pädagogischer Texte gezählt werden.« *Rainer Winkel, Die Zeit*

Heide Bambach
Erfundene Geschichten erzählen es richtig
Lesen und Leben in der Schule

2. Auflage, 296 S., kt., ISBN 3-909081-65-7 mit einem Vorwort von Hans Brügelmann, lebenden Kolumnentiteln, Faksimiles von Krakeleien und fast 40 von Kindern ersonnenen, erzählten und aufgeschriebenen Geschichten. • »Welch ein Reichtum an pädagogischer Anschauung und Einsicht, an Beispielen von Kinderklugheit und Kinderausdauer, von Lernlust und Lernlist! – reflektiert durch eine Frau, die selber mit spürbarer Freude lernt und darüber jede Lehrerangst abgeworfen hat, auch die vor den Schreibritualen der wissenschaftlichen Pädagogik… Das ist pädagogisches Urgestein.« *Hartmut von Hentig*

In Geschichten verstrickt

Katrin Seebacher
M o r g e n   o d e r   A b e n d
*Roman. 316 S., fest gebunden in sommerrotes Leinen
mit einem Umschlagbild von Matthias Holländer. 3-909081-76-2*
»Zwischen Traumbild, Wahn und Realität wandelt dieser Roman, dessen erzählerischer Kraft man sich kaum entziehen kann. Katrin Seebacher baut eine Spannung auf, die das Ende ungeduldig erwarten läßt.« *Christoph Post, Listen*
»Katrin Seebacher hat ein großartiges Buch geschrieben.« *Anne Overlack, »Stuttgarter Zeitung«*

Yasmina Reza
»KUNST«
*Komödie für drei Schauspieler, aus dem Französischen von Eugen Helmlé
72 S., büttenkartoniert, mit aufdämmernder Titelei. 3-909081-77-0*
»Yasmina Rezas Stücke erzählen von den Komödien des Verstands und der Politik der Gefühle in jener nicht endenden Reise von Menschen aufeinander zu, aneinander vorbei.« *Peter von Becker, »theater heute«*

Jacob Picard
Werke in einem Band
*616 S., schöner Leinenband, mit einem Umschlagbild
von Bruno Epple. 3-909081-48-7*
Die gesammelten Erzählungen aus dem alemannischen Landjudentum und der Emigration, autobiographische Texte, Gedichte und Literatur-Essays. Jacob Picard (1883–1967), aus Wangen am Untersee. Herausgegeben und mit einem biographischen Nachwort versehen von Manfred Bosch.
»Picards Erzählungen seien empfohlen nicht nur als literarisches Buch, sondern auch um ihrer menschlichen Wärme und Tiefe wegen.« *Hermann Hesse, NZZ*

Arno Borst
Ritte über den Bodensee
Rückblick auf mittelalterliche Bewegungen
*Aufsätze und Essays des großen Mediävisten über das Mittelalter am Bodensee.
432 S., schön gebunden. 3-909081-52-5*

Manfred Bosch
Bohème am Bodensee
Literarisches Leben am Bodensee von 1900 bis 1950
*630 S. in großem Format, schöner Leinenband, mit 600 Abbildungen,
Personen- und Ortsregister. 3-909081-75-4*
Der Bodensee als Hintergrund literarischer Lebensläufe und Werke: eine Kulturgeschichte besonderer Art in mehr als 75 Kapiteln.

Bücher für die Welt im Kopf

Fritz Mühlenweg
In geheimer Mission durch die Wüste Gobi
*Der Roman für die ersten zehn Lesealter. 780 S., roter Leinenband mit
Glückszeichen, Nachwort von Ekkehard Faude. 3-909081-58-4*

»Ein deutscher Vorläufer der Reisenden Chatwin und Theroux. Sein erzählerischer
Gleichmut schafft ein Fluidum, das erinnert an die Romane von Melville und die
frühen Stummfilme von Griffith, an Lévi-Strauss und Michel Serres.« *Fritz
Göttler, Süddeutsche Zeitung*

Fritz Mühlenweg
Fremde auf dem Pfad der Nachdenklichkeit
*Der Kundschafter-Roman. 304 S., ill., fest gebunden. Mit einem Nachwort
von Gisbert Haefs. 3-909081-53-3*

»Das ist fesselnd genug, aber daß Mühlenweg zu dem ›menschlichen und literarischen Glücksfall‹ geworden ist, das liegt an seinem spezifischen Blick auf das
Fremde und vor allem an seinem liebevollen, sprachlichen Witz, der die Lektüre
zu einem reinen Vergnügen macht.« *Irmgard Hölscher, Listen*

Fritz Mühlenweg
Tausendjähriger Bambus
*Nachdichtungen aus dem Schi-King. 104 S., geb., fadengeheftet,
Nachwort von Ekkehard Faude. 3-909081-67-3*

»Und immer wieder hat der Übersetzer das Wunder vollbracht, daß in leichten und
doch nie aufdringlichen Reimen in einer selbstverständlichen und doch erfüllten
Sprache vollendete deutsche Gedichte entstanden sind.« *Bruno Snell, DIE ZEIT*

Ernst Peter Fischer
Die aufschimmernde Nachtseite der Wissenschaft
Träume, Offenbarungen und neurotische Mißverständnisse in der
Geschichte naturwissenschaftlicher Entdeckungen.
libelle : essai, 128 S., kt., 3-909081-71-1

Ernst Peter Fischer
Der Einzelne und sein Genom
Die Expedition ans Ende der Anatomie – libelle : essai, 128 S., kt., 3-909081-61-4

Ernst Peter Fischer
Die Welt im Kopf
*Vorwort von Dieter E. Zimmer, mancherlei Abbildungen
186 S., kt., 3-922305-11-3*

»Nur ganz selten findet sich jemand, der den erforderlichen Sachverstand mit einer
leichten Feder zu vereinigen vermag. Ernst Peter Fischer, Physiker und Biologe,
ist ein solcher Autor, und *Die Welt im Kopf* ist das Ergebnis dieser glücklichen
Kombination.« *Gerhard Vollmer, Naturwissenschaftliche Rundschau*

Berichte aus dem Projekt OASE

Das Projekt OASE (»Offene Arbeits- und Sozialformen entwickeln«) wird seit 1995 finanziell bzw. personell unterstützt
* vom Friedrich-Verlag, Seelze
* vom Ministerium für Schule und Weiterbildung NW, Düsseldorf
* vom Rektorat der Universität-Gesamthochschule, Siegen
* durch Einzelspenden von MitarbeiterInnen und anderen NutzerInnen des Projekts OASE.

In unsere Werkstattreihe nehmen wir Berichte aus den verschiedenen OASE-Teilprojekten sowie von KollegInnen auf, die an ähnlichen Problemen oder direkt mit uns zusammenarbeiten.

Bisher erschienene bzw. geplante Berichte:

1 *Brügelmann, H./Brügelmann, K.* (Juli 1995): Kann man »offenen Unterricht« beurteilen? [abgedruckt in: GRUNDSCHULZEITSCHRIFT, 9. Jg., H. 87, 36–39]

(8 S. / 3 DM; vergriffen)

2 *Peschel, F.* (März 1996): Offener Unterricht am Ende – oder erst am Anfang? Eine kritische Auseinandersetzung mit Formen offenen Unterrichts und ihrer gängigen Umsetzung in der Schule. 50 S. / 8 DM

3 *Brügelmann, H.* (April 1996): »Öffnung des Unterrichts« – aus der Sicht von LehrerInnen. Zwischenbericht aus empirischen Erhebungen. 15 S. / 4 DM

4 *Brügelmann, H.* (Mai 1996): Noch einmal: Was heißt »Öffnung des Unterrichts«, und welcher Strukturen bedarf Offenheit? 35 S. / 6 DM

5 *Mühlhausen, U.* (Mai 1996): Die Überraschung alltägliches Phänomen im Unterricht und vernachlässigter Aspekt in der Unterrichtstheorie. 23 S. / 5 DM

6 *Brügelmann, H.* (Mai 1996): Modéles empiristes, constructivistes ou interactionnistes de l'acquisition du language écrit. [frz. Zusammenfassung verschiedener Elemente aus früheren Publikationen] 18 S. / 4 DM

7 *Brügelmann, H.* (Mai 1996): Kinder erfinden Sprache, Schrift und Mathematik. 11 S. / 3 DM

8 *Reichen, J.* (Juni 1996): Lesen durch Schreiben. »Entstehungsgeschichte« der Methode. 17 S. / 4 DM

9 *Brügelmann, H.* (in Vorb.): Fördern durch Fordern Ein Modellversuch regionaler Schulreform. ca. 25 S. / 5 DM

10 *Brügelmann, H.* (in Vorb.): Ergebnisse und Probleme empirischer Forschung
zum Offenen Unterricht.   ca. 25 S. / 5 DM

12 *Vach, K.* (Juni 1996): Jenaplan heute – Anfangsunterricht in der Peter-Petersen-
Schule Mülheimer Freiheit.   18 S. / 4 DM

13 *Franzkowiak, T., u. a.* (inVorb.): BLISS im Kindergarten – eine konventionalisierte
Begriffsschrift als Brücke zwischen gegenständlichem Malen und der
alfabetischen Schrift.   ca. 35 S. / 6 DM

14 *Brügelmann, H.* (August 1996; inVorb.): ElternSchule an der Uni – Idee, Programm,
Erfahrungen. Eine Zwischenbilanz.   ca. 20 S. / 4 DM

15 *Brinkmann, E.* (Juli 1996): Von Champignons zu Schäfchen:Lisas Weg zur
Schrift. Mikroanalysen der Rechtschreibentwicklung.   78 S. / 8 DM

16 *Bohnenkamp, A.* (in Vorb.): Vorschulkinder am Computer – Lernen ohne
Instruktion. [Arbeitstitel]

17 *Louvet, E./Prêteur, Y.* (Juni 1996): Familiäres Milieu und Schriftspracherwerb
bei Erstklässlern: eine deutsch-französische Vergleichsstudie   20 S. / 4 DM

18 *Niemann, H. (Juli 1996):* Mit Kindern lesen. Vortrag in der »ElternSchule
an der Uni«.   16 S. / 4 DM

19 *Seitz, R.* (in Vorb.): Wie Kinder zeichnen und malen. Vortrag in der   »ElternSchule an der Uni«.   ca. 20 S. / 4 DM

20 *Möller, K.* (in Vorb.): Die Welt der Technik im Kopf der Kinder. Vortrag in der
»ElternSchule an der Uni«.   ca. 20 S. / 4 DM

21 *Beck, G.* (in Vorb.): Kinder lernen von- und miteinander. Vortrag in der
»ElternSchule an der Uni«.   ca. 20 S. / 4 DM

Die Schutzgebühr deckt die Herstellungs- und Versandkosten ab (als Briefmarken oder Scheck
erbeten).

=> Bei Direktabnahme oder bei Bestellung mehrerer Berichte können Sie pro Bericht 2 DM
(für Versandkosten) abziehen.

*Anschrift: Petra Ulmer, OASE, FB 2 der Universität, PF 10 12 40, D-57068 Siegen
Fax 02 71 / 740 2509, Tel 740 42 72).*

Dieses 7. Jahrbuch »lesen und schreiben«
enthält Beiträge, die Heiko Balhorn und Heide Niemann aus den mehrsprachigen Ländern
Deutschland, Schweiz und Österreich zusammengetragen haben
(alle Mitglieder der Deutschen Gesellschaft für Lesen und Schreiben – DGLS –
erhalten diesen Band übrigens wieder als Jahresgabe...).

Die Auswahl entstand in jener wildbewegten Zeit, als sich sogar Feuilletonredakteure
mit der Verschriftung so bedeutsamer Wörter wie
»Tolpatsch« und »Bouclée«, »Gäms« oder »Stängel«
auseinandersetzten.
Die Auswirkungen der
– während der Produktionszeit dieses Bandes proklamierten –
Rechtschreibreform sind nicht nur in einzelnen Beiträgen nachweisbar,
sondern haben auch die Korrektur- und Layoutarbeiten am Bildschirm aufgelockert,
im Rhythmus des beliebten Pausenplatzspiels
(ein-Feld-vorrücken-zwei-Felder-zurückstecken).
Weiterhin gilt: lasst viele Blumen blühen.

Liebhaberinnen und Fans der Textgattung »Libelle : Impressum«
sollten weiter vorn die Seite 3 nicht auslassen.

Freimut Wössners angespitzte Beobachtungen der Lehr- und Lernwelt
hat auch diesem Band wieder zu kontrapunktischen Illustrationen verholfen
(S. 28, 42, 59, 63, 85, 93, 131 und 268).
Das Eingangsbild (S. 19) zum Thema »offener Unterricht« stammt
übrigens seit 1983
von Klaus Pitter.

Gedruckt und gebunden bei: Freiburger Graphische Betriebe.
ISBN 3-909081-14-2

1 2 3 4 / 2000 99 98 97